23,00 - 10% = 20,50

AF175132

ediciones**carena**

Primera edición: febrero de 2014

© Miquel González Quintana
© Ediciones Carena
c/ Alpens, 8
08014 Barcelona
Tel. 934 310 283
www.edicionescarena.com
info@edicionescarena.com

Diseño cubierta: Ricard Sans
Maquetación: Génesis Yeje Minaya
Corrección: Begoña Eladi
Depósito legal: B. 29085-2013
ISBN: 978-84-15681-94-6

UN PAÍS SIN MANUAL DE INSTRUCCIONES

EL PORQUÉ DE NUESTRA COMPLEJA CONVIVENCIA

MIQUEL GONZÁLEZ QUINTANA

Para mis hijos, Xavier y Marta,
que son el Sol y la Luna de mi firmamento.

Para mi esposa, Dolors,
que es mi universo completo.

ÍNDICE

PRÓLOGO

Desde que conocí al Dr. Miquel González Quintana, hace ya una veintena de años, le he visto como un ciudadano comprometido. De forma singular, pero comprometido en mejorar aquello que le rodea, con la finalidad de beneficiar a los presentes, pero, sobre todo, a los que vendrán después.

La lectura de este libro no deja indiferente. Hay algunas cosas no compartidas, pero sí me estimulan, para el debate sano de la contraposición de ideas y planteamientos. Por eso acepté prologarlo.

Trata de cómo somos, describe cómo ve nuestra manera de ser, nuestros comportamientos y cómo entendemos el mundo.

Defiende la cultura del esfuerzo y su reconocimiento, así como una disciplina esmerada.

Aborda la descripción de un sistema electoral al tiempo que hace propuestas siempre con el denominador común de la meritocracia, igual que cuando se refiere al poder, al trabajo y a la empresa.

Está lleno de citas y ejemplos, que dan fe de su eclecticismo.

Repasa ciencia, justicia, enseñanza y educación, para convergir en las corrientes de opinión y en la impotencia para resolver algunos problemas, como el de la violencia doméstica.

En el capítulo destinado a la sanidad destila su profundo conocimiento de la política sanitaria, y se posiciona frente a los cambios de paradigma que ya son una realidad.

Después de denunciar en todo el libro la falta de manual de instrucciones, se atreve a enumerar los elementos que tener en cuenta para hacer un buen manual de instrucciones, eufemismo de hoja de ruta.

Amigo lector, estamos ante un libro hecho como él defiende, con esfuerzo y tenacidad; sin pretender dejar contentos a unos ni a otros, si no, no sería su autor el Dr. Miquel González.

Y es bien cierto, como él mismo escribe en la introducción, que lo ha escrito con amor y pasión, y así yo también recomiendo que sea leído.

Dr. Boi Ruiz i Garcia
Conseller de Salut de la Generalitat de Catalunya

INTRODUCCIÓN

Los padres, para ser felices, tienen que dar.
Dar siempre, eso es lo que hace un padre.

Honoré de Balzac

¿POR QUÉ UN LIBRO?

Queridos lectores este libro fue concebido para mis hijos. Tuve la necesidad de escribirlo porque tanto su madre como yo pensamos que los padres somos responsables de la formación de los hijos, una responsabilidad que podemos delegar parcialmente en la escuela, pero nunca eludir, ya que la obligación se adquiere en el momento en que se decide traerlos al mundo. A lo largo de los años les hemos enseñado algunas cosas, siempre menos de las que hubiéramos deseado, pero afortunadamente supimos inculcarles la necesidad de tener una buena educación, así como el amor por la lectura, y ahora vemos con orgullo los resultados, reflejados en una formación sólida y en como se han convertido en personas responsables y respetuosas. Tanto su madre como yo estamos satisfechos con la tarea realizada y con su respuesta, pero pensamos que todavía hay mucho más que quisiéramos enseñarles, ya que, como siempre les hemos insistido, el proceso de formación no acaba nunca. Nuestro dilema era que, ahora que entran de lleno en el mundo de los adultos y tienen la capacidad de comprender lo que los niños no entenderían, ya no están dispuestos a escuchar las historias de viejos de sus padres. No los critico por ello, sé que es un proceso normal y lo que de verdad me preocuparía sería lo contrario. Pero como padres, que pensamos que el trabajo aún no ha acabado, es un reto seguir explicándoles aquello que nos parece importante, lo que ocurre es que estamos en una nueva etapa que requiere una adaptación, lo mismo que hicimos tantas veces en el pasado para transmitirles los conocimientos adecuados a cada edad, así que ahora lo haremos a través de un libro.

Una invitación a la reflexión

Un advertencia antes de empezar: este es un libro para reflexionar, que es lo que siempre nos ha interesado en casa, no para inculcarle a nadie mis ideas, por eso cuando se cuestionan aspectos como el calentamiento global del planeta, la Ley de Violencia de Género, el papel del sistema sanitario para mejorar la salud o cómo somos los españoles, no es con ánimo de establecer dogmas, sino todo lo contrario, es para que pensemos en que las versiones oficiales y los pensamientos únicos, ni tienen todas las respuestas, ni es aconsejable seguirlas al pie de la letra, a veces no son ni siquiera razonables, por más que los medios de comunicación, los políticos y los grupos de presión insistan en lo contrario. En este sentido tengo que confesar que el libro es poco políticamente correcto, ya que lo que me interesa es provocar la duda, no secundar ninguna ortodoxia preestablecida, ni respetar la tiranía del pensamiento único.

Soy consciente de ir contra corriente porque hoy hasta el sistema educativo, incluida la universidad, se dedica a transmitir contenidos (ni siquiera conocimientos) sin discutirlos ni evaluarlos. Es un sistema didáctico unidireccional, que evita el desarrollo de actitudes críticas, por eso los métodos que emplean son: el de "la esponja"; es decir, llenarlo todo con grandes cantidades de información, que posteriormente serán regurgitadas por los alumnos, aunque todavía no las hayan digerido; el método de "mira cómo lo hago yo", que únicamente necesita una mínima habilidad para imitar, pero que deja a todo el mundo satisfecho; y el método del "salto al vacío" en el que, sin entender cómo se hace algo, se considera que cuando nos veamos forzados a hacerlo ya nos las arreglaremos. Pero, por encima de esta realidad académica, habría que tener presente que el objetivo más importante de la formación es facilitar el aprendizaje para la evaluación crítica, principalmente en una época como esta en la que todos los conocimientos son provisionales y habrán cambiado en pocos años.

Debemos exigirnos más y no caer en la complacencia del pensamiento fácil, ni creernos las cosas por el mero hecho de que todo el mundo las crea o porque salen en la televisión o en los medios de comunicación. El consejo no es fácil de seguir, ya que toda formación busca puntos de referencia, bien sea en los amigos, en la opinión de una autoridad en la materia, en lo que dicen los medios de comunicación, etc., no en vano el respeto a la autoridad (entendida como un mayor conocimiento o información) es la base de la educación, pues los estudiantes creen que los profesores tienen la "verdad" y se la transmiten a ellos. Pero incluso las fuentes más solventes y autorizadas del establishment se equivocan con frecuencia o pueden quedar desfasadas si no tienen una mentalidad abierta a las novedades. La historia está llena de ejemplos, muchos con consecuencias dramáticas, y en el libro se comentarán algunos, pero entre los que considero más significativos habría casos como el de William Harvey (1578-1657), que se puso en contra a toda la clase médica al defender que la sangre circulaba por arterias y venas impulsada por el corazón; o bien Philippe Ignace Semmelweiss (1818-1865), destituido de su cargo en el hospital de Viena por pedirles a los médicos que se lavaran las manos, ya que la mortalidad de la sala de parteras atendida por ellos era varias veces superior a la de la sala atendida por comadronas que sí tenían esta costumbre; o el más trágico, Galileo (1564-1642) que demostró que la Tierra giraba alrededor del Sol, poniéndose en contra ni más ni menos que a toda la Iglesia católica, que tardó más de 400 años en perdonarle del pecado de tener razón. Y no pensemos que se trata de historias antiguas y que ahora ya no pasan, todo lo contrario, siguen ocurriendo; por ejemplo la revista "Nature", siguiendo los criterios de sus consejeros, rechazó publicar los trabajos de tres futuros premios Nobel: Hans Krebs (1900-1981) descubridor del ciclo del ácido cítrico; Harold Urey (1893-1981) pionero en los trabajos con isótopos radioactivos y del ciclo del hidrógeno pesado; y Enrico Fermi (1901-1954) con la desintegración de las partículas beta. Por su parte, la revista "Science", tampoco quiso publicar los trabajos de Rosalyn Yalow (1921-2011) sobre los principios del radioinmunoanálisis que hoy se emplea en todos los hospitales del mundo y por el que también recibió el Premio Nobel de Medicina en 1977.

Desconfiar de la autoridad no supone negar su utilidad, de la misma manera que cuestionar las cosas no implica caer en la anarquía. Naturalmente que hay que respetar el conocimiento y la autoridad, pero sin ningún tipo de dogmatismo y recordando que la duda es lo que mejor nos ayudará a formarnos. En cierta ocasión Thomas Jefferson (1743-1836), uno de los padres fundadores de los Estados Unidos, y tercer presidente de aquel país, le dijo a un joven médico: *su razonamiento se fortalecerá si, a partir de su credulidad juvenil, es capaz de mantener una postura de prudente incredulidad respecto a la autoridad de sus maestros y el encanto engañoso de sus teorías.* Una manera de valorar la confianza que podemos tener en las autoridades es viendo cómo responden a la pregunta *¿Qué evidencias tienen de lo que afirman?* La duda la debemos tener siempre, ya que, según el filósofo Francis Bacon (1561-1626), cuanto más inteligentes sean las autoridades, más estúpidas serán algunas de sus reivindicaciones, porque cuando un hombre de estas características se equivoca, su capacidad y diligencia superiores le harán caer cada vez en mayores errores. Un ejemplo es la aceptación de las "pruebas" sobre el cumplimiento de las profecías del Apocalipsis que Isaac Newton (1642-1727), ni más ni menos, hizo en su libro *"Observaciones sobre las profecías de Daniel y el Apocalipsis de San Juan"*, publicado seis años después de su muerte.

Y sobre todo desconfiemos de los apóstoles del pesimismo, que siempre lo ven todo negativo, los que aseguran que todo está mal e insisten en que al ritmo que lleva el mundo no tardará en acabarse, los que insinúan que el planeta se achicharrará como un pollo asado por el calentamiento global, o creen que los jóvenes de ahora son el peor desastre de la historia porque le han perdido el respeto a todo y a todos. En las inscripciones de unas tablillas asirias, hacia el año 2800 a. de JC, se puede leer el siguiente texto: *en estos últimos tiempos, nuestra tierra está degenerando. Hay señales de que el mundo está llegando rápidamente a su fin. El soborno y la corrupción son comunes.* Más de dos mil años después, pero hace ya 2400 años, Sócrates decía: *los hijos son ahora tiranos; ya no se ponen de pie cuando entra un anciano en la habitación; contradicen a sus padres, charlan delante de las visitas, tragan golosinas en la mesa, cruzan las piernas y tiranizan a sus maestros.* Y Platón reafirmaba la opinión de su maestro: *¿qué está pasando con nuestros jóvenes? Faltan el respeto a los mayores, desobedecen a sus padres y desprecian la ley. Se rebelan en las calles inflamados de ideas disparatadas. Su moral está decayendo. ¿Qué será de ellos?* Parece que algunas cosas no han cambiado tanto como imaginábamos.

La información siempre es parcial

Dudar es importante, ya que la información siempre es dinámica y parcial, y todavía lo será más en el futuro a medida que los cambios se vayan acelerando. Por eso, hay que buscar diversas fuentes de información, analizarlas, contrastarlas y finalmente hacerse una composición propia de la situación, que inevitablemente será una mezcla de todas ellas, ya que lo más probable es que cada una proporcione parte de la realidad de una misma cuestión. Respecto a las características de la información, siempre me ha gustado un viejo cuento sufí (un antiguo pensamiento tradicional islámico) que describe muy bien lo que intento explicar.

En las montañas del Himalaya había un monasterio budista donde todos sus monjes eran ciegos. Un rey se dirigió a aquel lugar sagrado, decidido a pasar unos días de meditación. Fue allí con todo su séquito, transportado por elefantes, pero todos ellos se quedaron en la llanura mientras él tomaba el camino del templo. Los monjes no habían oído hablar nunca de elefantes y como es evidente tampoco habían visto ninguno, así que, cuando les empezó a explicar sobre su tremenda fuerza y las fantásticas proezas que podían realizar, le pidieron a su majestad que les permitiera tocar alguno para hacerse una idea sobre aquellas criaturas extraordinarias. El monarca accedió a su deseo y tres monjes fueron a descubrir cómo eran los elefantes para poder explicarlo después al resto de la comunidad. Los tres religiosos se acercaron con precaución, siguiendo las instrucciones de los cuidadores de los animales, se colocaron frente a uno de los ejemplares más grandes y empezaron a tocarlo. Como no conocían ni la forma ni el aspecto que tenían, creyeron que tocando lo que tenían delante era suficiente para saber cómo eran, así que pronto pidieron volver y poder explicarles a sus compañeros cuán prodigiosos eran aquellos inmensos animales. Al llegar al monasterio hubo un gran revuelo, ya que todos los monjes estaban impacientes por saber qué les contarían, así que hicieron un corro alrededor de los tres privilegiados. Cuando todos estuvieron presentes, el primero empezó a explicarles:

- *El elefante es grande, ancho, rugoso y casi plano, del grosor de una alfombra.*

- *No, no —le interrumpió el segundo—. El elefante no es plano, sino un tubo recto y agujereado, horrible, que no deja de moverse y de resoplar.*

- *Estáis los dos equivocados —dijo el tercero—, el elefante es como un pilar rugoso, pero firme y poderoso.*

Cada uno de ellos había palpado una parte de las tantas del animal: el primero la oreja, el segundo la trompa y el tercero una pierna. Con aquella información parcial los tres tenían razón, pero ninguno de ellos había entendido qué era un elefante, ya que ninguno las tenía todas, y eso les hizo llegar a conclusiones equivocadas. Ninguno de los tres actuaba de mala fe, ni quería engañar a sus compañeros, es más, todos tenían razón en sus exposiciones, que eran razonables en función de los datos de que disponían. Unos datos parciales e incompletos les hicieron adoptar tres concepciones equivocadas sobre una misma cuestión. Un completo desastre, ya que no pudieron explicarles a sus compañeros lo que era un elefante, pero además los tres debieron perder mucha credibilidad ante los demás monjes, que posiblemente no les creyeron durante una buena temporada. De ser privilegiados, pasaron a ser unos parias con los que nadie quería sentarse a compartir mesa. De la satisfacción por ser uno de los tres elegidos, a la vergüenza por aquellas explicaciones contradictorias y lamentables. Y todo por no haber dicho nada más que la verdad, "su verdad".

En la vida con frecuencia ocurre lo mismo, ya que todo tiene múltiples facetas, muchas caras que tocar y analizar, como ocurría con el elefante, quizá tantas que nunca las podremos conocer todas, por eso no podemos conformarnos con la escasa información que nos proporcione un solo medio de comunicación, la televisión, la radio o nuestro vecino, porque solo tendremos una parte ínfima de datos y seremos como los monjes ciegos sacando conclusiones equivocadas. Busquemos, comparemos, analicemos, compartamos la información, posiblemente no lograremos encontrar todas las facetas del elefante, pero cuantas más conozcamos, más nos acercaremos a su realidad.

Por eso, este no es un libro de respuestas, sino todo lo contrario. Lo que quisiera es que al acabar de leerlo tuviéramos más preguntas, porque sólo haciendo preguntas ha avanzado la humanidad: un hombre se cuestiona por qué no abrir una ruta comercial a través del mar y descubre un nuevo continente; otro se pregunta por qué las manzanas caen siempre en la misma dirección y descubre los secretos del universo; un tercero duda de que el mejor sistema político sea la tiranía absoluta y crea la democracia; y el cuarto se pregunta por qué las ordeñadoras de vacas no sufren la viruela humana y salva a media la humanidad inventando la vacuna. Por lo tanto, leamos, pensemos, comparemos y saquemos nuestras propias conclusiones.

No es cuestión de ser un Quijote luchando contra molinos de viento, pero nunca en la historia de la humanidad ha sido tan necesario el espíritu crítico como ahora, no porque el mundo sea peor que en el pasado sino porque vivimos una época de derechos y libertades sin precedentes que debemos preservar e incrementar, y la mejor manera de hacerlo es ejercer nuestra responsabilidad a través de la crítica constructiva, denunciando lo que no se hace bien. En este mundo globalizado los individuos gozamos de un poder que no habíamos tenido nunca. Por eso la lucha contra la tiranía provoca la caída de dictadores, como hemos visto recientemente en varios países del norte de África; la presión por la libertad obliga a liberar presos políticos en Cuba; la lucha contra la prepotencia y la mentira en política echó de la presidencia de los Estados Unidos a Richard Nixon cuando era el hombre más poderoso de la Tierra; y en España el PP perdió las elecciones en 2004 por la mala gestión de la información por el atentado del 14-M.

¿POR QUÉ ESTE TÍTULO?

El título del libro, *Un país sin manual de instrucciones*, me vino a la cabeza por un ejemplo que comenta Leopoldo Abadía en su primer libro "La crisis Ninja" cuando habla de la necesidad de tener normas. Dice Abadía que todos los coches llevan un manual de instrucciones, y añade que su coche funciona muy bien y se pone a doscientos kilómetros por hora sin ningún problema. Además, asegura que, como él es libre, cuando va a doscientos por hora, si le da la gana puede poner la marcha atrás y nadie se lo puede impedir. Lo que ocurre es que el manual de instrucciones que el fabricante incluye en el vehículo dice que para poner la marcha atrás el coche tiene que estar parado, y eso no depende de lo que opine el cliente, simplemente es así. A pesar de que se pueda reunir a toda la familia y democráticamente votar lo contrario, si él pone la marcha atrás cuando va a doscientos por hora, inevitablemente estropeará el vehículo.

Al leer aquel párrafo me convencí de que el título no podía ser otro, ya que este refleja fielmente lo que nos ha ocurrido: que no tenemos un manual de instrucciones que indique cómo hacer funcionar el Estado, ni la democracia, ni la economía, ni la sociedad y, en vez de elaborar uno que nos sirva para desarrollar el país, copiando de aquí y de allá fórmulas que han demostrado que funcionan, nos hemos dedicado a experimentar por nuestra cuenta y hemos puesto la marcha atrás, mientras conducíamos a doscientos por hora, cada vez que nos ha parecido, y el resultado es que tenemos el país bastante estropeado, hipotecado y a punto de la bancarrota. De nuestras actuaciones actuales, y sobre todo futuras, dependerá que acabemos de caer o salgamos adelante, pero para mejorarlo nos hace falta lo que deberíamos haber tenido desde el principio: un buen manual de instrucciones que indique cómo manejar todo esto. Creo que la situación puede mejorar, pero el hecho de que nos quieran sacar del agujero los mismos que nos han metido en él, a base de poner la marcha atrás cuando les ha parecido, con independencia de si el coche estaba parado o no, es una contradicción que deberíamos evitar.

ESTRUCTURA DEL LIBRO

El primer capítulo trata de cómo somos, ya que me parece fundamental conocer los ingredientes antes de probar el pastel. No hay duda de que ambas cosas están estrechamente relacionadas. Si el azúcar es bueno y la leche y los huevos son frescos, probablemente el pastel saldrá bien; pero si el azúcar está malo, la leche agria y los huevos pasados, mejor no acercarse al pastel o acabaremos con dolor de barriga. La mayoría de los políticos, economistas, médicos o científicos de este país saldrán de entre sus habitantes y de ningún otro lugar. Cuanto mejor sean esos habitantes, cuanto más formados y educados estén, cuanto más respetuosos y tolerantes sean, mayores posibilidades habrá de tener líderes con esas cualidades que son las que necesitamos para sacar al país adelante con garantías. Ya sé que parece muy simple, y lo es, pero lo olvidamos con demasiada frecuencia.

Tenemos múltiples déficits colectivos que marcan nuestra manera de ser, que limitan nuestra comprensión de la vida, de la política o de la economía, y que nos condicionan a la hora de tomar decisiones para resolver los problemas que sufrimos; por ejemplo, no valoramos el esfuerzo, ni la competencia profesional, por eso no estamos dispuestos a reconocerla, ¡y mucho menos a pagarla como tocaría! De hecho, lo que de verdad nos gusta es la picaresca y no el trabajo, los pillos y no la gente seria, la fiesta y no el estudio, la suerte y no el esfuerzo, por eso nuestros héroes literarios son el Lazarillo de Tormes, el Buscón llamado Don Pablo, Guzmán Alfarache, la pícara Justina, Estabanillo González, Rinconete y Cortadillo, el mismo Don Quijote y un largo etcétera de personajes que malviven de la picaresca, no de trabajar o de esforzarse y que hacen pocas aportaciones a la sociedad. Todo esto, que tenemos tan interiorizado, no tiene nada que ver, por ejemplo, con la saga del rey Arturo y los Caballeros de la Mesa Redonda de los ingleses, que ya denota un incipiente sentido democrático, una cierta ética de la responsabilidad, del esfuerzo y de servicio a los demás. Después nos quejamos de que no tenemos grandes científicos o los mejores se van al extranjero, de que los políticos son corruptos, en el país no se lee o nuestra productividad es baja. Al menos dos normas deberíamos tener presentes a lo largo de nuestra vida: la primera es que inevitablemente para tener una buena cosecha antes hay que labrar el campo, abonarlo y cuidarlo; y la segunda, que no se puede recoger más que lo que se ha sembrado antes. Nosotros lo olvidamos y siempre plantamos cebollas, pero queremos recoger patatas; además, esperamos una gran cosecha sin estar dispuestos a poner ningún esfuerzo. Nuestro drama es no haber entendido que la vida no funciona así (¡afortunadamente, ya que sería terriblemente injusto y antinatural!), porque eso está especificado en el manual de instrucciones, que es precisamente lo que nos falta.

Los tres siguientes capítulos forman un bloque relacionado básicamente con nuestro concepto de la política. El capítulo 2.º trata del sistema electoral, y el 3.º del ejercicio del poder. He empezado por aquí porque creo que es el origen de la mayor parte de nuestros desbarajustes. Continuando con el ejemplo, no solo no tenemos manual de instrucciones sino que parece que hemos puesto al volante a individuos que no saben lo que es un coche, que no tienen carné de conducir y son tan imprudentes e impetuosos que han puesto la marcha atrás siempre que les ha parecido, prescindiendo de si el vehículo estaba parado o iba a doscientos por hora. El caso es que tampoco podemos quejarnos, porque somos nosotros quienes les hemos puesto al frente y, legislatura tras legislatura, vemos cómo van estropeando el país pero, como no somos conscientes de que el vehículo es nuestro y de que acabaremos pagando los destrozos, nunca les enviamos a la autoescuela a que se saquen el carné. Seguro que el manual de instrucciones indica claramente que no se puede conducir sin la documentación en regla.

El capítulo 4.º, que considero de este primer bloque, se halla en realidad entre la política y la empresa y hace referencia a por qué a la gente, a la ciudadanía en general, le gustan tanto los charlatanes y timadores, que no ofrecen nada más que humo, pero por los que podemos llegar a sentir verdadera fascinación. En nuestro ejemplo intentaría dar respuesta a la pregunta de por qué la sociedad elige a gente sin carné de conducir para hacerse cargo del automóvil y por qué, cuando se descubre que no tienen el permiso, no les echan a la calle si es evidente que pueden ser muy peligrosos, no solo para el vehículo, al que acaban destrozando, sino también para quienes les han puesto al volante y para la sociedad.

Los tres siguientes capítulos forman otro bloque que trata de la economía (cap. 5.º), el mundo del trabajo (cap. 6.º) y las causas de la crisis que estamos sufriendo (cap. 7.º). También aquí considero que el problema está en nosotros mismos porque ni creemos en las empresas ni las apoyamos. Lo que nos va es que papá Estado nos lo resuelva todo sin tener que preocuparnos de nada. ¿Hay que hacer un edificio?, que lo haga el Gobierno. ¿Se tienen que prestar unos servicios?, sobre todo que sean públicos. ¿Hay paro?, que la Administración dé trabajo. ¿Se tienen que ganar las elecciones? Pues se hacen unas obras con dinero público, se cortan algunas cintas y listos. Todo ello sin saber lo que cuesta, porque no nos interesa, y sin valorar las consecuencias futuras, porque nos gusta vivir al día con la esperanza de que mañana Dios proveerá. Todo muy sencillo, muy español y castizo, pero poco productivo y menos realista. Conceptos como plan estratégico, misión, visión, objetivos, liderazgo, talento, esfuerzo, satisfacción del cliente, plan de viabilidad, cuenta de explotación, etc., nos suenan tan extraños y nos parecen tan aburridos que pensamos que no vale la pena perder el tiempo con ellos. Puede ser lícito actuar al margen de todo esto, como hemos hecho durante demasiado tiempo, pero es poco coherente hacerlo en esta época y en nuestro entorno, porque quisimos jugar en primera división y ahora nuestros competidores no son las mercerías del barrio, sino los mejores productores del mundo; y nuestro mercado ya no es el municipal del sábado por la mañana, sino todo el planeta. Esto puede ser muy bueno, si tenemos iniciativa y somos competitivos, ya que podemos ganar dinero a espuertas y conseguir una riqueza que nunca habíamos imaginado; pero también puede ser muy negativo, si continuamos con nuestra mentalidad de tercera regional, o sea de poca productividad, de calidad mínima, de poco valor añadido, de matar la iniciativa a base de subvenciones y de *que inventen ellos*. Por si fuera poco, hemos hecho lo peor que se puede hacer en economía: hemos derrochado, hasta hipotecarnos durante más de una generación, los dineros que nuestros socios europeos nos enviaban para modernizar el país; es decir, con recursos que ellos dejaban de invertir en sus naciones para mandárnoslos a nosotros, y en vez de modernizar el país nos hemos comportado como nuevos ricos construyendo infraestructuras de lujo, que no necesitábamos. Como ven, urge tener pronto un manual de instrucciones.

El tercer bloque hace referencia al ámbito social, en el que se tratan aspectos como la ciencia (cap. 8.º), el derecho y la justicia (cap. 9.º), la enseñanza y la educación (cap. 10.º) y dedico el capítulo 11º a las corrientes de opinión, en el que se analizan algunas de las ideas que hoy son políticamente correctas, pero que no resisten una revisión crítica pese a gozar del beneplácito del poder, de los medios de comunicación y de los grupos de presión. Especialmente grave me parece el tema de la Ley de Violencia de Género, que no ha resuelto nada y ha generado infinidad de problemas nuevos, que tarde o temprano habrá que reconducir adecuadamente. Además, me duele terriblemente el sufrimiento de todas las víctimas, muy especialmente las más vulnerables: los niños y ancianos, completamente olvidados por la Ley, porque ni los unos ni los otros votan (los ancianos en riesgo de maltrato, por su dependencia y edad avanzada, no votan). El capítulo 12, último de este bloque, lo dedico a la sanidad, para cuestionar la corriente medicalizadora que sufre la sociedad, impulsada por sanitarios y sobre todo por políticos, siempre dispuestos a ampliar un hospital, olvidándose de la prevención y de la salud pública, que no proporcionan votos inmediatos ni tienen una rentabilidad social hasta pasados los años. También en este ámbito social nos hace falta un buen manual de instrucciones.

El último capítulo (13.º) va solo, como el primero, y en él se analizan una serie de cambios, doce concretamente, que está sufriendo el mundo y que marcan las tendencias hacia donde se encamina el futuro de las sociedades avanzadas. Deberíamos tenerlas en cuenta cuando hagamos el manual de instrucciones de este vehículo, que es nuestro país, para aprovecharnos de ellas y hacer que trabajen a favor nuestro. En caso contrario, podemos quedar desfasados y al margen del progreso sin entender siquiera el porqué. Ya ha ocurrido antes con empresas y productos, que desaparecieron o quedaron mal parados, por falta de flexibilidad frente a los cambios, como IBM con sus ordenadores de quinta generación, Ford con el modelo T, los primeros teléfonos móviles, el télex y tantos otros que quedaron obsoletos en cuanto llegaron productos mejor adaptados a las nuevas realidades. También desaparecieron profesiones enteras que no supieron adaptarse a cambios como los analizados, e incluso sectores económicos importantes como las colonias textiles, en las que vivían miles de personas y que hoy son reliquias, pequeñas ciudades fantasmas, que sirven para filmar películas de época pero no para ganarse la vida. España se incorporó plenamente a Europa en el año 1986. Antes habíamos sido considerados una parte de África, así que haríamos bien preguntándonos dónde queremos estar y, si decidimos que es con nuestros socios europeos, nos toca ponernos las pilas, hacer un buen manual de instrucciones que nos integre mejor al continente y nos permita dejar de ser una carga para ellos.

ANTES DE EMPEZAR

Para acabar esta introducción, sólo añadir que, para inducir a la reflexión he usado anécdotas, ejemplos y cuentos, porque soy un gran defensor de los mismos. En realidad, todos los grandes maestros de la humanidad han enseñado mediante cuentos y parábolas, pero a menudo se nos olvida y nos comportamos como expertos o intelectuales, y entonces no hay quien nos entienda. La estructura del libro, con capítulos independientes, le permitirá al lector leerlos en el orden que desee. Por lo que respecta a mis hijos, podrán alabar o renegar la ocurrencia de su padre, ahora que creían que ya se lo habían quitado de encima; podrán reír o llorar con las historias que explico, pero tanto a ellos como a ustedes, queridos lectores, lo único que les pido es que lo lean como yo lo he escrito, con amor y pasión.

CAP. 1. CÓMO SOMOS SIN MANUAL DE INSTRUCCIONES

¡Ojalá Dios me diera una señal clara!
Como hacer un gran depósito a mi nombre en un banco suizo.

Woody Allen[1]

Creo que esta frase del gran Woody Allen refleja fielmente el carácter español, incluso mejor que aquella otra magnífica de nuestro compatriota Luis Buñuel[2], cuando anunciaba que *gracias a Dios, todavía soy ateo*. Ambas reflejan ambigüedad, doble moral, hipocresía, deseo de conseguir el premio sin esforzarnos y la mentalidad de pensar que el cielo está en deuda con nosotros. Podemos decir que eso mismo ocurre en otros lugares, pero en nuestro caso, sin saber lo que cuestan las cosas, ni estar dispuestos a sacrificarnos, lo queremos todo: jugar en primera división, ganar los partidos y tener el reconocimiento que otorga lograr la liga, pero sin entrenar cada semana un montón de horas para estar en forma, y además despreciamos y nos reímos de quienes se entrenan.

¿Se han preguntado alguna vez por qué nuestra mentalidad del mundo es tan diferente a la de un inglés? ¿Por qué nuestros productos no tienen la misma calidad que los fabricados en Alemania? O, ¿por qué tenemos una idea tan diferente sobre el dinero de la que tiene un norteamericano? Podemos hallar tantas justificaciones

---

1   Woody Allen (1935) escritor norteamericano, director de cine, actor, comediante y músico de jazz.
2   Luís Buñuel (1900-1983) director de cine español.

como queramos de las diferencias: que los ingleses son unos imperialistas, que los alemanes no saben divertirse y solo piensan en trabajar, o que los americanos son unos capitalistas sin escrúpulos; en cambio, nosotros... nosotros somos diferentes. ¡Y tanto que somos diferentes!, sobre todo ahora que nos hemos dado cuenta de que somos pobres, pero en una época también fuimos un imperio, que muchos todavía añoran; además, fuimos primos hermanos de los alemanes, cuando compartíamos gobernantes, a través de los Habsburgo, que aquí se conocieron como la Casa de los Austrias, ¿recuerdan aquello de Carlos I de España y V de Alemania?; y por lo que se refiere al dinero, ¿qué quieren que les diga?, que nos gusta, no admite ninguna duda, pero que no sabemos administrarlo, tampoco, por eso cuando lo tuvimos, en el siglo de oro, hicimos tanta ostentación y lo malgastamos tan de prisa que tenemos el triste honor de ser el primer país en la historia que hizo una suspensión de pagos, pese a los barcos llenos de riquezas que descargaban en la Torre del Oro de Sevilla.

Si compartimos virtudes y defectos parecidos, ¿por qué nos hemos distanciado tanto de esos otros pueblos? ¿Cómo fuimos capaces de descubrir un nuevo continente y conquistarlo, para caer después tan rápidamente en la decadencia? ¿Por qué una nación, que se abrió al mundo de aquella manera, se cerró rápidamente dejando escapar todos los trenes del progreso hasta llegar a ser considerado políticamente una parte de África? ¿Por qué nuestra forma de gobierno ha sido casi siempre caciquil y cainita; es decir, valiente con los débiles del propio país, a base de golpes de estado, represión y fusilamientos; pero incapaces de ocupar un lugar relevante en el mundo o de hacer sentir nuestra voz en el concierto de las naciones? Alguna cosa debe haber en el carácter español que nos hace ser así, pero, ¿qué es? No nos dejemos engañar por aquellos que aseguran que todo es culpa de Franco y de la última dictadura, porque no es cierto, el tema viene de lejos y es consustancial a nuestra manera de ser, como si estuviera en nuestros genes y por eso impregna nuestro talante, pero ¿de qué se trata? Como padre, y responsable de la educación de mis hijos, me veo en la obligación de darles respuestas a estas preguntas, para que estén preparados y sepan cómo somos pero, ¿por dónde empezar? Una cosa es segura: me niego a recurrir a los argumentos de Ortega y Gasset, que se remonta a los reyes godos para justificar el carácter español, creo que tiene que haber algo más cercano que explique cómo somos, ¿pero qué?

UNA LUZ INESPERADA

La idea de por dónde empezar me la dio un viejo libro de sociología, una de esas joyas que nos explican en la escuela, escrita por un autor consagrado, "*La ética protestante y el espíritu del capitalismo*" de Max Weber[3]. No se lo tendré en cuenta si se muestran sorprendidos, porque aparentemente el tema no tiene nada que ver con los españoles, tan católicos, apostólicos y romanos, que nuestra máxima preocupación durante siglos no fue otra que la de echar del país a musulmanes y judíos, y después parar el avance de la Reforma protestante, que es precisamente el objeto de estudio de Weber. Pero en defensa propia les diré que fue el principio del libro el que me llamó la atención, pues el autor empieza con una reflexión interesante: cuando se analizaron a los propietarios de las empresas alemanas, a sus máximos dirigentes y altos cargos que requerían mayor preparación técnica y comercial, encontraron que la mayor parte de ellos eran protestantes y no católicos. ¿Cuál era la causa de esta mayor participación de los protestantes o, si lo prefieren, de la menor implicación de los católicos? Weber apuntaba varias razones.

- La primera era que había una notable diferencia en el tipo de enseñanza que daban a sus hijos los padres católicos y los protestantes. El porcentaje de católicos entre los alumnos de

---

3   Max Weber (1864-1920) fue un sociólogo, economista y político alemán.

los centros superiores técnicos era inferior a su proporción demográfica (una vez corregida por su nivel de riqueza), ya que preferían una formación más humanista y clásica, no tan técnica.

- Otro elemento era que las fábricas buscaban a sus trabajadores entre las filas de los pequeños talleres, donde se formaban profesionalmente. Mientras los católicos preferían seguir en sus oficios hasta llegar al grado de maestro, los protestantes se lanzaban en mayor proporción a la fábrica, en la que escalaban los puestos superiores del proletariado ilustrado y de la burocracia industrial.

- Una observación histórica sugería que, cuando una minoría nacional o religiosa era oprimida y excluida de la vida política, con frecuencia iniciaba una actividad industrial que permitía a sus miembros más destacados satisfacer la ambición que no podían asumir sirviendo al Estado del que habían sido excluidos. Sin embargo, los católicos alemanes no desarrollaron esta actividad y tampoco mostraron un especial crecimiento económico, a diferencia de lo que hicieron los protestantes. Por eso, Weber concluyó que habían sido siempre los protestantes, como opresores o como oprimidos, los que habían mostrado una mayor tendencia al racionalismo económico.

- Por lo que se refiere a los bienes materiales, los católicos educaban a sus hijos en el espíritu de resignación cristiana, y por tanto de indiferencia ante los bienes de este mundo, por lo que parecían más ascéticos, al menos en apariencia. En cambio, los protestantes tendían más a la superación personal y a la consecución de objetivos, por eso parecían más materialistas.

- La Reforma protestante supuso la eliminación del poder eclesiástico sobre la vida cotidiana, negando la necesidad de intermediarios entre Dios y los hombres; es decir, que todo hombre era su propio sacerdote y tenía que reflexionar y hacer autocrítica sobre su relación con Dios. Ello suponía sustituir el poder suave de la Iglesia, en la práctica un poder puramente formal, que castigaba al hereje pero era indulgente con el pecador, a quien siempre se le perdonan los pecados tras la confesión, por otra forma de vida más exigente con la propia conducta, que influiría en todas las esferas de la vida pública y privada, sometiéndolo todo a una regulación minuciosa, especialmente en el caso de los calvinistas y los puritanos.

• El católico en general era más tranquilo, dotado de menos impulso adquisitivo, prefería una vida segura, aunque fuera a cambio de menos ingresos, en lugar de arriesgarse en busca de honores y riquezas. Para decirlo de forma sencilla, entre comer bien o dormir tranquilo: el protestante optaba por comer bien; mientras que el católico prefería dormir tranquilamente.

Según el autor, los católicos alemanes tenían menos interés por la formación técnica; menos iniciativa; menos ambición; se conformaban mejor con su suerte; se resignaban ante la falta de bienes materiales; eran menos autocríticos; se esforzaban menos al tener la tutela de un intermediario que les facilitaba la relación con Dios; lograban el perdón fácil de los pecados propios, pero eran intolerantes con los diferentes, a los que acusaban de herejía; tenían menos impulso adquisitivo; buscaban la seguridad y huían del riesgo. ¿No les parece que cuando Weber describe a los católicos alemanes está hablando también el espíritu español? Para mí fue toda una sorpresa, pero después pensé que tampoco era raro que así fuera, ya que, hasta hace cuatro días en España la religión lo impregnaba todo, el país se consideraba la reserva espiritual de Occidente, las monedas llevaban inscrito el lema *"Caudillo por la gracia de Dios"* y pretendíamos llegar al cielo de una manera bastante curiosa al afirmar que sería *"Por el imperio hacia Dios"*.

Si Weber tenía razón respecto a los católicos alemanes, a pesar de haber convivido durante siglos con los protestantes, ¿qué ocurriría en España, que desde hace cinco siglos nunca hemos tenido otra influencia religiosa que la católica; que siempre ha sido un Estado confesional, hasta las últimas décadas; y donde los más altos dignatarios aspiraban a entrar en las catedrales bajo palio, como si fueran cardenales? ¿No será que el carácter español está también marcado por la influencia de la religión, más concretamente por la forma que tenemos de entenderla; en definitiva, por nuestro fundamentalismo religioso excluyente desde hace siglos? ¿Podría ser eso y no cualquier otra cosa la que explicara cómo somos? No pretendo hacer una crítica de la actuación española ante la Reforma porque nuestro país reaccionó igual que la mayor parte de Europa, con censura y represión, aunque con más virulencia, durante más tiempo y con unas características especiales, ya que la Inquisición española no fue abolida hasta el 1834. La única cosa que me interesa es comparar las dos corrientes ideológicas y la forma de reaccionar ante la Reforma para ver si nos puede mostrar algo sobre nuestro carácter y sobre por qué somos como somos.

LA REFORMA DESDE EL PUNTO DE VISTA RELIGIOSO

Siempre me ha llamado la atención que una nueva manera de entender la religión se convirtiera en una forma de capitalismo sin precedentes. La clave está en que la palabra alemana "profesión" conlleva, en aquella lengua, una cierta obligación de carácter religioso, equivalente a una misión impuesta por Dios, un concepto que se integró en la mentalidad protestante, pero no en la católica, ya que no existía en la versión latina clásica. Aunque la interpretación nacía del traductor y no del espíritu del texto original, se aceptó aquel sentido sagrado del trabajo hasta llegar al concepto ético-religioso de la profesión, como una nueva filosofía de vida adoptada por los protestantes, no en sentido metafórico sino al pie de la letra. Según esta interpretación, la única forma de vida grata a Dios es la dedicada al trabajo como si fuera una actividad ascética, casi monástica. El paso decisivo hacia la mentalidad capitalista lo dieron los calvinistas y puritanos con su *"dogma de la predestinación"*, que suponía la creencia de que Dios había destinado (predestinado) a unos hombres a la gloria celestial, mientras había sentenciado al resto a la condena eterna. Esta decisión había sido tomada incluso antes de la Creación y resultaba imposible de cambiar ni por la fe, ni por las buenas obras, ni por cualquier circunstancia que pudiera controlar el hombre, ya que Dios no había salvado ni a su propio hijo, Jesucristo. Por ello solo quedaba esperar un destino incierto, que era resultado de la sabiduría y soberanía divina, incomprensible para los hombres.

Para unos individuos que solo buscaban la salvación de sus almas, esta situación suponía una terrible incertidumbre y soledad. La única cosa que les quedaba era preguntarse: ¿pertenezco yo al grupo de los elegidos? Y ¿cómo puedo estar seguro? Estas cuestiones dejaban en un segundo término cualquier otra preocupación terrenal. Finalmente, creyeron hallar dos respuestas: la primera era un deber de todo el que quisiera considerarse elegido rechazar cualquier duda sobre el tema, como si fuera una tentación del diablo, porque la falta de seguridad en la salvación era consecuencia de una fe insuficiente; y segunda, como medio para lograr la seguridad se inculcó la necesidad de recurrir al trabajo incesante. La causa era sencilla: se consideró que el estado de gracia se podía vislumbrar comparándose con los elegidos según la Biblia: los patriarcas del Antiguo Testamento, porque solo aquellos escogidos para la vida eterna tuvieron tanta fe y fueron capaces de alabar a Dios a través de sus acciones. De esta manera, el protestante tenía un baremo con el que compararse esperando que, por medio de sus acciones y el servicio a los demás, el poder divino le hiciera sentirse también elegido. La redención solo podía intuirse ejerciendo un rígido control de uno mismo y enfrentándose cada día a la tremenda alternativa: ¿soy uno de los elegidos o uno de los condenados? Por eso, aunque las buenas acciones eran del todo inadecuadas como medio para conseguir la salvación, sí las consideraban indispensables como indicios de que se era uno de los escogidos y constituían un sistema, no para comprobar la salvación, sino para desprenderse de la angustia de la incertidumbre. El Dios calvinista no exigía a sus fieles la realización de buenas obras o servicios puntuales, para contrarrestar cualquier pecado concreto, sino una santidad en tota la vida y actos de la persona, así como trabajo duro y servicio a los demás.

En cambio, los católicos pensaban que la gracia divina se podía recuperar mediante el arrepentimiento real o aparente, asistiendo a misa libremente o bajo amenaza, practicando los sacramentos se creyera o no en ellos y haciendo penitencia voluntaria o forzosa. Esta indulgencia facilitaba la vida de los católicos a los que permitía sobrellevar mejor las debilidades humanas, en las que se podía caer sin demasiado contratiempo espiritual. El sacerdote era un mago con poder para cambiar la condena por la salvación, así que, si se hacía alguna fechoría, siempre se podía acudir a él con humildad y mostrarse arrepentido, fuera cierto o no, para que proporcionase indulgencias y nuevas esperanzas gracias al perdón, renovando la seguridad frente a la terrible angustia del fuego eterno. De esta manera el cristiano vivía "al día" cumpliendo con sus deberes, asistiendo a la iglesia y haciendo buenas obras puntuales para contrarrestar alguna que otra mala acción pasada, pero sin que constituyera una conducta sistemática o racional y todavía menos configurar una forma de vida, sino únicamente para contrarrestar ciertos pecados, sobre todo cuando se acercaba la muerte, como si fuera una especie de seguro para entrar en el cielo.

CONSECUENCIAS DE NUESTRA VISIÓN RELIGIOSA DE LA VIDA

La ética católica se basaba en el balance entre acciones buenas y malas, donde el valor de cada una lo decidía su intención concreta, como una especie de saldo que oscilaba constantemente del pecado, al arrepentimiento, la penitencia, el descargo y la vuelta a pecar. No se le exigía una virtud constante sino únicamente en algunos momentos puntuales a instancias de los sacerdotes, que tutelaban todos los ámbitos de la existencia por su función de intermediarios con Dios. Esta era una vida completamente distinta de la del protestante puritano, más tranquila, sencilla y tolerante con las pequeñas faltas o incluso con las malas acciones, que siempre podían ser perdonadas si uno mostraba un arrepentimiento real o aparente. Así pues, la fe católica admitía mejor las debilidades humanas, desde el beneficio a cualquier precio hasta la mentira, pasando por la hipocresía individual o la inconsistencia personal o social.

¿Qué consecuencias tiene para el carácter español esta manera de entender el mundo que ha seguido inmutable desde hace cinco siglos?

1. No creemos en la excelencia

Estoy de acuerdo con Ortega y Gasset cuando asegura que en España no se admite que existan maneras de pensar superiores ni que haya personas de rango intelectual o moral elevado, un hecho en el que coinciden tanto las clases altas como las bajas, por eso en el país impera la vulgaridad (recuerden, por ejemplo, cuáles son los programas más vistos en televisión y algunos de los personajes más populares, incluidas las llamadas princesas del pueblo), y el inmovilismo, ya que nos molesta el progreso en todos sus ámbitos: científico, social o político, sobre todo si es protagonizado por conciudadanos nuestros.

En Francia, en cambio, la nación vive y absorbe lo que ocurre en cada rincón del país. Pocas cosas quedan excluidas sin irradiar al conjunto de la sociedad gala. El francés de cualquier ámbito sabe qué ocurre en el resto de la nación. El escritor se puede acercar al militar o al bombero seguro de que estos conocen con detalle su obra, y lo mismo ocurre con el industrial, el campesino o el político. Cuando un francés hace algo que sobresale un poco, consigue inmediatamente la fama, pues no hay ningún otro lugar donde el individuo medio tenga en la cabeza tantos nombres de compatriotas famosos. Pero famoso no significa más o menos valioso, sino cualquiera del que se habla en círculos sociales amplios. A toda Francia le interesa lo que ocurre en cualquier punto de su territorio. Francia vive en cada una de sus partes y nada se desecha socialmente, ni bueno ni malo.

En España la situación es justo la contraria, nuestra sociedad es laxa y sin comunicación entre las partes. Si hay un problema en un barrio, no se enteran ni en el barrio vecino. Eso no es por envidia ni por individualismo, sino simplemente por falta de interés de enriquecer nuestra vida con la del prójimo. El militar y el bombero viven en sus cuarteles, dentro de sus escafandras y no tienen la menor idea de lo que ocurre fuera de ellos, ni en el campo de las letras ni de la industria. España está hecha de compartimentos estancos, tan alejados entre sí que confieren al país una estructura social disgregada y enfermiza. Este es un mal profundo que subsiste en todos los conflictos, luchas y desordenes políticos, religiosos o de otro tipo, que siempre acaban siendo fratricidas e irreconciliables, pues el desconocimiento del contrario siempre lo convierte en un enemigo a abatir, no en alguien con quien contrastar opiniones y de quien aprender para crear algo positivo. El pueblo español, desde hace siglos, detesta todo individuo ejemplar, todo líder auténtico o, por lo menos, está ciego para ver la excelencia, por eso cuando se deja conmover por alguien es, casi invariablemente, un sujeto mediocre. Seguro que les vienen a la cabeza muchos personajes del ámbito de la política, incluso con cargos de ministros o superiores, de los que recientemente se dijo que no tenían ni la formación ni la categoría profesional para servir el café al consejo de administración de una empresa seria. Eso no pasa solo en la política reciente. Si buscan en el pasado, encontrarán lo mismo, ya que España ha mantenido en el poder a sujetos tan oscuros que no podían salir del país porque no les tomaban en serio en ningún sitio. La sustitución de individuos competentes por otros menos capaces ha sido habitual, dentro y fuera de la política, llegando a ser generalizada en determinadas épocas como la depuración de profesores y catedráticos después de la última Guerra Civil, pero se sigue haciendo incluso en ámbitos como el deportivo; por ejemplo, la destitución del Sr. Vicente del Bosque como entrenador del Real Madrid, mientras aún ganaba títulos, por no responder al perfil físico y castizo que se esperaba de un entrenador de la capital del reino. Parafraseando a Ortega y Gasset, podríamos decir que:

La población española es incapaz de reconocimiento, de aceptar la excelencia o de entusiasmarse con los individuos superiores o más capaces. Por eso, cuando aparece alguien así, no sabemos aprovecharlo, con frecuencia lo marginamos y tiene que acabar marchándose al extranjero para poder destacar. Aquí los únicos que destacan son los mediocres, vulgares, fácilmente asimilables y de inteligencia menos sólida. Esta miopía y rechazo de la excelencia ha ido estrechando y rebajando el alma española, hasta el punto de que nuestra vida parece hecha a la medida de esa vulgaridad e inmovilismo y, cuando nos salimos de ese guión, todo toma un aire revolucionario, aventurero o grotesco que asusta a todo el mundo.

Fíjense, por ejemplo, en la reacción tan desproporcionada que genera en España el hecho de que Cataluña quiera equiparar el catalán al castellano en su territorio, una situación que en Suiza es perfectamente normal y vivida como el fruto de su riqueza cultural, pero aquí se considera una agresión a la unidad de la patria al no entender el valor que una lengua como el catalán supone para cualquier país.

Ese miedo a la excelencia y al progreso hizo que perdiéramos el hábito de razonar críticamente y de valorar las cosas por nosotros mismos, dejando tales tareas a los más osados de los incapaces y vulgares que formaban legión y ellos creyeron que tenían el deber de guiarnos por los caminos que consideraban más idóneos para apartarnos del progreso y de la manía de pensar. Por eso nos hemos pasado siglos tutelados por la Iglesia y por los poderes políticos, que nos han indicado cómo teníamos que actuar y qué podíamos decir; rodeados de unas normas rígidas, que no había que cumplir más que en apariencia; amenazados con unos castigos terribles, que eran perdonados sistemáticamente a cambio de arrepentimientos reales o fingidos y de pequeñas penitencias, sobre todo si se era de los afines al régimen del momento. Después de siglos de tutela y malos gobiernos, nuestra vida está tan llena de ambigüedad, hipocresía, mediocridad y ruina moral que desconfiamos de cualquier autoridad, así que ya no nos creemos nada y, si cumplimos con las normas o hacemos caso de quien manda es más por miedo que por convencimiento. Toleremos mal la jerarquía y somos irreverentes, no solo con el ejercicio del poder, sino también con los consejos o recomendaciones aunque sean de fuentes especializadas, que puedan favorecernos. Un caso revelador es el consumo de tabaco entre la clase médica: cuando en Inglaterra se vio la relación entre el cáncer de pulmón y el tabaco, prácticamente todos los médicos ingleses dejaron de fumar; en cambio, aquí los médicos continuaron fumando como si nada y además se les añadieron las enfermeras. Los españoles nos tomamos pocas cosas en serio, aparte del fútbol (que es el moderno "*panem et circum*" de los antiguos romanos), y los catalanes todavía menos, como lo demuestra la presencia de un "*caganer*" en todos nuestros pesebres, una figura simpática y entrañable pero irreverente y difícil de comprender para muchos nacionales y extranjeros.

Estamos tan acostumbrados a estar tutelados que hasta nos cuesta dejar de estarlo, porque ello supone tener que reflexionar, hacer autocrítica, tomar consciencia de nuestra responsabilidad y actuar para cambiar las cosas, y eso no gusta. Podemos quejarnos de muchas cosas, pero no estamos dispuestos a movernos para cambiarlas, por eso nos llamamos demócratas pero permitimos un sistema electoral que no limita el número de legislaturas, como si buscáramos un tutor y no a un buen gestor.

2. Huimos de las responsabilidades

Llevamos tanto tiempo delegando nuestra responsabilidad en la Iglesia o en el Estado, voluntariamente o por la fuerza, que no entendemos que en libertad todos los actos tienen consecuencias que hay que asumir. No hemos integrado que la libertad va intrínsecamente ligada a la responsabilidad y que no podemos tener una sola de ellas, porque las dos son indisociables. Los derechos que todos reclamamos comportan necesariamente obligaciones, pero aquí ni el Gobierno se preocupa de recordárnoslos. Cojamos por ejemplo la prestación del desempleo, uno de los logros más extraordinarios del Estado del bienestar, porque es fantástico que cuando una persona pierde su trabajo todos le ayudemos para que pueda continuar con garantías hasta que le salga otro. Pero, ¿qué sentido tiene que, mientras la sociedad hace ese esfuerzo, al parado no se le exija ni siquiera que busque empleo? Creo que no hacerlo es contraproducente para el afectado que necesita salir de casa y no perder el contacto con el mundo laboral En cambio, para muchos de nuestros compatriotas, y especialmente para los sindicatos, que exigen los derechos pero olvidan las obligaciones, simplemente hablar de ello supone una aberración y lo consideran una coacción al parado. No piensen que pongo este ejemplo para meterme con los más débiles de la sociedad, sería una contradicción porque mientras escribo estas líneas yo mismo estoy en el paro y sé perfectamente lo duro que resulta.

Podríamos coger instituciones como los sindicatos, que teóricamente tienen la responsabilidad de velar por la seguridad de los trabajadores. Hace unos años hubo muchos accidentes laborales en la construcción, sobre todo cuando empezó el boom inmobiliario, y de vez en cuando se caía un operario de una obra y se mataba o quedaba mal herido por falta de medidas de seguridad. Aunque muchos empresarios denunciaron que algunos trabajadores iban a la obra con unos niveles de alcohol por encima de lo admisible (el *"carajillo"* y el *"sol y sombra"* para desayunar, la cerveza por la mañana, el vino con el almuerzo, más otro *"carajillo"*, la copa y lo que caiga en la sobremesa), ningún sindicato ni sindicalista, presentes en todas las obras, ejerció su responsabilidad denunciando a un solo trabajador por estas circunstancias. Lo que sí hicieron fue exigir las medidas de sujeción, cuando el número de muertos y lesionados ya era escandaloso[4].

	ACCIDENTES EN LA CONSTRUCCIÓN		
AÑO	GRAVES	MORTALES	TOTALES
1996.	2.392	246	2.638
1997.	2.361	260	2.621
1998.	2.648	270	2.918
1999.	2.933	294	3.227
2000.	3.099	292	3.391
2001.	3.390	269	3.659
2002.	3.518	304	3.822
2003.	3.482	298	3.780
2004.	3.343	262	3.605
2005.	2.973	310	3.283
2006.	2.958	296	3.254
2007.	2.594	242	2.836

---

4   Datos de la publicación "Estadísticas de siniestralidad del sector de la construcción 1996-2007" publicadas por ASEPEYO (http://www.asepeyo.es)

ACCIDENTES EN LA CONSTRUCCIÓN

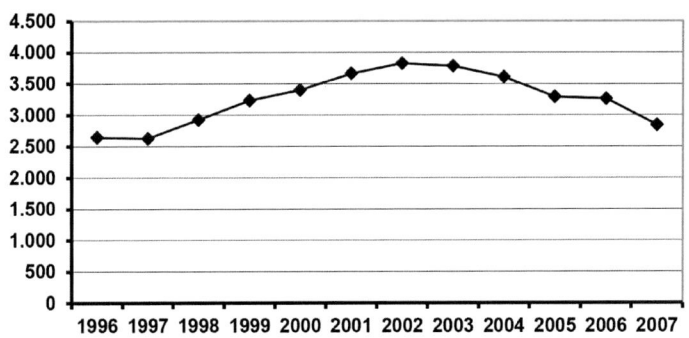

Lo mismo nos pasa con el fraude fiscal, las bajas por enfermedad, el incumplimiento de los horarios laborales, la baja productividad, el mal uso de los servicios públicos, la corrupción, las deficiencias del sistema político, cosas que todo el mundo sabe pero que nadie denuncia como si no fueran con nosotros, porque huimos de nuestra responsabilidad, para delegarla en el Estado o en cualquier otro, sin entender que todos somos Estado y que cuando alguien defrauda un euro, no cumple los horarios, se coge una baja laboral sin motivo o repite como candidato electoral por quinta vez, nos está estafando a todos y no a una entelequia abstracta llamada España.

Uno de los mejores ejemplos de que no creemos en la responsabilidad es la manera de nombrar a los directores de los colegios, que es por rotación, un sistema muy igualitario pero que diluye la responsabilidad e impide abordar los problemas de los centros, sobre todo si tienen nombres y apellidos, porque nadie se atreve a actuar contra un compañero si sabe que en pocos meses aquel será el nuevo director. Tampoco parece que tener direcciones débiles sea la mejor manera de luchar contra los malos resultados de la enseñanza y el fracaso escolar de nuestros jóvenes.

3. Pensamos que todo el mundo sirve para todo

Este concepto se complementa con los dos que hemos visto anteriormente, y tiene su origen en el hecho de que no somos deterministas como los puritanos, que creen que la salvación ya está escrita, sino que somos igualitaristas y sabemos que llegaremos a la gloria eterna gracias al perdón de los pecados. Somos tan igualitarios que tenemos la curiosa idea de que cualquiera sirve para todo, por eso somos poco respetuosos con los demás, aunque nos sobrepasen en edad, cultura, posición jerárquica o social. Además, como pensamos que servimos para todo, nos metemos en tareas que no nos tocan, con frecuencia en perjuicio de aquellas de las que sí somos responsables, porque creemos que podemos hacerlo mejor que los demás. Este es el motivo por el cual una de las cosas más incomprendidas para la ciudadanía es tener que pagar por un certificado médico o por el proyecto de un arquitecto, con el argumento de que *total por una firma…*, sin entender que alguna cosa tendrá aquella firma porque si todas fueran iguales podrían pedírsela a la portera de la finca. Este igualitarismo me recuerda una anécdota que ocurrió al estallar la Guerra Civil en El Molino, el teatro de variedades de Barcelona. La señora del guardarropa iba diciendo que, gracias a la revolución, todos los trabajadores del teatro cobrarían lo mismo y que por fin se haría justicia, pues ella era la peor pagada del local. La noche siguiente, cuando llegó al teatro para empezar a trabajar, se encontró con una situación insólita porque la primera vedette estaba metida en el guardarropa, completamente vestida, y le dijo a la señora que tenía toda la razón del mundo, ya que ella misma también estaba cansada de tener que ganarse la vida mostrando muslo y pechuga cada noche, así que a partir de entonces, como todos cobrarían lo mismo, se intercambiarían las tareas de manera rotatoria. ¿Adivinan cómo acabó el asunto? Hay demasiada gente que sufre el espejismo de la señora del guardarropa.

- En política nos hemos dado un sistema que permite, sin ningún tipo de rubor, que hasta tres partidos perdedores (por tanto, poco valorados por el electorado) se pongan de acuerdo para echar del Gobierno a los vencedores. Después, nos quejamos de que nuestros políticos son mediocres; naturalmente que lo son, precisamente por eso es por lo que el electorado no los votó.

- A nivel educativo, permitimos que los niños pasen de curso sin necesidad de estudiar, porque tener demasiados repetidores resulta políticamente incorrecto, un hecho que perjudica a los buenos alumnos, que no ven recompensado su esfuerzo, y que es un espejismo para los malos alumnos, al suponer que pueden seguir sin esforzarse hasta que topan de lleno con el mundo de los adultos que les exige una actitud que no han tenido nunca porque nadie se la ha pedido antes. Después nos quejamos de que la juventud no entiende la cultura del esfuerzo, de tener demasiado fracaso escolar y de la generación que ni estudia ni trabaja; naturalmente que la tenemos, es la que hemos fabricando con este sistema desde hace décadas.

- A nivel de las empresas, sobre todo de las públicas, no se busca un buen gestor para desarrollar un proyecto concreto, sino ocupar el cargo con cualquiera de *los nuestros*. De ahí procede el nombramiento por carné político, el amiguismo y las cuotas por razones de género, con independencia de la formación, validez o experiencia de los candidatos que, si además son poco inteligentes o se sienten abrumados por el cargo, procurarán rodearse de un equipo complaciente, que les diga a todo que sí, arrinconando o despidiendo a los profesionales motivados y preparados, a los que hacen propuestas de mejoras o a los que tienen un buen proyecto de futuro. Después nos quejamos de que la Administración es un desastre, que es precisamente en lo que la han convertido tales prácticas.

- A esto hay que añadir el igualitarismo de los sindicatos, preocupados porque todos los contratos sean a tiempo completo (sin tener en cuenta los cambios sociales, familiares o empresariales que exigen soluciones alternativas) y que todo el mundo cobre lo mismo (con independencia de su formación, valía, esfuerzo o del valor aportado a la empresa). Como es natural, estas prácticas comportan desempleo y desmotivación entre los trabajadores, más empobrecimiento de la sociedad al no dar respuestas a sus necesidades. Eso sí, después todo el mundo se lamentará de la tasa de paro y de que las empresas no sean productivas.

- Por todas partes hay instituciones metiéndose con una facilidad pasmosa en materias que no les corresponden, por eso hemos visto ayuntamientos comportándose como magnates de la comunicación, inaugurando televisiones locales repletas de personas y equipos, mientras tienen bajo mínimos servicios de los que sí son responsables directos. Después nos lamentamos de que los servicios municipales no funcionan y que las deudas de los entes locales alcanzan cifras astronómicas.

Nuestro igualitarismo presenta unas peculiaridades que le hacen distinto al de cualquier otro lugar. Si lo comparamos con los países nórdicos, como Finlandia, ellos hablan de igualdad de oportunidades, por eso poseen un sistema educativo excelente que garantiza a todos sus ciudadanos las mismas oportunidades de salida, y a partir de ahí que cada uno logre todo aquello de lo que sea capaz. En cambio nosotros, al no valorar la formación, ni la experiencia, ni el esfuerzo, ni la aportación al bien común, lo que buscamos es la igualdad a la llegada; es decir, que no importa si se trabaja o no, si se ha estudiado durante una década para ser un especialista o si se contribuye más o menos al bien común, lo único que cuenta es que todos seamos iguales a final de mes. Por eso no tuvimos ningún rubor en crear una forma de administrar el Estado basada en ese igualitarismo, que se resume en el "café para todos", y los únicos que presentan superávit son los que reciben subvenciones, un sistema injusto y antinatural que castiga a los que generan riqueza y premia a los que no lo hacen, por eso las zonas productivas están cada día en un mayor marasmo mientras las que no la producen no han tenido ningún interés en cambiar en los últimos treinta años. Y lo mismo ocurre a nivel individual, donde la diferencia de salarios entre alguien bien formado o sin ninguna formación es mínima. Castigar la creación de riqueza y despreciar la educación, el sacrificio y la valía, argumentando un supuesto equilibrio social, es lo que hicieron los llamados países socialistas, hasta que hundieron sus naciones en una mediocridad que acabó por hacerlas desaparecer.

¿CÓMO ERA AQUEL CAPITALISMO ORIGINAL?

Hasta ahora hemos visto cómo la concepción religiosa de la Reforma influyó en el pensamiento protestante y como el catolicismo nos ha influido a nosotros. Ahora podríamos hacer lo mismo respecto a aquel capitalismo original, que tanto asustó a la Iglesia de Roma. Para empezar veamos en qué consistía, tal como lo describe un documento de Benjamín Franklin llamado *Consejos a un joven comerciante*, completamente exento de connotaciones religiosas.

- Recuerda que el tiempo es oro, por eso aquel que puede ganar diez y se dedica a perder el tiempo, no tiene que contar solo lo que le cuestan sus diversiones sino también lo que deja de ganar.

- Piensa que el crédito es dinero, así que si alguien no me reclama lo que le debo, me deja también su interés y todo lo que puedo ganar con ese dinero hasta que se lo devuelva y de esta manera se puede hacer un buen capital si un hombre tiene crédito y sabe hacer uso de él.

- Ten en cuenta que el dinero es fértil y reproductivo, que puede producir dinero y esa descendencia puede producir todavía más, y así sucesivamente; por eso, aquel que malgasta su capital, aniquila todo lo que habría podido producir en el futuro.

- Que sepas que un buen pagador es amo de la bolsa de cualquiera, ya que el que paga pronto puede recibir prestado en cualquier momento aquello que necesita y ese crédito es lo que más ayuda a un joven a prosperar, así como la puntualidad y la justicia en todos sus negocios, por eso te recomiendo no retener el dinero ni una hora de más del tiempo que te comprometiste.

- Debes tener cuidado hasta de las acciones más insignificantes, pues incluso estas pueden influir en el crédito que un hombre se tiene que ganar; por eso el sonido de un martillo sobre el hierro, escuchado por tu acreedor a las cinco de la mañana o a las ocho de la tarde, le deja contento durante seis meses; pero si te ve jugando al billar o escucha tu voz en la taberna, a la hora en que deberías estar trabajando, al día siguiente por la mañana te recordará la deuda y exigirá su dinero antes de que tú puedas disponer de él.

- Muestra siempre que te acuerdas de tus deudas y procura aparecer siempre como un hombre prudente y honrado, con ello tu crédito irá en aumento.

- No consideres tuyo todo lo que tienes y vive de acuerdo con esta idea, ya que muchos que tienen cosas a crédito con frecuencia caen en esta ilusión. Para protegerte de este peligro lleva la cuenta de tus ingresos y de tus gastos, si lo haces verás que gastos pequeños se convierten en grandes sumas y verás lo que puedes llegar a ahorrar en el futuro.

- Por seis libras puedes tener el uso de cien, si eres un hombre de reconocida prudencia y honradez, pero quien malgasta cada día un céntimo, tira seis libras al cabo del año, que es el precio del uso de cien, de la misma manera quien gasta parte de su tiempo por valor de un céntimo, pierde cada día el privilegio de emplear anualmente cien libras.

Visto desde la perspectiva actual, no parece una mala filosofía, sino todo lo contrario, valdría la pena enseñarla en las escuelas y recordársela a políticos, banqueros, empresarios y representantes públicos, en cambio fue muy criticada por diversos autores, algunos de los cuales la calificaron de *filosofía de la avaricia*. Weber dice que no tiene nada que ver con la avaricia sino con el ideal del hombre honrado y digno de crédito, y que son consejos sobre como se debe comportar aquel individuo que quiere aumentar su capital. Además, asegura que no estamos ante la simple prudencia de los negocios, sino ante toda una ética de vida. Pero ¿de dónde saca esta filosofía el Sr. Franklin? De una frase bíblica que en su juventud le había inculcado su padre y que decía: *¿has visto a un hombre solícito en sus cosas?, pues pasará por delante de los reyes, no se quedará entre la gente oscura* (Proverbios cap. 22 vers. 29). El tipo ideal de empresario de aquel incipiente capitalismo no tenía nada que ver con el rico al que le gusta la ostentación, el lujo o presumir de su poder, sino que le repugnaba hasta los signos externos y el respeto social de que gozaba, porque le resultaban incómodos. Su comportamiento presentaba más bien características ascéticas como apunta Franklin. Nada de su riqueza era para su goce personal, únicamente tenía el sentimiento de "cumplir" correctamente con su profesión, y el dinero era la recompensa lógica por un servicio bien prestado a los demás. No buscaba el visto bueno de los poderes religiosos, pues no los necesitaba; es más, consideraba un obstáculo cualquier ingerencia externa de las normas eclesiásticas o estatales, porque tenía la concepción del enriquecimiento como una obligación de su profesión para alabar al Señor.

Ya apuntamos antes que esta actitud venía del deseo de intentar emular a los patriarcas del Antiguo Testamento, hombres extraordinarios por sus riquezas, dotes de mando, gestores y organizadores, que se esforzaron muchísimo para mayor gloria de Dios. Abraham era un hombre rico en su época, igual que su hijo Isaac, que heredó sus rebaños, ambos tenían a su cargo muchas personas que trabajaban para ellos. Jacob tuvo que huir de su hermano, Esaú, cuando le compró la bendición paterna, que le convertía en heredero, por un plato de lentejas, pero en los catorce años que vivió exiliado, hizo una gran fortuna administrando los rebaños de su tío Labán y regresó a su tierra como un hombre rico y acomodado. José pasó por todas las desgracias posibles, y a pesar de ello acabó siendo primer ministro de Egipto, así que debió ser un planificador, gestor y administrador excepcional, aparte de un trabajador incansable. Moisés, que era tan tímido que tartamudeaba, demostró ser un líder y organizador fabuloso al conducir a su pueblo durante años por el desierto, aparte de ser un legislador legendario que marcó el judaísmo durante milenios. El rey David se convirtió en un hombre rico, a pesar de sus pecados, y su hijo, Salomón, era reconocido como el hombre más rico y sabio de la tierra, incluso por sus enemigos. El protestantismo se dejó influir por la cultura judía y adoptó el Antiguo Testamento como libro de cabecera y con él a todos estos patriarcas que marcaban una conducta de esfuerzo, dedicación y abnegación para ganarse la vida (*te ganarás el pan con el sudor de tu frente* [Génesis 3:17]) y que veían el dinero como la recompensa normal y lógica de un buen servicio a los demás realizado para mayor gloria de Dios.

En cambio, el libro de los católicos no es el Antiguo sino el Nuevo Testamento donde Jesús hace una súplica con su inmensa pureza: *el pan nuestro de cada día, danos, Señor, el día de hoy.* No habla de trabajo, ni de abnegación, sólo de que nos lo tiene que dar porque tenemos derecho a él, tanto si nos esforzamos por lograrlo como si no. A esto se añade la otra frase que asegura que *es más fácil que un camello pase por el ojo de una aguja, antes de que un rico entre en el reino de los cielos,* una filosofía recogida en un montón de principios, desde el Derecho Canónigo, al pasaje del Evangelio contra el interés, la descalificación del lucro que hace Santo Tomás o la idea anticrematística de amplios sectores del catolicismo y de los poderes eclesiásticos, que prohibían el préstamo a interés. Todo ello supone un sentimiento de que el enriquecimiento personal constituye algo vergonzoso y pecaminoso.

Sin embargo, la Iglesia olvida la llamada *Parábola de los talentos* (San Mateo cap. 25) en la que Jesús explica que un hombre, que tenía que hacer un viaje, llamó a sus sirvientes y les entregó sus bienes en función de sus capacidades, así que le dio cinco mil monedas al primero, dos mil al segundo y mil al tercero. Cuando el hombre vuelve y les pregunta qué han hecho con el dinero, el primero le dice que ha duplicado las cinco mil monedas y ahora tiene diez mil, así que el amo alaba su habilidad como administrador y le asegura que así sabe que es un hombre digno de confianza, otorgándole más responsabilidades. El segundo sirviente le dice que también había doblado las dos mil monedas originales y que tenía cuatro mil y la respuesta del amo es la misma. Pero el tercero le explica que hizo un agujero y enterró las mil monedas, así que tenía exactamente lo mismo que cuando se marchó. La respuesta del amo, en palabras de Jesús, son las más duras de todo el Nuevo Testamento al calificarle de mal sirviente y de gandul, le dice que debería haber invertido el dinero en alguna cosa simple, como mínimo para no perder los intereses, y a continuación le da sus monedas al criado que había ganado más y se había mostrado mejor gestor. Finalmente, Jesús asegura que todo aquel que tenga miedo de hacer uso de lo que posee, lo perderá; y acaba diciendo que para aquel criado solo queda la miseria y el remordimiento.

¿Por qué la Iglesia evita esta parábola y se centra en las dos frases antes mencionadas? Recordar una práctica cotidiana de la época quizá nos dará alguna respuesta. Cuando moría la gente parte de sus bienes pasaban a la iglesia con lo que se denominaba dinero de consciencia, que se dejaba a los representantes de Dios en la Tierra para asegurarse la entrada al cielo; es decir, una forma de acelerar los trámites de admisión celestial. Naturalmente, si el difunto tenía préstamos el acreedor quería cobrar y los bienes ya no iban a la Iglesia. Incluso se llegó, entre los círculos aristocráticos, a hacer una especie de seguro para la otra vida, por medio del cual era suficiente la sumisión aparente a los preceptos eclesiásticos; es decir, simular honradez, honestidad, piedad, caridad, etc., una conducta que incluso los propios interesados consideraban inmoral, como inmoral encontró Lutero la compra de indulgencias que hacía la Iglesia con el argumento de que cada vez que se oía caer una moneda en la caja de las limosnas un alma salía del purgatorio para ir directamente al cielo.

CONSECUENCIAS DE NUESTRA VISIÓN DEL DINERO Y DEL ESFUERZO

Esta mentalidad católica impregna desde hace siglos nuestras ideas sobre el dinero y el trabajo, por eso creemos que:

- No nos hace falta esforzarnos, ya que Jesús dejó bien claro que Dios nos dará cuanto necesitamos (*el pan nuestro de cada día...*), por derecho propio como hijos suyos que somos. Lejos queda la necesidad de *ganarlo con el sudor de la frente*.

- Los dineros son pecaminosos y vergonzantes. Por eso cualquiera que los tenga resulta sospechoso de usura, prohibida por la Iglesia, o de robo directamente, ya que creemos que solo se puede hacer dinero quitándoselo a alguien o por medios ilícitos.

- Por eso lo mejor que podemos hacer con el dinero, para redimir nuestros pecados, es hacer obras de caridad ya sea directamente o, aún mejor, dejándoselo a la Iglesia para que esta las haga por nosotros.

Cualquier que dude debe recordar que el reino de los cielos es de los pobres, como indican las bienaventuranzas, y que *es más fácil que un camello pase por el ojo de una aguja a que un rico entre en el reino de los cielos.*

4. No entendemos ni valoramos el esfuerzo

Estas creencias han penetrado en nuestro carácter en muchos aspectos, haciéndonos incapaces de entender y valorar el esfuerzo propio o ajeno, y ello nos vuelve reticentes a los sacrificios grandes o pequeños, ya sea en el trabajo, el estudio o en el servicio a los demás.

Despreciamos el esfuerzo propio y no entendemos su necesidad, en un mundo donde todos somos iguales y las cosas nos tocan por derecho propio. Hemos trasladado ese derecho teológico al Estado del bienestar, que nos permite lograr las recompensas sin tener que poner el esfuerzo. Una variación de esa mentalidad es la que considera el trabajo un castigo divino, así que a lo máximo que aspiramos es a evitarlo, y lograrlo denota un cierto estado de gracia. También explica que uno de los valores más apreciados en el país sea no hacer nada ni luchar por nada o que las personas más envidiadas sean las que viven sin trabajar a costa de quien sea (rentas, apuestas y loterías, instituciones, padres y familiares, etc.), o que defraudar a Hacienda esté perfectamente aceptado como una heroicidad digna de admirar. Un país con una ciudadanía que tenga esta mentalidad tiene un problema grave si tiene que competir en un mundo globalizado con países bastante más productivos. Esta mentalidad resulta nefasta hoy día, ya que nos hace ir a remolque de países que tienen más iniciativa y trabajan mejor, pero sobre todo resulta fatal para un futuro en el que nunca pensamos porque nos da demasiada pereza el esfuerzo que supone planificarlo. Un ejemplo es la sequía en Cataluña, que casi es permanente, pero nuestros políticos prefieren ir a rezar a la Virgen de Monserrat para pedirle que llueva y no hacer una planificación concienzuda y resolver la situación para siempre por medio de desalinizadoras de agua marina, que supone un esfuerzo importante, inversiones a largo plazo y tener que enfrentarse con algunos partidos ecologistas, ayuntamientos y comunidades de vecinos. Lo mismo sucede con nuestra dependencia energética del petróleo y del gas que no producimos, a pesar de la cantidad de días soleados de que gozamos, que nos tendrían que permitir ser autosuficientes con sistemas de energías renovables, pero ello exige planificación, inversión a largo plazo, darle soporte a los mejores investigadores y no a los más fieles; en definitiva, demasiado trabajo, cuando podemos esperar tranquilamente a que nuestros vecinos nos den la solución, aunque después tengamos que pagarles por la patente.

Tampoco entendemos ni valoramos el esfuerzo de los demás, que siempre resulta sospechoso por creerlo innecesario, ya que, en un mundo donde Dios nos garantiza los mínimos, ¿qué sentido tiene buscar más? Por eso pensamos que quien busca es que alguna cosa trama, probablemente nada bueno. Y como no comprendemos que el beneficio es el resultado de un buen servicio prestado, siempre que lo obtiene alguien despierta en nosotros un profundo sentimiento de rabia e injusticia al asociarlo a usura, robo o malas artes, sin pensar en el trabajo realizado. Una buena muestra es la posición de Cataluña en España, ya que su mayor dinamismo, productividad y riqueza, resultan sospechosas para el resto de españoles que, con su igualitarismo de resultados no de oportunidades, no aceptan que quien más trabaja, se esfuerza y produce debe tener más recompensas. La consecuencia es el pago abusivo que Cataluña hace al Estado para acabar, tras el reparto final, más pobre que buena parte de las comunidades autónomas (CCAA) que hacen menos aportaciones a la caja común y son receptoras puras de la ayuda estatal; una situación nefasta para Cataluña, ya que limita sus posibilidades de crecimiento, pero también nefasta para España, si le pone palos en las ruedas a sus motores económicos y les arruina, ya que ello impedirá que todo el país crezca y se desarrolle.

Por último, al no haber asimilado la virtud de la excelencia, tampoco la valoramos ni estamos dispuestos a hacerle ningún reconocimiento, ni en el trato, ni en el sueldo. En España no hay ningún profesional que esté bien pagado (salvo algunos futbolistas y directivos de bancos y cajas de ahorros) y difícilmente se le hace un homenaje a alguien que no esté muerto o gravemente enfermo.

5. Queremos dinero a pesar de creer que es pecaminoso

Con el dinero tenemos una relación ambigua, ya que lo deseamos como cualquiera, pero no podemos olvidar que es pecaminoso y vergonzante. Muchos creen que el dinero es el estiércol del mundo, y puede que tengan razón, ¿pero saben qué se le echa al campo cuando queremos una buena cosecha...? Aquí nadie parece recordar que, antes de repartir la riqueza, hace falta crearla y para eso se necesita capital, arriesgarse, trabajar mucho y tener suerte. No creo que en ningún otro país del mundo se dé la idea simplista que tienen nuestros políticos de que la riqueza sencillamente está allí y sólo tienen que cogerla y repartirla porque mañana habrá más para repartir. En las elecciones generales del 2007 uno de los partidos prometió dinero a cambio de votos, argumentando que en las arcas de la Seguridad Social había dinero. Cuesta imaginar una irresponsabilidad mayor para un partido en democracia... pero ¿saben qué?, les funcionó y los electores les dimos nuestros votos... así que también cuesta imaginar mayor falta de dignidad democrática de un electorado. Y siendo así es natural que los políticos se olviden de las medidas económicas que pueden producir riqueza y se apunten a la más pura demagogia, intentando quedar bien con una ciudadanía que debería exigirles medidas para salir de la crisis y no frases vacías.

Sobre el riesgo y la creación de riqueza, por más que nos quieran hacer creer lo contrario, en España rechazamos el riesgo como si fuera la peste. Es cierto que algunos hablan de ello, y de la bondad del libre mercado, de emprendedores y de iniciativa privada, pero si nos fijamos veremos que la mayor parte de ellos no son empresarios, ni amos de sus empresas, sino directivos que siguen trabajando para otros, aunque sea en la banca o en una multinacional. El riesgo no es malo, al contrario, es el motor de la economía... pero tan solo si tiene consecuencias y quien se equivoca, paga. Lo que no sirve es lo que hacemos nosotros que, cuando nos arriesgamos y perdemos, viene alguien (el Gobierno, el Banco Central Europeo, Alemania, quien sea...) y paga los platos rotos, porque eso pervierte todo el sistema. Si los bancos y cajas tuvieran que responder por sus actuaciones y asumir su responsabilidad por las pérdidas del valor inmobiliario, hoy esas entidades en nuestro país ya se habrían saneado y crecerían de nuevo.

¿Pero qué ocurre con nuestros empresarios, los que sí se han arriesgado? Es cierto que algunos lo han hecho, pero como el Estado es tan voraz y los ha crujido a impuestos, cada vez quedan menos, como es natural. El motivo es que en España tampoco se ha entendido que los empresarios no vienen de otro planeta, ni tienen cinco brazos y cuatro piernas, sino que se trata de personas normales y corrientes que deciden arriesgar su dinero, con la intención de crear algo que les proporcione una vida mejor a ellos y a sus hijos, o sea como todo el mundo, y además crean puestos de trabajo con los que otros también pueden vivir mejor. No aceptar que son personas normales, y creer que son el enemigo, implica hacerles la vida imposible a base de impuestos y trabas administrativas, y la consecuencia es bajar persianas, con lo cual perdemos todos, por más que les pese a aquellos que piden demagógicamente *que se creen puestos de trabajo*. Durante la presente crisis los sindicatos mayoritarios han echado a centenares de sus trabajadores, por lo que el problema es más profundo que la simple voluntad de crear o no puestos de trabajo. Les diré un secreto: todos podemos ser empresarios y todos podemos crear, puestos de trabajo, si estamos dispuestos a aportar el capital suficiente, asumir riesgos y trabajar duro; pero ello solo será posible si las condiciones económicas son favorables, ya que nadie invierte para perder dinero o para que se lo quede Hacienda, por eso cada vez que sientan a uno de esos demagogos pregúntenle a cuantos trabajadores tiene contratados él personalmente, ya que para salir de la crisis no tenemos que esperar que venga una clase de seres especiales, será suficiente con cuidar a cualquiera que desee ser empresario.

Dicho esto, no debemos creer que los empresarios hayan sido modélicos, porque la crisis se origina en parte por la influencia del pensamiento católico en la forma de gestionar las empresas. Para ellos también sirve el desprecio al esfuerzo, que históricamente les hizo buscar el proteccionismo estatal contra los productos exteriores y, si era posible, gozar de una concesión en exclusiva ya fuera para la fabricación o para la importación de algún producto, como queda reflejado en la excelente película *La escopeta nacional* de Luís García Berlanga. Para evitar susceptibilidades con casos nacionales, expondré cómo era el proteccionismo al que aspiraban todos los empresarios, con un escrito de hace más de cien años, recopilado por Frederic Bastiat[5], con la petición que hicieron al Gobierno francés los fabricantes de velas con el objetivo de protegerse contra un competidor que amenazaba con arruinar sus negocios:

Estamos sujetos a una competencia intolerable de un rival extranjero que goza, según parece, de tales ventajas superiores para la producción de luz que está en condiciones de inundar nuestro mercado nacional a un precio tan

---

5   Frederic Bastiat (1801-1850) Político, economista y escritor francés, miembro de la Asamblea Francesa.

excesivamente reducido que, en el momento en que haga su aparición, nos quitará a todos nuestros clientes y, entonces, un sector importante de la industria francesa, con todas sus innumerables ramificaciones será, de pronto, reducida a un estado de completo estancamiento. Este rival no es otro que el Sol. Nuestra petición es que, si le place al honorable cuerpo legislativo, apruebe una ley por la cual se ordene la clausura de todas las ventanas, desvanes, buhardillas, claraboyas, pórticos y cortinas; en una palabra, de todas las oberturas, agujeros y fisuras, a través de los cuales el sol penetre en nuestros domicilios, perjudicando a las manufacturas rentables de las cuales nosotros nos enorgullecemos por haber sido capaces de abastecer al país; este no puede ser tan ingrato para dejarnos luchar sin ningún tipo de protección en un enfrentamiento tan desigual... Quizá no sería una falta de buen sentido que se reprima la importación de Sol, de la misma manera que se hace con el carbón, el hierro, el queso y otros bienes extranjeros...

Así somos, queremos salir adelante no con nuestro esfuerzo, sino gracias al soporte estatal: el trabajador pide un lugar de trabajo seguro de por vida sin muchas complicaciones, si puede ser en la administración, mejor; el empresario, a falta de iniciativa, quiere una exclusiva para tener seguridad económica y evitar la incertidumbre de tener que competir con otros. Al margen de estas menudencias, queremos un Estado del bienestar que nos garantice todas las prestaciones posibles (salud, educación, desempleo, etc.), eso sí, sin demasiados sacrificios por nuestra parte y sin que nos cueste demasiado dinero. El resultado de ese Estado garantista y débil, que no dice nunca "no" a nada, ha sido un enorme sobredimensionamiento de todo el aparato estatal y administrativo, sin tener en cuenta los costes, una situación que ahora no se pueden pagar y, con la crisis, quién sabe si tendremos que empezar a desmantelarlo. A esto hay que añadirle la miopía de algunos políticos que solo piensan en redistribuir una riqueza que no tenemos, sin procurar crearla primero. Todo ello hace que cada vez se necesiten más recursos sin saber de dónde sacarlos.

Como el Gobierno está más orientado a la demagogia y a decir a todo que "sí" que a analizar y resolver problemas, y tampoco valora el esfuerzo ni la creación de riqueza, su propuesta es siempre la misma idea simplista de subir impuestos a los que ya pagamos, sin tener en cuenta la reacción de la población a esta medida ni buscar otras fuentes de financiación como luchar contra el fraude fiscal o contra la economía sumergida. El premio Nobel de Economía, profesor Robert Aumann[6], explicaba en La Contra de La Vanguardia, el 11 de noviembre de 2011, que subir los impuestos a los que ya pagamos es un ejemplo claro de respuesta de apariencia obvia que no conduce al fin deseado, sino precisamente al opuesto, porque comporta una reducción del consumo. Afirma que si se necesitan más ingresos, ¡no se deben subir los impuestos, sino bajarlos! Para explicarlo el profesor Aumann asegura que si sube el porcentaje impositivo se consiguen dos cosas: la primera, incentivar al contribuyente para que también engañe a Hacienda; y la segunda, desincentivar su actividad económica, ya que, si se le hace pagar la mitad de lo que ganan, es lógico que trabajen menos y que gasten menos. Por contra: si se baja el porcentaje de cada impuesto, se les anima a trabajar más y a gastar más, con lo que se recaudará también más. No hace falta que diga que en España se ha optado precisamente por aumentar los impuestos, lo que ha hecho desplomar el consumo, agravando así aún más la crisis. Aunque fuera por una vez estaría bien que nuestros políticos escucharán la opinión de los expertos, pese a no ser de su mismo partido.

6. Necesitamos practicar la caridad cristiana

Otra característica que nos proporciona esta visión económica es el de la caridad cristiana. Ya hemos dicho que, según esta mentalidad, las obras de caridad eran lo mejor que la gente podía hacer con

---

6   Robert Aumann (1930) es un matemático norteamericano, de origen israelí, miembro de la Academia Nacional de Ciencias de los Estados Unidos, que recibió el premio Nobel de Economía en el año 2005.

su dinero, siempre sospechoso y pecaminoso, para expiar sus culpas. Como tenemos necesidad de sentir que se practica la caridad, ahora el Gobierno ha substituido a la Iglesia a la hora de hacerla, y además le hemos cambiado el nombre llamándola "solidaridad", que queda más moderno para quien la hace y es más aceptable para quien la recibe. El país está lleno de políticos bien intencionados, que reparten el dinero, como si fueran modernos Robin Hood jugando al Monopoly®, para ayudar a supuestos necesitados reales o ficticios. La forma de ejercer la moderna caridad es por medio de subvenciones de todo lo imaginable, naturalmente con el dinero de todos, al que consideramos un bien común, y sin tener en cuenta ni los recursos disponibles, ni como se pagará ahora o en el futuro.

El objetivo que se persigue es el acto caritativo o solidario en sí mismo, no la solución del problema que lo genera, porque resolverlo haría innecesaria la caridad, por eso nos limitamos a dar el pescado, sin enseñar a pescar. Naturalmente, tampoco se espera que el receptor de la subvención se esfuerce lo más mínimo, así que no importa que millones y millones de euros de subvenciones no tengan ningún resultado o que estos sean bajísimos, porque lo que cuenta es el acto caritativo en sí mismo. Si a ello le añadimos la mentalidad de que los pobres están en gracia divina y tienen el cielo asegurado, mientras los ricos harían bien de compartir su riqueza para purgar sus pecados, entenderemos la razón por la cual en España las zonas más empobrecidas, como Andalucía o Extremadura, gozan de una especie de superioridad moral, mientras que las más ricas, como Cataluña, siempre se han sentido culpables y han tenido que pedir disculpas por atreverse a producir más riqueza.

Existe la posibilidad de que el Estado quiera ayudar a Cataluña a expiar sus pecados de riqueza, y que esa sea la razón por la que nos saca tanto dinero para darlo a las zonas más deprimidas. Si eso es así cualquier queja de Cataluña contra esta situación no solo será incomprendida por el resto del país por insolidaria (puesto que nadie recuerda ni valora la aportación de los demás a la caja común), sino que además se verá como una temeridad que nos expone al castigo divino y a la condena eterna. Siendo así, a nadie puede sorprender que no nos entiendan y que nos consideren locos por querer ir al infierno. Pero además de nada servirá que Cataluña quiera comparar su déficit fiscal con el Estado, superior al 8%, con el que tienen los *lands* alemanes que por ley no puede superar el 4%. Ellos pagan con un objetivo concreto: conseguir desarrollar las zonas incorporadas de la Alemania del Este, pero saben que un día acabarán de pagar y podrán caminar juntos siendo todavía más la locomotora europea. Nuestro caso es diferente, ya que, únicamente si España cree que nos está ayudando a redimir nuestros pecados, se puede entender que en los últimos treinta años, un trato tan abusivo no haya servido para desarrollar las regiones más pobres del país. Esta es la única razón que se me ocurre para justificar que a los políticos, tanto nacionales como autonómicos de aquellas comunidades, no les ha interesado enseñar a pescar sino únicamente a recoger el pez, consolidando así unas subvenciones que ni quieren ni han querido eliminar nunca.

Como andaluz de nacimiento que soy, lo que más me duele es que estamos en un mundo globalizado, y no en la fantasía subvencionada que se han inventado algunos políticos, y en el mundo real esta situación no solo perjudica a Cataluña, al disminuir las posibilidades de quien mejor puede tirar del país, sino que perjudica sobre todo a Andalucía y a Extremadura condenadas a depender permanentemente de la caridad oficial en forma de subvenciones. Políticos mediocres, de visión gallinácea e incapaces de hacer su trabajo han manipulado durante más de treinta años a andaluces y extremeños, cambiándoles su desarrollo económico por subvenciones y algún bonito juguete, como el AVE o la Expo. Eso sólo es posible con un pueblo complaciente y con tan poca ambición que se conforma con sobrevivir de la subvención del PER en lugar de exigir un futuro mejor al que tienen todo el derecho, una situación que continuará mientras no se den cuenta del engaño al que son sometidos por sus propios representantes autonómicos, a los que deberían pedirles soluciones reales y no espejismos subvencionados que les mantendrán en la miseria. Para lograr el cambio es imprescindible mejorar la educación y formar un espíritu crítico con aquella realidad territorial, algo que los políticos autonómicos no parecen dispuestos a afrontar bajo ningún concepto, como lo demuestra el hecho de que Andalucía es de las CCAA que menos invierten en educación por alumno[7], una decisión de la Comunidad desde hace décadas que perpetúa el retraso autonómico, por más que en las elecciones sus políticos insistan en que la causa de sus males es la riqueza catalana.

GASTO PÚBLICO POR ALUMNO

	Año 2007	Año 2008	% respecto España
País Vasco	9.835	10.388	158,3%
Navarra	7.587	8.481	124,5%
Asturias	7.742	7.985	123,6%
Cantabria	7.568	7.758	120,5%
Galicia	7.257	7.752	117,2%
Castilla León	6.986	7.332	112,2%
Baleares	6.463	7.027	105,1%
La Rioja	7.122	6.969	111,7%
Castilla LM	6.288	6.749	101,7%
Cataluña	6.411	6.652	102,5%
Aragón	6.292	6.623	101,1%
C. Valenciana	5.801	6.466	95,1%
Extremadura	5.964	6.446	96,7%
Múrcia	5.521	6.198	90,8%
Canarias	5.874	6.081	93,9%
Madrid	5.993	6.003	94,7%
Andalucía	5.060	5.352	81,5%
España	**6.213**	**6.567**	**100,0%**

---

7   La gráfica es del Ministerio de Educación: http://www.mecd.gob.es

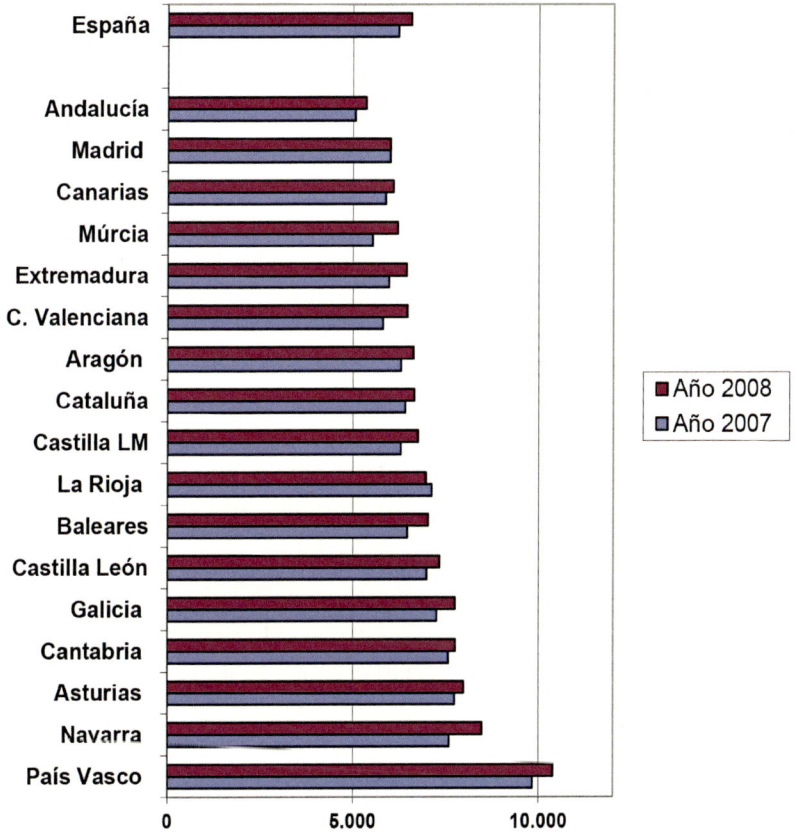

GASTO PÚBLICO POR ALUMNO (Euros)
CENTROS NO UNIVERRSITARIOS

Por lo que se refiere a Cataluña, el drama es que, contra esa mentalidad, de nada servirá exigirle cambios a España, habrá que ir al mundo real, al de los socios europeos o a los estamentos internacionales, para defender no solo a los catalanes, andaluces y extremeños, sino a los españoles de ellos mismos.

¿QUÉ NOS LLEGÓ DE LA REFORMA?

De las ideas protestantes no nos llegó gran cosa, pues nuestro país fue el abanderado de la Contrarreforma eclesiástica. Cerramos las fronteras, para evitar que entrasen las nuevas ideas; censuramos libros y textos procedentes de Europa, para evitar contagiarnos; y la Inquisición erradicó toda crítica, bajo la acusación de herejía a cualquier pensamiento diferente de la ortodoxia. Además, se instauró el concepto de la *limpieza de sangre*, no para los distintos (los herejes) sino para todos aquellos *de los nuestros* que no fueran lo bastante puros. La *limpieza de sangre* ilustra, incluso mejor que la Inquisición, las tensiones de la sociedad española y muestra con qué facilidad pudo caer víctima de las peores pasiones que llevaba dentro.

En el siglo XVI el problema judío se había transformado en el dilema de los conversos; es decir, aquellos españoles de raíces judías que habían abrazado el cristianismo para evitar la expulsión. El clima se fue enrareciendo hasta que se hizo patente que tarde o temprano los conversos serían excluidos de los cargos públicos. La situación se precipitó con el nombramiento de un arzobispo de Toledo, Juan Martínez Guijarro, de origen humilde (pero de sangre pura), que no fue bien aceptado por la aristocracia eclesiástica (de sangre manchada). En 1547 el arzobispo introdujo el *estatuto de limpieza de sangre* para limitar el poder de los aristócratas. Ello suponía que la pureza de los ascendientes se convertía en una condición esencial para cualquier nombramiento público o eclesiástico, así como para recibir dignidades y prebendas. Se hacía culpable al individuo de los pecados de sus antepasados. En 1556 aquel estatuto fue ratificado por el rey con el argumento de que todas las herejías que había habido en Alemania, Francia y España, las habían sembrado descendientes de judíos.

Las mayores pasiones por establecer las pruebas de *limpieza de sangre*, no venían de las clases altas sino de las bajas. La causa era que durante el siglo XVI en toda Europa el sistema social concedía un valor extraordinario al nacimiento y al rango social, así que la divisa máxima de aquella sociedad era el honor; es decir, el valor del individuo a los ojos de los demás, lo que suponía algo externo a la persona. Pero el honor era un atributo esencialmente de la nobleza y por tanto privilegio exclusivo de las personas de alta cuna, una condición envidiada por los humildes, sobre todo por aquellos que habían conseguido posiciones importantes pero que eran considerados intrusos en el mundo aristocrático y privilegiado. Para estos *la limpieza de sangre* proporcionaba un código compensador, que podía sustituir al de la aristocracia, ya que era mejor haber nacido de familia humilde pero cristianos puros, que caballero de ascendencia racial sospechosa. La ascendencia pura se convirtió, para las clases bajas, en el equivalente de la ascendencia noble para las altas y determinaba la posición en relación a los demás. El honor dependía de la posibilidad de demostrar la pureza de los ascendientes, primero hasta la cuarta generación y más tarde, durante el reinado de Felipe II, desde tiempos inmemoriales. Una vez se conseguía demostrar, se era igual que cualquier otro, con independencia de la categoría social, un sistema igualitario peculiar para la jerarquizada sociedad española de la época.

La exigencia de *la pureza de sangre* para obtener un cargo, colocó a la aristocracia en una situación difícil, ya que era más sencillo seguir la ascendencia de un noble que la de alguien del pueblo y además había pocos nobles que no tuviesen algún antepasado dudoso escondido en el árbol genealógico. El sentimiento popular se hizo tan intenso que resultó imposible detener la manía de *la limpieza de sangre* y, en cuanto se exigió para poder ocupar un cargo en la Inquisición, entrar en una comunidad religiosa o en un organismo seglar, ya no se pudieron evitar las largas y costosas investigaciones, que podían desenterrar un esqueleto del panteón familiar en cualquier momento. La simple declaración de un testigo malévolo, sin ningún tipo de pruebas, arruinaba la reputación de una familia. Las consecuencias de los sucesivos *estatutos de limpieza de sangre* fueron comparables a las actividades de la Inquisición, acentuaron el sentimiento de inseguridad, animaron a los calumniadores y delatores, y provocaron intentos desesperados de fraude, como los cambios de apellidos o las falsificaciones de ascendencias para intentar engañar a los funcionarios que comprobaban los linajes. También se puso especial énfasis en evitar matrimonios que pudieran contaminar a las familias con una mancha de sangre conversa o una condena de la Inquisición.

De esta manera, a mediados del siglo XVI la ortodoxia española suponía no solo la profesión de una fe estrictamente católica, sino poseer una ascendencia completamente limpia. La obsesión por la ascendencia pura confirmó en la mente del pueblo la opinión expresada por Felipe II de que existía una correlación entre la herejía y un pasado no cristiano, pero lo más importante es que contribuyó a poner el poder en las manos de una reducida y cerrada clase de cristianos viejos, de mentalidad tradicionalista y que estaban decididos a aprisionar al país dentro de los límites de unas convenciones que ellos mismos habían definido, y fueron estos hombres, sumamente influyentes en la Iglesia, en las Órdenes Religiosas y en la Inquisición, los que marcaron los destinos del país desde el siglo XVI en adelante.

CONSECUENCIAS DE NUESTRA ORTODOXIA

Nuestra respuesta a la Reforma protestante, con cierre de fronteras, censura, represión interna y limpieza de sangre, no fue una excepción en nuestra historia, ni el fruto de una situación de emergencia, sino todo lo contrario, es la pauta que se ha seguido en España durante los últimos siglos ante cualquier idea supuestamente modernizante, ya viniera de dentro o de fuera del país, y con ciertas modificaciones se sigue practicando hoy en día. Es el resultado de una intolerancia que nos hace suponer que nuestras ideas son las únicas aceptables, como si estuviéramos en posesión de la verdad absoluta (en materia de religión, pero también en política, cultura, costumbres sociales, etc.) y creemos que eso nos otorga cierta superioridad moral sobre cualquiera que no piense como nosotros a los que, por su propio bien, tenemos la obligación de devolver al buen camino por cualquier medio, si hace falta incluso a sangre y fuego. Este fundamentalismo intolerante, que impregna nuestra personalidad nacional, es el que hace que seamos uno de los países del mundo con más golpes de estado en su historia, que instituciones execrables como la Inquisición se mantuviesen vigentes hasta bien entrado el siglo XIX y de nuestro histórico aislamiento internacional.

7. Somos intolerantes y excluyentes

A lo largo de los últimos siglos los pronunciamientos militares, de uno y otro color, han sido habituales en nuestro país y con ellos siempre se han desatado las más bajas pasiones del cainismo español, en forma de represiones, venganzas y fusilamientos, no solo de militares en el frente de batalla, sino de civiles en la retaguardia victimas de odios y envidias como ocurrió en la pasada Guerra Civil, en los dos bandos. Pero no creamos que la represión se acaba con el fin de la guerra, sino todo lo contrario, la paz no suponen ningún tipo de reflexión, autocrítica o arrepentimiento, y mucho menos el perdón, la amnistía o la integración de las diferencias, el ganador aplica el lema de *¡ay de los vencidos!*[8] y, aunque el cainismo se modere con los años, continuará velando por la ortodoxia mediante un adoctrinamiento que mantenga al rebaño en el buen camino. Por eso el franquismo se inventó la "Formación del Espíritu Nacional" (FEN) para adiestrar a los jóvenes en la manera de ser un buen español, desde el punto de vista del régimen. Pero ello no es privilegio exclusivo de los dictadores, porque aquí todo el mundo se cree en posesión de la verdad absoluta y en la obligación de adiestrar a los demás en como deben pensar; por eso los últimos gobiernos del PSOE inventaron una nueva FEN denominada "Formación para la Ciudadanía", exactamente con el mismo propósito, y por su parte el del PP ya ha dejado bien claro que quiere adoctrinarnos con el mismo fin. Por alguna curiosa razón los españoles estamos convencidos de que aquí no hay sitio para todos, que no caben todas las ideas, en consecuencia nos empeñamos en que unos deben ganar sobre los otros. Es una mentalidad estrecha y miserable que asegura que no se puede ser español y hablar catalán o que ser catalán es incompatible con ser español, así como unas cuantas tonterías más del tipo *¿a quien quieres más a papá o mamá?* Un ejemplo revelador lo encontramos en el rey Alfonso XIII, que le dijo a Francesc Cambó que, si renunciaba a su catalanidad, le haría primer ministro. El catalán no fue primer ministro y su Majestad perdió la posibilidad de tener a un buen político al frente del gabinete, con independencia de su origen (¿verdad que les suena el discurso?, es el mismo que se oye todavía hoy día). Pero contesten a una pregunta: renunciando a tener al mejor profesional al frente del Gobierno, ¿quién de los dos tuvo mayores problemas, Cambó o Alfonso XIII? ¿Quién tuvo que salir de prisa y corriendo del país? Por el bien de todos deberíamos

---

8   *Vae victis* es una expresión en latín que significa "¡Ay, de los vencidos!". Fue pronunciada por el jefe galo Breno que había sitiado y vencido a la ciudad de Roma (390 AC).

ir superando esos disparates. En mi vida soy andaluz de nacimiento, pero a la vez soy catalán, español, europeo y ciudadano del mundo, sin necesidad de renunciar a nada, como no puedo renunciar a ser hijo, nieto, sobrino, primo, hermano, esposo, padre y espero que algún día mis hijos me concedan el privilegio de hacerme abuelo y quien sabe si bisabuelo.

Ahora tras cualquier victoria electoral es habitual la exclusión pública y laboral de todos los que no son de *los nuestros*; una reminiscencia de la *limpieza de sangre,* que ha continuado a lo largo de los siglos. Gabriel Cardona, que lo sufrió en sus propias carnes, nos recuerda la forma en que, después de la guerra, se repartieron casi todos los trabajos públicos y privados así como las plazas de oposición. La ley de 25 de agosto de 1939 ordenó reservar el 80% de todos los cargos civiles a los excombatientes, y las nuevas incorporaciones quedaron sujetas a oposiciones "patrióticas" donde se reservaron: un 20% de las plazas para militares oficiales provisionales; un 20% para mutilados de guerra; un 20% para excombatientes franquistas en general; un 10% para los excautivos; un 10% para huérfanos de guerra y el otro 20% para opositores libres, siempre que demostrasen su adhesión al régimen. Muchos de estos funcionarios, que entraron en la administración a punta de bayoneta, consideraron su cargo como un botín de guerra, donde pensaban que no tenían ninguna obligación de trabajar, un hecho que empeoró la secular pereza administrativa española con estos recién llegados que estaban dispuestos a defender sus ventanillas del acoso de los ciudadanos con la misma bravura con que habían impedido a los rojos llegar a sus trincheras. Por más que pueda parecernos una reminiscencia del pasado, algo parecido sigue ocurriendo actualmente con algunas modificaciones, como la reserva del 50% de cargos de responsabilidad a las mujeres por razones de género, que se aprobó en las legislaturas del PSOE del 2004 al 2011.

Y por más increíble que nos pueda parecer, incluso podemos encontrar argumentos basados en *la limpieza de sangre* en nuestros días. En el País Vasco uno de los motivos para reivindicar su hecho diferencial es el mayor porcentaje del factor Rh negativo que hay entre los vascos. Y lo más triste es que en las elecciones a la presidencia del Futbol Club Barcelona del año 2003, uno de los candidatos atacaba a un contrincantes asegurando que tenía sangre judía.

8. Queremos la uniformidad y rechazamos la diferencia

Creer que estamos en posesión de la verdad absoluta, y que no se puede aspirar a nada mejor que a la uniformidad, nos ha privado históricamente del crecimiento que proporciona la comparación crítica con los demás, así como de la riqueza que otorga el debate de las nuevas ideas. Internamente se busca la unidad a todos los niveles: político, religioso, social, económico, lingüístico, etc. En España nunca se ha entendido que, cuando el centro incorpora a los pueblos a los que va sometiendo, no anula los caracteres propios que estos tenían; es decir, que la incorporación a la unidad no significa la muerte de los grupos como tales. Tenemos que acostumbrarnos a entender la nación, no como un sistema uniforme, cohesionado y estático, sino como uno dinámico en el que tan esencial es la fuerza centrípeta como la centrifuga o de dispersión. En palabras de Ortega y Gasset:

> *La fatiga de un órgano parece a primera vista un mal que este sufre y podemos creer que el ideal de salud es la falta de fatiga, pero a pesar de ello la fisiología nos demuestra que sin un mínimo de fatiga el órgano se atrofia. Hace falta que su función sea excitada, que trabaje y se canse para poder nutrirse con normalidad. Es lo que se llaman "estímulos funcionales".*

Aquí nunca se ha tenido en cuenta la bendición que supone tener tales "estímulos funcionales" provenientes de tantos pueblos que conforman el país, con costumbres y lenguas diferentes que permiten una variedad de alternativas de las que todos nos deberíamos beneficiar y enorgullecer. En cambio, sólo se busca la homogeneidad, lo que reduce las alternativas a una sola que, si no funciona, nos deja sin ninguna otra ante un mundo globalizado, diverso y complejo.

Dentro del país este rechazo a las diferencias lo hemos resuelto siempre, no con diálogo y negociación, sino con aquel dicho tan nuestro de *muerto el perro, se acabó la rabia*, con el que todo queda justificado para eliminar los problemas por la vía rápida sin tener que abordarlos hablando o razonando, que resulta delicado y laborioso, sobre todo cuando no se tienen argumentos, por eso nuestra opción es siempre apartarlo y eliminarlo, a ser posible físicamente, y así creemos que mantenemos el país limpio de ideas contaminantes y de sujetos indeseables, sin abordar jamás los problemas en profundidad, ni interesarnos por sus causas. Esta intolerancia nos ha llevado a ser el país con más golpes de estado de Europa porque ¿para qué discutir sobre concepciones de país si se puede eliminar físicamente a los que no piensan como nosotros? y ya se sabe que *muerto el perro...* se acabó el problema. Y no pensemos que es algo del pasado o una hipótesis remota ahora impensable, porque eso es lo que se ha hecho recientemente con el juez Garzón, apartarlo de la judicatura cuando empezó a ser incómodo frente a la corrupción y las heridas no cerradas de la pasada Guerra Civil, y es lo que se intenta hacer con el independentismo catalán, al que se procura eliminar de raíz sin analizar sus causas o el porque, tras más de treinta años de democracia, hasta los catalanes más sensatos y conservadores se han hecho independentistas. Ese y no otro es el motivo por el que se ha obligado a dimitir al fiscal general de Cataluña, Sr. Rodríguez Sol, tras admitir que es posible hacer una consulta a la ciudadanía sin que ello suponga un atentado a nada, que lo último que debería temer es precisamente escuchar la voz del pueblo. ¡Qué diferencia de sensibilidad, de sentido democrático y de respeto hacia los ciudadanos, el que tiene el Gobierno británico con Escocia, que también se siente incómoda con su papel en el Reino Unido! Con tales actitudes España adopta la peor de las soluciones posibles, especialmente en pleno siglo XXI, con un mundo globalizado que no acepta estas actitudes excluyentes e intolerantes. El drama es que no sabemos adoptar otras distintas ni intuimos el daño que decisiones como la de hacer dimitir a un fiscal general suponen, así que los resultados sólo pueden ser la catástrofe interna y el desprestigio externo.

Tales actitudes también tienen repercusiones externas, porque es donde se pone más de manifiesto su inutilidad, por más que nos empeñemos en no querer verlo. En el exterior esa intolerancia de *estás conmigo o contra mí* nos hizo aplicar una política del todo o nada sin término medio, que se pone de manifiesto en la recomendación que le hizo Fernando Álvarez de Toledo, tercer Duque de Alba, al rey Felipe II durante la campaña de Flandes en el siglo XVI: *"He aconsejado al rey quemar en Holanda todo el país que nuestra gente no pueda ocupar"*. Con esta manera de entender la política colonial a nadie le puede sorprender que no fuéramos capaces de crear un club que integrara a nuestras excolonias como sí hicieron los ingleses, con la Commonwealth, así que las perdimos de manera irremediable, por más que nos consolemos con lo de la madre patria, que nos ha servido de poco para defender nuestros intereses petrolíferos en Argentina, donde nos expropiaron YPF-REPSOL por una prepotencia que hoy nadie está dispuesto a tolerar, por eso el mundo no dijo absolutamente nada. La falta de autocrítica y la poca costumbre de defender nuestras ideas con hechos y argumentos, en vez de con eslóganes y verdades absolutas, ha supuesto desde siempre una grave deficiencia internacional, que nos ha vuelto débiles y acomplejados, con miedo a las ideas que provenían de fuera y que siempre hemos vivido como una amenaza, por eso nuestra respuesta ha sido sistemáticamente el cierre de fronteras y la protección de nuestra ortodoxia religiosa y política para no tener que exponer unos argumentos que con frecuencia no teníamos.

Todo ello ha tenido unas consecuencias nefastas para nosotros, como quedarnos al margen de todo el progreso mundial al que, desde hace siglos, nos incorporamos con tanto retraso que no nos ha permitido ser pioneros ni competitivo en casi nada. Tampoco se ha valorado, ni ha parecido importar demasiado a nuestros políticos, el impacto que esa postura ha tenido para el país a nivel internacional donde nuestra posición ha sido tan pobre, y nuestra manera de hacer política tan errática que llegó a hacerse popular el dicho de que *África empezaba en los Pirineos*. Todo ello debería enseñarnos que, antes de ir dando carnés de buenos patriotas a determinados políticos, que dicen amar a España sin querer ni al país ni a sus habitantes, haríamos bien en analizar los resultados de sus actuaciones, tanto a nivel nacional como internacional, para valorar el coste de tener al país cerrado al mundo durante décadas mientras ellos se mantenían en el poder cómodamente. Si esta comodidad supone retrasar el progreso de la nación y empobrecerla, mal favor nos han hecho tales patriotas de pacotilla.

9. Ni somos demócratas ni creemos en la democracia

Lamentablemente, España no es un país de mentalidad democrática, en realidad la democracia supone precisamente lo contrario a nuestras prácticas políticas más ancestrales. No pretendo despreciar nuestros gloriosos periodos democráticos, algunos memorables y heroicos como la Constitución de Cádiz de 1812, pero siempre han sido tan cortos y escasos que no creo que hayan impactado en la mentalidad colectiva. De hecho democracia supone tolerancia, debate, transparencia, respeto a la diversidad, lealtad entre vencedores y vencidos, unas cualidades que no hemos asumido todavía, por eso sostengo que no hemos interiorizado su funcionamiento y la hemos pervertido burdamente.

Los partidos políticos no han interiorizado la democracia ni lo importante que es la alternancia en las instituciones, ya que si fuera así no permitirían un sistema electoral sin límite en el número de legislaturas que se puede ostentar un cargo de máxima responsabilidad, sino que habrían puesto las dos legislaturas, como tienen la mayor parte de los países, incluidos muchos africanos, recién incorporados al juego democrático. Tampoco han visto la importancia de la transparencia en política por la necesidad de dar ejemplo a toda la sociedad, pues en caso contrario no serían tan opacos en el funcionamiento y en la financiación de los partidos. De la misma manera, no la han asimilado muchos de nuestros políticos como lo demuestran cada vez que buscan en la aritmética electoral el poder que no les han otorgado las urnas, por más legal que sea. Ellos son responsables de exigir que haya un sistema electoral que refleje lo más fielmente posible la voluntad popular, no de crear alternativas matemáticas para no tenerla en cuenta. También demuestran no entenderla aquellos que, con menos del 10% de los votos, proclaman que su misión es pararles los pies a tal o a cual partido que tiene el 50% de los sufragios, despreciando así la voluntad expresada en las urnas por millones de ciudadanos. Pero lo peor es que no han asimilado la necesidad de ser serios con el pueblo, al que no pueden engañar con eslóganes, frases hechas y parodias democráticas. Mientras escribo estas líneas (final de 2011) hemos asistido a dos procesos de elecciones primarias de partidos para elegir candidatos electorales. Se trata de las primarias norteamericanas del Partido Republicano y las primarias del PSOE para elegir sucesor a la Secretaría General del partido, en sustitución del Sr. José Luís Rodríguez Zapatero.

• En el proceso norteamericano hemos visto especiales televisados a diario entre candidatos renovados y con ideas nuevas, que se dicen las cosas a la cara en medio de los debates y todo se resuelve por votación de los militantes republicanos de todas las circunscripciones, por tanto se puede seguir la evolución día a día, estado a estado y se va viendo quien lleva ventajas y quien va perdiendo. Cuando todo acaba no es extraño que la candidatura ganadora integre a la perdedora, como hizo Obama con la Sra. Clinton, incorporando a un gran político y una corriente de opinión del partido para hacer piña y enriquecerse de cara a las elecciones futuras contra el partido rival.

• El proceso español se ha vendido como un magnífico ejercicio de democracia, donde los dos candidatos se presentaban como la renovación del partido, a pesar de haber formado parte del Gobierno durante las dos últimas legislaturas, un Gobierno que ha agotado sus ideas y por ende su crédito electoral, al haber perdido las elecciones con una derrota escandalosa y sin paliativos. No ha habido debates entre los candidatos, ni por radio ni por televisión, no se sabe cuales eran los programas ni las propuestas de cada uno de ellos. La elección se ha hecho en el transcurso de un congreso del partido y han participado únicamente unas 1000 personas (los llamados barones) que han votado por federaciones a causa de la obligada disciplina de voto. Ahora que ya ha acabado todo parece que las amenazas y el juego sucio han sido la pauta y, por más que se hable de unidad y de integración el ganador, el Sr. Rubalcaba, se ha inclinado por el habitual *¡ay de los vencidos!* y ya ha apartado a la candidata rival, la Sra. Chacón, condenada al ostracismo.

Permítanme que me muestre escéptico sobre que ese partido haya entendido lo que es la democracia real. Y no crean que tengo nada en contra el PSOE, ya que el funcionamiento es parecido en todos ellos, ya que el problema es del país entero.

10. Para los nuestros, todo vale

Pero quien menos han interiorizado la democracia y todo su potencial es el pueblo español, que todavía no es consciente de que el verdadero poder está en sus manos, que los políticos son sus empleados y han sido contratados para resolverles problemas, no para crearles de nuevos. El pueblo es el único que puede cambiar el funcionamiento de todo eso para hacerlo más razonable, más democrático, más libre, más transparente, más ágil y más dinámico. No solo no hemos entendido que hay que mejorar nuestra joven democracia, sino que tampoco hemos comprendido la necesidad de defenderla de cualquier ataque, venga de donde venga, por eso cuando unos cuantos exaltados impiden el paso de los representantes del pueblo al Parlamento de Cataluña para hacer sus tareas (sucesos del 15 de junio de 2011), parece que *no pasa nada*, como si fuera una travesura de colegiales, dando la impresión de que *aquí todo vale,* y no de lo que es en realidad, un acto gravísimo que exige sanciones para dignificar a nuestra democracia y a nuestros representantes.

Estas ideas de que *aquí no pasa nada* y de que *todo vale* son las que aplicamos *a los nuestros*, a los que les perdonamos cualquier debilidad que puedan tener, pero que resultan nefastas para la sociedad al ser la puerta de entrada a la impunidad para muchas actitudes, desde la mala educación o la insolencia, hasta la corrupción y la violencia, todo ello perdonado si los actos son protagonizados *por los nuestros*. Por eso, cuando el director de un periódico deportivo dice en la televisión que a un jugador de un equipo rival *se le debe parar por la vía civil o por la criminal*[9], *no pasa nada* si es de los *nuestros*, por más que

9   Eduardo Inda (1967) director de Marca TV, dijo públicamente, en septiembre de 2011, en esta emisora que había que parar a Messi por la vía civil o por la criminal.

esté incitando a la violencia. Lo mismo podemos decir cuando el cuerpo directivo de un equipo de fútbol y sus periódicos acólitos insinúan que un equipo rival gana por favoritismo institucional[10] y nadie toma cartas en el asunto; o cuando una cadena de radio difama a un deportista[11] o a un equipo de fútbol[12] insinuando dopajes sin ningún tipo de pruebas; como mucho quizá tendrá que rectificar más tarde y se acabó. Pero no crean que es sólo en el deporte, porque lo mismo ocurre en todos los ámbitos y niveles de la sociedad, por ejemplo se puede acusar impunemente de que el presidente y el ex presidente de una comunidad autónoma tienen dinero fraudulento en Suiza, incluso con documentos policiales falsos, como se hizo con los señores Pujol y Mas[13], sin ninguna prueba y que nadie dimita ni pida disculpas ni pase absolutamente nada. En España sale demasiado barato jugar con el buen nombre de las personas y de las instituciones, incluso cuando lo hacen los medios de comunicación que tienen la obligación ética y profesional, recogida en su código

10   Medios de comunicación próximos al Real Madrid se han pasado temporadas enteras hablando del "Villarato", insinuando así, más o menos veladamente, que las victorias de otros clubes están favorecidas por el presidente de la Federación Española de Fútbol, Ángel Maria Villar. Personalmente me sorprende el grado de manipulación y el desprecio que estas actitudes suponen hacia la inteligencia de los socios del Real Madrid y a los seguidores del fútbol en general intentando hacerles creer que los títulos que ha ganado el F.C. Barcelona en la era Guardiola como entrenador (hasta estos momentos son 14 títulos, de 19 posibles, en varias competiciones durante los últimos años) se deben exclusivamente a favores arbitrales. Sinceramente suena a otra historia de charlatanes de las que pueden leer en el capítulo cuatro.

11   Esto es lo que ocurrió con la atleta española Marta Domínguez, acusada de traficar con productos anabolizantes, que fue sometida a un linchamiento mediático, sin ninguna prueba y sin que fuera acusada por ningún juez.

12   La cadena de radio COPE acusó al Futbol Club Barcelona de darles productos dopantes a sus jugadores con informaciones no contrastadas que resultaron ser falsas.

13   El noviembre de 2012, en plena campaña electoral catalana, se filtra un informe de la Brigada de Blanqueo de Capitales de la Unidad Central de Delincuencia Económica y Fiscal (UDEF) de la Policía Nacional que hace estas acusaciones. En marzo de 2013 no sólo no se habían abierto diligencias por unas acusaciones tan graves (ni en un sentido ni en otro) sino que además el ministro de Interior asegura no saber quien elaboró el informe.

deontológico, de ser serios y contrastar la información, por eso se tiene la sensación de que *todo vale*. Esta permisividad y tolerancia mal entendida puede resultar letal en determinados ámbitos, como cuando se les ríen las gracias a *nuestros* ocupas y a los llamados grupos antisistema y se acaban instalando en Barcelona bandas de agitadores profesionales que aprovechan cualquier acto social, político, deportivo o cultural para protagonizar verdaderas batallas campales que nos avergüenzan a todos, al salir en los medios de comunicación mundiales como una pandilla de bárbaros. Y ¿qué decir cuando un entrenador recorre medio campo de fútbol para meterle el dedo en el ojo al entrenador de un equipo contrario, los medios de comunicación le ríen las gracias y todo acaba sin recibir ni un partido de sanción? Deberíamos escoger mejor a *los nuestros* para que no nos avergüencen de una manera tan escandalosa.

Lo mismo encontramos en otros ámbitos, incluso en los más serios y delicados como la puesta en marcha de medidas primordiales para el país, por eso cuando entramos en el euro lo hicimos sin ningún control, porque nos fiábamos de *los nuestros*, hasta descubrir que lo que un día costaba 100 pesetas al día siguiente costaba 1 euro, o lo que es el mismo, 166,368 pesetas, ya que todo el mundo redondeó al alza, que es el resultado del *todo vale* sin control alguno. Una subida de precios de más del 66% de un día para otro, pero ¿qué ocurrió? Nada, porque aquí *todo vale*, todo se perdona, por tanto no exigimos responsabilidades, el pueblo pagó y ya está. Y claro, de una cosa se pasa a otra hasta que acabamos descubriendo que entre *los nuestros* también hay delincuentes, ladrones y corruptos, sobre todo si no hay ningún tipo de control. La reacción entonces será llevarnos las manos a la cabeza y hacernos los ofendidos e indignarnos. Si tenemos dudas podemos hacer un repaso al caso del Sr. Félix Millet, confeso de expoliar el Palau de la Música durante décadas, pero que dejó a todo el mundo sorprendido por la noticia, ya que era uno de *los nuestros* y nadie sospechaba nada, a pesar de que cuando alguien necesitaba dinero (como el Sr. Ángel Colon para acabar su aventura del Partido para la Independencia) todo el mundo sabía que tenía que dirigirse al Palau de la Música para hablar con él.

En política nos encontramos lo mismo constantemente. Por ejemplo, tenemos una ley de financiación de los ayuntamientos tan deficiente que prácticamente les dice que tienen que buscarse la vida, eso sí, cuando descubrimos que hay corrupción en las recalificaciones de terrenos y las adjudicaciones de obras, nos indignamos, pero ¿hemos cambiado la ley? No, porque a algunos ya les va bien, total la única cosa que queda en entredicho es la imagen de toda la Administración Local. Hay una cuestión parecida con la financiación de los partidos políticos, y la manera de resolverla es bien sencilla, consiste en hacer lo mismo que todas las empresas del mundo civilizado: pasar auditorias independientes anuales y hacerlas públicas, o todavía mejor, cambiar la ley de financiación de los partidos y hacerla más transparente. ¿Estamos dispuestos a ello? No, ya que a los partidos no les interesa, aunque ello implique sospechas continuas de corrupción y financiación irregular, el resto; es decir, la credibilidad de nuestra democracia, tanto da porque *aquí no pasa nada* y *todo vale.*

CONCLUSIONES

El destino de los pueblos depende de aspectos como sus sentimientos más íntimos, su carácter, simpatías y antipatías, que influyen tanto en su manera de ser, como en su organización estatal y en su evolución histórica. Un pueblo como el nuestro que, por una perversión de sus afectos, odia toda excelencia por el mero hecho de serlo y, a pesar de ser vulgar e inculto, se considera apto para prescindir de guías y liderazgos, decidiendo apoyarse en los más mediocres, sin evolucionar en sus gustos ni en sus ideas, ya sean religiosas, políticas o morales, causará inevitablemente su propia degradación. Una nación no puede ser sólo "pueblo", sino que necesita un liderazgo inteligente que le indique el camino, de la misma manera que un cuerpo no es sólo músculo, sino que necesita también nervios y cerebro. El pueblo por su cuenta puede hacer funciones elementales; pero no puede hacer ciencia, ni arte superior, ni crear una civilización dotada de complejas tecnologías, ni organizar un Estado con la suficiente consistencia como para competir en un mundo globalizado, pues para eso se necesitan liderazgos inteligentes. La ausencia histórica de estos ha hecho que la colectividad, en lugar de inspirarse en buenos referentes y mejorar en cada generación, se haya hundido cada vez más en la mediocridad, por eso está menos alerta, como dormida, sin energías, faltada de entusiasmo, se arriesga poco y no produce. El odio a la excelencia y la correspondiente falta de liderazgos inteligentes, son la razón de nuestro gran fracaso. Si queremos mejorar nuestra suerte, conseguir un ascenso histórico, impulsado por la esperanza de un futuro mejor, no es suficiente con mejoras políticas, que también hay que hacer, sino que por encima de todo debemos curarnos de esta radical aversión por la excelencia, buscarla, cuidarla y mimarla porque es lo que nos ayudará a hacer avanzar el país. Pero no será fácil, ya que la gente, una vez movilizada en contra de las minorías ilustradas, no las buscarán por si mismos y si las encuentran no las escucharán cuando les prediquen la necesidad de trabajar duro y de ser disciplinados.

La otra limitación es nuestro peculiar igualitarismo, que rechaza la igualdad de oportunidades y exige la igualdad de resultados. No perseguimos que todos desarrollen sus potencialidades y logren lo máximo que puedan alcanzar, sino que finalmente todos gocen de los mismos resultados con independencia del trabajo y del esfuerzo de cada uno, lo cual es tremendamente injusto, por eso no hay ningún sistema natural que funcione así. ¿Quién se esforzaría, trabajaría, estudiaría o invertiría si el resultado no dependiera de ello? Para que me entiendan fácilmente, ¿qué sentido tendría una liga donde todos los partidos tuviesen que acabar en empate o en un resultado que repartiera equitativamente los puntos entre todos los equipos?, pues eso es precisamente lo que hemos hecho en España. Durante la transición, para diluir las reclamaciones de las cuatro comunidades históricas, algunas con más de mil años de historia, idioma, cultura, legislación y tradiciones propias, el Estado se empeñó en crear diecisiete Autonomías, basándose en una política que se resumía en el *"café para todos"*. Con ello, todas tienen la misma solera, peso específico e importancia, aunque algunas tuvieran que ir a buscar una bandera deprisa y corriendo a los muestrarios de los vexilólogos (estudiosos de las banderas). Con esos antecedentes no resulta extraño que muchos dirigentes de algunos territorios no entendieran que su trabajo era algo más que la representación y hacerse fotos durante las inauguraciones. Jamás comprendieron que tenían la obligación de prestar servicios a sus ciudadanos, así que aceptaron aquellas tareas que eran fáciles de gestionar y les permitían lucirse, pero se negaron a hacerse cargo de las complejas o que implicaban decisiones impopulares, por eso no asumieron las competencias en sanidad hasta que en 2002 el Gobierno del Sr. Aznar les hizo un ultimátum[14]. Tratarlas a todas igual, aparte de ser antinatural, es una temeridad para los ciudadanos de aquellos ámbitos al poner al frente de servicios básicos a responsables que nunca han tenido vocación de servir ni de ser gobernantes de verdad. Pero que esas autonomías reciban desde hace décadas más dineros que aquellas que tienen las máximas competencias, incluyendo sanidad, policía y prisiones, es una inmoralidad aparte de una injusticia.

---

14   En 2001 el Gobierno del Sr. José Maria Aznar presionó a las diez CCAA que aún no tenían competencias en sanidad para que se hicieran cargo de ella. Las afectadas eran: Madrid, Asturias, Castilla León, Islas Baleares, Aragón, Murcia, Castilla La Mancha, Cantabria, Extremadura y La Rioja.

CAP. 2. EL SISTEMA ELECTORAL SIN MANUAL DE INSTRUCCIONES

El mañana se tendría que haber resuelto hace años.
Hoy podemos y debemos centrar nuestra atención en el mañana.

Federico Mayor Zaragoza

Estas frases de Federico Mayor Zaragoza, un insigne científico y político español, de origen catalán, que fue Director General de la UNESCO entre 1987 y 1999, me han hecho reflexionar desde que las leí en su magnífico libro *"Mañana siempre es tarde"*. Son dos citas claras, comprensibles y llenas de sentido, pero a la vez tremendamente olvidadas por la mayor parte de la sociedad, que piensa que el futuro simplemente vendrá a nuestro encuentro, con independencia de lo que hagamos. Tengo una noticia buena y una mala: la mala es que efectivamente el futuro vendrá, pero no sabemos como será; la buena es que podemos trabajar para que ese futuro se parezca a lo que queremos que sea. Y digo que podemos ponernos a trabajar porque de nada sirve querer un futuro mejor o tener buenos deseos si no estamos dispuestos a pasar a la acción para conseguirlo, pues en esta vida hay algunas leyes fundamentales que suceden tanto si creemos en ellas como si no: una es la ley de la gravedad, que siempre tira hacia abajo; otra es que no hay prosperidad sin esfuerzo, por más que se empeñen en asegurarlo las loterías, las quinielas y algunos políticos del país; y la que nos interesa ahora es que todo tiene consecuencias, lo que hacemos y muchas veces también lo que no hacemos.

Cuando las potencias vencedoras de la Primera Guerra Mundial se reunieron en el Palacio de Versalles para estudiar las condiciones de paz a la Alemania vencida, fueron tan estrictas e impusieron unas sanciones económicas y unas limitaciones políticas tan severas que acabaron creando el caldo de cultivo para la aparición del nazismo y todo lo que vino después. Como es lógico, los reunidos no querían una nueva guerra en Europa y la bondad de sus intenciones está fuera de toda duda, pero tomaron unas decisiones prepotentes y desorbitadas, sin valorar las consecuencias que tendrían sobre la población alemana en el futuro, el resto es historia.

Antes de acabar la Segunda Guerra Mundial hubo otros acuerdos, como el de Yalta, Potsdam o Teherán, pero hubo uno que se hizo en el año 1944 en Bretton Woods, la "Conferencia Monetaria y Financiera de las Naciones Unidas", donde se pusieron las bases de las relaciones comerciales y financieras futuras entre los países más industrializados del mundo. La Segunda Guerra Mundial había destrozado todas las regiones industriales importantes del planeta, excepto los Estados Unidos, pero el presidente Roosevelt y sus planificadores visualizaron una reconstrucción de posguerra, un nuevo orden económico, que evitase los errores de Versalles, por eso insistieron en crear un mundo en el que los vencedores no debían insistir en la venganza, sino en tratar a los enemigos como a futuros compañeros. El resultado ha sido el periodo más prolongado de paz y prosperidad que ha conocido nuestro continente. ¡Qué diferencia de resultados haciendo las cosas de una manera o de otra!, ¿no les parece?

UN MARCO ELECTORAL A MEDIDA

Siempre he lamentado que en España no tengamos ese espíritu de comprensión, compasión y mano extendida a los rivales. Como apuntaba en el capítulo anterior, nosotros somos más de aquella antigua filosofía romana de *¡ay de los vencidos!* Somos cainitas con nuestros compatriotas, por eso no aceptamos ni el acuerdo ni la amnistía y mucho menos el perdón. Estamos convencidos de que aquí no hay espacio para todos por eso unos deben ganar y los otros deben perder, y entonces *¡ay de los vencidos!* Esta es la razón por la que todos los vencedores, de cualquier color, se han dedicado a pasar por las armas a los vencidos de los colores contrarios, ya que nada nos gusta más que *la limpieza de sangre* y contar solo con *los nuestros*. Leyendo cualquier libro sobre las múltiples guerras inciviles de nuestro país, y sobre todo de la última, nos damos cuenta de que buena parte de las víctimas se producen en la retaguardia, en actos de represión viles, infames y cobardes de uno y otro bando, con frecuencia contra la población civil. Nunca tuvimos aquella actitud de Roosevelt, ahora tampoco, y lo podemos ver cuando los vencedores de las elecciones cambian a todos los cargos de responsabilidad, no solo los de primera línea, sino también los de segunda, tercera, cuarta, quinta..., ya que todo se considera botín electoral; o cuando los perdedores empiezan a hacer una oposición feroz desde el primer momento, con argumentos totalmente opuestos a los que defendían días antes cuando tenían responsabilidades de Gobierno. Sí, nuestra vida política refleja las actitudes cainitas, así como los miedos, complejos y fantasmas del pasado.

Tras la muerte del general Franco los españoles nos encontramos con un régimen rancio y de mentalidad arcaica, que aceptó su transformación con algunas condiciones. Como no había sido derrotado por las armas, ni por ninguna revuelta popular (por más que ahora algunos nos quieran hacer creer lo contrario), no aceptó dejar de formar parte de la vida política del país, ni se automarginó a la hora de definir el nuevo régimen político que se configuraba, la monarquía constitucional, sino todo lo contrario, quiso tutelarlo, pese a entender que los tiempos habían cambiado y que no podían continuar con el estilo al que estaban acostumbrados. Por su parte, la oposición, que disponía de partidos políticos potentes, aún estando en la clandestinidad, pensaron que la muerte del dictador les otorgaba una autoridad política que en realidad no habían tenido nunca, y creyeron que debían ejercer un protagonismo que no se habían ganado. De pronto, todos eran antifascistas, europeístas y más progresistas que nadie. Esta peculiaridad, de unos que no fueron derrotados, y de otros que se sentían vencedores morales de la situación, hace que nuestro país tenga unos tics radicales completamente peculiares y que el fascismo, tanto el de derechas como el de izquierdas, aparezca de vez en cuando en la vida pública de una forma tan descarada y chapucera que hace avergonzar, no solo a los del bando contrario, sino a cualquiera con un mínimo de sentido común.

Las presiones de todas partes, pero en especial de los extremos de derechas e izquierdas, y la necesidad de coger el tren de la modernidad, obligaron a la nueva monarquía constitucional a hacer múltiples concesiones a unos y a otros por miedo a que las tonterías de todos impidiesen el desarrollo de una verdadera democracia y continuásemos, como históricamente, siendo la anomalía de Europa, al ser un país que no ha dejado de protagonizar guerras civiles o dictaduras en los últimos dos siglos. Esta mezcla de un sistema completamente nuevo e inexperto, con una democracia débil y presionada por todas partes, y partidos políticos potentes, hizo que todo el protagonismo del nuevo modelo democrático recayera en aquellos que parecían más firmes: los partidos políticos. Así fue como la nueva democracia puso en las manos de los aparatos de los partidos todas las reglas del juego electoral que habían de marcar la vida política en el futuro: elección de candidatos, confección de listas cerradas, una sola vuelta, etc. Un sistema que les ponía las cosas fáciles, sobre todo si tenían un líder carismático, del tipo de los que hacía años que se preparaban para protagonizar la transición, ya que entonces no tenían que preocuparse de buscar a ningún otro en muchos años al no limitar el número de legislaturas que se podían ostentar cargos públicos de máxima responsabilidad.

Analicemos en detalle las características principales del modelo y sus consecuencias a largo plazo porque, en buena medida, son las responsables de los problemas que actualmente sufrimos, desde la categoría menguante de nuestra clase política, hasta la degradación de la vida pública, la desafección de la ciudadanía y buena parte de la corrupción que nos rodea. Le podríamos llamar nuestro Versalles particular, cargado de buenas intenciones, pero con unos resultados nefastos a largo plazo que tarde o temprano tendremos que corregir si no queremos hacernos daño.

1. Una sola vuelta electoral

Nuestro modelo electoral se decide a una sola vuelta, lo que supone que no hay reválida o segunda vuelta, como hacen los franceses, donde, si no se saca mayoría absoluta en la primera, pueden acceder a la segunda solo aquellos partidos que han superado un porcentaje de votos (12,5%). Es posible que el modelo francés no sea perfecto, pero el nuestro nos causa tantos problemas que algo podríamos aprender de los vecinos galos.

En primer lugar, nuestro sistema ha permitido la proliferación de tantos partidos que resulta difícil para el elector seguir las propuestas de todos, lo que favorece que cada vez simplifiquen más sus discursos, quedándose únicamente en eslóganes y titulares, más o menos demagógicos, con frecuencia llenos de engaños y medias verdades. De esta manera los partidos evitan tener que explicar en profundidad lo que quieren hacer, que daría más elementos de decisión a los electores. Quedarse en los titulares les garantiza por una parte que todo el mundo se pueda identificar con algún eslogan empleado en la campaña y por otra que, al llegar la fecha de las elecciones, la mayor parte de los candidatos todavía no han dicho qué harán si son elegidos, así tienen las manos libres de compromisos si acaban teniendo responsabilidades de Gobierno.

Otra dificultad que comporta la vuelta única, es que no permite hacer nada a los electores, únicamente votar un día y después callar durante cuatro años. La gente se siente defraudada por los políticos, que hacen pactos para no respetar los resultados electorales, argumentando que es legal, sin plantearse la moralidad de los mismos. Comprueba cómo malgastar el dinero de todos hasta hipotecar los recursos de las futuras generaciones, con una alegría espeluznante; y además les ve gestionar como si fueran caciques, metiéndose en todas partes y poniendo y quitando cargos, por razones partidistas, al margen de la importancia del puesto y de la idoneidad del candidato. El ciudadano se da cuenta de que no son serios, en cambio, cuando se acercan las elecciones esos mismos políticos se ponen transcendentales y quieren que el electorado sea serio, consecuente, responsable, racional y que haga un uso útil del voto. No es justo pedirles tanto a los electores que están cansados, con toda la razón, y tienen derecho a mostrar su enojo de una manera u otra en el momento de emitir el voto.

Si hubiera dos vueltas quizá en la primera votaría al PLM (Partido de Liberación Marciano), para que los partidos mayoritarios tomaran nota e hicieran propuestas de enmienda. Que la ciudadanía esté enfadada no significa que sea estúpida, sino todo lo contrario, sabe que puede flirtear con el PLM, pero que es mejor que no entre en el Parlamento cuando nos estamos jugando el futuro del país para los próximos cuatro años, por eso ya corregirán en la segunda vuelta. Por cierto también sabe que, si el PLM entra de forma marginal en el parlamento, es mejor que nunca ocupe cargos de responsabilidad. Eso es lo que permite el sistema electoral francés donde los votantes enfadados castigan a los partidos mayoritarios, votando al PLM (sección francesa) en la primera vuelta, y poniéndoles el miedo en el cuerpo a los grandes partidos cuando hacen las cosas mal. Es la situación que se dio en 2002, cuando la dispersión de los partidos de izquierdas hizo que los más votados, y por tanto los únicos que podían ir a la segunda vuelta, fuera la derecha de Jacques Chirac y la ultraderecha de Jean Marie Le Pen. Entonces vinieron las lamentaciones de las izquierdas, insinuando que Francia se había equivocado, y que el país no podía hacer aquel paso atrás, cuando los únicos responsables de la catástrofe electoral eran ellos mismos por no haber sido capaces de crear un partido potente, que aglutinara las diferentes corrientes de opinión dentro de la izquierda. No nos dejemos engañar por los cantos de sirena de los políticos que aseguran perder las elecciones porque la sociedad se ha equivocado, ya que todos los partidos políticos (absolutamente todos) salen a pescar los votos al mismo mar electoral, por tanto si unos consiguen más representación que otros, es porque sus discursos e ideas interesan más al electorado. Lo que deberían hacer los perdedores no es lamentarse por el país sino reflexionar, rehacer el discurso y adecuarlo a las necesidades de la sociedad, y una buena manera de hacerlo es pasando a la oposición y pensando como mejorar sus propuestas políticas. El panorama electoral en Francia en 2002 se decidió en la segunda vuelta, cuando mayoritariamente la población votó a Chirac, que sacó una mayoría escandalosa, ya que después de todo la opción Le Pen no les gustó a los vecinos galos.

La doble vuelta francesa reduce la disgregación que sufrimos nosotros con partidos que solo aspiran a tener uno o dos representantes pero ser *la llave de la gobernabilidad*. Mientras en Francia desaparecen del mapa electoral, por tener menos de un 12,5% de los sufragios, aquí entran en el Parlamento y, por obra de los pactos electorales, pueden acabar teniendo responsabilidades de Gobierno, lo que les otorga un papel que nunca habrían de tener en función de su representación real, en perjuicio de los partidos que han ganado las elecciones, y en consecuencia de la voluntad mayoritaria del pueblo expresada en la urnas. Vale la pena recordar que el juego electoral no consiste en juntarse varios para echar a unas siglas políticas del gabinete sino en acatar la voluntad popular, por más que nos empeñemos en olvidarlo. Lo más grave para esos partidos minoritarios es que conseguir el premio, sin tener derecho al mismo, les impide hacer autocrítica, actualizar sus programas y modernizarse. El espejismo que les proporcionan los cargos conseguidos les hacen enquistarse en unas propuestas que realmente interesan a muy pocos. Desde el punto de vista político, es legítimo que cada uno piense lo que quiera, y si alguien cree que debe defender ideas de mediados del siglo XIX o de principios del XX que lo haga, pero como mínimo deberíamos tener en cuenta lo que la mayoría del país sabe: que para avanzar necesitamos las ideas y soluciones del siglo XXI, defendidas por partidos del siglo XXI, y el modelo electoral debería favorecer que así fuera.

No sé cuál es el mejor modelo electoral, supongo que no debe haber ninguno, porque si lo hubiera los países lo habrían adoptado hace años, pero un sistema como el francés permite mostrarse enfadado sí procede, y rectificar en la segunda vuelta, sin que ello suponga el trastorno de poner el Gobierno en manos de partidos con menos de un 10% de representación. Además, facilitaría que los pactos electorales se hicieran antes de las elecciones y no después, ahorrándonos la patética imagen de los perdedores haciendo cálculos, mientras el ganador (y todo el país) lo observamos con resignación. Lo que si supondría la doble vuelta sería mucho más trabajo para los partidos, ya que los eslóganes y titulares solo servirían para la primera, los que llegasen a la segunda se verían obligados a preparar bien a sus candidatos, con discursos e ideas sólidas para debatir con otros posibles ganadores con opciones de gobernar. Por último, no creo que valga la pena responder a quienes puedan insinuar que una propuesta así es antidemocrática, cuando Francia disfruta de democracia desde mucho antes que nosotros.

2. Listas cerradas

La segunda característica de nuestro sistema electoral, pensada para facilitarles la vida a los aparatos de los partidos, son las listas cerradas, lo que significa que a los candidatos no los escoge el ciudadano, sino el aparato del partido o sea el grupo reducido de personas que lo controlan. Como es natural, las motivaciones del electorado y las del grupo de individuos que confeccionan las listas no siempre coinciden. Mientras los primeros querrían saber quien es su parlamentario, conocerlo en profundidad, hablar con él y saber cómo piensa defender los intereses del territorio al que va a representar; los segundos buscan a alguien que les sea fiel a ellos, ya que le están dando la oportunidad de tener una representación pública a la que no se puede acceder de ninguna otra manera. Por ello esperan que esté de acuerdo con todo lo que proponga el partido o su líder, en virtud de la *disciplina de voto*. Estas dos posturas condicionan completamente la actuación del candidato. Si fuera elegido directamente por los electores de su circunscripción, se debería a ellos, que son quienes le han votado, a los que procuraría conocer personalmente, saber los problemas reales del territorio, los conflictos sociales, las tasas de paro, etc., y necesariamente tendría que trabajar para intentar resolverlos, ya que en caso contrario no le volverían a votar. Pero como quien le ha puesto en la lista es el aparato del partido, se debe a este, lo cual es una gran ventaja para el candidato que sólo tiene que preocuparse de aprenderse los eslóganes y titulares que le faciliten y decir *amén* a todo lo que le proponga el cabeza de lista, si lo hace tendrá un lugar asegurado en las próximas elecciones, en caso contrario no tiene ninguna posibilidad de repetir. No hay que ser un genio para entender cuál es la posición mayoritaria de los candidatos, pero ¿quién no haría lo mismo? Ni son mártires ni los contratamos para serlo. En cualquier caso, este sistema no parece la mejor manera de atraer personas con ideas propias, mentes innovadoras, profesionales competentes o expertos a trabajar para el país.

Hay una manera muy sencilla de cambiar el enfoque de sus señorías, que es instaurar las listas abiertas y que sean elegidos directamente por el electorado. Ello supondría quitarles poder a los aparatos de los partidos, y devolverlo a quien lo debe tener, que es el electorado. Los partidos perderían el control sobre los candidatos, ya que se podría presentar cualquiera, así se verían obligados a buscar a los mejores, buenos profesionales, con experiencia, comprometidos con el territorio y dispuestos a trabajar por el lugar que representan, además del país y el partido. También les tendrían que formar de verdad en política, en técnicas de debate, en nociones de economía, en relaciones humanas, en cómo hablar en público, etc., pero sobre todo en los problemas locales: ocupación, empresas que van bien y proporcionan puestos de trabajo o que van mal y pueden cerrar, etc., todo ello para poder discutir con otros candidatos sobre realidades y no sobre tópicos o eslóganes y, lo más importante, para hablar con la población del territorio sobre aquello que les preocupa. Sin duda, sería una tarea más ardua para los partidos pero más creativa y edificante que la actual, les obligaría a estar permanentemente actualizados y a tomarle el pulso a la sociedad, ya que en caso contrario el candidato podría decidir acercarse a los que realmente le "contratan" que son los ciudadanos y prescindir de un aparato demasiado preocupado por sus propios intereses.

Las listas cerradas y la disciplina de partido, me hacen recordar una anécdota de cuando ganó las elecciones norteamericanas el presidente Obama. Hubo unos meses en que se oía por todas partes que tal o cual político era el Obama español o catalán. Personalmente reía cuando lo escuchaba porque estoy convencido de que, con nuestro sistema electoral, el Sr. Obama nunca habría ganado las elecciones, ya que no era el candidato "oficial" del aparato del partido. Los demócratas ya se habían estrellado años antes con otro candidato de color, el reverendo Jesse Jackson, por eso el aparato apostaba por un valor "seguro", como la Sra. Clinton, que ya suponía un cambio bastante importante por ser mujer, pero él estaba en un país que le permitía presentarse al electorado en unas primarias, y disputarle el cargo a la candidata "oficial", el resto es historia. Aquí ningún partido habría apostado por un candidato con tan pocas posibilidades, según los criterios de su cúpula. Y si algún atrevido hubiera forzado las primarias (como ha ocurrido alguna vez), estas se habrían resuelto en un congreso extraordinario donde los asistentes, los llamados "barones", le habrían hecho pagar su osadía con una derrota lo más humillante posible y posteriormente con el destierro a Bruselas, cuando no al ostracismo y al olvido.

Por más que de vez en cuando hablen de cambiar y de hacer listas abiertas, la verdad es que no tienen ningunas ganas de hacerlo. Si las tuvieran, habría listas abiertas al menos en las municipales donde todo el mundo se llena la boca diciendo que son las elecciones en las que se vota a la persona y no al partido. Si es cierto, que hagan listas abiertas en las municipales y podremos empezar a creernos que de verdad quieren mejorar el sistema político, además se ahorrarían todos los sofocos ocasionados por los ridículos tránsfugas locales por temas como el vertedero o el alumbrado de una calle. Pero mucho me temo que no habrá cambios en este sentido, como lo demuestran las últimas elecciones municipales (2011) donde algunas listas del Partido Popular se completaron con militantes que no vivían ni en el municipio (algunos no vivían ni en la comunidad autónoma), pero al partido le interesaba presentar listas en todos los pueblos del país. Puede ser una buena manera de mostrar músculo electoral, pero para la ciudadanía resulta patético y no ayuda a devolver la confianza en los políticos ni a solucionar la desafección respecto a la vida política.

3. No se limitan las legislaturas de los altos cargos

La tercera característica, que simplifica la vida a los aparatos de los partidos, es no limitar el número de legislaturas que los políticos pueden ostenten la más alta responsabilidad del poder. Por eso es sorprendente que nuestros medios de comunicación destaquen supuestos fraudes electorales de otros países, cuando los presidentes de aquellas naciones se presentan a las elecciones por tercera vez (Daniel Ortega en Nicaragua o Hugo Chávez en Venezuela, etc.). Entonces se oyen a algunos políticos y analistas, postulando con gravedad sobre la limpieza o no de los procesos electorales de los demás... pero nosotros no hemos sido capaces de fijar las dos legislaturas máximas, como herramienta de regeneración democrática de la que tan necesitados estamos y así se vuelve a cumplir aquello de que vemos la paja en el ojo ajeno, pero no la viga que hay en el nuestro. Debo hacer un paréntesis para decir que sí tuvimos un presidente que se autoimpuso las dos legislaturas y las cumplió, el Sr. José María Aznar, y yo pensé que si lo hacía un presidente del Gobierno central el tema se arreglaría, ya que nadie se atrevería a hacer lo contrario, pero para vergüenza nuestra y de toda la clase política, nadie se dio por aludido. Aquí tenemos políticos que llevan más de 20 años en cargos de la máxima responsabilidad (cinco o más legislaturas), un acontecimiento que ocurre en pocos lugares del mundo democrático al que queremos pertenecer.

De lo que no hay duda es de que este sistema resulta muy cómodo para el aparato del partido que, si encuentra un político de nivel, con ganas, carisma, liderazgo, discurso, iniciativa, y que además gane elecciones, lo que podríamos llamar un *valor seguro*, no se tienen que preocupar de buscar y preparar a ningún otro candidato y se pueden limitar a presentar siempre al mismo. Nos darán muchos argumentos para defender el modelo: el principal es su legalidad (de hecho es lógico que sea legal, ya que es la normativa que se han dado a sí mismos para perpetuarse en el poder), aunque olvidan como siempre la moralidad, por ser una burla a la democracia, a la alternancia política y a la necesaria regeneración de la vida pública); también nos dirán que si algo funciona no hace falta cambiarlo; o que la gente no quiere a ningún otro candidato. Son los mismos argumentos que usan todas las dictaduras para mantenerse en el poder y constituyen un déficit nacional a corregir tan pronto como sea posible, ya que este sistema es de los que ha hecho más daño a la imagen de los políticos, ahora tan deteriorada, al haber alejado de la vida pública, no solo a los que *no eran de los nuestros*, sino también a los mejores de *los nuestros* que pudieran suponer un relevo generacional que hiciera peligrar el estatus quo dentro del partido.

El político *valor seguro* tiene la garantía de poder continuar *mientras el cuerpo aguante* y hará todo lo posible para evitar que aparezcan candidatos alternativos, que por definición nunca podrán tener su experiencia. De esta manera hace años que, en vez de atraer profesionales hacia la política, hemos creado a verdaderos profesionales de la política. Personas incluso con escasa o nula experiencia profesional, a veces con poca formación, que solo han hecho carrera dentro de un partido, al que entraron en cuanto tuvieron la edad para afiliarse, y han ido aprovechando sus oportunidades hasta llegar a unos cargos a los que no podrían ni soñar fuera de la política ni en un país con un sistema electoral más selectivo. Desgraciadamente, tenemos muchos casos, pero miremos simplemente a la persona que ha desempeñado en los últimos años la máxima responsabilidad del Estado, por detrás del Rey: el Sr. José Luís Rodríguez Zapatero, presidente del Gobierno español entre 2004 y 2011. Según su biografía en Internet[15], nació el 4 de agosto de 1960 y se afilió al PSOE en 1979, en cuanto tuvo la mayoría de edad. Fue secretario de organización del partido en León. Estudió Derecho en la Universidad de León y al acabar

---

15   http://es.wikipedia.org

se quedó de ayudante en la Cátedra de Derecho Constitucional entre los años 1983 y 1986 (aquí la biografía contrasta con una frase que Pilar Rahola, en su libro *"La màscara del rei Artur"*, atribuye a Felipe González, en la que este asegura que: *dijo Felipe de Zapatero, "necesitó ocho años para sacarse Derecho")[16]*. A partir de 1986 entra en el Parlamento, de donde no se ha movido hasta llegar a primer ministro. Un par de preguntas para la reflexión: primera, con este currículum profesional ¿a quién le extraña su falta de iniciativa para resolver la crisis del 2008, por no entrar en otros detalles?; segunda, con esta experiencia laboral tan peculiar, ¿a quien le sorprende que la clase política esté cada vez más alejada de la realidad y tan poco valorada por la ciudadanía que vive los problemas reales? En otras palabras, ¿es lógico que las encuestas sobre los problemas del país indiquen que la clase política es uno de nuestros mayores problemas?

Otro handicap, por no limitar el número de legislaturas, es que permite a los partidos relajarse durante años, sin tener que buscar nuevos candidatos ni alternativas. Esta inactividad les empobrece desde todos los puntos de vista y quedan convertidos en simples órganos burocráticos al servicio, no de una candidatura, sino de un cabeza de lista a quien nadie puede ni osa cuestionar. El debate interno, sobre nuevas propuestas o ideas, desaparece para convertirse en un monólogo de alabanza al candidato. Sin autocrítica se para el crecimiento y el proyecto se aleja cada vez más de la realidad social a la que pretende representar hasta que finamente, el día que pierden las elecciones o falta el líder, no solo pierden la única carta ganadora que tenían, sino que se encuentran sin recambio, sin alternativas, sin discurso, sin ideas y sin propuestas, como estamos viendo en el PSC y PSOE tras las derrotas electorales de 2010 y

---

16   Pilar Rahola (1958). La màscara del rei Artur. La cita completa, que aparece en la página 200, dice: "Expresaran su desprecio por Zapatero, *como dijo Felipe de Zapatero, "necesitó ocho años para sacarse Derecho"*, según Homs. *Zapatero es inconsciente, inconsistente e incompetente*, añadirá Duran.

2011 respectivamente (de nuevo debo aclarar que no tengo nada contra tales partidos ya que todos actúan de la misma manera). Pero lo peor es que sus electores verán que la gran organización no era más que un gigante con pies de barro, se sentirán engañados y les costará volver a confiar en ellos. Por dignidad democrática los militantes y los electores nos merecemos saber que tenemos partidos fuertes y con liderazgos potentes, pero por encima de todo nos merecemos saber que no dependen de una única persona, como las dictaduras dependen de un salvador de la patria, necesitamos saber que hay cantera suficiente, bien formada, preparada y dispuesta si hace falta, y la mejor manera de garantizarla es que el sistema electoral obligue a los cambios periódicos de candidatos. El actual modelo va completamente en contra de la formación de una cantera potente, ya que tiende a rechazar a aquellos profesionales de ámbitos diferentes a la política, que podrían hacer mucho por el país, pero que no tienen ninguna alternativa porque los cargos se mantienen ocupados durante décadas por las mismas personas, a veces durante una generación entera, algo impensable para la mayor parte de los países de nuestro entorno y además una burla a la democracia, por más legal que hayan querido hacerlo. Necesitamos que el sistema electoral facilite el recambio para garantizar la entrada de candidatos nuevos, de verdaderos profesionales de todos los ámbitos que conozcan el país y que tengan experiencia laboral en el mundo real.

No nos dejemos engañar con el argumento de que si la gente los vota el resto no importa o que la ley lo permite. La limitación a dos legislaturas la tienen incluso países como Tanzania o Senegal. Y, por si fuera poco, recientemente la ha instaurado incluso un régimen tan alejado de la democracia como Cuba. Por tanto, debemos ser conscientes de que en este tema España vuelve a ser una anomalía y algún día, espero que más pronto que tarde, habrá que corregirlo.

4. La fecha de las elecciones

Podemos pensar que la fecha de las elecciones es una causa menor en la responsabilidad de la actual degradación de la vida política, pero se trata de un tema conceptual que hay que tener en cuenta. ¿Cuándo tenemos elecciones nosotros? Nadie lo sabe, ya que cada presidente de gobierno central o autonómico las convoca cuando le va bien o le conviene a él; es decir, cuando las encuestas le dan más ventajas. De esta manera no es raro que no se acaben las legislaturas, sino que sean más cortas, según los intereses particulares de una persona o de un partido; es decir, que incluso la fecha de las elecciones está pensada para facilitarles la vida a los aparatos de los partidos. Esta situación impide que la clase política haga su trabajo con calma, ya que los rumores de posibles elecciones, a partir del segundo año de legislatura, son constantes, lo que obliga a tener la maquinaria a punto en cualquier momento. Hay que tener en cuenta que el primer año de legislatura se necesita para tomar contacto con la situación y llegar a la velocidad de crucero, y que el último es un año de preparación de las siguientes elecciones, por tanto solo quedan los dos del medio para trabajar de verdad en los proyectos del país, y si empiezan pronto los rumores de elecciones anticipadas, el parón es inevitable y no nos lo podemos permitir. Un buen ejemplo lo tenemos en Cataluña que ha ido a las urnas en 2010 y en 2012, una burla a la voluntad popular, por más argumentos que tuviera el Presidente, Sr. Mas.

No todos los países tienen este sistema. Es sabido que en Estados Unidos las elecciones tienen lugar cada cuatro años y que la fecha es *el primer martes, después del primer lunes, del mes de noviembre* del año que toca. Tan simple, sencillo y comprensible que todo el mundo sabe qué tiene que hacer de cara a aquella fecha, tanto los que están en el Gobierno como los de la oposición. Ni el presidente tiene capacidad para cambiar la fecha, un hecho que puede parecer banal, pero que indica claramente que aquella democracia está por encima de todo y de todos. Si el presidente muere (Kennedy, Lincoln o Harding) o no puede continuar (Richard Nixon), hay un aparato detrás, empezando por el vicepresidente y las demás estructuras del poder que con su labor deben garantizar que todo funcione con normalidad, sin problemas ni sobresaltos para el ciudadano que ya mostró su preferencia votando y es lo que hay que preservar. En ningún caso se da la impresión de que sin "el líder", como le llaman en Corea, o sin "el comandante", como la llaman en Cuba, el país quede huérfano y desamparado. A pesar de tener un régimen presidencialista, ocupado por el hombre más poderoso de la Tierra, la democracia no está rendida a sus pies, ni es un juguete de sus intereses.

5. ¿Cómo pagamos a nuestros políticos?

El quinto factor responsable de que cada día la calidad de la vida política se vaya deteriorando es menos teórico que los anteriores, ya que se trata de los bajos sueldos que les pagamos a los políticos. Ya sé que esto puede parecer una herejía para aquellos que piensan en "la casta" y en que los políticos entran en política solo para robar y mirar por sus bolsillos, pero eso no es cierto, la gran mayoría de ellos son personas honradas, que creen honestamente en lo que hacen y que se merecen nuestro respeto desde todos los puntos de vista, también el económico. Cada vez que empieza una nueva legislatura, hay el mismo debate: los sueldos de sus señorías, una insistencia que responde a las cantidades tan bajas que les pagamos y que posiblemente no compensen a los profesionales de verdad que se ganan bien la vida. En un país como el nuestro, que considera el trabajo un castigo divino y el dinero un pecado, es normal que la imaginación popular crea que ofreciéndoles un cargo (que muchos no consideran un trabajo de verdad por están bien reconocidos, ser saludados por los cuerpos policiales y aparecer en los medios de comunicación), ya es bastante recompensa como para que además tengan que estar bien pagados. En resumen, si servir al país es un honor que lleva implícitos unos beneficios morales, estos deben ser suficientes para que sus señorías trabajen con alegría y dedicación, así que la recompensa material puede ser menor. Otro grave error con consecuencias nefastas para el futuro.

Si queremos contratar a un buen profesional, un abogado, un economista o un ingeniero de los que se ganan bien la vida, que serán los que pueden resolvernos de verdad los problemas, por tener el conocimiento y la experiencia, no podemos pedirles que abandonen sus profesiones, que se alejen de sus familias, que estén disponibles incluso los fines de semana y festivos, que no puedan salir a la calle tranquilos sin que uno o más periodistas intenten hacerles fotos o preguntarles cosas, para ver después en los periódicos sus palabras tergiversadas o sacadas de contexto, y todo ello por menos de la mitad del sueldo que ganarían en su ciudad ejerciendo su profesión. ¿No creen que sea pedirles demasiado? Las personas pueden ser idealistas o románticas pero al final todos trabajamos para ganarnos la vida y vivir lo más cómodamente posible, y no entenderlo es un lamentable error que estamos pagando a un precio tan desorbitado que el país no se lo puede permitir. Los sueldos bajos nos están saliendo por un ojo de la cara, a pesar de ser muy llamativos desde el punto de vista mediático, porque todo el mundo quiere saber que los *ricos también lloran*, por eso ahora se les pide que declaren su patrimonio y la gente se siente satisfecha pensando que les rebajarán el sueldo o que se quedarán sin paga de Navidad. La triste realidad es que todo eso lo único que hará es alejar aún más a los buenos profesionales, aquellos que realmente están capacitados para desarrollar tareas de la complejidad que supone sacar al país adelante. Y sin estos, ¿qué nos queda?, pues los políticos que los aparatos de los partidos nos quieran poner, que serán los más fieles a las directrices y al líder, estén o no capacitados.

En un país que no valora el trabajo, ni la capacidad profesional, y que considera que todo el mundo sirve para todo, es lógico que nos escandalicemos por un sueldo normal, pues en realidad no se busca ni la capacitación ni la valía profesional, sino ocupar un cargo con cualquiera de *los nuestros*. El resultado es que para ahorrarnos cuatro céntimos en sueldos damos cargos de altísima responsabilidad a individuos que se gastan miles de millones de euros en aeropuertos sin aviones, líneas de AVE sin pasajeros, hospitales sin enfermos y en subvenciones de todas las causas imaginables, hipotecando nuestro futuro y el de nuestros hijos. Pero tampoco debería sorprendernos que así sea, ya que esos individuos no se han formado en criterios de eficacia y eficiencia, algunos no saben que para hacer una obra se necesita un proyecto funcional y un plan de viabilidad, ni han gestionado en base a una cuenta de resultados, ya que esa no ha sido nunca su función; siempre se han dedicado a captar votos, a buscar la foto en los periódicos, a salir en las noticias y eso lo han hecho bien. Cada vez que han inaugurado una línea de AVE o un aeropuerto, han tenido la foto, aunque la instantánea nos haya costado centenares de millones de euros, y han conseguido que algunos les votarán por primera vez, a pesar de que la línea de AVE se tuviera que cerrar a los tres meses o que el aeropuerto no sirviera para nada. Otra vez hemos caído en el error de comprar barato, de ir a las ofertas y a los saldos, para comprobar que también en política lo barato sale caro, extremadamente caro.

No es fútbol, es mucho más importante

De cara al futuro, haríamos bien recordar que los buenos profesionales se tienen que pagar. Curiosamente eso es algo que solo aceptamos en el fútbol: se puede pagar cualquier cantidad por un jugador y, si mete goles, a todo el mundo le parece bien (y si no los mete, pocos lo recordaran). La gente entiende que si quiere un

Messi o un Ronaldo los tiene que pagar. En cambio, para el resto de las profesiones les cuesta entenderlo.

En la vida encontraremos gangas, ofertas e individuos que nos harán las cosas a mitad de precio, pero debemos recordar que nadie da duros a cuatro pesetas. Seamos prudentes con las ofertas, si las cosas son importantes vale la pena pagar un poco más y asegurarse los servicios de un profesional de verdad. En el mundo de la economía real cuando una empresa tiene problemas busca a los mejores, ya que, si no lo hace, acabará cerrando puertas, que es lo peor que puede ocurrir. Cuando la Chrysler estaba a punto de quebrar, y de despedir a miles de trabajadores, no dijeron: *bien, como tenemos pérdidas bajaremos el sueldo de los directivos un 10% para ahorrarnos dos mil dólares.* Eso es lo que habríamos hecho nosotros y el resultado habría sido cerrar en pocos meses. Ellos fueron a buscar al Sr. Lee Iacocca, que reflotó la empresa, evitando el cierre y salvando los puestos de trabajo y los intereses de los accionistas, pero pagándole un sueldo adecuado, que él se ganó y seguro que nadie se lo discutió. Lo mismo pasó cuando la Disney empezó a tener problemas y contrató al Sr. Michael Eisner a quien le pagaron un buen sueldo para mejorar la empresa y darle el empuje que necesitaba. Pero como nosotros no valoramos ni el trabajo ni la experiencia profesional, excepto en el fútbol, no entendemos que en gestión, en derecho, en ingeniería, en medicina, en política y en todos los campos, como en el fútbol, hay profesionales de primera división y de tercera regional, y que los resultados son completamente distintos según a quien contratemos.

Lecciones de un músico eficaz

Todo esto me recuerda el cuento de *El flautista de Hamelin*, en que un flautista libera a la ciudad de la plaga de ratas que la asolaban, tocando con una flauta mágica, una melodía que las atraía y, embobadas, le siguieron hasta el río donde se ahogaron. Cuando el flautista fue al ayuntamiento para reclamar el dinero acordado por liberar a ciudad de tan desagradable plaga, los responsables del consistorio, libres de los molestos roedores, le contestaron que no estaban dispuestos a pagar tanto dinero por tocar la flauta y diciéndole esto le dieron la espalda mientras se reían del músico que quedó indignado por el trato recibido.

Este es un dilema que merece cierta reflexión. Por una parte, es evidente que no todo el mundo era capaz de resolver la plaga, porque seguro que habían probado con todos los exterminadores convencionales de la zona, al parecer sin éxito, por eso buscaron un experto y sólo lo encontraron cuando llegó un verdadero profesional, eso sí, un poco raro, ya que llevaba consigo una flauta. En estas circunstancias debemos preguntarnos ¿por qué conceptos tenían que pagar el servicio: por la magnitud del problema que tenía la ciudad o por el esfuerzo que los regidores suponían que haría falta para eliminar las ratas? Esta es una pregunta interesante que me viene a la cabeza cada vez que veo a un buen profesional en acción. Un experto es alguien que hace sencillas las cosas complejas y que las resuelve fácilmente mientras a nosotros nos parecen imposibles. Eso es lo que sentimos ante un gran médico, abogado, ingeniero o al ver como Messi mete goles que parecen imposibles.

Quiero defender la buena fe de los miembros del consistorio de Hamelin. Me niego a creer que dejaron de pagar por avaricia, como insinúa el cuento, sino que lo hicieron por ser responsables, bien intencionados y querer lo mejor para su municipio, por eso pensaron que el poco dinero que tenían (seguro que entonces las arcas municipales estaban tan vacías como ahora), lo podrían invertir mejor en arreglar una calle, en poner una farola en un rincón donde la oscuridad favorecía los accidentes o en cualquier otra cosa. Además, debieron pensar en cómo les juzgarían sus vecinos o los medios de comunicación si les decían que el poco dinero que tenían se lo habían dado a un mendigo que la única cosa que había hecho era tocar la flauta. Una actitud loable y llena de buenas intenciones pero irresponsable por sus consecuencias futuras.

Tratar así al músico suponía que ningún otro buen profesional estaría dispuesto a poner un pie en Hamelin para resolverle ningún asunto al consistorio, y posiblemente a ningún vecino de la ciudad. Lo más probable es que cuando se conociera el trato prestado al flautista ninguna agrupación de profesionales quisiera hacer inversiones allí o poner un negocio, nadie querría llevarles sus productos sabiendo que no respetaban los precios pactados, ya que todo el mundo sabría que sus habitantes no eran serios sino unos tacaños que habían estafado y abusado de un pobre hombre que les había prestado un gran servicio y por tanto no se podía hacer tratos con ellos. La decisión del consistorio era pan para hoy y hambre para mañana, una situación en la que muchos políticos de visión de vuelo gallináceo son expertos y que, como en el cuento, se acaba pagando con creces, ya que la historia no acabó así...

Todas las decisiones tienen consecuencias, esta es una lección que deberían haber aprendido los responsables de Hamelin. Enfadado por el trato recibido, el flautista volvió a tocar la flauta, pero esta vez ya no había ratas que se sintieran atraídas por la música, sino todos los niños de la ciudad que, igual de embobados que los roedores el día anterior, seguían la melodía hasta que salieron de la ciudad y el flautista se los llevó lejos, muy lejos y desde aquel día los niños, como las ratas, nunca volvieron a la ciudad. Entonces, los responsables municipales tuvieron problemas más serios que una plaga de ratas, se tuvieron que enfrentar a lo peor para cualquier político: el descontento de la ciudadanía, que empezó a pedirles explicaciones sobre su gestión, tanto en lo referente a la desaparición de los niños, y los problemas sociales y familiares que ello suponía, como por los motivos que les habían llevado a desprestigiar el buen nombre de la ciudad al no cumplir con sus compromisos. Seguro que la mala gestión y la consecuente pérdida de credibilidad se convirtieron en una falta de confianza que les hizo perder las siguientes elecciones.

Como en la ciudad de Hamelin, nuestros políticos también han hecho una gestión que, en vez de resolver problemas, los han ocasionado; y también nuestro prestigio exterior está bajo mínimos, de hecho no creo que nuestros socios europeos nos presten más dinero para hacer obras nuevas sin ningún tipo de control, pero la triste realidad es que estamos mucho peor que los responsables del cuento, ya que, si bien ellos se ahorraron el dinero para hacer un mejor uso de él, nosotros nos hemos comportado como nuevos ricos y lo hemos gastado en cosas que muchas veces no necesitábamos y ahora, para acabar de pagar esas inversiones inútiles, se tienen que despedir trabajadores o reducir unos servicios públicos que la sociedad sí necesita. Ojala sólo tuviéramos una invasión de ratas...

CONCLUSIÓN

No soy ningún experto para proponer un cambio concreto de sistema electoral que resuelva todos los problemas, pues seguro que no hay un modelo ideal, como decíamos al principio, pero cualquier modificación de uno de los puntos mencionados, de todos ellos o de las combinaciones que se quieran, serviría para empezar a regenerar la deteriorada vida política. Sé que no será fácil y que cualquier propuesta chocará directamente con demasiados intereses: de los órganos de los partidos, que se negarán a perder protagonismo; de los partidos minoritarios, que lo tacharán de antidemocrático, ya que les dejaría al margen del juego político y de los cargos públicos que ocupan sin tener la representación suficiente; y de la clase política que sabe que cualquier tendencia hacia una mayor profesionalización, les dejaría fuera del sistema irremediablemente.

Por último, déjenme que me ponga un poco trascendental para explicarles el motivo de haber incluido este tema tan delicado en el libro. No es para luchar contra molinos de viento, ni me mueve ningún interés partidista, el motivo es una pregunta que me ronda por la cabeza a medida que mis hijos se acercan al mercado laboral. Como padre, amante de sus hijos de los que me siento orgulloso, quiero lo mejor para ellos, supongo que como todos los padres, por eso, viendo como funciona todo esto, he tenido muchas dudas sobre cual sería el mejor consejo que podría darles para esta nueva singladura que ahora empiezan en el mercado laboral. ¿Qué es lo mejor que les puedo aconsejar, que se formen bien, como han hecho hasta ahora o que se afilien a un partido político o a un sindicato? Esta es mi duda y les aseguro que no es ninguna broma.

Como comenta Pilar Rahola, no deja de ser chocante que una gran cantidad de dirigentes políticos del país:

No hayan sido nunca ni empresarios, ni trabajadores, todos ellos provenientes de las cloacas insidiosas de los partidos, allí donde los títulos de comisario político, pelota, conspirador y prodigioso en el arte de la zancadilla, tienen más puntos que haber hecho una carrera. Todos ellos han progresado por los caminos tortuosos de la vida de los partidos políticos, cosa que les convierte en auténticos extraterrestres del mundo laboral. Cosa parecida pasa con la mayoría de los dirigentes sindicales, que no saben qué significa ser trabajador, pero hablan todo el tiempo de trabajo... En Cataluña es un problema para un político haber estado en la empresa privada, porque lo que cuenta no es haber estado al otro lado del mostrador, sino ser experto en hacer la pelota, cortar cabezas de los disidentes o saber qué maniobras resultan útiles para dominar la jerarquía de una lista electoral. Son profesionales de la especulación de la política, pero nunca han sido artífices de la economía, ni como empresarios, ni como trabajadores. Es decir que el único arte que dominan es el arte del complot, cosa que explica muchas cosas...

En Gran Bretaña es difícil concebir un dirigente político que no presente el mejor currículum académico. Aquí, en cambio, se exhiben como méritos que el propio presidente no haya acabado una carrera, que no hable ningún idioma (y con bastante dificultad el del país), y que el número de diputados que le imiten sea muy considerable.

A la vista de todo ello, y de mi propia experiencia hasta ahora, no tengo ninguna duda de que lo mejor que podrían hacer es afiliarse a un partido o a un sindicato, ya que el carné está más valorado que la formación y la experiencia profesional. De todas maneras, me niego a creer que las cosas continúen así durante mucho tiempo, no por confianza en que los actuales políticos las cambiaran, sino porque será imposible aguantar este imperio de la mediocridad muchos años más, ahora que ya nos ha llevado a la ruina. Todavía no hemos asumido que estamos jugando en primera división, estamos dentro de la CEE y en un mundo globalizado, donde los problemas de un país afectan a todos los demás, en realidad a todo el planeta, así que, si no somos nosotros los que nos avanzamos y cambiamos el sistema electoral, para garantizar que lleguen los mejores, nuestros vecinos más responsables nos impondrán un gobierno de tecnócratas que cumpla las políticas que ya no son nacionales sino europeas, como ha ocurrido en Italia con el Sr. Monti. Europa no quiere tener en el suroeste, a la entrada del Mediterráneo, un país que pretende jugar en primera división con jugadores, normas y campos de tercera regional. Por eso estoy convencido de que vale la pena apostar por la formación, ya que más pronto que tarde se impondrá el sentido común y la formación, la profesionalidad y la experiencia adquirirán el protagonismo que han de tener y se merecen. Tenemos que dejar de hacer que el Parlamento sea un centro ocupacional para los partidos políticos y convertirlo en aquello que debería haber sido siempre: el lugar donde deben ir los más preparados para dirigir el país. Con esto no quiero decir que para hacer política hagan falta tres títulos universitarios y una experiencia profesional de 30 años, pero estoy seguro de que, entre esta exigencia y la situación actual, seremos capaces de encontrar un término medio para garantizar unos mínimos como sucede en todos los trabajos y profesiones. Solo así podremos salir del pozo.

CAP. 3. LA POLÍTICA
SIN MANUAL DE INSTRUCCIONES

*La peor de las democracias es mil veces
preferible a la mejor de las dictaduras.*

Ruy Barbosa[17]

Estoy de acuerdo con la frase que encabeza este capítulo o, si
lo prefieren, como lo exponía el primer ministro británico durante
la Segunda Guerra Mundial, Sir Winston Churchill, para quien *la
democracia es el peor de los regímenes, si excluimos a todos los demás.* Este
reconocimiento a las bondades del sistema no significa que no sea
perfectible y que, como ciudadanos responsables, no tengamos la
obligación de mejorarlo, ya sea participando en el proceso electoral
o por la crítica constructiva de aquellas cosas que no funcionen
bien. Nos han explicado que la democracia es la total libertad de
participar o no, y es cierto, no se puede obligar a votar en las elecciones, como sucede en las dictaduras que se quieren disfrazar de
liberales, pero por encima de las leyes escritas están las obligaciones
morales que también se deben tener en cuenta. En un país con
tan poca tradición de pasar por las urnas como el nuestro, donde
ha habido tantos dictadores que nos han impedido ser normales,
votar es una obligación moral y no hacerlo es sencillamente una
irresponsabilidad. Se lo debemos a los que lucharon por defender
el Estado de derecho en el pasado; se lo debemos a la democracia
misma, que con cada voto se vuelve más fuerte; pero sobre todo

---

17   Ruy Barbosa de Oliveira (1849-1923) jurista, escritor y político brasileño.

nos lo debemos a nosotros mismos, por pura coherencia al haber elegido un sistema político que pensamos que nos haría más libres y dignos, por eso no podemos traicionar la libertad, la dignidad y la normalidad conseguidas hace tan pocos años.

Los nacidos en libertad pueden no ver la necesidad de defenderla y cuidarla, pueden creer que hablo de cosas de viejo porque la democracia en nuestro país está consolidada y la involución es imposible. Pero que no se engañen, España es el país donde ha habido un golpe de estado más reciente de la Europa Occidental, el 23 de febrero del 1981, cuando el Sr. Antonio Tejero Molina, Teniente Coronel de la Guardia Civil, entró en el Congreso de Madrid y secuestró a los diputados y al Gobierno durante horas. Estamos hablando de hace 30 años, por tanto debemos ser prudentes con nuestra seguridad democrática, estar atentos y, lo más importante, participar en todas las elecciones, ya que esta es una manera de alejar el fantasma de la involución. Otra manera es asegurar que los gobernantes que ostentan el poder hagan una buena gestión y que las cosas funcionen lo bastante bien como para no necesitar ningún "salvador de la patria", a los que estamos tan acostumbrados y para los que siempre tenemos algún militar dispuesto. La mala gestión es peligrosa porque desencanta a la ciudadanía y abre las puertas a populistas, demagogos o incluso a cosas peores. Recuerden que Hitler llegó al poder de manera completamente democrática ganando unas elecciones perfectamente válidas (algo que no han hecho ninguno de nuestros últimos dictadores) y que las condiciones que permitieron su ascenso fueron una gestión política y económica desastrosas, que hundieron Alemania en la miseria, mientras intentaban cumplir con los pactos de Versalles del final de la Primera Guerra Mundial. Por tanto, debemos ejercer nuestra responsabilidad exigiendo una buena gestión a la clase política, lo que significa muchas cosas, incluso entender que no todo se puede hacer y que a veces se tiene que decir que "no".

LA FUTBOLIZACIÓN POLÍTICA HEREDERA DE LA TRANSICIÓN

A pesar de los años transcurridos, nuestra vida política todavía refleja miedos, complejos y fantasmas del pasado, sobre todo de la última dictadura y la posterior transición, al no cerrarse bien las heridas abiertas. Por eso muchos aspectos del debate político y del comportamiento de nuestros partidos están condicionados por aquella época, como también lo está el sistema electoral, tal como vimos en el capítulo anterior. Nos puede parecer raro que estemos tan influenciados por aquel régimen que formaba parte de los fascismos europeos de la primera mitad del siglo XX y que desaparecieron de todas partes después del conflicto mundial, pero la razón es bien sencilla: mientras Hitler y Mussolini fueron derrotados en la Segunda Guerra Mundial, Franco murió de viejo en su cama. Por eso no debemos tragarnos todas las historias que ahora nos quieren hacer creer que el país estaba lleno de asesinos de Franco y de come-fascistas. La realidad es la que es y, como dice Serrat, *no es triste la verdad, lo que no tiene es remedio...*

La muerte del general en su cama, a causa de la vejez y no por una revuelta al estilo de las últimas que hemos visto en el mundo árabe, nos obligó a hacer una transición pactada que, aunque se calificó de modélica, supuso muchas renuncias de todo el mundo: de las fuerzas democráticas, por supuesto, pero también del bando ganador de nuestra Guerra Civil, que habían aguantado los cuarenta años de dictadura, y a pesar de todo aceptaron con más o menos reparo la liquidación del régimen, conscientes de que el país tenía que entrar en una etapa de normalidad. Esta no es la postura de todos los regímenes totalitarios, como hemos visto recientemente en Libia o Siria, llegando a la confrontación civil. No digo esto porque piense que les debamos nada, más bien creo que durante cuarenta años nos robaron las ilusiones, las esperanzas, el desarrollo que este país podría haber tenido y nos hicieron retroceder muchos años, manteniéndonos al margen del siglo XX y del progreso. Pero también es cierto que la actual situación, en la que disfrutamos del periodo más prolongado de libertad y democracia que ha conocido España a lo largo de su historia, tiene unos orígenes que son los que son y sería bueno ser humildes y generosos para reconocer las aportaciones de cada uno en la consecución de este hito histórico.

En este país nos falta aceptar que el contrario no es un enemigo, sino alguien que piensa distinto, y que esa diversidad de opiniones no tiene por qué ser mala, los puntos de vista diversos, las personas con otras ideas, costumbres y lenguas, así como los viajes a otros países, ayudan a abrir la mentalidad, a enriquecernos y a hacernos más tolerantes y dialogantes. Deberíamos desterrar de una vez por todas la mentalidad de que aquí no cabemos todos y que no pueden convivir todas las ideas: en primer lugar, porque es falso; y segundo porque a los únicos que les hace daño es a nosotros mismos, siempre inmersos en luchas intestinas y pendientes de obtener el carné de un nacionalismo que sólo entendemos en contra de los demás. Todo de un provincianismo tan rancio y miope que debe hacer desternillarse de risa a los países de nuestro entorno que, mientras tanto trabajan a marchas forzadas sabiendo que estamos en un mundo global y competitivo.

El acercamiento al otro siempre facilita la comprensión mutua y lima las diferencias, pero en España, como país cerrado y rencoroso que es, nos obsesionamos con nuestras pequeñas verdades y somos incapaces de ver algo positivo en las opiniones de los demás, no sé si por ser unos fanáticos o porque hemos futbolizado la política; es decir, que actuamos con los partidos políticos como lo hacemos con los clubs de fútbol. Al club de fútbol se lo perdonamos todo, haga lo que haga: si juega fatal y se mete tres goles en propia portería, les criticamos y queremos matar al entrenador, pero la próxima jornada volveremos a coger la bufanda y nos dirigiremos al campo dispuestos a animar como si nos fuera la vida en ello y de esta manera acumulamos emociones agridulces, pero somos incapaces de cambiar de club, por más ineficiente que sea nuestro equipo o por más disgustos que nos dé. En este sentido, el fútbol es completamente irracional y se parece a la vida, donde la mayor parte de las cosas realmente importantes (enamorarse, casarse, tener hijos, escoger carrera, etc.) son puramente emocionales. Lo mismo hacemos con los partidos políticos: pueden ser un desastre gestionando, acumular cifras de paro astronómicas, endeudar al país y llevarlo a la ruina, ser tan inmorales como para intentar comprar votos o cometer delitos directamente, pero seguiremos votando al mismo partido o como mucho nos abstendremos, nunca cambiamos el sentido de nuestro voto, así que es habitual que en política también actuemos de manera pasional, al margen de la racionalidad.

Quien sepa despertar las pasiones, en un sentido u en otro, no le harán falta argumentos, tendrá suficiente con los eslóganes. Esta situación la puedo entender en el fútbol, pero en política nos jugamos algo más que la clasificación de la liga, no podemos estar toda la legislatura perdiendo partidos porque no nos encontraremos en segunda división, sino con un país arruinado durante años. Esta futbolización está condicionada por la transición y por las heridas mal cerradas de épocas anteriores, así como por la mentalidad de vencedores y vencidos que haríamos bien de ir olvidando para poder trabajar juntos por el futuro.

¿DERECHAS O IZQUIERDAS?

A veces mis hijos me han preguntado si son mejores las derechas o las izquierdas. Lo primero que debemos recordar es que el concepto de derechas e izquierdas apareció en la Revolución Francesa y el motivo fue que, cuando se constituyó la Asamblea Nacional, el equivalente a nuestras Cortes, los partidos que representaban a las clases más conservadoras, la aristocracia y el clero, se sentaban a la derecha de la cámara, mientras que las más revolucionarias, que entonces eran la burguesía o el tercer estado, se sentaban a la izquierda. Pese a que la terminología se ha mantenido vigente, hoy la cosa es bastante distinta y escoger entre derechas e izquierdas por lo que proponen algunos, como los políticos más a la izquierda, apoyados por unas pocas palabras bien sonantes, pero que nadie sabe exactamente qué significan, es un engaño en el que afortunadamente cada día cae menos gente, como lo demuestran los resultados electorales.

Las cosas han cambiado mucho. Para empezar, la nobleza ya no cuenta como clase privilegiada en los parlamentos actuales, y lo mismo ocurre con el clero en un país laico y aconfesional, pese a mantener cierta relevancia social. En el otro lado tampoco todo es tercer estado, aquella burguesía que, pese a ser el sector más dinámico del país y el que más progresaba, estaba tan marginada que no tuvo más remedio que hacerse revolucionaria y cambiar las cosas. Con la libertad política y el sufragio universal, las corrientes de pensamiento que se presentan ahora a las elecciones son de lo más variadas, por eso a la hora de votar podemos encontrarnos partidos generalistas, que proponen gobernar para conseguir un determinado modelo de país; y otros más peculiares, que abogan por una sola idea como la abolición de las corridas de toros. Los que defienden la terminología de derechas e izquierdas, con frecuencia con connotaciones negativas hacia los contrarios, sostienen que las derechas son los propietarios y las izquierdas los trabajadores o el pueblo. Cuesta aceptar esta simplificación si tenemos en cuenta que hoy día la mayor parte de las grandes empresas no son propiedad de ningún individuo, sino de miles de accionistas, pequeños ahorradores que invierten su dinero en una empresa que les merece confianza. Los conceptos de "propietarios" y "burgueses" resultan confusos en el siglo XXI, y lo mismo sucede de los conceptos "trabajadores" y "pueblo".

A pesar de todo, los partidos intentan hacernos creer que los dos conceptos siguen vigentes y son incompatibles e irreconciliables, sin tener en cuenta los cambios de los últimos dos siglos. Las derechas apelan a conceptos como tradición, unidad de destino universal, libre comercio o espíritu emprendedor, cuando nuestro país tiene una tradición para echarse a llorar, jamás ha tenido más unidad que la que proporciona la opresión de los que opinan distinto, ha ejercido el proteccionismo desde hace siglos y ha marginado siempre a los emprendedores y a las personas excelentes. Y por su parte las izquierdas, siempre más disgregadas en las elecciones, quieren erigirse en herederas de los movimientos revolucionarios (francés, ruso y republicano español), que una vez cambiaron el mundo, y piensan que ese es su papel. Si escuchamos atentamente sus mensajes, veremos que están llenos de palabras grandilocuentes, que ahora ya no son *libertad, igualdad y fraternidad*, sino: *política de izquierdas, progresista, verde, ecologista, solidaria y sostenible*, más algunos eslóganes simples y demagógicos como *que paguen los ricos*, dirigidos a un electorado al que consideran que se halla en la fase prerrevolucionaria, a punto de pedir la quema de los títulos de propiedad y asaltar la Bastilla. Es posible que esta fuera una buena manera de hacer política en aquella época, e incluso que se pudiera hacer así en los años treinta del siglo pasado, con una sociedad cerrada en sus municipios, con un alto porcentaje de analfabetos y sin información de lo que ocurría fuera de sus comarcas. Entonces se necesitaban mensajes simples, que la población pudiera entender, a ser posible unas pocas palabras fáciles de asimilar y que todo el mundo repitiera. Pero obstinarse en seguir con la misma sistemática en el siglo XXI, en la era de las comunicaciones y de Internet, resulta políticamente patético y organizativamente irresponsable. ¿A quién le puede sorprender que saquen tan pocos votos? En cualquier empresa seria hacer tantos esfuerzos para conseguir esos mínimos resultados supondría un replanteamiento radical de la organización, y posiblemente el despido de los principales directivos. Pero estos partidos no se comportan como empresas que aspiran a la eficiencia, sino que solo quieren colocar a unos cuantos de los suyos y, si tienen la suerte de que las aritméticas electorales les dan la llave de la gobernabilidad, presionar tanto como puedan para conseguir toda la cuota de poder que les sea posible, a pesar de que el electorado no se lo haya otorgado. Mientras esos partidos sigan logrando sus objetivos y tengan responsabilidades de gobierno con menos de un 10% de los sufragios, no tendrán ningún incentivo para analizar qué ha pasado en el mundo en los últimos 50 o más años, ni cuáles son las tendencias de futuro que marcarán el devenir mundial, ni para cambiar sus propuestas o modernizar el discurso, pero lo más importante es que impiden la entrada de nuevos partidos y corrientes de pensamiento, más acordes con los tiempos que vivimos y que podrían reflejar mejor la sensibilidad de la ciudadanía. Debemos decidir si queremos seguir manteniendo un sistema electoral y político que favorece tales prácticas, pero hay que hacerlo fríamente, teniendo en cuenta que ya nos ha llevado a la degradación de la vida política, a la desafección ciudadana respecto a la clase dirigente y que ha hundido al país en la ruina económica.

Con todas estas explicaciones todavía no he dado respuesta a la cuestión de si son mejores las derechas o las izquierdas. Es una pregunta complicada, por eso me estoy tomando mi tiempo con tantos preámbulos. Podríamos aplicar a la política lo que Thomas Alva Edison decía de la genialidad: *el genio es un 1 por ciento de inspiración y un 99 por ciento de transpiración.* Es indiscutible que la política necesita la genialidad, la idea, el concepto, el titular, sobre todo para elaborar un proyecto atractivo y factible de cara a las elecciones, pero después lo que se necesita es racionalidad, buena gestión, rodearse de expertos y escucharles, desarrollar iniciativas ambiciosas pero realistas que entusiasmen al país y logren hacerlo avanzar. Si analizamos las últimas legislaturas y la situación en la que nos encontramos, comprobaremos que la necesaria inspiración ha brillado por su ausencia, ya que faltan proyectos de todo tipo, y que la carencia de imaginación se ha sustituido por la pataleta infantil del *"yo también lo quiero"* para cortar cintas en las inauguraciones y ganar elecciones. Y por lo que se refiere a la transpiración; es decir, el esfuerzo y la dedicación necesarios para avanzar, la verdad es que se ha trabajado poco en beneficio del país, por más que pretendan hacernos creer lo contrario. Nos hemos dedicado más a la especulación y al pelotazo económico que a la planificación y a la gestión, por eso centramos la creación de riqueza en la recalificación de terrenos y en la construcción, que ha servido más a los intereses particulares de algunos espabilados y de los partidos políticos que al país, como ahora estamos empezando a ver con los numerosos escándalos de corrupción que estallan por todas partes. El resultado es que tras años de libertad y democracia no hemos logrado hacer un país más serio, solvente, responsable, competitivo y respetado internacionalmente.

Una cosa son las ideas (la inspiración) y otra bien diferente la puesta en práctica de tales ideas (la transpiración); y resulta que ni derechas ni izquierdas son virtuosas en ambos aspectos. Si tomamos como referencia al socialismo, tiene unas ideas brillantes, ya que persigue el progreso de toda la sociedad, sin que nadie se quede atrás, ayudando a quien lo necesita y buscando el progreso global. No se puede aspirar a nada más hermoso. La dificultad aparece cuando se ponen en práctica esas ideas, posiblemente porque la ideología no tiene en cuenta la naturaleza humana. Entonces, resulta que tratar a todo el mundo igual hace que buena parte de individuos dejen de esforzarse, a la espera de recoger unos frutos a los que les han dicho que tienen derecho, trabajen o no, el resultado es que la productividad baja y acaban repartiendo miseria, eso sí, equitativamente. Si todavía queda alguien que piense que el socialismo real, el que se implantó en el Este de Europa en el siglo pasado, es una alternativa válida al libre mercado, haría bien de mirar qué ha pasado en los países que se llamaban socialistas; que analice a la antigua URSS, hoy desaparecida del mapa por aferrarse a un sistema político y económico antinatural. Rusia es uno de los tres únicos países del mundo que redujo su esperanza de vida entre 1955 y 2005, o sea que poca broma, porque deberíamos ser más pragmático y menos románticos. Si le quedan dudas, que le eche una ojeada a lo que está ocurriendo en Cuba, el último lugar que intenta preservar el espíritu de la revolución y del socialismo real, aunque sea con los dólares que les permitan recaudar el incipiente libre mercado legalizado en la isla; o que mire a la singular Corea del Norte donde los años de lucha contra la aristocracia les han llevado a inventar un sistema político nuevo y fascinante: la monarquía comunista...

Las derechas, por su parte, defienden que el interés personal producirá el progreso de la mayor parte de los ciudadanos, ya que, según Adam Smith, una especie de mano invisible hará mejorar la sociedad en su conjunto. Lógicamente esta filosofía es fantástica para las personas bien formadas, competitivas y que aceptan riesgos, pero se corre el peligro de dejar una parte de la sociedad al margen del progreso económico y social, precisamente a los menos formados o desfavorecidos. En un país como el nuestro, que menosprecia la creación de riqueza y la productividad; que no valora el trabajo porque el Estado garantiza el disfrute de los resultados; que se ha acostumbrado a las subvenciones, que suponen recibir el pez sin necesidad de aprender a pescar, estas ideas tienen menos aceptación.

LA CLAVE ESTÁ EN EL CENTRO

La clave está en un lugar central entre estas dos maneras extremas de entender el mundo, y además cambia en cada país, según su historia y personalidad. En cualquier caso, la izquierda y la derecha radical están muertas y todo el protagonismo se desarrolla en un centro moderado con muchas tendencias y matices. Ya no tienen sentido las posturas extremas de otros tiempos. Hoy las cosas son más complejas y no hay unos buenos y otros malos por naturaleza, todos tienen cosas mejores y peores. Entonces, ¿en qué se diferencian? Eso nos lo explica el profesor Xavier Sala y Martí[18] de la siguiente manera:

A pesar de que hoy en día la práctica totalidad de los economistas estamos de acuerdo en que el mejor sistema económico es el de libre mercado, no existe acuerdo sobre el grado de implicación que el gobierno debe tener en la economía. Es decir, existen discrepancias sobre el grado de redistribución, sobre el número de empresas públicas, sobre la magnitud de la seguridad social, sobre la cantidad de leyes y regulaciones que limitan el funcionamiento de los mercados o sobre el dinero que decide recaudar a través de los impuestos.

Si hiciéramos un pequeño resumen de lo que las dos ideologías suponen tendríamos más o menos el cuadro siguiente:

	DERECHAS	IZQUIERDAS
Redistribución de la riqueza	Baja	Alta
Núm. empresas públicas	Pocas	Muchas
Magnitud de la Seguridad Social	Pequeña	Grande
Cantidad de leyes y regulaciones que limiten el funcionamiento de mercados	Pocas	Muchas
Dinero que deciden recaudar a través de impuestos	Poco	Mucho

Estas son básicamente las diferencias que separan a derechas e izquierdas en el mundo occidental, por más barniz ideológico que le pongamos. En realidad, estos son los ámbitos de actuación que tienen los gobiernos en nuestro entorno, a los que hay que añadir el estilo y la manera de gestionar de unos y otros. Sigamos leyendo

---

18 Xavier Sala y Martín (1963) es un economista nacido en Catalunya y nacionalizado norteamericano, catedrático de economía en la Universidad de Columbia y asesor del Fondo Monetario Internacional y del Banco Mundial.

al profesor Sala y Martí: *por un lado, el desacuerdo no es tanto en el diagnóstico de la enfermedad, sino en el tipo de cura que se propone.*

* *Existe unanimidad a la hora de afirmar que el gobierno debe garantizar la igualdad de oportunidades. Pero algunos creen que eso se consigue con escuelas públicas gratuitas, y otros piensan que es mejor dar dinero a los niños pobres para que puedan pagarse escuelas privadas.*

* *Hay unanimidad a la hora de afirmar que el sistema fiscal debe ser progresivo, es decir, que los más ricos paguen relativamente más. A raíz de esto, algunos proponen que los ricos paguen el 90% de la renta y los pobres el 10% y otros proponen que los ricos paguen el 30% y los pobres el 20%.*

* *Hay unanimidad a la hora de decir que se deben garantizar los derechos de la propiedad privada y el fruto del trabajo de los ciudadanos. La solución que proponen algunos es un ejército profesional dotado de armas sofisticadas y la que quieren otros es un ejército con presupuesto reducido y con servicio militar obligatorio.*

* *Hay unanimidad a la hora de decir que el gobierno debe limitar el abuso de los monopolios. Unos dicen que la solución está en la introducción de leyes antimonopolistas que fomenten la competencia y otros creen que hay que nacionalizar cualquier empresa que llegue a una cuota de mercado importante.*

Las discrepancias aparecen también por el hecho de que no todo el mundo está de acuerdo en que la acción gubernamental se tenga que limitar a los cuatro puntos anteriores, sino que algunos creen que el Estado debe ser el propietario de los medios de comunicación, financiar las vacaciones a los jubilados, construir hospitales de titularidad pública, tener compañías eléctricas, aéreas y líneas telefónicas, o subvencionar a los productores de avellanas, leche, aceituna, etc. Tampoco hay acuerdo en los límites que debe tener respecto a los ciudadanos, ya que algunos piensan que debe poder obligarles a hacer determinadas cosas por la fuerza, ya sea el servicio militar, hablar una lengua y no otra, o estudiar determinadas asignaturas en la escuela. En el mismo sentido, piensan que debe tener la potestad de expropiar tierras en beneficio de la sociedad, decidir cuando alguien es demasiado rico y quitarle el dinero con impuestos abusivos, influir en las creencias religiosas o limitar determinados comportamientos, incluidos los sexuales. Llegados a este punto, el profesor Sala y Martí apunta que existe una cierta esquizofrenia intelectual entre ambas tendencias en dos aspectos fundamentales: por una parte, la intervención que el Gobierno debe tener en la economía; y por otra, en los aspectos no económicos de la vida.

- *La gente que se autoproclama conservadora o de derechas tiende a argumentar que el gobierno debe intervenir poco en la economía, mientras que los autoproclamados progresistas o de izquierdas tienden a querer una gran intervención pública en la economía.*

- *Pero si preguntamos cuál debe ser el papel del gobierno en los aspectos no económicos de la vida, los papeles se invierten: las derechas quieren, aunque con frecuencia no lo confiesen abiertamente, que el gobierno les ayude a imponer sus creencias religiosas o políticas a través de decretos públicos, quieren impedir la legalidad de determinadas conductas o restringir los derechos de los individuos (especialmente de las mujeres) a decidir sobre su propio cuerpo, mientras que las izquierdas dicen que el gobierno no debe meterse en estos aspectos de la vida.*

Es decir, que las derechas no quieren que el gobierno se nos meta en la cartera, pero sí en la bragueta, mientras que las izquierdas quieren exactamente lo contrario. Ante esta disyuntiva y para responder a la pregunta que nos hacíamos al principio: ¿derechas o izquierdas?, la respuesta de este economista es bastante clara y refleja mis propias convicciones. Él dice que:

Ante esta esquizofrenia yo proclamo que no soy ni de derechas ni de izquierdas, sino todo lo contrario. Soy de la opinión de que el gobierno tiene unas obligaciones y que el desarrollo de estas es fundamental. Ahora bien, más allá de estas obligaciones, el gobierno debe limitar su acción o dejar que la gente actúe con libertad tanto en el ámbito económico, como en los diferentes ámbitos sociales. ¡Ni en la cartera, ni en la bragueta!

¿QUÉ DIMENSIÓN DEBE TENER EL ESTADO?

Como conclusión apuntaría lo que leí en una *Contra* de *La Vanguardia*, cuando entrevistaron al cantante Julio Iglesias, en el mes de octubre de 2003. En las preguntas iniciales le preguntaban cuál era su ideología política y él contestó: *que haya un buen gestor en el país.* Estoy completamente de acuerdo: que haya un buen gestor y que haga bien su tarea, única y exclusivamente su tarea, y que deje a la ciudadanía que haga también lo que quiera, que cada uno gaste su dinero en lo que le parezca. Después de más de treinta años de gobiernos grandes e intervencionistas, que se han metido en todas partes y nos han llevado a la ruina donde estamos ahora, quizá toca probar con uno pequeño, que se limite a las tareas que le son propias y nada más, para defenderlo hay diversas razones: primera, preservar nuestra libertad; segunda, la ineficacia que han mostrado reiteradamente en su gestión; tercera, que sistemáticamente han gastado demasiado y mal; cuarta, que nunca tienen en cuenta las consecuencias de sus acciones; y quinta, la necesidad de simplificar las estructuras del Estado en una situación de crisis como la que estamos viviendo.

1. Preservar nuestra libertad

El primer criterio para pensar que hace falta un Estado pequeño consiste en que el valor fundamental del ser humano es la libertad, un hecho que deberíamos valorar, muy especialmente los españoles, que nos hemos pasado tantos años sin poder disfrutarla. En pocos lugares como en España se ha ejercido el poder tan contundentemente en contra del pueblo, que no ha podido ser ni libre ni soberano. En pocos lugares como aquí se ha puesto tan de manifiesto que la mayor amenaza contra la libertad es el poder político y militar. Por eso, nadie mejor que los españoles, deberíamos entender la necesidad de limitar su papel e introducir mecanismos de control que protejan a los ciudadanos de los excesos del poder, recordando aquel dicho de Montesquieu: *cualquier persona que tenga poder tiende a abusar de él y a llegar hasta donde encuentra limitaciones. Al objeto de garantizar las libertades, hay que frenar el poder.*

2. Ineficacia en las tareas que le son propias

La segunda razón para defender que su ámbito de actuación debe ser reducido es que con frecuencia tiende a hacer mal incluso aquellas cosas que son de su estricta competencia, como recaudar impuestos, que es potestad exclusiva del Estado, pero fracasa, ya que la evasión fiscal llega a límites escandalosos y obscenos, generando unas desigualdades económicas y unas injusticias sociales intolerables. Ello ocurre en todas partes, por ejemplo podemos recordar la noticia del fraude fiscal detectado en Grecia, a finales del 2011 (14 de octubre), de 37.000 millones de euros anuales, mientras toda Europa hacía esfuerzos para abonarles el primer plazo del crédito para salir de la crisis, por un importe de 8.000 millones, es una buena muestra que debería avergonzar al gobierno heleno, a la vez que impone una reflexión a muchos otros, entre ellos el nuestro, y hace dudar de que la solución a la actual crisis sea simplemente darles dinero a los que permiten tales prácticas sin exigirles que hagan reformas y que asuman responsabilidades. Las funciones propias que el Gobierno desarrolla con manifiestas deficiencias son largas; desde la pésima calidad de algunos monopolios estatales, como RENFE o Iberia; hasta la corrupción dentro de las empresas públicas, a veces protagonizada por sus máximos dirigentes como el presidente del Banco de España, Sr. Mariano Rubio[19], o el jefe de la Guardia Civil, Sr. Luís Roldán[20]. Todo ello genera dudas y desconfianzas a la hora de pedirles que se ocupen de tareas que no son exclusivamente gubernamentales, al menos hasta que hagan bien aquellas que le son propias.

3. Gastan demasiado y mal

La tercera razón para limitar el papel del gobierno es la tendencia que tiene a gastar demasiado y mal los dineros de todos. Cuando una persona compra con su dinero, adquiere los productos que le interesan, en función de su presupuesto. Si la misma persona que compra puede cargar los gastos a la cuenta de otro, como la empresa, es menos cuidadoso con el coste, a pesar de que adquiera productos de su interés, por aquello de *si convida usted, pediré langosta*. El dilema aparece cuando la persona tiene la posibilidad de comprar a cuenta de otro y debe adquirir regalos para alguien que no conoce, pues en este caso no solo gastará más de la cuenta sino que, además, comprará cosas que quizá no le interesan ni a quien las recibe. Al trasladar esta práctica a la clase política es cuando nos encontramos con aeropuertos sin aviones, líneas de AVE sin pasajeros, hospitales sin pacientes, centros de atención primaria con quirófanos pero sin médicos para operar o parques temáticos sin turistas, y naturalmente, una montaña de deudas que habrá que pagar a lo largo de muchos años, así que nos tendremos que rascar

---

19   Mariano Rubio Jiménez (1931-1999) fue gobernador del Banco de España entre 1984 y 1992. Su dimisión y entrada en la cárcel se produjo por la supuesta implicación en dos casos: el "Caso Ibercorp" de fraude fiscal a la hacienda pública y por el llamado "Caso Mariano" que suponía haber mantenido una cuenta opaca para hacienda con un nombre en clave.

20   Luís Roldán Ibáñez (1943). Ex político del PSOE que llegó a ser director general de la Guardia Civil. Su supuesta implicación en un caso de corrupción y de compra fraudulenta de munición para el cuerpo, acabó con su dimisión el 1993 y huyó del país en 1994, para entregarse después a la justicia española y entrar en la cárcel.

los bolsillos durante décadas porque han construido una serie de infraestructuras de dudosa utilidad, que la ciudadanía ni necesita ni emplea. Visto el resultado habría sido mejor dar el dinero directamente a los ciudadanos para que se lo gastaran en lo que hubieran querido, ya que, como responsables que son, saben mejor que nadie qué es lo que les conviene, sin necesidad de la tutela gubernamental. En otras palabras, empezaría a ser hora de que el Estado nos tratara como a adultos y que nosotros nos espabiláramos un poco, sin necesidad de que nos lo haga todo.

4. Nunca valoran cómo reaccionarán los ciudadanos

La cuarta razón para creer que su papel debe ser limitado es que, a pesar de que siempre dicen que hacen las cosas para los ciudadanos, nunca tienen en cuenta cómo reaccionarán estos a sus actuaciones. Todas las decisiones que se toman tienen consecuencias, no solo económicas, sino también sobre los incentivos que mueven a consumidores y productores, que inevitablemente reaccionarán a las medidas propuestas. Podríamos recurrir al ejemplo clásico del gobierno que decide bajar por decreto el precio del pan, una actitud bien intencionada, pero que tiene consecuencias, en este caso que los productores de trigo dejen de vender grano y desaparezca el pan del mercado. Lo que era una idea llena de buenas intenciones acaba siendo un desastre para los pobres que era a quienes se quería ayudar. Esta actitud nos puede parecer injusta y creer que habría que obligar a los productores de trigo a vender el que tienen, pero si hacemos eso el año siguiente los agricultores, que también tienen que alimentar a sus hijos, dejarán de plantar trigo, con el que se arruinan, y cultivarán otros productos con los que se ganen mejor la vida. Eso, que puede parecer lejano, es lo que hizo el Sr. Hugo Chávez en Venezuela y ha tenido consecuencias con la desaparición del mercado de muchos productos de primera necesidad.

Por si creen que es poco relevante recuerden que, no tener en cuenta los incentivos de consumidores y productores, es lo que acabó con la Unión Soviética donde se empecinaron en que todo el mundo tenía que cobrar lo mismo y que los artículos tenían que tener unos precios por debajo de los de mercado, en una actitud loable por conseguir la igualdad entre todos los ciudadanos. Lo que no previeron fue la naturaleza humana que en esas condiciones empieza a preguntarse: ¿para qué esforzarse más que los compañeros, si al final todos cobraremos lo mismo?; ¿para qué pasar años estudiando, si un médico se equipara a un maestro de obra?; ¿para qué arriesgar capital si Hacienda se queda la mayor parte de la riqueza creada? ¿Y qué sucede si la gente no trabaja, ni estudia, ni arriesga? Pues que la economía no funciona. Para ver la importancia de los incentivos a la producción habría que recordar que en la antigua URSS se permitieron lo que se llamaron koljoses, pequeñas parcelas de tierra que los campesinos administraban por cuenta propia, mientras que el resto del campo era del Estado. Esas parcelas, que suponían el 4% de la superficie cultivable, daban un tercio de la producción agrícola del país, un 60% de las patatas, un 50% de la leche, las tres cuartas partes de los huevos y la mitad de la carne. El incentivo es el alma de la producción, con independencia de la nacionalidad, por más que muchos partidos autodenominados progresistas insistan en defender lo contrario.

Los gobiernos bien intencionados, que pretenden inmiscuirse en todas partes y que todo sea gratuito e igualitario, deben tener unos impuestos elevados, ya que ningún servicio es nunca gratuito. Lo que supuestamente es gratis se paga a través de los impuestos de todos. Cualquier servicio subvencionado supone que también quienes no lo usan nunca lo están pagando, que es la manera más injusta de financiarlo. Por eso se debería ser muy prudente a la hora dar subvenciones, ya que el dinero público tendría que ser exclusivamente para servicios fundamentales y que todos necesitamos. Xavier Roig[21] hace una reflexión interesante poniendo en duda la idoneidad de subvenciones, que aparentemente son indiscutibles, y asegura que:

Ya es hora de que alguien se atreva a decir que esta cultura nuestra subvencionada con los dineros de todos solo favorece a un porcentaje muy pequeño de la población. Es decir, que los fabulosos presupuestos públicos que se destinan cada año a "hacer cultura" sólo benefician a una elite... El paradigma es el Gran Teatro del Liceu... donde la venta de entradas sólo cubre aproximadamente un tercio del presupuesto de los gastos. Los otros dos tercios son cubiertos por el patrocinio (en un porcentaje muy bajo) y las administraciones públicas... Hace demasiado tiempo que nos tragamos el mismo cuento. Ya basta de creerse que como los pobres no tienen dinero para cultura el Estado ha de tener cuidado de que reciban "productos culturales" de calidad y por tanto ha de velar por el contenido de estos productos... los pobres, por mucho que los subvencionen, no van al Liceu... El Liceu es un claro ejemplo de cómo los miembros de las administraciones públicas y las sociedades sin accionistas se pagan la fiesta con el dinero de todos.

Con esto no crean que estoy en contra de proteger la cultura, ni mucho menos, estoy convencido de que se tiene que proteger, pero seguro que hay muchas maneras de hacerlo que no pasan necesariamente por pagar al Liceu con dinero de los contribuyentes que no tienen cultura musical ni intención de poner los pies en aquel teatro. Cualquier sistema alternativo a la subvención pura y dura (exenciones fiscales, menos impuestos, etc.) podría ser útil y además incrementaría la calidad de los "productos culturales", haciéndolos más competitivos incluso internacionalmente. Lo mismo pasa con muchas otras subvenciones y gastos públicos de más que dudoso interés para el conjunto de la ciudadanía.

---

21   Xavier Roig y Castelló (1957) es un ingeniero, empresario y ensayista catalán. Profesor del master en globalización de la Universidad de Barcelona.

Los impuestos altos desincentivan la economía productiva y el resultado puede ser el contrario del que se esperaba, como han puesto de manifiesto, entre otros, el premio Nobel de Economía Robert Aumann, del que hablamos en otro capítulo, ya que disminuyen la producción, provocan deslocalización de empresas a lugares con impuestos más asequibles y generan crisis y paro con una menor recaudación final. En los subsidios y subvenciones se ven otras distorsiones perversas, por ejemplo cuando se subvenciona el paro, se reducen los incentivos a trabajar; cuando es a las medicinas, se incentiva a comprar demasiados fármacos; y cuando Europa otorga subsidios a la producción de lino, se incrementan las hectáreas de cultivo de las 900 habituales a 100.000 [22]. La causa es que la mayor parte de la gente en nuestro país, y en el mundo entero, no es tan honesta, solidaria, humanitaria y altruista como los legisladores bien intencionados creen; y, si se les ofrece dinero para simular que están enfermos, no todos lo harán, pero algunos sí, y ello se debe tener en cuenta a la hora de tomar decisiones para poner límites que eviten abusos, hacer controles e imponer sanciones cuando haga falta. Insisto en lo que decíamos en capítulos anteriores, el nuestro es el país de la picaresca y de las gangas, que venera a los pillos y a los maestros de la burla y del engaño, y cuando en un país así se intenta implantar el mismo estado del bienestar que tienen los países nórdicos, sin tener en cuenta las diferencias históricas, culturales, religiosas, costumbres o formas de vida, las consecuencias pueden ser nefastas, ya que se llega a cifras de paro superiores al doble que el resto de los países de nuestro entorno, incluso en épocas de máxima actividad económica; a tener la mitad de los temporeros del campo trabajando los días justos (¡y ni uno más!) para poder cobrar el subsidio del Plan de Empleo Rural (PER); y a ser el país que consume más medicamentos del mundo. Pero eso no debe confundirnos, no es que los españoles seamos

22   http://es.wikipedia.org/wiki/Caso_del_Lino

gandules, ni mucho menos. Veamos lo que decía un izquierdista fuera de toda duda como Ramón Tamames[23] en una entrevista que le hicieron para el suplemento del periódico Regió 7 el sábado 18 de junio de 2011:

Los españoles trabajan en función de donde estén, según el marco que tengan. En Suiza son grandes trabajadores; en cambio, en otros lugares, como Andalucía, se apuntan al PER y no hacen nada. Pero es que el PER existe en Andalucía, no existe en Suiza...

Insisto en que no somos gandules, es el sistema el que nos convierte en gandules. ¿Se acuerdan de Serrat? *No es triste la verdad, lo que no tiene es remedio...*

5. Simplificación de estructuras

Un quinto argumento para pensar que el Estado debe ser pequeño es que cuando crea una institución pública nunca piensa en cerrarla una vez hayan desaparecido las necesidades que aconsejaron su creación. En el mundo dinámico en que vivimos es perfectamente posible que aquello que era necesario en el siglo XIX ya no lo sea a principio del XXI. Eso lo podemos ver con las diputaciones provinciales, creadas en 1812 por la Constitución de Cádiz, cuando España estaba en guerra contra Napoleón, y a las que corresponde, desde 1836, el gobierno y la administración autónoma de una provincia, así como diferentes roles en cada época histórica. Durante el franquismo fueron los organismos que garantizaban el control de las provincias por parte del Gobierno central. Es lógico que en el siglo XIX se crearan entes de este tipo para mejorar la coordinación del país, cuando comunicar todo el territorio era lento y complejo por la falta de infraestructuras viarias y de otros sistemas

---

23   Ramón Tamames (1933) es un economista y político español. Catedrático de estructura económica en Málaga y Madrid. Fue diputado al Parlamento español por el Partido Comunista de España entre 1977 y 1979.

para hacerlo. También es comprensible que la dictadura franquista empleara unos recursos ya existentes, con presencia en todas las provincias, como instrumento de control de lo que ocurría en la nació. Incluso se puede entender que, con la llegada de la democracia, y a la espera de ver cómo funcionaban las comunidades autónomas, no se quisiera eliminar un organismo que históricamente había tenido su validez como articulador del país. Lo que ya no parece tan lógico es que, a los treinta años de democracia; con una distribución territorial completamente diferente, por la aparición de las Autonomías, y con la facilidad de comunicación actual (tanto viaria como informática y de todo tipo), mantengamos unos organismos que, si bien tenían sentido en el pasado, no tienen ninguno en la actualidad, ya que sus funciones las hacen otras instituciones creadas precisamente para lograr una administración más moderna y acorde a la realidad actual del país. Solo hay una razón que explique su continuidad: la cantidad de puestos de trabajo políticos que genera, por eso el partido que las controla no las quiere eliminar y los otros sí. Hacer nuevas estructuras territoriales, manteniendo intactas las antiguas supone, aparte de un gasto innecesario, una multiplicidad de organismos con funciones duplicadas o triplicadas que complican la administración y confunden al ciudadano. En el caso de Cataluña, además de la división en municipios, comarcas y provincias, tenemos las regiones y están en estudio las vaguerías. En un tiempo en que parte del poder pasa a las instituciones europeas y otra parte a las comunidades autónomas y entes locales, que son quienes prestan los servicios, y con la crisis que sufrimos, antes de recortar o eliminar servicios, se impone la simplificación y el adelgazamiento de las estructuras del Estado, empezando por aquellas que están más obsoletas, hasta dejar las estrictamente necesarias.

Aparte de las diputaciones, otra institución que reiteradamente aparece cuestionada en los medios de comunicación es el Senado que, según el artículo 69.1 de la Constitución Española de 1978:

es la Cámara de representación territorial. En teoría, era donde se tenían que resolver los conflictos entre autonomías, pero como la norma no dice nada más y lo deja todo en una completa ambigüedad, no se sabe ni a qué conflictos se refiere, ni de qué manera se debe proceder. Además, España no es Gran Bretaña, que tiene una tradición democrática milenaria y donde la Cámara de los Lores recoge los intereses de una clase alta, pero no por ello menos democrática, a la que se le otorga la capacidad de controlar al Gobierno, ratificar las leyes y velar para que la política exterior, de la que ellos son parte implicada, no perjudique los intereses nacionales. El nuestro es un país bien diferente, con una clase alta que históricamente ha tenido muy poca vocación democrática y, por tanto, no tiene sentido hacerles una cámara específica que no han pedido ni han empleado nunca, y menos aún otorgarles unas funciones que limiten la acción gubernamental o del sistema democrático en el que tampoco han creído jamás. En consecuencia, las funciones del Senado siempre han sido cuestionadas hasta el punto de que la mayoría de los comentaristas, y buena parte de los mismos políticos, incluidos muchos senadores, aseguran que no sirve para nada. En una época de crisis como la que vivimos, se podría eliminar y no solamente ahorraríamos dinero en sueldos, estructuras y edificios, sino que simplificaríamos el funcionamiento de todo el sistema político, un hecho que comportaría muchos más beneficios que los puramente económicos. En caso de que en el futuro se le encuentre una función real, útil y necesaria se podría crear la estructura correspondiente de acuerdo a las necesidades. Pero la situación actual de una institución sin ningún tipo de función, parece un anacronismo que en estos momentos no nos deberíamos permitir.

Pero no se trata solo de las diputaciones y del Senado, también se podrían hacer otras reformas que todavía simplificarían más el aparato político, por ejemplo en los ayuntamientos. ¿Cuál es la función de un ayuntamiento? Lo pregunto porque parece que muchos de ellos no se han enterado que son tareas específicas y concretas: asfaltar, alumbrar las calles, mantenerlas limpias y prestar un puñado de servicios de la mejor manera posible. No hace falta que se conviertan en empresarios de la comunicación, inaugurando televisiones y radios, ni que hagan las funciones de secretarios de Estado para resolver el hambre en el tercer mundo, ni que intenten abolir la pena de muerte en los Estados Unidos o regular los flujos migratorios de la humanidad. Los ayuntamientos están para facilitar los servicios a los administrados, no para ser la cuna de ideologías que cambien la faz de la Tierra, ni ser el lugar donde discutir teorías políticas de alta volada internacional. Aunque pueda parecernos raro existen lugares, bien democráticos por cierto, como Gran Bretaña, donde los ayuntamientos son más bien unos organismos administrativos, desprovistos de toda nuestra parafernalia y dejan la política para la Cámara de los Comunes, que es más seria y eficiente en este sentido. Pero nosotros nos creímos más demócratas que nadie e hicimos un modelo que reproduce, a nivel municipal, lo que ocurre en las Cortes, creando un mini parlamento en cada ayuntamiento, donde poder trasladar las discusiones que se dan en la cámara de representantes. ¿Hace falta todo eso para gestionar adecuadamente la recogida de basuras, el alumbrado de las calles, el suministro de agua o para prestar el resto de servicios que los ciudadanos necesitan?

CONFIANZA Y EXIGENCIA

Debemos ser más exigentes con nuestros políticos, a todos los niveles: antes de acceder a los cargos, por lo que respecta a formación, idiomas, experiencia profesional y habilidades humanas; mientras ejercen las tareas, con controles y seguimientos; y una vez finalizada con auditorias de sus gestiones, que no sean exclusivamente políticas y realizadas por organismos independientes de la política y de los partidos. Lo que nos jugamos es demasiado importante como para dejarlo exclusivamente en manos de quien acredite tener el carné de un partido y nada más. Con todo lo expuesto, tenemos un trabajo inmenso por delante si queremos mejorar el sistema político del país, y lo que me cuesta creer es que alguien pueda pensar de verdad que la manera de hacerlo sea pidiéndoles a los políticos qué patrimonio tienen al empezar la legislatura y al acabarla, suponiendo que ese es el ejercicio de transparencia definitivo, cuando en realidad para la única cosa que sirve es para alimentar la morbosidad de la gente y llenar unas cuantas noticias sensacionalistas. Lo más lamentable es que una parte de nuestros políticos, ya sea por falta de ideas o por miedo a que les controlen de verdad, dan soporte a la iniciativa, arrastrando a los demás por aquello de lo "políticamente correcto"; es decir, que quien se oponga automáticamente resulta sospechoso de esconder algo. La medida no tiene ningún sentido, pues se basa en aquella idea tan nuestra de que los dineros son pecado así que aquel que tenga más es sospechoso de malas artes.

Como ciudadanos, no debería interesarnos el patrimonio de los políticos; aunque si alguno va de profesional y no tiene ni un piso ni un coche en propiedad, mejor no esperar que nos saque de la crisis porque no sabe administrar ni sus propios dineros. Lo único que debería preocuparnos es cómo gestionan y en qué se gastan los recursos de todos y eso se hace de muchas maneras pero no con su declaración de la renta. En vez de pedirles eso, que no sirve de nada, podríamos hacer como las empresas privadas, que confían en sus gestores y les permiten trabajar, facilitándoles las cosas tanto como les sea posible, ya que necesitan la agilidad que les impone el mercado, y al final del ejercicio se someten a una auditoria externa e independiente, que descubre si se han metido dinero en el bolsillo o no y, lo más importante, si la gestión ha sido correcta o no.

Ya sé que esto no será muy popular, pero una gestión a golpe de talonario no es mala si se justifica, es autorizada y una auditoría independiente demuestra que no ha sido fraudulenta, por ejemplo todo el mundo sabe que si las cosas se pagan pronto los porcentajes de ahorro que se pueden conseguir de los proveedores son importantes y ello beneficia a la empresa, a los trabajadores y a los accionistas, que tendrán una entidad solvente. En cambio, el sector público no hace auditorías económicas, sino valoraciones políticas de las gestiones, y no son independientes sino hechas por otros políticos que procurarán no criticarlas, ya que saben que a continuación ellos se encontrarán con las mismas dificultades. Por eso es un sector que desconfía de sus gestores, a los que siempre imagina como delincuentes en potencia, y la manera de protegerse es complicar la gestión con formularios, autorizaciones y firmas incluso para comprar un lápiz, para lo cual hay que hacer un concurso público, con tres presupuestos y adquirir sistemáticamente el más barato. Esta es la teoría, pero como todos los proveedores saben que cobrarán a más de un año, en el precio deben cargar la financiación de ese tiempo, así que el lápiz, que en la tienda cuesta 1 euro (y si se compran 500 y se paga al contado salen a 70 céntimos), la administración los paga a 3 euros, pero no pasa nada si se ha hecho bien el procedimiento administrativo y nadie se ha metido un céntimo en el bolsillo. Con esta gestión no debe extrañarnos que no se hagan auditorías económicas. Espero que nadie me malinterprete, porque lo que voy a decir no es políticamente correcto y, además, es fácilmente manipulable, pero ojalá se hubiera metido una comisión en el bolsillo y hubiera conseguido los lápices a 80 céntimos, ya que los contribuyentes nos habríamos ahorrado un dineral. Si la gente supiera el precio al que pagamos los lápices con su dinero se llevaría una desagradable sorpresa y exigiría responsabilidades. Pero no puede saberlo porque no se auditan los costes o los resultados sino solo los procedimientos; es decir, que si los papeles están correctamente cumplimentados y tienen todas las autorizaciones, nadie se fija en el precio final del lápiz ni se cuestiona que haya costado tres veces más que a un particular en el mercado. De esa manera, mientras que 100 euros en la empresa privada permiten comprar cosas por valor de 140, si se negocia bien, se paga al contado y se aprovechan los descuentos; en el sector público, con pagos a largo plazo y la financiación incluida en el precio, los mismos 100 euros permiten comprar productos que a precio de mercado valen 60. A parte de caro, el sistema es lento, complicado y terriblemente ineficiente, pero lo peor es que no elimina la posibilidad de que alguien meta la mano en la caja y cuando eso ocurre la reacción es indignarse e introducir tres formularios y tres firmas más para poder comprar el lápiz, entonces todas las adquisiciones se retrasan uno o dos meses por los nuevos trámites encareciendo más el proceso. Una pérdida de tiempo y un derroche de dinero público que no repercute en la mejora de los servicios, que se enlentecen y se deterioran, por no adoptar herramientas de gestión que funcionan y están comprobadas desde hace centenares de años en las empresas privadas.

Añadiré otra cosa que tampoco es políticamente correcta. Desde el punto de vista económico, sale más a cuenta un malversador o un ladrón que un mal gestor. Si calculamos el coste de construir y mantener el AVE de Guadalajara (más de 2.000 millones de Euros), que se tuvo que cerrar a los tres meses por falta de pasajeros o el aeropuerto de Castellón (unos 200 millones), que no funciona porque no tiene aviones, resulta que han gastado en una legislatura bastante más de lo que supuestamente se apropió el Sr. Félix Millet del Palau de la Música (30 millones durante décadas), con la diferencia de que al Sr. Millet se le puede encausar por aquellos hechos, exigirle que devuelva el dinero, embargarlo o, algún día, meterlo en la cárcel; mientras que a los artífices de las obras inútiles que ahora hipotecan a sus comunidades autónomas y a todo el país, no se les puede hacer nada, ni tan solo pedirles explicaciones, si los procedimientos de contratación se hicieron de acuerdo con los mecanismos establecidos.

CONCLUSIÓN

Antes de acabar querría referirme a otro actor que también es responsable del desastre, casi el más culpable: el ciudadano español (ya sé que esto tampoco es políticamente correcto, pero qué le vamos a hacer). Si los políticos se han embarcado en estos gastos desde hace años, es por su inconsciencia, pero también porque la sociedad quería más. Una vez tuvimos asfaltadas todas las calles y, puestas las farolas, continuaron con los polideportivos, las piscinas municipales, los teatros, las residencias de ancianos, los centros de atención primaria y hospitales, todo ello sin recordarle al ciudadano que costaba dinero, no fuera a ser que dejarán de votarles; y finalmente, para seguir ganando elecciones, empezaron con los parques temáticos, autopistas, AVE y aeropuertos, etc., y nadie preguntó de dónde salía el dinero. Se guardaron bien de explicar que estaban hipotecando el futuro de nuestros hijos y nuestra credibilidad en el mundo. Tampoco explicaron que algunas de las cajas de ahorro y bancos de nueva creación eran para financiar aquellas obras faraónicas, en las que no habría invertido nadie con un poco de sentido común, y todo ello con el visto bueno del Banco de España (prefiero creer que tenían su visto bueno y no que este no se enteró siquiera, que resultaría aún más espeluznante). Pero lo más lamentable es que nosotros, los ciudadanos, nos apuntamos a la fiesta y tampoco preguntamos... Sí, nosotros, la sociedad española, somos tan responsables del desbarajuste como los políticos, ya que hemos creado un sistema perverso; que premia la mediocridad por encima de la excelencia; que favorece los pactos entre los perdedores para desbancar a los ganadores; y lo que es peor, hemos mostrado una gran inmadurez social y una falta de confianza en el sistema democrático, por haber dado los votos, y por tanto la responsabilidad de gobernar, a los más demagogos y no a los que tenían mejores proyectos. Ninguna sociedad que se valore a sí misma y a su democracia le daría un solo escaño a quien le propusiera comprar votos por 400 euros, como se hizo en las elecciones generales del 2008. Si en un país con tan poca tradición democrática no le damos más valor a nuestro voto, estamos anunciando a gritos que no creemos en la democracia, que no somos dignos de ella, y que nos merecemos cualquier forma de gobierno que nos pueda venir en el futuro o que hayamos tenido en el pasado.

CAP. 4. ¿CON QUIÉN NOS ASOCIAMOS SIN MANUAL DE INSTRUCCIONES?

Algunos hombres nacen mediocres,
otros asumen la mediocridad
y a otros la mediocridad les cae encima.

Joseph Heller[24]

El nombre de este capítulo es de los que más me ha costado escoger, ya que no es fácil buscar uno adecuado cuando se quiere hablar de determinados personajes que nos rodean. Primero quise titularlo con los términos *"charlatanes y timadores"*, que describen a un tipo de personajes que abundan en todas partes, incluso en cargos de responsabilidad de empresas, gobiernos, administraciones, iglesias, etc. Muchos de esos personajes no tienen nada de mediocres, ni de comunes, sino todo lo contrario, pueden ser inteligentes o incluso brillantes, como comprobaremos a lo largo del capítulo. Tampoco se ciñen a la categoría que el profesor Carlo Mª Cipolla[25] tan magistralmente definía como "estúpidos", ya que entre los charlatanes y timadores están también representadas las otras tres categorías que forman el universo de Cipolla: los "inteligentes", los "malvados" y los "cándidos". Para lo que sí me

---

24 Joseph Heller (1923-1999) era un escritor satírico norteamericano.
25 Carlo Mª Cipolla (1922-2000) Fue profesor de historia económica en varias universidades italianas y norteamericanas. En su libro "Allegro ma nom troppo" incluye las "Leyes fundamentales de la estupidez humana" donde clasifica el comportamiento de las personas en 4 categorías: inteligentes, malvados, estúpidos y cándidos, según los resultados de sus acciones representados en un eje de coordenadas.

sirve este autor es para saber por qué estos personajes abundan tanto y asumen tanto poder:

> *Las clases y las castas,* (tanto laicas como eclesiásticas) *fueron en el pasado las instituciones sociales que permitieron un flujo constante de personas estúpidas (yo añadiría también de charlatanes y timadores) a cargos de poder en la mayoría de las sociedades preindustriales. En el mundo industrial moderno, las clases y las castas van perdiendo cada vez más importancia... y su lugar lo ocupan hoy los partidos políticos, la burocracia y la democracia. En el seno de un sistema democrático, las elecciones generales son un instrumento de gran eficacia para asegurar el mantenimiento estable de la fracción constante de estúpidos* (y de charlatanes y timadores) *entre los poderosos".*

Lo que no aclara aquel autor, y es lo que a mí me interesa, es la causa por la cual estos personajes gustan tanto a la sociedad, que finalmente es quien les nombran para los cargos, ya sea a través de las urnas o mediante la selección para un puesto de responsabilidad en una empresa privada o en la administración pública. Por eso elegí el título *"¿Con quién nos asociamos sin manual de instrucciones?".* Es decir, ¿por qué los buscamos?, ¿qué queremos al elegirlos?, ¿qué pensamos cuando, entre un grupo de candidatos, escogemos al más gandul, al más inepto, al más manipulador o al que sólo nos ofrece palabrería?, ¿por qué descartamos a los honestos y trabajadores para quedarnos con aquel que nos vende humo? y ¿por qué no ponemos fin a esa situación cuando se hace evidente que son contraproducentes o nos están vaciando los bolsillos?, ¿por qué los partidos le dar nuevas responsabilidades a individuos condenados tras ocupar cargos similares anteriormente?, ¿por qué permitimos que gestionen dinero público personas incapaces de gestionar ni su propio dinero? Eso es lo que me pregunto tras décadas viendo como esta situación se repite con mucha más frecuencia de lo que cualquiera esperaría, a nivel político, en las empresas, en la administración, etc.

Para desarrollar este capítulo, sería fácil poner ejemplos de situaciones de abuso de poder y mostrar cómo, al llegar a determinados cargos, los individuos se pueden volver perversos, egoístas y hasta cosas peores, pero no es esa mi intención, aunque si a alguien le interesa el tema puede repasar la vida de los emperadores romanos donde encontrará desenfreno, excentricidad, crueldad, traición, lujuria y todas las bajezas que se nos puedan ocurrir, incluida la locura que hizo que Calígula nombrara cónsul a su caballo *Incitatus*. Lo mismo podemos encontrar en la vida de los Borgia, amenizada con incestos e hijos bastardos entre los máximos responsables de la Iglesia. Pero insisto en que no es esa mi intención, ya que lo que pretendo analizar es el porqué la ciudadanía, de manera voluntaria y convencida, decide confiar en charlatanes y timadores, y dudo mucho que la ciudadanía tuviera algo que decir en la elección de los emperadores romanos o en el nombramiento del sucesor de San Pedro en el Vaticano durante los siglos XV y XVI, sino todo lo contrario, en estos casos la mediocridad les cayó encima, como dice Joseph Heller en el encabezamiento del capítulo. En cambio, sí que tiene mucho que decir en la elección de charlatanes para liderar una empresa o un partido político, por eso insisto: ¿con quién nos asociamos?, ¿a quién buscamos?, ¿qué pensamos cuando aceptamos poner al frente a un charlatán y nos vacía los bolsillos? Para ver lo que quiero decir, lo mejor es que ponga un ejemplo.

LA TORRE EIFFEL EN VENTA

En mayo de 1925, cinco de los hombres de negocios de más éxito en el ramo de la chatarrería estaban invitados a una reunión oficial, pero altamente confidencial, con el Director General delegado del Ministerio de Correos y Telégrafos en el hotel Crillon, entonces el hotel más lujoso de París. Cuando llegaron, fue el mismo Director General, un tal señor Lustig, quien los recibió ostentosamente en el piso superior. Los hombres de negocios no sabían para que les habían convocado y tenían curiosidad. Después de los preámbulos que supusieron las bebidas, el funcionario empezó a explicarles: s*eñores, este es un asunto urgente que exige un completo secreto. El Gobierno tendrá que derribar la Torre Eiffel...* Los hombres de negocios escucharon sorprendidos en medio de un enorme silencio mientras el director explicaba que la torre, según informaban recientemente las noticias, necesitaba ser reparada con urgencia. Originalmente tenía de ser provisional, para la Exposición de 1889, pero ahora sus costes de mantenimiento se habían disparado con el paso de los años y, a causa de la situación de crisis económica, Francia no estaba dispuesta a gastar millones para reparar una obra que ya estaba amortizada y había cumplido su objetivo. Además, muchos parisinos la consideraban una monstruosidad y temían que, con una tormenta o una fuerte ventolera, se cayera sobre las casas, así que en su mayoría se mostraban encantados de verla desaparecer. Con el tiempo incluso los turistas la olvidarían, aunque siempre podrían seguir viéndola en fotografías y postales. *Señores* –añadió-, *están todos ustedes invitados a presentar al Gobierno una licitación por la Torre Eiffel.* A continuación les entregó a los hombres de negocios unas hojas de papel llenas de cifras con las toneladas de metal que supondría su desmantelamiento. A los invitados los ojos se les salían de las órbitas mientras calculaban los beneficios que se podrían sacar de toda aquella chatarra. Entonces Lustig les condujo hasta una limusina que les estaba esperando y les llevó hasta la Torre. Después de enseñarles una placa oficial, les guió a través de toda el área amenizando el recorrido con divertidas anécdotas. Al final de la visita les dio las gracias y les pidió que presentasen las licitaciones en su suite del hotel en los próximos cuatro días.

Unos días después de que entregasen las licitaciones, uno de los cinco recibió la noticia de que su propuesta era la ganadora y que, para asegurar la venta, debía ir a la suite del hotel al cabo de dos días llevando un cheque conformado por valor de más de 250.000 francos (equivalentes a más de 1'5 millones de euros de hoy día), que suponía aproximadamente la cuarta parte del precio total. A la entrega del cheque recibiría los documentos confirmando que la Torre Eiffel era de su propiedad. El hombre estaba emocionado, ya que pasaría a la historia como el que había comprado y derrocado aquel infame disparate. A pesar de todo, cuando llegó a la habitación, con el cheque en la mano, empezó a dudar sobre todo aquel asunto. ¿Por qué tenía que reunirse en un hotel en vez de hacerlo en un edificio oficial? ¿Por qué no había oído nada de todo aquello de ningún otro funcionario? ¿Se trataba de un fraude? ¿De una estafa? Cuando escuchó a Lustig discutir las condiciones para el desmontaje de la Torre, dudó y pensó seriamente en la posibilidad de echarse atrás. Pero entonces observó que el Director había cambiado el tono de su voz. En vez de hablar de la Torre, se quejaba de su bajo salario, del deseo que tenía su esposa de un abrigo de piel, de la amargura que suponía trabajar tanto sin que se reconociera su esfuerzo. En aquel momento el empresario tuvo la sensación de que aquel alto funcionario le estaba pidiendo un soborno. El efecto que esta circunstancia tuvo en él no fue de ofensa, sino de alivio, ya que ahora estaba seguro de que era un personaje real, pues en todos sus anteriores encuentros con burócratas franceses inevitablemente le habían pedido que les untasen un poco. Con su confianza restaurada, le dio al Director General unos cuantos miles de francos en billetes y después el cheque conformado. A cambio, recibió la documentación, incluyendo un impresionante título de propiedad, y abandonó el hotel soñando en los beneficios y la fama cercanos.

En los días siguientes, mientras esperaba recibir correspondencia del Gobierno, empezó a darse cuenta de que alguna cosa no iba bien. Unas cuantas llamadas telefónicas le confirmaron que no existía ningún director general llamado Lustig, ni tampoco planes para derribar la Torre Eiffel: ¡le habían tomado el pelo y le habían sacado más de 250.000 francos! Sin embargo nunca fue a la policía, ya que se imaginaba el tipo de reputación que conseguiría si corría la voz de que había sido víctima de uno de los estafadores más absurdamente audaces de la historia; además de la humillación pública, habría supuesto el suicidio de su negocio.

Si el conde Víctor Lustig, un extraordinario artista de la estafa, hubiera intentado vender el Arco del Triunfo, un puente sobre el Sena o una estatua de Balzac, nadie le habría creído, pero la Torre Eiffel era algo demasiado extraordinario para formar parte de una estafa. De hecho, era tan impensable que, al cabo de seis meses regresó a Paris y nuevamente vendió la Torre a un chatarrero diferente con el mismo engaño, y por un precio todavía superior, una suma en francos que equivaldría hoy a casi 2 millones de euros.

Como decíamos antes los charlatanes y timadores no siempre son mediocres ni tienen nada que ver con los estúpidos del profesor Cipolla. Víctor Lustig era más bien del cuadrante de los malvados, eso sí, muy inteligente y audaz, y hacía engaños impecables y elegantes. Resulta extraordinario que consiguiera vender la Torre Eiffel dos veces, y todo ello sin ningún tipo de violencia y sin que nadie quedara herido más que en el orgullo y el bolsillo.

NECESITAMOS CREER EN ALGO

Nos gustan los charlatanes y timadores básicamente por dos razones: primera, por la necesidad de creer en algo; y segunda, por el deseo de pensar que es fácil. Los seres humanos necesitamos imaginar que cualquier cosa nos ayudará a resolver nuestras dificultades, para descargar así los temores que nos invaden. Ello nos convierte en individuos eminentemente crédulos, ya que no podemos soportar largos periodos de dudas y aún menos el vacío que proviene de la falta de creencias. Esta ingenuidad hace que algunas personas intenten sacar provecho ofreciéndonos una causa con la que poder soñar, sea lo que sea. Basta con agitar delante de nosotros una nueva idea, un nuevo elixir, un plan para hacernos ricos pronto, la última tendencia tecnológica o movimiento artístico y saltamos dispuestos a morder el anzuelo. Impulsados por la exigencia de creer en algo, fabricamos santos, nos metemos en los peores líos y confiamos en cualquiera.

Los grandes charlatanes y timadores de los siglos XVI y XVII fueron maestros del engaño, gracias al cual consiguieron tener muchos seguidores, incluso fundaron sectas enteras. Vivían en una época de transformación con la religión en declive y la ciencia en alza, así que la gente quería sumarse a una nueva causa o practicar una nueva fe. Los charlatanes habían empezado traficando con elixires para la salud y con remedios diversos que les permitían hacer algún dinero, siempre de ciudad en ciudad, centrados en grupos pequeños, hasta que algunos entendieron la verdadera naturaleza humana y vieron que cuanto más grande era el grupo que reunían, más fácil era el engaño, pues las personas eran inteligentes pero la masa era estúpida. En el contexto de un grupo, la masa es emocional e incapaz de razonar. Si el charlatán se dirigiera individualmente a cada individuo, este podría ver que las propuestas son ridículas o descabelladas, pero inmersos dentro de la multitud, se encuentran atrapados en un estado de ánimo colectivo que enturbia la atención y la ofusca, así que cualquier incoherencia que pueda haber en las ideas del charlatán, queda diluida. La pasión y el entusiasmo de la multitud se contagia y la masa reacciona violentamente contra cualquiera que se atreva a difundir la más mínima duda, lo que explica los estadios llenos de personas enfervorecidas aclamando a dictadores como Hitler, Mussolini, Franco, Castro o Kim Il-Sung.

Los trucos de los charlatanes y timadores pueden parecernos pintorescos, pero todavía hoy se utilizan los mismos métodos de engaño empleados por sus predecesores hace siglos, cambiando los nombres de los elixires y remedios, y modernizando la retórica del discurso y los métodos de difusión. Encontramos charlatanes y timadores en todas las áreas de la vida: negocios, moda, política, arte, religión, etc. Para conocerlos cuando nos los encontremos, veamos lo que podríamos llamar el ABC de los charlatanes y timadores, que podríamos comparar con lo que hace, por ejemplo, la publicidad, una de las grandes mentiras de nuestro tiempo, o algunos de los dictadores del siglo pasado.

EL ABC DEL CHARLATÁN TIMADOR

Primero: quieren dar la impresión de tener un conocimiento especializado gracias al uso de palabras altisonantes, pero de significados ambiguos y abstractos. Ponen nombres y títulos grandilocuentes a las cosas más sencillas. Inventan expresiones con las que sorprender y engatusar al interlocutor, así como explicaciones retorcidas y fantásticas de los fenómenos más comunes, con las que dejan boquiabiertos a sus oyentes. A veces, pretenden aparentar una gran especialización, ya que un especialista genera sueños de soluciones milagrosas. Uno de los mejores ejemplos nos lo proporciona el inmortal Moliere cuando su Sganarelle, el "médico a palos", trata de explicarle a Geronte y a Jacqueline la causa de que su hija no hable:

Sganarelle. Volviendo, pues a nuestro razonamiento, sostengo que ese impedimento de la acción de su lengua está causado por ciertos humores, llamados por nosotros los sabios humores pecantes, tanto más cuanto que los humores producidos por las exhalaciones de las influencias que se elevan a la región de las enfermedades, tienden… por decirlo así…, a…, ¿entendéis el latín?

Geronte. Ni una palabra.

Sganarelle (con entusiasmo.) *Cabricias archi thuram, catalamus, singulariter, nominativo haec musa, la musa; nonus, bona, bonum. Deux sanctus, est neo ratio latinas. Etiam, sí. Quare? ¿Por qué? Quia sustantivo et edjectivum concordat in generi, numerum et casus.*

Geronte. ¡Ah! ¿Por qué no lo habré estudiado?

Jacqueline. ¡Vaya un hombre hábil!

Sganarelle. Ahora bien, esos humores de que os hablo, viniendo a pasar del lado izquierdo, donde está el hígado, al lado derecho, donde está el corazón, llegan al pulmón, al que llamamos en latín *armyan*, se comunican con el cerebro, que denominamos en griego *nasmus*, por medio de la vena cava, a la que llamamos en hebreo *cubile*, concluyendo su camino llenando los ventrículos del omóplato; y como los citados vapores… Comprended bien este razonamiento, os lo ruego; y como los citados vapores alcanzan cierta malignidad… Escuchad bien esto, por lo que más queráis.

Geronte. Escucho…

Sganarelle. … alcanzan cierta malignidad… provocada… Estad atento, os lo ruego.

Geronte. Lo estoy.

Sganerelle. Provocada por la actitud de los humores engendrados en la concavidad del diafragma. Ocurre que esos vapores… *Ossabundus, nqueys, Necker, potarium, quipsa, milus.* Eso es lo que hace, exactamente, que vuestra hija sea muda.

Jacqueline. ¡Ah…! ¡Qué bien dicho está eso, buen hombre!

Geronte. ¿Por qué no tendré yo la lengua tan bien instalada?

Segundo: crean la sensación de que la solución es fácil. La mayor parte de los problemas de la gente tiene causas complejas y son difíciles de resolver, pero son pocos los que disponen de la paciencia suficiente para hacer frente a su realidad. La mayor parte de las personas quiere escuchar que una solución sencilla resolverá todos sus males. Esta es una de las causas del éxito de la publicidad, de la lotería, el curanderismo, los tiradores de cartas, etc., y es también la puerta de entrada de charlatanes a las empresas y de demagogos a la política. ¿Quién quiere oír que las cosas son complicadas? ¿Quién quiere saber que para solucionar su problema deberá trabajar duro? ¿Quién desea que le digan que se debe esforzar más? Nadie quiere escuchar que para superar los problemas hará falta *sangre, sudor, lágrimas y mucho trabajo,* como le dijo sir Winston Churchill a la población británica, ¡y pobre del que lo haga, porque está cavando su tumba política!

Tercero: enfatizan más las sensaciones que el intelecto. Los dos peligros que afrontan los timadores charlatanes son el aburrimiento y el escepticismo. El aburrimiento hace que la gente se vaya a lugares más divertidos; el escepticismo les permite poner la distancia suficiente para pensar con racionalidad en lo que les están ofreciendo, y ello desvanece la niebla creada y pone de manifiesto la realidad, descubriendo el engaño. Una manera de combatir estos dos efectos es con espectáculo; es decir, llenar los sentidos para distraer la mente: colores, imágenes sugerentes, gráficos, canciones, etc., y si puede ser todo al mismo tiempo, como hace la publicidad, mucho mejor.

Cuarto: otorgan mucha importancia al interlocutor, elevándole de su posición actual a una superior. La mayor parte de los individuos desea mejorar su situación social, laboral, emocional o económica, así que el charlatán procurará hacerles creer que la solución propuesta les dará un mejor estatus en cualquiera de esos aspectos. La publicidad recurre con frecuencia a esta idea: si consumes nuestro producto serás más alto, guapo, joven, inteligente, seductor, etc.

Quinto: minimizan la importancia del dinero. Todos estamos preocupados por el dinero por eso, cuando soñamos que una forma de vida fabulosa es posible para nosotros, la última cosa que queremos es que nos recuerden el coste de esa maravilla. Ese es otro de los logros de la publicidad, al recordarnos que nos merecemos más de lo que pagamos por lo que adquirimos, con independencia de que lo necesitemos o no.

Sexto: establecen una dinámica de "nosotros" contra "ellos". Este es un criterio muy usado a lo largo de la historia, sobre todo por los sistemas poco tolerantes o dictatoriales, empeñados en buscar rivales dignos a quien culpar de todas las desgracias provocadas por ellos mismos. Ahora ya no hablamos de los "arios" y del "problema judío" como hacía Adolf Hitler, pero el recurso a sugerir que se forma parte de un club exclusivo que nos diferencia y nos eleva por encima de los demás todavía es muy empleado por partidos políticos, clubs deportivos, publicidad, religión, etc.

Evitamos la verdad porque resulta desagradable. No queremos escuchar que el cambio proviene del trabajar duro o de algo tan corriente como superar el cansancio, el aburrimiento o la depresión, sino que queremos creer en alguna fantasía romántica, mística o de otro mundo, alguna cosa que nos ofrezca una transformación repentina que cambie nuestra suerte y nos proporcione riqueza, salud y felicidad, pasando por alto el trabajo, el sacrificio y el tiempo necesario para lograrlo. Esta es la magia que ofrecen los charlatanes timadores y, si son capaces de vendérnosla, serán como un oasis en el desierto al que todo el mundo se acercará.

LA FANTASÍA DE TODA UNA CIUDAD

La ciudad de Venecia fue próspera durante siglos, ya que su monopolio del comercio con Oriente la convirtió en la ciudad más rica de Europa. Bajo sus benévolos gobiernos disfrutó de la paz y libertad que pocas ciudades italianas habían conocido antes. Pero durante el siglo XVI, el descubrimiento de América cambió el sentido del comercio, que se desplazó al Atlántico, y Venecia no pudo competir, así que su imperio se desvaneció. El golpe final fue la pérdida de la isla de Chipre, a manos de los turcos en 1570. Entonces, las familias nobles de Venecia quedaron arruinadas, los bancos empezaron a caer y la tristeza y la depresión se apoderó de sus ciudadanos.

Pero en 1589 circularon rumores por la ciudad de la próxima llegada de un hombre misterioso, llamado Marco Bragadino, un maestro de la alquimia que, según se decía, había conseguido una fabulosa fortuna gracias a su habilidad para fabricar oro con una sustancia secreta. El rumor se extendió rápidamente porque unos años antes un noble veneciano, de viaje por Polonia, había escuchado a un sabio profetizar que Venecia recuperaría su gloria y poder si podía encontrar a alguien que conociera el arte de la alquimia para producir oro. Así que, cuando llegó la noticia de que Bragadino hacía aparecer monedas de oro continuamente en sus manos, y que los objetos de oro llenaban su palacio, muchos comenzaron a soñar en la posibilidad de que, a través de aquel hombre, Venecia recuperase la prosperidad.

Miembros de las familias más importantes fueron a Brescia, donde vivía, recorrieron su palacio y comprobaron in situ como aquel extraño les mostraba su habilidad para fabricar oro, cogiendo algunos minerales aparentemente sin valor y transformándolos en varias onzas de oro en polvo. Con esta información, el Senado veneciano discutió la idea de invitarlo a que se instalase en Venecia, a expensas de la ciudad. Entonces les llegó la noticia de que estaban compitiendo con el duque de Mantua, que también pretendía sus servicios, incluso parecía que el alquimista había dado una gran fiesta en honor del duque, donde se presentaron muchos nobles con ricos vestidos de botones dorados, relojes de oro, bandejas y otros objetos de oro, etc. Preocupados con la posibilidad de perderle, el Senado votó casi unánimemente a favor de invitarle a que se instalara en Venecia, prometiéndole la montaña de dinero que necesitara para seguir con su ritmo de vida, a condición de que fuera inmediatamente.

Aquel mismo año el misterioso Bragadino llegó a Venecia. Con sus penetrantes ojos oscuros y dos enormes perros negros que le acompañaban a todas partes, resultaba impresionante. Decidió vivir en un suntuoso palacio en la isla de Giudecca, mientras la ciudad financiaba sus fiestas, banquetes, costosos vestidos y todos sus caprichos. La fiebre por la alquimia se extendió por Venecia y en todas las calles vendedores ambulantes proporcionaban minerales, aparatos de destilación y libros sobre el tema. Todo el mundo empezó a practicar la alquimia. Todo el mundo menos él, que no parecía tener prisa para empezar a fabricar el oro que salvaría a la ciudad de la ruina. Curiosamente, eso solo sirvió para aumentar su popularidad y el número de sus seguidores: la gente venía de toda Europa, incluso de Asia, para reunirse con aquel hombre tan notable. Los meses pasaron y los regalos llegaban de todas partes, pero él seguía sin proporcionar el menor signo del milagro que los venecianos esperaban. Los ciudadanos acabaron por impacientarse y empezaron a preguntarse si tendrían que esperar eternamente. Primero, los senadores pidieron a la población que no le molestasen, pero finalmente se vieron obligados a pedirle que demostrara qué podría sacar la ciudad de la impresionante inversión que habían hecho en él.

Bragadino solo mostró desprecio hacia los que dudaban, pero les respondió. Les dijo que ya había depositado en un banco de la ciudad la misteriosa sustancia con la que se multiplicaba el oro, y les aseguró que podía utilizar toda aquella sustancia inmediatamente y producir el doble de oro. Pero añadió que, cuanto más lento fuera el proceso, más oro generaría, así que si se dejaba durante siete años, metida en el cofre sellado sin abrirlo, la sustancia multiplicaría el oro por treinta. La mayoría de los senadores estuvo de acuerdo en esperar siete años más para recoger la mina de oro que les prometía, pero otros, enfadados, mostraron su desacuerdo: ¿siete años más con aquel hombre viviendo como un rey a costa del presupuesto público? Hubo fuertes discusiones, hasta que finalmente los enemigos del alquimista exigieron que les enseñara una prueba de sus habilidades: una cantidad importante de oro, ¡y que lo hiciera pronto! Aparentemente dedicado a su arte, pero muy arrogante, respondió que Venecia, con su impaciencia, le había traicionado y que por ello perdería sus servicios. Abandonó la ciudad de los canales para ir a la cercana Padua, después se desplazó hasta Munich, invitado por el duque de Baviera, donde repitió la misma operación.

En realidad se llamaba Mamugná y era un joven nacido en Chipre, que había vivido en Venecia antes de reencarnarse en el alquimista Bragadino. Vio cómo la preocupación se apoderaba de la ciudad, como todos esperaban un milagro que les proporcionara riqueza inmediata. En vez de hacer como otros charlatanes y timadores, expertos en juegos de manos, que hacían estafas basadas en la prestidigitación, él dominaba la naturaleza humana y se puso por objetivo Venecia, así que viajó al extranjero e hizo algún dinero con sus estafas alquímicas para regresar después a Italia y establecerse en Brescia. Allí se creó una reputación que sabía que se extendería hasta Venecia y, con la distancia, su aura todavía resultaría más impresionante.

Al principio, Mamugná no hizo demostraciones vulgares para convencer a nadie de su habilidad alquímica. Su palacio suntuoso, sus vestidos opulentos, el ruido del oro en sus manos, todo aquello proporcionaba un argumento superior a cualquier explicación racional y le permitió seguir adelante. Su riqueza evidente confirmaba su reputación como alquimista, de manera que patrocinadores como el duque de Mantua le dieron dinero, con el que pudo vivir en la abundancia, lo cual reforzó su fama, cerrando así el círculo. Solo cuando su prestigio fue suficientemente fuerte y los duques y senadores se lo disputaban, recorrió a la necesidad de una demostración insignificante. Pero entonces la gente ya era fácil de engañar y deseaba el milagro. Los senadores, que le contemplaban multiplicar el oro, querían creer tan desesperadamente que no llegaron a darse cuenta del tubo de vidrio que llevaba en las mangas, por el cual hacía caer polvo de oro en pequeñas cantidades. Brillante como era en sus fantasías, una vez creó su aura, nadie se dio cuenta de sus engaños.

Así es el poder de la fantasía cuando nos atrapa, sobre todo en tiempos de escasez y decadencia. Rara vez creemos que nuestros problemas surgen de nuestros propios errores o de nuestra estupidez. Tenemos la necesidad de culpar a otros, al mundo, a los dioses o a alguna otra cosa, de esta manera la salvación también vendrá del exterior. Si Bragadino hubiera llegado a Venecia con un detallado análisis de las razones que había tras su decadencia económica y explicando los pasos difíciles que se necesitaban para cambiar las cosas, nadie le habría creído y se habrían reído de él. La realidad era demasiado desagradable y la solución demasiado dolorosa, ya que suponía volver al trabajo duro que habían hecho los antepasados para crear el imperio. La fantasía, en este caso la solución mediante la alquimia, era fácil de comprender e infinitamente más agradable para todos. Mamugná tenía claro que para tener poder debía convertirse en el origen del placer de aquellos que le rodeaban. Ningún charlatán o timador puede prometer una mejora gradual mediante el trabajo duro, debe prometer la Luna, la transformación grande e inmediata sin esfuerzo, la olla de oro… sólo así le harán caso.

UNO DE LOS NUESTROS

Podríamos pensar que los dos ejemplos expuestos son simples engaños perpetrados por estafadores, que únicamente se aprovechan de incautos que se dejan llevar por su avaricia, pero hay charlatanes y timadores en todos los trabajos, e incluso llegan a ocupar cargos de responsabilidad, porque son tremendamente hábiles, y su capacidad de convencer bastante alta. No dudan en atribuirse los éxitos ajenos como si fueran propios, aprovechándose de los esfuerzos de los demás. Cuando asumen una posición de responsabilidad pueden llegar a hacer un daño terrible, no solo a los colaboradores que les rodean, sino también a la organización que dirigen y a las personas que confiaron en ellos poniéndoles en el cargo, al que muchas veces llegan por ser *uno de los nuestros*, de ahí la decepción generalizada cuando se acaba descubriendo que estamos ante un charlatán timador. Para ilustrarlo, explicaré un caso que tuvo una trascendencia tremenda, no solo económica y social, sino también productiva, educativa y científica, ya que hundió durante décadas todo un sector científico de un país inmenso.

Cada día resulta más sorprendente la novela que vivió el biólogo Trofim Denisovich Lysenko (1898-1975) en el seno de la política y la economía de la antigua URSS, en la época de Josif Stalin, y sus inmediatos sucesores y, cuantos más análisis se publican sobre aquel fenómeno, menos se comprende su origen y continuidad durante tantos años.

Su aparición en la historia del régimen soviético tuvo lugar hacia 1929 y hoy se sabe que fue una mezcla, mitad plagio y mitad falsificación. Proponía plantar trigo de invierno durante la primavera y dejar las semillas bajo la nieve, asegurando que así se obtendrían cosechas por hectárea superiores a las conseguidas con el sistema tradicional. Aquella propuesta, en la antigua URSS comunista, donde el hambre se extendía por la mayor parte del país, pareció maravillosa, ya que podría reducir la escasez generalizada, así que le dejaron llevar a cabo sus proyectos. Cuando llegó la cosecha proclamó que la parcela de su experimento había recogido 30 quintales de trigo por hectárea. En realidad, habían sido 24, pero Lysenko alteró los datos. A pesar de ello, incluso aquellas cifras parecían importantes y de ese modo aquel agrónomo se hizo famoso enseguida y obtuvo el beneplácito del régimen. Nadie tuvo en cuenta que su procedimiento era conocido en diversos países, entre ellos la propia Rusia, desde la época de los zares, ya que toda referencia a la época anterior era perseguida por contrarrevolucionaria, así que el nuevo régimen soviético no tenía ningún interés en destacar hechos conocidos con anterioridad. Tampoco salió nadie en defensa de los científicos rusos de toda solvencia que llevaban años trabajando en el mismo tema pero que no estaban de moda.

Hijo de un campesino de Ucrania, había estudiado jardinería y agronomía, pero pronto se acercó a los centros de poder, muy necesitados de soluciones contra la persistente escasez, mostrando más dotes de charlatán e intrigante que de agrónomo. Incluso la agronomía le pareció poca cosa y se pasó a la biología, con una entrada triunfal en el año 1932, proclamando que los genes no existían e iniciando una carrera centrada en anularlos y ridiculizarlos.

Alabó a Stalin y a sus colaboradores ofreciéndoles prodigios agrícolas que los tenían entretenidos de una temporada a la siguiente y deslumbrando a la opinión pública, siempre pendiente de futuras cosechas maravillosas. En 1934 ordenó que se plantara lino en un campo cubierto de nieve y, como no brotó nada, se disculpó diciendo que los campesinos habían saboteado su plan por ser enemigos del régimen y, naturalmente, fueron enviados a Siberia. La misma excusa la repitió al año siguiente, corregida y aumentada, en un congreso agrícola presidido por el propio Stalin, donde denunció con vigor que los campesinos de ideas burguesas hacían fracasar deliberadamente las consignas e instrucciones que recibían de los círculos oficiales y acabó diciendo que *un enemigo de la clase trabajadora era siempre un enemigo de la clase trabajadora, fuera científico o no*, a lo que respondió Stalin: ¡*Bravo, camarada Lysenko, bravo!* Por fin el camarada presidente había encontrado a los culpables de que la agricultura soviética fuera mal: los enemigos del régimen, y de paso había encontrado a un ángel salvador en este inventor infatigable de métodos milagrosos. Uno de ellos consistía en hacer que las máquinas sembradoras pasarán dos veces por el mismo campo, consiguiendo una siembra más densa y, supuestamente, un rendimiento mayor. La realidad era que las máquinas, al hacer la segunda pasada, destruían una gran cantidad del grano de la primera sembrada y en consecuencia el pequeño incremento de producto que se recogía no compensaba la doble inversión en semillas, pero este argumento no interesó a nadie. Lysenko propugnaba el mismo estilo mágico para cambiar el tipo de cultivo o alterar las épocas de las tareas tradicionales del campo, situando en el otoño, por ejemplo, aquellas que siempre se habían hecho en primavera. Si después venía cualquier tempestad o sequía y alteraba el programa, siempre podía excusarse en la fuerza de la fatalidad o denunciar de nuevo a los enemigos del comunismo.

Ahora puede parecer raro, pero durante décadas fue tan venerado como el mismo Marx. La devastación que le ocasionó al país fue colosal, pero igual de tremenda fue la aniquilación de la biología y la genética soviéticas, que tuvo lugar en dos etapas: en la primera se limitó a eliminar a todas las personas e instituciones que pudiesen discutirle las geniales fantasías que fabricaba; en la segunda, fue creciendo en arrogancia científica, amplió sus áreas de trabajo, extendiéndolas a la ganadería, y se propuso borrar del mapa la genética tradicional. Según él, la transmisión hereditaria de los caracteres físicos era una farsa burguesa, totalmente contraria al talante progresista de la nueva sociedad soviética, y predicaba que eran los caracteres adquiridos los que serían heredables, una teoría que quedó proclamada definitivamente, en 1948, con el aplauso del camarada Stalin (¿o alguien cree que hacen falta más argumentos para "demostrar" una teoría científica en un régimen totalitario?). Dispuso de institutos, publicaciones, revistas, congresos, academias y todos los dispositivos del sistema donde multitud de discípulos suyos perpetraron los más grotescos experimentos, ilusionados con la idea de que cambiaban especies, intercambiaban atributos y, en definitiva, obtenían peras de los olmos o así lo publicaban. Mientras tanto, muchos científicos serios iban a la cárcel o a Siberia si se atrevían a poner las más mínimas objeciones.

La única cosa extraordinaria que hizo de verdad fue mantenerse tanto tiempo en la cima después de la muerte de Stalin y de que Jruschov empezara la demolición del estalinismo. En 1964 Súslov, el ideólogo del partido comunista, denunció oficialmente la *infame y vergonzosa ruptura en la evolución de la ciencia soviética* que había significado Lysenko. En 1965 se le hizo dimitir de su cargo de director del Instituto de Genética y una comisión que inspeccionó sus trabajos descubrió que contenían montones de mentira. A pesar de todo, su doctrina continuó con sus discípulos, que la siguieron enseñando en las cátedras y en los laboratorios, posiblemente por no tener ninguna otra.

Esta historia puede parecernos muy lejana, tanto por la distancia en el tiempo, como por la ubicación territorial e histórica, situada en el marco de la dictadura estalinista donde no se podía pensar ni decir nada sin recibir las represalias de la cárcel, la deportación a Siberia o el fusilamiento. Lo que me interesa es reflexionar sobre qué debía pasarle por la cabeza al camarada Stalin cuando alguien le dice que la genética es una invención burguesa y él se queda tan contento. Puedo entender que a Stalin, como a todos los dictadores, y a muchos políticos de lo más demócratas, le gustaba que le regalasen los oídos, pero que se dejara engañar de esa manera...

¿Qué tiene que ver la genética con la revolución? ¿Cómo se puede afirmar que la ley de la gravedad es una invención burguesa, porque ya existía en la época de los zares, y quedarse tan tranquilo? ¿Cómo puede dar tanto miedo reconocer que muchas de las cosas de las que disfrutamos ya existían antes de nuestra llegada? Confieso que me veo incapaz de entender qué pretende esa gente cuando actúan así.

Podemos pensar que en democracia esas cosas no pasan. Para empezar, las personas no se pueden silenciar de aquella manera. Además, los medios de comunicación están en todas partes, y los tribunales de justicia actúan con cierta independencia, a pesar de haber perdido credibilidad por la injerencia política. No, definitivamente esas cosas no pueden pasar en un lugar como la España de hoy, ya que el entorno no lo permitiría... pero, ¿seguro que es así? Si repasamos muchos de los casos de corrupción, que aparecen en los medios de comunicación, veremos que, en mayor o menor medida, siguen unas mismas pautas y que siempre había alguien que sospechaba lo que pasaba o que lo había denunciado hacía tiempo, pero a los que nadie hizo caso porque destapar la realidad suponía el fin de la fantasía y del sueño creado por el charlatán timador en el que todos querían creer. En este sentido, iría bien recordar a los economistas de prestigio mundial que insistían en el error que suponía tener un 20% de la masa laboral trabajando en la construcción a los que nadie quiso escuchar durante años.

Desgraciadamente, aquí también se dan estos casos, y no hablo solo la corrupción escandalosa de *los nuestros*, que sale en los medios de comunicación, sino de actitudes intolerantes y dictatoriales que reflejan unos fantasmas, envidias y temores ancestrales, que con frecuencia se intentan disfrazar a la ciudadanía y a los medios con los argumentos más rocambolescos. En el País Valenciano se creó el "idioma valenciano" por una ley de aquella Comunidad

Autónoma (y lo mismo harían más tarde Aragón con el "aragonés oriental"), para evitar reconocer que parte de su población hablan catalán. Y en ambos casos se quedaron igual de satisfechos que Stalin al saber que, por decisión de Lysenko, la genética era burguesa. De nada sirvieron los argumentos de los intelectuales ni de los expertos en lingüística, aunque sí hay que agradecer que no tuvieran a mano una Siberia donde meterlos a todos porque el estilo, las formas y la prepotencia no distaban demasiado de las empleadas por el zar rojo. También por decreto ley han censurado la emisión de la televisión catalana (TV3) en el País Valenciano, como si fueran una vulgar dictadura, y además no les ha importado tomar esa decisión vergonzosa en la época de las comunicaciones y de Internet, cuando se puede ver, por antena o por cable, todas las televisiones del mundo.

Otro fantasma ancestral que nos acecha es el miedo irracional a cualquier diferencia o forma de progreso, que rápidamente despierta el cainismo y la intolerancia que llevamos dentro, como recogía el periódico La Vanguardia, del sábado 21 de enero de 2012, cuando aseguraba que responsables del PSOE temían que un liderazgo del partido que proviniera del PSC *podía suponer la catalanización del PSOE* y, por lo que se ve, también se quedaron tan tranquilos. ¿De qué pueden tener miedo? Cataluña es la Autonomía más abierta al mundo, la más dinámica, tiene menos paro que la media nacional, la economía más rica del país y la más productiva. ¿Dónde ven el problema? ¿Alguien cree que esta es la actitud abierta que se espera de un político? ¿Alguien piensa que con esta mentalidad será más fácil salir de la crisis? Estamos ante un nuevo caso de *limpieza de sangre* y como no son de los nuestros, no los queremos. En Cataluña hemos tenido un presidente de la Generalitat que había nacido en Andalucía y yo, como catalán de origen andaluz, me sentí muy orgulloso, ya que realmente se confirmaba aquello que siempre se había dicho de que *son catalanes todos aquellos que viven y trabajan en Cataluña, con independencia de su origen.* Desgraciadamente, el resto de España todavía no ha llegado a ese grado de madurez política y siguen con el mismo provincianismo excluyente que nos mantuvo apartados del mundo durante siglos. Estas manifestaciones las hicieron los que se autoproclaman progresistas, ya que lo decían en el transcurso de unas primarias del PSOE para elegir candidato, y que nadie piense que es una opinión marginal, sino todo lo contrario, se trata de una corriente de opinión del partido y de todo el país; es decir, que los más progresistas de España siguen preocupados con la *limpieza de sangre.* Sinceramente, tenemos un gran reto, porque con esta mentalidad no vamos a ninguna parte.

CON INTELIGENCIA TODOS GANAN

Sería injusto por mi parte dejar la cosa aquí y que alguien pensara que todos los que llegan a un cargo de responsabilidad son sospechosos de estas prácticas. Al contrario, el mundo está lleno de personas excelentes, hombres y mujeres sencillos y humildes, tanto trabajadores como empresarios, que intentan tirar adelante, con esfuerzo y honradez, como hacían las víctimas de Lustig o de Lysenko, y también de responsables políticos y administrativos que se han ganado con creces el derecho a ocupar el cargo, después de mucho esfuerzo y dedicación, gente que solo pretende conseguir lo mejor para su ciudad o su país, como los senadores de Venecia durante el Renacimiento. No dudo que esa es la realidad, por más espectaculares que sean los casos expuestos, y tampoco debemos olvidar que recompensar debidamente los esfuerzos y las contribuciones de esos individuos es importante, no solo por lógica y por justicia, sino porque hay que tener a la gente comprometida e ilusionada, además del dicho *"Es de bien nacido ser agradecido".* Desgraciadamente, las empresas, o mejor dicho, las personas que dirigen las empresas, no siempre tienen clara esta política y pueden llegar a perder un buen profesional si no son capaces de animarle de vez en cuando. Veamos uno de estos casos en que no se perdió el entusiasmo del protagonista gracias a que su ingenio halló una solución con la que todos acabaron ganando.

A principio del siglo XVI el astrónomo y matemático Galileo se hallaba en una situación precaria al depender, como muchos otros hombres de las artes y las ciencias, de la generosidad de grandes mandatarios que quisieran financiar sus actividades. Era habitual que estos sabios le dedicarán o le regalasen sus inventos y descubrimientos a algún mecenas, pero estos acostumbraban a hacerles regalos y no a darles dinero, que era lo que ellos necesitaban para continuar sus estudios. En esa situación, de inseguridad y dependencia económica estaba Galileo, en 1610, al descubrir las cuatro lunas de Júpiter (Io, Europa, Ganímedes y Calisto), cuando pensó que debía haber una forma más sencilla de vivir tranquilo y continuar sus investigaciones, así que en vez de hacer lo de siempre, y dividir el descubrimiento entre sus mecenas, decidió concentrarse exclusivamente en los Medici. Escogió esta familia porque el fundador de la dinastía, Cosme I, hizo que Júpiter, el más poderoso de los dioses, fuera el símbolo de su casa y de su linaje, una referencia al poder que iba más allá de la política y de la banca, al estar ligado a la antigua Roma y a sus divinidades. Galileo convirtió su descubrimiento en un acontecimiento cósmico en honor a aquella saga al asegurar que las lunas de Júpiter se presentaron ante su telescopio en el mismo momento en que entronizaban a Cosme II y que el número de lunas, cuatro, era el mismo que el número de los Medici (Cosme II tenía tres hermanos). Además, continuó diciendo que las cuatro lunas giraban en órbita alrededor de Júpiter, como los cuatro hermanos giraban alrededor de Cosme I, el fundador. Entonces aseguró que aquello era más que una coincidencia, pues demostraba que el cielo mismo se inclinaba ante la grandeza de la familia. Después de dedicarles su descubrimiento, Galileo encargó un emblema en el que se representaba a Júpiter, sentado sobre una nube, con las cuatro lunas girando a su alrededor y se lo ofreció a Cosme II como símbolo de su unión con las estrellas.

En 1610 Cosme II nombró a Galileo filósofo y matemático oficial de la corte con un sueldo. Para un científico eso era la culminación de su vida, ya que los días de mendigar ayuda económica habían acabado. De una vez ganó más con aquella nueva estrategia de lo que había conseguido en años de pedir caridad. La razón es sencilla: todas las cabezas quieren parecer más brillantes que las que les rodean. En realidad a los Medici no les importaba la ciencia, la razón empírica o el último invento del sabio, la única cosa que les importaba era su nombre y su gloria, y Galileo les dio mucha más gloria, vinculando su nombre con las fuerzas cósmicas, de lo que les habría proporcionado haciéndoles mecenas de algún nuevo instrumento científico o descubrimiento.

CONCLUSIÓN

Nadie puede evitar que a lo largo de la vida nos encontremos con charlatanes y timadores, pues seguro que habrá en todas partes. En las empresas algunos estarán jerárquicamente por encima de nosotros; otros serán compañeros en el mismo nivel y buscarán la manera de aprovecharse del trabajo de los demás; incluso los habrá por debajo de nosotros, pero siempre buscando la forma de subir, no por sus méritos sino por vías alternativas. Un país como el nuestro en el que la mediocridad está tan instalada, y rechaza la excelencia para que no la ponga en evidencia, mientras busca la compañía de más mediocridad, se acaba convirtiendo en el paraíso de los charlatanes y timadores, siempre dispuestos a regalar los oídos de sus jefes con aquello que desean escuchar y no con la verdad, para lograr subir por cualquier vía que no sea el esfuerzo y la iniciativa. Pero insisto que eso, que ha sido habitual en nuestro país, acabará con la presente crisis, ya que para superarla necesitaremos inevitablemente a la excelencia.

CAP 5. LA ECONOMÍA SIN MANUAL DE INSTRUCCIONES

Nada proporciona dignidad tan respetable
ni independencia tan importante
como el no gastar más de lo que ganamos.

Calvin Coolidge[26]

¿Por qué economía? Decía Alfred Marshall[27] que la economía es el estudio de la humanidad en el transcurso de su vida cotidiana; es decir, una materia que estudia el comportamiento de la actividad diaria de las personas. En este sentido, John Kennet Galbraith[28] añadía que también se dedica al estudio del papel de las organizaciones; la manera como las personas recurren a las empresas, a los sindicatos o a los gobiernos para satisfacer sus necesidades; al estudio de los objetivos que quieren conseguir las organizaciones y si coinciden o se oponen al interés general. También asegura que entender el funcionamiento económico es entender la mayor parte de nuestra existencia, ya que trata de lo que ganamos y de qué podemos comprar, por ello comprenderla nos permitirá descubrir algunas de nuestras principales preocupaciones.

---

26 John Calvin Coolidge (1872-1933) fue el 30º presidente de los Estados Unidos (1923-1928). Su ascensión a la presidencia se produjo en 1923 a raíz de la muerte del presidente Harding, mientras él era vicepresidente.

27 Alfred Marshall (1842-1924) Economista británico, profesor de las Universidades de Oxford y Cambridge.

28 John Kennet Galbraith (1908-2006) era un economista de origen canadiense. Sus libros de divulgación de la teoría económica fueron best sellers durante más de 50 años.

La mayor parte de los periódicos y noticias están repletos de informaciones relativas a decisiones gubernamentales o empresariales basadas en aspectos económicos porque la economía está en el corazón mismo de la vida social. Ello la hace bastante variable, ya que se ve influenciada por el cambio constante de la sociedad. Otras materias de estudio, como la física, la química o la geología, son más estáticas y perdurables, por ejemplo a Newton le cayó una única manzana en la cabeza y pudo descubrir la ley de la gravedad y el movimiento de los planetas, ya que todas las manzanas, en todas partes, caen en la misma dirección, ahora y hace mil años, y además lo seguirán haciendo igual en el futuro, pero cuando hablamos de economía, de política, de sociología, de responder a situaciones de estrés, de estadística o incluso de medicina, cada caso es diferente y las decisiones están condicionadas por muchos factores. Por ejemplo, la respuesta de los latinos al trabajo, al dinero o a la política no tiene nada que ver con la que tienen los anglosajones, la idea de libertad de un norteamericano no se parece a la de un ruso, pero incluso cambia dentro del mismo del país: la libertad para un político es un concepto más o menos idealista y romántico, que le sirve para ganar elecciones; para un preso es que revisen su caso y le saquen de prisión; para un yonqui, que el deje tranquilo la policía; y, durante los años finales de la Transición, en España fue sinónimo de productos de higiene femenina, hasta el punto de que los genios de La Trinca lo incluyeron en una canción que seguro que todos recordamos:

Llibertat, llibertat y encara mes llibertat...
Estem anunciant compreses, ya te n'hauràs adonat...
(Libertad, libertad y aún más libertad…
Estamos anunciando compresas, ya te habrás dado cuenta…)

LA ECONOMÍA COMO CIENCIA SOCIAL

Lo primero a tener en cuenta es que la economía, como otras ciencias sociales, está sujeta a cambios continuos, ya que las empresas, los sindicatos, los consumidores, el Gobierno o las relaciones entre todos ellos evolucionan sin parar. Por ejemplo, no tiene nada que ver el papel del gabinete del presidente Herbert Hoover (1928-1933) en la gestión de la crisis de 1929, con el que hizo después el presidente Franklin D. Roosevelt (1933-1945) para salir de ella. La misma situación, en el mismo país, pero dos actitudes completamente opuestas que tuvieron resultados diferentes, eso no le pasó a Newton, a él las manzanas siempre le caían en la misma dirección. Esta peculiaridad de las ciencias sociales es el motivo por el cual deben incorporar constantemente nuevas informaciones y revisar sus interpretaciones en función de ello, pero además deben evolucionar en la dirección en que lo hacen las instituciones que participan en la economía si no quieren quedar obsoletas por unos conocimientos que no se ajustan a las nuevas realidades.

Por eso es erróneo compararla con los automatismos del cuerpo humano por el hecho de que algunas decisiones económicas también se producen de forma automática. En economía siempre hay que pensar en el cambio ocasionado por la reacción de la sociedad a las medidas propuestas, algo que muchos políticos aparentemente no tienen en cuenta, al menos eso era lo que yo pensaba. Pero después me di cuenta de que, en realidad, los políticos toman decisiones, no por criterios económicos o sociales, sino por otros de tipo político, electoral o simplemente partidista, lo que hace que los ciudadanos no les entendamos, ya que nosotros analizamos los resultados de sus actuaciones con parámetros de más o menos eficiencia: valoramos si las empresas van mejor o peor, si generan puestos de trabajo o paro, y si las cosas son más caras o más baratas; en cambio, ellos las valoran en función del número de votos que esperan obtener, de las fotografías que consiguen en los periódicos, de los minutos que les dedica la TV, del desgaste de los demás partidos, etc.; o sea, que son dos lenguajes diferentes, por eso con frecuencia se tiene la sensación de que ellos están en *onda media* y nosotros en *frecuencia modulada* así que entenderse es complicado.

A lo largo de los años he admitido que no hay unos criterios mejores que otros para actuar y que no es cierto que la mejor opción sea necesariamente la más racional desde el punto de vista técnico o económico; es decir, que ya he aceptado que los técnicos tampoco tienen siempre la razón. Lo que es inevitable es que todas las medidas que se toman (y muchas veces las que no es toman) producen resultados que cada uno interpretará a su manera, según le convenga, y sería necesario disponer de un sistema de traducción simultánea para ver a qué responden tales medidas, si se ajustan a los objetivos establecidos y si se van cumpliendo las expectativas iniciales. En realidad, siempre se repite lo que decíamos en la introducción con el cuento de los monjes ciegos que palpaban al elefante. Si no tenemos toda la información con la que se va tomando la decisión, y además no nos la traducen, será imposible entender las medidas puestas en marcha y valorar si han sido acertadas o no, ya que solo las podremos analizar desde nuestra limitada perspectiva. Antes de continuar quiero aclarar que en todo momento estoy hablando de políticos con buen criterio, de los que de verdad quieren favorecer a la sociedad, no de los que solo se mueven por interés propio. En estos casos, de personas honestas, que lo sienten de verdad y que hacen una buena tarea vuelvo a repetir que con los años he aprendido que no hay unas razones mejores que otras para tomar decisiones y hacerlo con criterios políticos o económicos puede ser igualmente beneficioso para el país si las cosas se hacen bien.

Quien me hizo pensar de esta manera fue el expresidente de la Generalitat, Jordi Pujol, en una entrevista que le hicieron hace años, en la que el periodista le preguntó por unas inversiones que su Gobierno había realizado en algunos municipios pequeños y aislados.

Unas inversiones que cualquiera habría considerado antieconómicas, como le ocurría al periodista en cuestión y a mí mismo. La respuesta del presidente Pujol fue que aquello se había hecho por la redistribución territorial y, a continuación, defendió la necesidad de invertir en aquellos pueblos para evitar la despoblación por el abandono del territorio que sería perjudicial para el país. Entonces entendí que los criterios exclusivamente técnicos o económicos, por más razonables que sean, por más que busquen el beneficio de la mayoría, no son los únicos a tener en cuenta a la hora de decidir estrategias de futuro, sino que pueden haber otros igualmente razonables, para conseguir mejorar la sociedad. Aceptar esta diversidad de puntos de vista no significa eludir responsabilidades ni permitir que todo sea posible, sino aceptar que el elefante del cuento tiene múltiples facetas y que cada decisión tendrá un resultado que habrá que analizar en su conjunto para ver si ha sido positivo o no para el objetivo que lo originó.

¿SALE A CUENTA CONTROLAR LOS PRECIOS?

El resultado económico solo es uno de entre los muchos posibles, y además puede ser completamente contrario al esperado, a pesar de hacer las cosas con toda la buena voluntad del mundo. Nos lo muestran las consecuencias de una medida que pretendía favorecer a un colectivo necesitado, en una coyuntura social y económica complicada, pero que no tuvo la respuesta esperada. Durante la Segunda Guerra Mundial en los Estados Unidos casi no se dedicaron recursos a la construcción de nuevas viviendas. Al acabar la guerra, millones de soldados volvieron a casa, se casaron y buscaron donde vivir. En la mayoría de las ciudades la curva de demanda de apartamentos se desplazó acusadamente hacia la derecha y, como la oferta era limitada, los alquileres subieron de precio espectacularmente. Según las leyes de la oferta y la demanda, eso era exactamente lo que tenía que ocurrir en condiciones de competencia perfecta. Y la otra cosa que tenía de pasar, según esas leyes, era que los precios altos incentivarán a los propietarios a construir de nuevos. Pero la construcción es más lenta que el inmediato enriquecimiento de los propietarios de los pocos disponibles y en consecuencia hay un empobrecimiento de los inquilinos. Este encarecimiento inmediato de los precios se vivió muy mal a final de la guerra y se empezó a hablar de la injusticia que suponía que, mientras muchos de los nuevos inquilinos habían luchado por su país en tierras lejanas, los propietarios no habían hecho nada que les hiciera merecedores de los beneficios de que disfrutaban. La situación llegó a un punto en que el Gobierno tuvo que intervenir, proponiendo el control de los alquileres como la fórmula más sencilla para restablecer la equidad en el mercado, así que muchas ciudades lo implantaron. El control de alquileres son los topes máximos que se permiten a los precios que los propietarios pueden cobrar por las viviendas que tienen para alquilar.

Limitar los precios produce un exceso de demanda, pues se piden más apartamentos al precio legal, que es inferior al de mercado. Si hace poco tiempo que se ha puesto el control, todavía hay los mismos pisos que antes de implantarlo, así que no hay demasiados problemas. En realidad, si las curvas de oferta y demanda son lo bastante inclinadas, la diferencia no será grande ni habrá demasiadas colas de personas a la búsqueda de viviendas, como se puede ver en el gráfico siguiente:

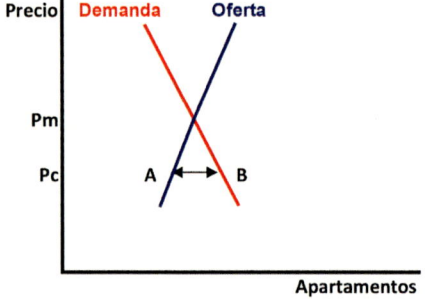

EFECTO A CORTO PLAZO

Pese a que el precio de mercado sería Pm, el precio máximo que se permite cobrar a los propietarios está por debajo (Pc o precio controlado). El resultado es un exceso de demanda, que se traduce en un déficit de AB unidades. Por tanto, se vuelve difícil hallar un piso. Cuando se desocupa uno hay una lucha para conseguirlo y no siempre se cumple la regla del *primero que llega*, sino que con frecuencia los controles dan lugar a un mercado negro en el que *conocer a la persona conveniente* o pagar ilegalmente al propietario por saltarse la lista, es habitual. Si la cosa no dura demasiado todo puede quedar en simples anécdotas sin más importancia, pero cuando los controles se mantienen mucho tiempo, la situación cambia.

La ciudad de Nueva York ha tenido controles de alquileres de una u otra forma desde 1943, antes del final de la guerra. Con el paso de los años el límite de precios reduce la construcción de nuevas viviendas de alquilar, ya que para los propietarios suponen unos gastos que después no podrán rentabilizar por los alquileres bajos. No solo no se construyen nuevos edificios sino que, además, si los precios son muy bajos, dejan de hacer el mantenimiento y entonces se van degradando hasta no poder alquilarlos por falta de condiciones de habitabilidad y finalmente son abandonados. Este efecto a largo plazo se muestra en el gráfico siguiente.

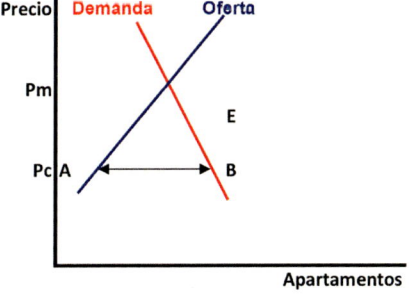

EFECTO A LARGO PLAZO

Con el paso del tiempo y la reducción del número de viviendas el precio de mercado (Pm) tendría que aumentar, pero como los precios siguen controlados por ley (Pc), la curva de la oferta se ha desplazado progresivamente hacia la izquierda, ya que se construyen pocos edificios nuevos y el precio bajo de los alquileres ha reducido el mantenimiento hasta el abandono de algunos de los antiguos, disminuyendo así tanto la cantidad como la calidad de los que quedan. Ahora la falta de unidades AB, ha crecido respecto a cuando se puso el control de precios, y hallar un lugar que sea habitable es realmente difícil. La experiencia de la situación en Nueva York hizo decir a Assar Lindberck[29] que el control de alquileres parecía la técnica más eficiente, después de los bombardeos, para destruir las ciudades. Pese a las buenas intenciones originales los controles de alquileres, si se mantienen demasiado tiempo, no favorecen a nadie.

- El conjunto de viviendas disponibles es cada día menor y está más deteriorado.

- A corto plazo, los inquilinos se pueden beneficiar de los controles, ya que pagan un precio inferior al de mercado y obtienen prácticamente la misma cantidad de apartamentos que había originalmente. Pero a largo plazo es dudoso que se beneficien, porque, aunque paguen poco, es probable que las pocas viviendas existentes estén degradadas o en situación ruinosa. Eso perjudicará a los recién llegados, que posiblemente son los más necesitados, y el colectivo que se pretendía ayudar al implantar los límites de precios.

- Los propietarios están claramente peor en el sistema controlado, ya que sus ingresos han caído y, en consecuencia, evitan los mantenimientos y no invierten para construir de nuevos.

---

29   Carl Assar Eugén Lindberck (1930) Economista y profesor de la Universidad de Estocolmo y del Instituto de Investigaciones para la Industria Económica.

Si la medida dura mucho tiempo, tendrán que abandonar sus propiedades por ser ruinosas.

- Por último, la ciudad cada vez está más deteriorada, pierde buena parte del pastel que supondría la construcción de nuevos edificios lo que, además de proporcionarle ingresos, reduciría el paro del sector de la construcción y dinamizaría la economía local.

Si todo el mundo pierde, parece que hay argumentos para manifestarse en contra de los límites de los alquileres a largo plazo. Pero la cosa no es tan sencilla, ya que estos argumentos pueden ser rebatidos por sus defensores, que pondrán el énfasis en los beneficios de la medida a corto plazo. Antes de implantar los controles, valdría la pena tener en cuenta dos cuestiones. La primera, que para conseguir la equidad no es necesario bajar los precios, ya que después de todo algunos inquilinos pueden ser ricos y muchos propietarios no (y lo mismo ocurre cada vez que se universaliza una medida económica, ya sea los libros escolares, las subvenciones o las vacaciones del IMSERSO, que con el dinero de todos se está ayudando al pequeño porcentaje que no pueden hacer frente al coste, pero también al colectivo de renta alta y muy alta que puede permitírselo y que recibe injustamente aportaciones de toda la ciudadanía, incluida la más pobre). Si lo que preocupa realmente es el bienestar de los ex combatientes, ¿por qué no darles dinero y dejarles que se lo gasten como quieran, por lo menos hasta que haya más viviendas o bajen los precios? Por otro lado, pese a que la equidad aconseje bajar los alquileres, los costes a largo plazo pueden ser superiores a los beneficios obtenidos a corto.

La experiencia de Nueva York demuestra que es muy difícil hacer un programa sensato de control de alquileres a largo plazo. Además, resulta más fácil introducirlos que quitarlos una vez instaurados. Así como los principales beneficios para los inquilinos tienen lugar en los primeros cinco años de controles; los principales inconvenientes vienen también en los primeros cinco años después de eliminarlos, ya que los precios pueden dispararse mientras todavía hay pocos pisos nuevos para alquilar; todo esto sin tener en cuenta que cualquier político que opte por liberar los alquileres tendrá que enfrentarse a un grupo de inquilinos enfurecidos con derecho a voto.

¿Y en España?

Puede parecer una historia lejana al estar situada en Estados Unidos tras la Segunda Guerra Mundial y, sin embargo, nada más lejos de la realidad. Esta misma situación la vivió mi familia cuando llegamos a Catalunya y buscábamos donde vivir. Eran los años 60 y la emigración disparó las demandas de vivienda. Lo primero que tuvo que hacer mi padre fue buscar alguien que nos abriera la puerta de cualquier propietario que tuviera algo que alquilar. Desconozco si pagó al intermediario, pero una cosa sí puedo asegurar: la calidad de lo que había dejaba mucho que desear, así que acabamos en un lugar que en realidad era el almacén de un trapero y antes de entrar en él estuvimos semanas acondicionándolo como vivienda. No estábamos mal, antes incluso habíamos vivido peor, pero eso es una historia que ya abordaré en otra ocasión. Ocupaba la planta baja del edificio y hoy es un garaje, ya que dudo que reúna las condiciones mínimas de habitabilidad para que vivan personas. Por lo que se refiere al precio, a nosotros nos pusieron un alquiler de 500 pesetas al mes, que ahora puede parecer poca cosa, ya que son 3 euros, pero en el año 1962 era un dineral. Para hacernos una idea en la primera planta había dos pisos, mayores que el nuestro, que sí eran y continúan siendo apartamentos para vivir, y los alquileres de cada uno de ellos eran de 25 pesetas; es decir, 0,15 euros (por tanto, pagábamos 20 veces más por no ser *de los nuestros*), un precio que ya era bajo en el año 1962 y que, por ser alquileres antiguos y estar protegidos, el propietario no tenía posibilidad de subirlos. Aunque cada año hubiera podido doblarlos, habría tardado años en llegar a un importe que le saliera a cuenta arreglar una cañería averiada.

¿Vivir sin dinero?

Hoy, viendo la crisis y las dificultades evidentes que nos rodean, mucha gente, incluidos bastantes políticos, se muestra convencida de las maldades del capitalismo y creen que sin dinero el mundo sería mucho mejor. El capitalismo de verdad y el libre comercio no tienen nada que ver con lo que ha ocurrido, que ha sido provocado por el abuso de desalmados codiciosos que han tratado de enriquecerse a costa de quien sea, por medios legítimos o ilegítimos, pero ello no debe hacernos renunciar a un sistema que ha demostrado ser el mejor y el más eficiente para crear riqueza y eliminar la pobreza del mundo, de la misma manera que nadie debería dejar de ir al médico por el hecho de que el doctor Josef Mengele hiciera experimentos con prisioneros judíos en Auschwitz. Lo que sí es evidente es que, por el bien de la humanidad, debemos apartar a todos esos codiciosos sin escrúpulos del mercado y de los cargos de responsabilidad, tal y como hubo que apartar a Mengele del ejercicio de la medicina.

No nos creamos los cantos de sirenas que dicen que se puede vivir sin dinero o que con el intercambio todo sería fantástico. Intercambiar productos es demasiado ineficiente para ser una alternativa real a gran escala, por eso precisamente aparece el dinero. En general, el Estado está implicado en el sistema monetario, emitiendo billetes y monedas, pero aunque no lo hiciera, se desarrollarían sistemas monetarios alternativos, como ha ocurrido en lugares peculiares, como un campo de prisioneros durante la Segunda Guerra Mundial. En un lugar así, las relaciones económicas eran primitivas y el número de bienes con los que comerciar limitado, ya que se reducía a los productos proporcionados por las raciones de la Cruz Roja, que contenían entre otros, paquetes de cigarrillos, que los no fumadores estaban dispuestos a cambiar por otros artículos.

Al principio, el intercambio fue complicado, ya que no se tenía una idea clara del "precio" que tenían los diversos bienes que se podían adquirir. Un día uno de los prisioneros salió a dar vueltas por el campo con cinco cigarrillos y volvió a su barracón habiendo "comprado" un paquete entero de la Cruz Roja. Con el tiempo se establecieron "precios", en cigarrillos, para los bienes disponibles y todo se podía comprar o vender con esta especial "moneda". Incluso los no fumadores aceptaban los cigarrillos como pago por los productos vendidos, pese a que no se los quisieran fumar, porque sabían que los podían emplear para comprar chocolate, conservas u otros artículos. De esta manera los cigarrillos se convirtieron en el "dinero" del campo de concentración, aunque no había ningún gobierno que lo decretase. En otras épocas y sociedades, han sido diversos los artículos que se han convertido en dinero: rosarios, cartas de jugar, dientes de delfín, arroz, sal y hasta cráneos de pájaros.

El cigarrillo-dinero hizo que la economía primitiva del campo de prisioneros fuera más eficiente, pero también aparecieron problemas económicos, incluyendo algunos parecidos a los que actualmente presentan los sistemas monetarios avanzados:

- Para simplificar el proceso, se dejó de tener en cuenta las diferencias entre las marcas de cigarrillos. Pese a que no todos eran igualmente apreciados por los fumadores, sí que lo eran como dinero. Un cigarrillo era igual a cualquier otro para pagar la carne o los demás productos. La consecuencia fue que los fumadores se guardaban sus marcas preferidas para el consumo personal y cambiaban las otras, con la cual cosa los cigarrillos menos apreciados se usaban como dinero, mientras que los más apreciados se fumaban. De esta manera la moneda "mala" desplazó a la "buena", un hecho que ocurre con frecuencia en economía.

- La tendencia a considerar todos los cigarrillos iguales comportó otros problemas monetarios como la reducción del contenido del cigarrillo, lo que se conoce como "envilecer la moneda". Algunos prisioneros sacaban un poco de tabaco de los cigarrillos antes de hacerlos circular, otros los fabricaban con tabaco de pipa o simplemente los rompían para hacer 12 unidades con el tabaco de 10 originales. Esto se produce también en el caso de las monedas de oro, por la tentación de sacarles una parte del metal, es decir, de recortarlas. Incluso los gobiernos han caído a veces en esta práctica fundiéndolas para volver a emitirlas con menos cantidad de oro, una actividad a la que no han sido ajenos los empresarios privados a lo largo de la historia, a pesar de los severos castigos impuestos a los falsificadores. Recordemos que uno de ellos fue un orfebre a quien el rey Hierón de Siracusa le pidió una corona de oro puro, en el siglo tercero a. C. y Arquímedes descubrió que había falsificado el metal, mientras se bañaba en los baños públicos de los que salió desnudo y gritando *¡Eureka!* (¡Lo he encontrado!).

- Otros problemas aparecieron por las fluctuaciones en la cantidad de productos disponibles. Mientras las entradas de cigarrillos y otros artículos al campo eran regulares y estables, a través de los suministros de la Cruz Roja, el sistema monetario funcionaba razonablemente bien. Pero de vez en cuando se interrumpían durante unos meses. En esos periodos en que se iban acabando las existencias, los cigarrillos se hacían más escasos, hasta que los fumadores, desesperados, ofrecían más productos a cambio del poco tabaco disponible, entonces el valor del cigarrillo como moneda aumentaba considerablemente y los otros bienes se vendían por menos monedas: una lata de carne que antes valía 20 cigarrillos, quizá reducía su valor a 15, 10 o incluso menos. En términos económicos, había una deflación, o lo que es lo mismo, una caída de los precios.

• Si el periodo de escasez se prolongaba, y los cigarrillos se hacían todavía más escasos, los precios continuaban bajando hasta que los presos volvían otra vez al intercambio directo de productos, abandonando los cigarrillos-moneda, ya que los fumadores que todavía conservaban algunos se mostraban reacios a usarlos para hacer sus compras.

• Cuando finalmente miles de cigarrillos llegaban de nuevo al campo de concentración en un breve periodo de tiempo, porque entraban suministros atrasados, entonces todo el mundo tenía cigarrillos para gastar, los precios subían y el resultado era la inflación. Una lata de carne, que antes se vendía por 10 cigarrillos, ahora costaba 30 o 40. En otras palabras el valor de los cigarrillos-moneda bajaba hasta que los presos dejaban de aceptar cigarrillos como pago de otros bienes y volvía a aparecer el intercambio directo.

El sistema monetario funcionaba suavemente solo en la medida en que se mantenía un equilibrio razonable entre la cantidad y la calidad de dinero (cigarrillos) y la disponibilidad de bienes. Eso nos muestra que un sistema monetario necesita tener unas características para funcionar bien y sin sobresaltos:

1. Debe basarse en una moneda que tenga un valor uniforme, si no es así el dinero "malo" desplazará al "bueno". La uniformidad del valor del dinero aumenta la rapidez del comercio.

2. Debe haber una cantidad adecuada de dinero en el sistema, ni mucho ni poco, porque los dos extremos paralizan el comercio.

El ejemplo también nos sirve para analizar una cuestión fundamental: ¿por qué los cigarrillos, que además no eran valorados por todo el mundo, ya que muchos presos no eran fumadores, se convirtieron en dinero y no lo hicieron otros productos más preciados como las zanahorias o la carne en lata, que aparentemente eran más útiles en aquellas condiciones de miseria e incluso de hambre? Básicamente mencionaremos tres razones:

- En primer lugar, pese a que no todos querían los cigarrillos para uso personal, su valor de mercado era alto, al contrario de lo que ocurría con las zanahorias, que era prácticamente nulo. Si hubieran elegido las zanahorias como "dinero" los intercambios habrían sido muy complicados, ya que se habría tenido que cargar con muchas zanahorias para hacer las compras. El dinero debe tener un valor suficientemente elevado como para que el individuo pueda llevar encima un considerable poder adquisitivo sin tener que ir cargado. Por eso fueron los metales ligeros como el oro o la plata los que se convirtieron en dinero y no el plomo, puesto que su valor era bajo y además el peso excesivo habría hecho su uso muy complicado. El papel moneda es más conveniente que los metales ya que permite llevar un gran poder de compra con facilidad, y la tarjeta de crédito todavía más.

- ¿Y la carne enlatada, que tenía mayor valor entre los prisioneros? Lo entenderemos con dos características más que debe tener el dinero. La primera es que debe ser fácilmente divisible; y la otra que debe ser relativamente perdurable. Ninguna de las dos propiedades las tiene una lata de carne, que no se puede subdividir fácilmente, porque si se abre y se corta, los pedazos se amontonan y se pudren rápidamente. Además, un pedazo de carne de medio kilo no se distingue fácilmente de uno de 600 gramos; en cambio, un paquete de cigarrillos se puede dividir fácilmente en 20 unidades iguales relativamente perdurables y fáciles de identificar. Por eso se ha desarrollado un tipo de dinero que es fácilmente divisible, basado en metales, más duraderos que los cigarrillos y posteriormente en papel moneda.

La dinámica del "patrón cigarrillo" del campo de concentración nos muestra varias características que debería tener cualquier elemento escogido como dinero: tendría que ser suficientemente valioso como para que un individuo llevara encima un poder de compra razonablemente elevado, sin llamar la atención; además de ser fácilmente divisible y duradero.

¿LO PODEMOS TENER TODO?

Hay un concepto económico que debemos tener presente, ya que lo estamos usando a diario, pese a que no seamos conscientes de ello. Me refiero al concepto de "coste de oportunidad", es decir, el de tener que escoger entre varias opciones al no poder tenerlo todo. Hoy cada trabajador produce de 5 a 10 veces más de lo que producía uno a principio del siglo pasado, y lo hace con menos esfuerzos y con una semana laboral más reducida. Si se puede producir tanto y tener unas rentas muy superiores a las de nuestros abuelos, ¿por qué continuamos preocupados por los problemas económicos? Básicamente por dos razones: la primera es que nuestras necesidades y deseos materiales son virtualmente ilimitadas; la segunda es que los recursos económicos son limitados. Por eso no podemos disfrutar de todo lo que queremos, así que constantemente tenemos que escoger entre aquellas cosas que nos gustan o deseamos.

Sobre nuestras exigencias ilimitadas, poca cosa hay que decir. Para nuestros abuelos, por no remontarnos más allá, un carro y un asno era todo lo que podían aspirar. Pero nosotros no nos conformamos con eso, porque las demandas materiales surgen de un doble impulso: el de cubrir los mínimos biológicos y de seguridad, es decir, alimentación, albergue, vestidos, etc.; pero también el de tener una vida más placentera, ya que queremos algo más que una dieta de pan y agua, y una cabaña de cañas, por decirlo de alguna manera. Es natural que aspiremos a algo más, y ello hace que nuestros deseos sean infinitos y, por tanto, difíciles de atender en su totalidad. De ahí la frase que hemos sentido y dicho muchas veces de que *no es más rico quien más tiene, sino quien menos necesita*. Las necesidades humanas fueron estudiadas por un psicólogo llamado Abraham Maslow[30], que las clasificó en una pirámide, según su importancia para el individuo, como podemos ver en el gráfico siguiente.

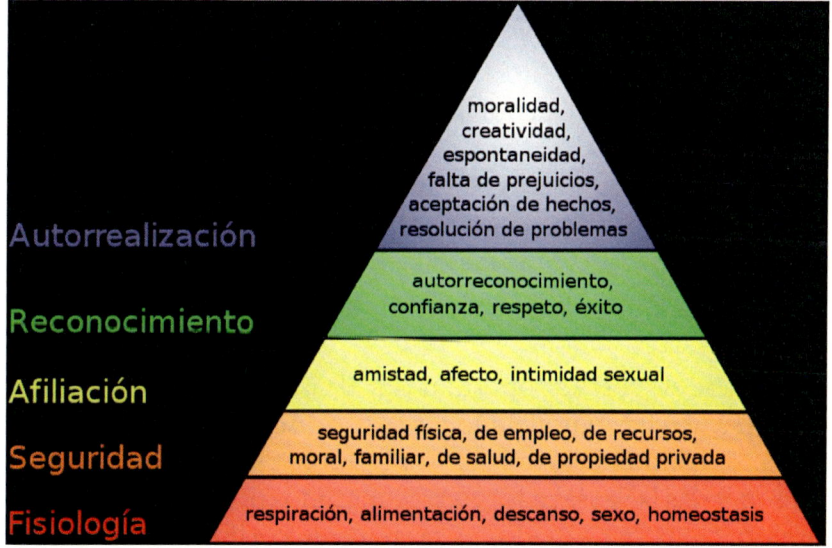

---

30   Abraham Maslow (1908-1970) fue un psicólogo norteamericano, fundador de la psicología humanista. Su aportación teórica más conocida es la pirámide de necesidades.

El otro motivo para no poder satisfacer todas las demandas es que la capacidad de producción es limitada, es decir, que los recursos con los que contamos siempre son escasos, pues tenemos un número determinado de trabajadores, de fábricas y de máquinas, disponemos de una cantidad de dinero, de tierra para plantar, de barcos para pescar y nuestro tiempo también es finito. Este es un concepto que con frecuencia los políticos no han tenido en cuenta y han actuado como si dispusieran de todos los recursos posibles y lo pudiesen hacer todo, una situación irreal que, como estamos viendo en esta crisis, no nos ha traído nada bueno.

Si las necesidades son ilimitadas y los recursos limitados, nos encontramos con un dilema económico fundamental: el de la escasez. No se puede tener todo lo que se desea y, por tanto, debemos elegir. Debemos acostumbrarnos a esta regla de oro que impera, con mano de hierro, toda nuestra existencia. Nos pasamos la vida escogiendo, decidiendo entre diferentes alternativas y, cuando nos empeñamos en no hacer caso de esta ley, queriendo cubrir más necesidades de las que nos permiten nuestros recursos, acumulamos deudas nefastas que minan la economía individual o familiar, y si son los gobiernos los que no la han tenido en cuenta, como ha ocurrido en muchos países europeos, nosotros incluidos, entonces tenemos deuda pública a pagar entre todos, con independencia de quien la ha generado. Si todas estas deudas son muy elevadas, nos encontramos como ahora en una crisis de la que ya veremos cómo salimos.

Se define el "coste de oportunidad" de un producto, como las alternativas que hay que abandonar para conseguirlo, es decir, que si queremos comprar algo que cuesta 100 euros, el coste de oportunidad son todas las cosas a las que renunciamos por valor de esos 100 euros, que una vez gastados ya no podemos dedicarlos a satisfacer otros deseos. El coste de oportunidad de plantar trigo en un campo son todos los demás productos que se podríamos haber plantado en lugar del trigo. Nos pasamos la vida escogiendo entre diversas posibilidades, y decidirnos por una de ellas supone habitualmente renunciar a las demás, por más dolorosas que tales decisiones sean. No me refiero solo a escoger el tipo de chocolate que compramos en el mercado, sino a las decisiones importantes de la vida, por ejemplo, si escogemos vivir en una casa, renunciamos a hacerlo en las demás; si dedicamos nuestro tiempo a aprender una determinada profesión, no podremos dedicarlo a aprender otra, etc., así que haríamos bien si ante cada decisión meditáramos detenidamente cuál de las posibles alternativas es la que más nos satisface, porque, en algunos casos, una equivocación supone un gran contratiempo durante muchos años o puede que para toda la vida.

¿ES INEVITABLE AGOTAR LOS RECURSOS NATURALES?

El concepto de escasez por falta de recursos nos lleva a reflexionar sobre si inevitablemente acabaremos agotando el planeta o hay alguna posibilidad de evitarlo. El hecho preocupa por las noticias, cada vez más alarmantes, que aparecen día sí y día también en los medios de comunicación. Si tomamos uno de los casos más criticados como la pesca, debemos preguntarnos si es cierto que cuanto más pesquemos hoy, menos peces tendremos mañana. Aunque pueda parecer que sí, deberíamos precisar un poco. Para empezar debemos señalar que efectivamente en determinadas circunstancias pescar hoy puede tener efectos nefastos sobre las futuras capturas; sin embargo, en otros casos puede tener un efecto nulo o muy pequeño.

Sería desastroso que la población de peces fuera tan pequeña que apenas consiguiera sobrevivir. En estas condiciones reducir aún más su número llegaría a extinguir la especie, y entonces ciertamente las capturas de hoy reducirían las futuras hasta llegar a cero.

El extremo opuesto lo tenemos cuando la población es tan grande que no puede crecer más al no haber comida suficiente para alimentar a todos los peces, de manera que por cada nuevo individuo que nace uno viejo debe morir. En este caso, pescar hoy tendría un efecto pequeño o nulo sobre la población y sobre las posibles capturas, es más, si no impedimos que la población crezca, pescando algunos ejemplares, la inanición se ocupará de que no aumente más. Las diversas situaciones las podemos ver en el gráfico siguiente:

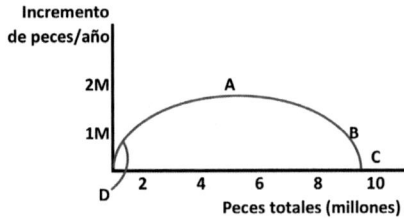

El punto C (10 millones de individuos en total) es la dimensión máxima de la población, por encima de la cual cada vez que nace uno supone la muerte de otro por falta de alimento. A la izquierda del punto C la población crecerá; por ejemplo, en el punto B (9 millones en total) que nos permite pescar tranquilamente, ya que la población se incrementa anualmente en un millón de nuevas unidades. Por ello se puede capturar ese millón sin perjudicar el crecimiento de la especie, sino todo lo contrario, los peces se verán favorecidos al disponer de alimentos suficientes y alejarse el peligro de inanición.

Esta curva se denomina de *rendimiento sostenible* e indica la cantidad de un recurso renovable (como el pescado) que se puede consumir manteniendo constante la población e impidiendo su extinción. El punto más alto de la curva es A (5 millones de peces), que representa el máximo rendimiento sostenible, o sea que podríamos pescar dos millones de unidades anuales, que es lo que aumenta la población cada año, y además los que quedan dispondrán de más alimentos para vivir, permitiéndoles una situación idónea para su crecimiento. Este punto óptimo es el que habría que lograr para impedir sobrepasarlo y se conoce como "de preservación de la especie".

Si no se tienen en cuenta estos niveles críticos, sí es posible que un consumo excesivo produzca una disminución irreversible de la especie. Imaginemos que se ha pescado tanto que hemos reducido la cantidad a ¼ de millón de individuos y estamos en el punto D (por debajo de la horizontal). Todavía hay algunos peces, pero son tan escasos que no encuentran a otros individuos para reproducirse, así que no pueden liberar los huevos y en consecuencia ya no habrá incremento natural, lo que hay es un descenso de población, por eso D está por debajo de la línea de crecimiento, hemos llegado a un punto en que la especie se extinguirá sola, aunque dejemos de pescar. La primera regla para la preservación de cualquier especie tendría que ser evitar estos puntos irreversibles, que siempre se deberían medir para evitar caer por debajo del nivel que proporciona el máximo rendimiento sostenible (A). En los casos de poblaciones abundantes y con capturas que mantengan la población a la derecha del punto A, no es preciso limitar las capturas porque no se produce ningún daño.

CONCLUSIONES

Con esta crisis parece que políticos, economistas y la sociedad en general hemos descubierto que la economía es cíclica y que se debe administrar correctamente, una cosa tan vieja como el hombre mismo. Sin ir más lejos, en el capítulo 41 del Génesis, José interpreta los sueños del Faraón: *las siete vacas gordas y las siete vacas flacas significan que vendrán siete años de abundancia, seguidos de siete años de sequía y de hambre...* pero la historia va más allá porque el mismo José explica al Faraón la manera de gestionar esta situación: *busca a un hombre inteligente y sabio y ponlo al frente de Egipto, que visite las tierras y recoja una quinta parte de las cosechas de los años de abundancia y las almacene para alimentar al pueblo durante los siete años de sequía.* Una lección simple y precisa sobre el carácter cíclico de la economía y sobre cómo administrar adecuadamente la riqueza para amortiguar los periodos de escasez en beneficio de la sociedad; un cuento bíblico que todos los niños conocían cuando en la escuela se enseñaba Historia Sagrada, pero que desgraciadamente parece que todos hemos olvidado.

La enseñanza continúa, ya que el faraón, como buen gobernante que busca lo mejor para su pueblo, no huye de sus responsabilidades, no decide ocultar la información y aprovechar la bonanza de los primeros años para salir reforzado, ni dimite al sexto año a la espera de que los que vengan detrás resuelvan el problema. El afronta la situación, con firmeza y determinación, que es lo que se espera de quien gobierna. El faraón no duda en nombrar para el cargo a un hombre inteligente y sabio, el que tiene soluciones porque le ha presentado un proyecto para afrontar la trágica situación que se acerca, y este no es otro que el mismo José: alguien que no es ni de su cultura, ni de su raza, de hecho es un extranjero, un esclavo. Seguro que el soberano tuvo bastantes dificultades para defender una decisión como aquella entre los círculos políticos y religiosos de la corte y más de uno debió pensar que era una locura dar un cargo tan importante a alguien que *no es de los nuestros* para resolver unos supuestos acontecimientos futuros basados en un sueño y en consecuencia más que dudosos. ¡Qué lejana me parece nuestra realidad de aquella lección magistral del faraón egipcio de hace miles de años! ¡Qué diferente el análisis detenido de los problemas, buscando todas las alternativas! ¡Cuánta humildad en aceptar buenos proyectos, pese a que no los hagan *los nuestros!* ¡Cuánta inteligencia en preocuparse por cosas tan a largo plazo como siete años! ¡Y sobre todo, cuánta valentía al nombrar cargos en función de la validez personal y profesional, no por el carné político...!

CAP 6. EL MUNDO DEL TRABAJO SIN MANUAL DE INSTRUCCIONES

La mitad de la humanidad se pregunta para qué sirve su inteligencia trabajando en una empresa en la que solo se aprecia su esfuerzo. La otra mitad se pregunta para qué demonios dedica sus esfuerzos a trabajar en una empresa en la que ni siquiera hace falta su inteligencia.

Anónimo

No podía hacer un libro sobre el mundo que nos rodea sin dedicar un capítulo al trabajo, donde nos pasamos la mayor parte de nuestra vida activa. Buscando frases para encabezar el capítulo me parece que esta es la que refleja mejor el pensamiento de la mayor parte de los trabajadores de este país, y posiblemente de mundo entero. Es una realidad universal que todo el mundo se siente mal tratado y poco valorado en su trabajo. No es únicamente un tema de vanidad, sino que posiblemente haya una parte de verdad en el hecho de que las empresas no valoren suficientemente bien a su personal. Abordar un tema tan amplio en unas pocas páginas supone un reto importante y se corre el riesgo de mezclar demasiadas cosas, como empresas públicas y privadas, que tienen muchas diferencias entre sí, pero como no estamos haciendo un tratado de organización empresarial sino un simple recordatorio de las cosas que encontraremos en el mundo laboral, se puede hacer un repaso general de lo que es la empresa y en todo caso mencionar las diferencias más evidentes.

Antes de empezar debo confesar que he trabajado en empresas públicas y privadas, y cada una de ellas tiene ventajas e inconvenientes, que intentaremos poner de manifiesto en las próximas páginas, pero en virtud de mi experiencia debo desmentir rotundamente la idea de que la Administración Pública es un desastre donde sus trabajadores no hacen nada. Estoy orgulloso de trabajar en el sector público, que me permite hacer una labor que repercute en todos los ciudadanos del país. Es cierto que he vivido diversas etapas dentro de ese sector, unas con actividad frenética, tremenda innovación y creatividad, que permitían y estimulaban la iniciativa individual; y otras de menos actividad, casi de inmovilismo, en las que no había innovación ni creatividad y además se castigaba y se perseguía la iniciativa. Las etapas más dinámicas han coincidido con gobiernos fuertes, que tenían las ideas claras, proyectos importantes a desarrollar y líderes potentes que marcaban directrices claras; las más inmovilistas en cambio han coincidido con gabinetes débiles, sin ideas ni proyectos claros y directivos muy politizados, que tenían miedo de los técnicos bien preparados de segunda o tercera línea en los que deberían haber confiado. A lo largo de los años también he podido ver que esos cambios no se correspondían con ningún color político determinado, sino que estaban relacionados con la validez personal y profesional de los líderes que había al frente y de las personas en las que confiaban para llevar a cabo los proyectos.

¿QUÉ ES Y PARA QUÉ SIRVE UNA EMPRESA?

¿Cuál es el objetivo principal de una empresa? Muchos dicen que es ganar dinero y se quedan tan anchos. Es evidente que nadie crea una empresa para perder dinero, sino todo lo contrario, pero aquel que se plantee como único objetivo el afán de lucro puede estar seguro de que no tardará demasiado en cerrar puertas, ya que la cosa es más compleja. Entre el 65 y el 70% de las empresas cierran antes de los 4 años y la cantidad llega al 85% a los 7 años. Estas cifras han llevado a algunos autores a aventurar la hipótesis de que la verdadera intención de los directivos es hacer fracasar la empresa, una idea que no se puede descartar del todo y que simplificaría muchos interrogantes, pero también fracasan casi un 50% de los matrimonios y no creo que nadie se case para poder vivir un estimulante divorcio o separación. Por ello continuaremos pensando que, pese a los desastres que indican las estadísticas, quien crea una empresa es porque espera que le vaya bien. Los motivos por los que se cierran son diversos: desde la falta de conocimientos hasta la falta de financiación económica, pero también una parte importante es por mala gestión o no tener claro cuál es el objetivo que persiguen. La misión de una empresa debe ser cubrir una necesidad del mercado de forma satisfactoria o, lo que es lo mismo, producir satisfacción en un determinado campo. Un ejemplo, hay muchas marcas de refrescos, pero quien se lleva la palma es Coca-Cola: ¿por qué?, ¿es el refresco más saludable del mundo? No, pero si se pone en un platillo de la balanza el producto y todo lo que le rodea: fabricación, distribución, marketing, publicidad, atención al cliente, imagen, etc.; y se compara con los otros refrescos del mercado es, sin duda, la que los consumidores consideran que cubre mejor sus necesidades y les ofrece más satisfacción.

Parto de la base de que cualquiera que desee desarrollar una actividad empresarial, conoce el negocio, se ha formado y está dispuesto a hacer todo lo posible para sacarlo adelante. Ya sé que esto puede parecer obvio, pero nuestro país es como es y no valora el esfuerzo, lo que significa que se desconoce y se desprecia lo que cuesta llegar a ser un profesional en cualquier campo. Quizá cuando hay que invertir mucho dinero, como para crear una empresa, la cosa es más racional, pero la gente se mete en algunos líos con una facilidad tremenda sin ningún tipo de preparación, a la espera de ver si hay suerte o suena la flauta. Salvando las distancias, el espectáculo lamentable de individuos que se presentan a un programa televisivo de canto y baile, sin haber estudiado nunca música, baile o solfeo y sin conocer ni las letras de las canciones que ellos mismos han decidido interpretar, es bastante significativo. Como decía Jacinto Benavente[31] *muchos creen que tener talento es tener suerte, pero nadie piensa que la suerte puede ser cuestión de tener talento.* Quiero remarcar que estamos hablando de profesionales serios que optan por crear su propia empresa. Si esto está claro podemos retomar el argumento de que cualquier empresa debe cubrir una necesidad de forma satisfactoria, o sea, consiguiendo que los clientes queden satisfechos con los productos o servicios que les ofrecen.

La satisfacción del cliente

Sin ofrecer un buen producto o servicio resulta imposible conseguir la satisfacción deseada, especialmente en un mundo tan competitivo como este, con un cliente cada vez más formado y conocedor de lo que quiere, pero sobre todo con un cliente más informado sobre las alternativas que el mercado pone a su disposición. Por eso tener un producto excelente por sí solo no garantiza el éxito, si no se consigue la satisfacción del consumidor. La historia comercial está llena de productos y servicios fantásticos que fracasaron, o estuvieron a punto de hacerlo, por no tener en cuenta la satisfacción de sus clientes en un momento determinado. Uno de los más sonados, y seguro que todos recordamos, es el de los automóviles Ford cuando, con una cuota de mercado muy superior a los demás fabricantes, se negó a hacer coches de otros colores que no fueran negros. En un ejercicio de prepotencia inusual su fundador, Henry Ford I dijo aquella frase de que *todo ciudadano americano puede tener un coche, siempre que sea un modelo T, de color negro.* La respuesta de los clientes fue empezar a comprar coches azules, rojos,

---

31   Jacinto Benavente (1866-1954) Escritor español que ganó el Premio Nobel de Literatura en el año 1922.

amarillos, verdes y de toda la gama de colores que hacía la General Motors hasta que la cuota de mercado bajó a menos de la mitad. De esta manera el señor Ford entendió el mensaje y no tuvo más remedio que encargar pinturas de colores para no tener que cerrar la fábrica. ¿Eran los coches de la General Motors mejores que los de la Ford? No necesariamente, pero ante dos alterativas similares en calidad, el color se convirtió en un elemento clave para decidir la compra así que los clientes empezaron a dar más valor al color, en otras palabras, tener un coche llamativo les proporcionaba más satisfacción que tenerlo negro.

La satisfacción es un concepto subjetivo, relacionado con lo que el cliente espera del producto y se define como la diferencia entre las expectativas, antes de tener el producto o de disfrutar del servicio, y la percepción una vez ya lo hemos consumido.

Satisfacción = Percepción tras el consumo - Expectativas iniciales

Para explicarlo, imaginemos que dos parejas de viejos amigos entran en un restaurante para cenar. El camarero que les atiende les explica amablemente que tienen el comedor lleno pero que, si se esperan en el bar tomando alguna cosa, en un máximo de 10 minutos tendrá una mesa para ellos. Como saben que en el restaurante se come bien y tiene una buena relación calidad/precio, deciden quedarse en el bar y esperar. Los cuatro comensales están contentos con el encuentro, porque hacía tiempo que no se veían, así que están de buen humor y la conversación es amena y divertida. De pronto alguien dice que tiene hambre y todos miran el reloj, comprobando que han pasado 20 minutos y el camarero todavía no les ha avisado. Cuando se lo dicen, les contesta que la cosa ya está, de hecho, hay algunas mesas vacías que podrían ir preparando, pero pasan 10 minutos más y siguen esperando. Ahora ha desaparecido la espontaneidad inicial del grupo, todos parecen hambrientos, miran el reloj repetidamente, insistiendo en que aquello no les había ocurrido nunca antes y buscan al camarero, que intenta esquivarles, por lo que hay propuestas de irse a otro restaurante. Finalmente, pasados 10 minutos más, el camarero les avisa para que ocupen una mesa, pero tardan en llevarles la carta y en tomarles los pedidos. El buen ambiente del grupo se ha esfumado a causa de la espera y el resto de la velada está más centrado en analizar el funcionamiento del restaurante que en gozar de la comida y de la compañía. ¿Qué ha ocurrido? Que las expectativas (10 minutos de espera) no se han correspondido con la percepción real (40 minutos) y ello ha trastocado toda la velada. Así un aspecto marginal como el tiempo de espera, que no tiene nada que ver con el núcleo principal del negocio, que es la buena comida, ha estropeado la calidad de todo un servicio, y probablemente aquellos clientes no volverán al restaurante.

Veamos otro caso. El mismo grupo de comensales se encuentra en idéntica situación, pero ahora el camarero les informa con amabilidad y total honestidad que lo tienen todo lleno y que tardarán como mínimo media hora o tres cuartos de hora en tener mesa, pero les ofrece diversas alternativas, como quedarse en el bar o ir a pasear por los magníficos jardines que rodean el restaurante. Los comensales optan por una de las opciones y, al cabo de 40 minutos cuando vuelven al restaurante, con el mismo buen humor con el que se marcharon y un poco más de hambre, tienen su mesa preparada y un camarero a punto para ofrecerles la carta y tomarles el pedido. Es el mismo tiempo de espera, pero las expectativas de los clientes coinciden con las percepciones, se han sentido bien tratados y, por tanto, volverán al restaurante pero otra vez reservarán mesa, ya que saben que está muy solicitado.

En general, los clientes evalúan todo el servicio en su conjunto, salvo en algunos casos muy concretos y especializados, en los que hay una gran asimetría entre la información del cliente y del profesional, y solo pueden ser valorados por aspectos complementarios y no por el producto o servicio principal, como ocurre en algunos actos médicos, por ejemplo, ningún cliente puede valorar si su intervención de bypass coronario se ha realizado con todos los criterios de calidad o no, entre otras cosas, porque mientras lo operaban él estaba afortunadamente bien anestesiado y no se enteró de nada. En todo caso, si la intervención tiene éxito, durante la convalecencia posterior podrá valorar si se recupera bien, si tolera mejor el esfuerzo, si han desaparecido los dolores torácicos, si le quedará más o menos cicatriz y un montón de aspectos complementarios: la comodidad de la habitación, la simpatía de las enfermeras, la limpieza de la planta, el ruido, la calidad de la comida, etc., pero en ningún caso podrá emitir un juicio sobre la intervención en el momento del acto quirúrgico, esta solo podrá ser valorada por otros profesionales y con criterios estrictamente médicos.

Importancia de la estrategia empresarial

Con frecuencia se dice que es importante la orientación al mercado, pero ello no significa que la empresa deba estar únicamente pendiente de lo que le piden los ciudadanos, de lo que se vende más o de lo que está de moda para ofrecerlo inmediatamente a sus clientes, ya que eso supone no tener ningún tipo de estrategia y cualquiera puede hacerlo. Las empresas deben intentar ser las mejores en su campo, pero también las más singulares, y para ello deben destinar recursos a innovar y a descubrir nuevas necesidades que puedan cubrir mejor que nadie, pero asumiendo que, aunque tener una estrategia y una personalidad supone complacer a muchos clientes, inevitablemente, también supone dejar a otros descontentos, ya que nunca podrán satisfacer las necesidades de todos, de la misma manera que un partido político no podrá satisfacer a todo el abanico de posibles votantes y, si lo intenta, pronto se verá que no tiene un verdadero programa y se contradice en muchas propuestas, perdiendo así el soporte de los nuevos votantes y de buena parte de los antiguos. Una estrategia supone decidir qué necesidades específicas *de ciertos clientes* se quieren satisfacer, pero aceptando que inevitablemente otros posibles clientes se alejaran. Pese a todo, si tienen las ideas claras y las aplican consistentemente, desarrollarán una personalidad empresarial que será respetada por todo el mundo.

Ya sé que esto va en contra de lo que se ha dicho toda la vida de que *el cliente siempre tiene razón*, pero esta es una afirmación inventada por los vendedores para mantener contentos a los compradores hasta que sacan la cartera y ponen el dinero sobre la mesa. Como decía Akio Morita[32]: *el cliente no tiene idea de lo que es posible, ni de lo que cuestan sus deseos.* El cliente no tiene elementos de juicio para saber qué es técnicamente posible o económicamente viable. Por ello, es mejor no gobernar la empresa únicamente siguiendo las encuestas hechas a los clientes. Evidentemente, que se les debe pedir su opinión sobre *qué quieren* en general y sobre *el porqué lo quieren*, pero sin condicionar el producto o cómo hacerlo, porque eso se debe decidir desde la empresa. Si Alexander Graham Bell[33] hubiera preguntado a la gente si tenían la necesidad de llevar un teléfono encima todo el día le habrían tomado por loco, y si Steve Jobs[34] hubiera preguntado a los primeros usuarios de ordenadores si necesitaban incorporar un nuevo aparato adicional al teclado, al que llamarían ratón, le habrían corrido a gorrazos. En palabras de Henry Ford, si hubiera preguntado a la gente qué quería le habrían contestado que un caballo que corriera más, pero nunca habrían mencionado al coche porque nadie sabía que pudiera hacerse. La responsabilidad del buen directivo es saber por dónde van las tendencias y conocer las posibilidades de su empresa, además de hacer encuestas para saber lo que quieren los clientes (más velocidad para desplazarse o mayor simplicidad en el manejo del ordenador), y entonces ofrecer sus alternativas dando respuesta

---

32   Akio Morita (1921-1999) Cofundador de SONY.
33   Alexander Graham Bell (1847-1922) científico, ingeniero e inventor al que se le atribuye la invenció del teléfono.
34   Steve Jobs (1955-2011) Cofundador de Apple.

a tales necesidades (un coche más rápido que el caballo o un ratón para el ordenador). Las innovaciones realmente rentables son aquellas que se producen, no a iniciativa del cliente sino generadas por los propios profesionales, por los expertos de la empresa, en respuestas a demandas de mejores servicios para los clientes. En definitiva, lo más importante es tener un buen proyecto (misión, visión, objetivos, etc.) que refleje la manera de ver las cosas de la empresa y tener el conocimiento suficiente de la tecnología disponible, para saber qué se puede hacer y qué no, así como el coste de cada producto para determinar si el cliente estará dispuesto a pagarlo. Pero si debemos esperar a que los clientes diseñen los productos o si la empresa se limita a copiar los de la competencia, está perdida porque siempre llegará tarde y mal.

ESTRUCTURA Y ORGANIZACIÓN

Sobre la manera de organizar la empresa podemos leer libros y más libros que nos ilustrarán con conceptos diversos: los más anticuados todavía hablarán de las jerarquías y de los negociados, mientras los más modernos mostrarán organigramas funcionales, matriciales, círculos de calidad, estructuras en redes, etc. Personalmente, la descripción más clara de cómo se deben organizar las empresas la encontré en un libro de James A. Belasco, que recogía un artículo aparecido en la publicación británica *"Business"* para remarcar el papel de las personas en el competitivo mundo actual y que no necesita comentarios.

Estamos pasando de la estrategia de batallas de trincheras de Flandes de la guerra del 1914-1918 a la guerra de respuesta rápida del Vietnam. Hace cien años, los grandes ejércitos evolucionaban siguiendo las órdenes de sus jefes supremos y de sus juntas de generales. Hoy en día necesitamos la flexibilidad de respuesta que se percibe en las patrullas de choque bien dirigidas, que tengan una visión que asegure una campaña victoriosa.

Presten atención los jefes del Pentágono, del Ministerio de Defensa y de cualquier organización... Grupos flexibles de personas disciplinadas fijamente centradas en una visión; esta es la clave para vencer en las junglas de Vietnam, las arenas de Irak y en el mercado...

La dirección de empresas

Ya hemos comentado que un alto porcentaje de empresas cierran a los pocos años, y una causa importante es la mala gestión y la falta de objetivos de sus directivos. Ello ha llevado a algunos autores, como Josep Maria Rosanas[35], a cuestionarse si esta situación no será en realidad porque muchos directivos lo que quieren es destrozar las empresas. En principio, se puede pensar que no debería ser así, ya que ellos mismos dependen de las empresas para vivir y labrarse un futuro, y una empresa destrozada no parece una buena carta de presentación. El razonamiento, además, liga con lo que decíamos al principio del capítulo sobre los fracasos matrimoniales, pero el mismo autor apunta que también existe la posibilidad de que el directivo se marche antes de que se note el destrozo y que lo haga con una buena fama de gestor moderno e innovador.

Cuando se habla de dirección de empresas, en contraste con otros ámbitos, como la medicina, la ingeniería, la arquitectura o la mayor parte de las profesiones, no existe un criterio claro para distinguir al buen profesional del no tan bueno o incluso del malo. Sabemos que el buen médico cura enfermos, el buen ingeniero hace productos que funcionan a la perfección y el buen arquitecto construye edificios robustos, habitables y confortables. Pero, ¿qué hace el buen directivo de empresas? Como sucede con los árbitros, los buenos directivos son aquellos que hacen funcionar la empresa haciéndola prosperar y dejando satisfechos al mayor número de

---

35   José Maria Rosanas es doctor en ingeniería industrial, profesor de IESE y catedrático de Organización de Empresas de la Universidad Pompeu Fabra.

personas, sin que se note demasiado su presencia. Por el contrario, los malos gestores producen algo completamente inmaterial: infelicidad, sobre todo entre sus clientes y empleados, pero también entre proveedores, financieros, ciudadanos, políticos y todas aquellas personas o entidades con las que tengan alguna relación, incluido el Gobierno, como estamos viendo con la crisis actual.

Respecto a por qué están mal dirigidas las empresas, hay una diferencia importante entre las públicas y las privadas: mientras en las privadas el propietario se juega su patrimonio y por tanto procura poner al frente a alguien que tenga experiencia contrastada; en las públicas no hay ningún propietario que se juegue nada, ya que el dinero es de todos, y eso en este país significa que no es de nadie, es decir, que se ve la dirección de la empresa como una parte más del botín electoral, y por tanto se nombrará a alguien afín al partido ganador, con independencia de si sabe de qué va el negocio o de si ha gestionado antes alguna cosa. En cualquier caso, los gerentes quieren dejar su huella para aspirar a otro cargo, pues saben que es muy probable que en breve los cambien. La media de tiempo que permanecen en el cargo los gerentes de los hospitales españoles es de poco más de dos años, un intervalo que no les permite hacer gran cosa, y en ese tiempo tienen que parecer modernos, innovadores y demostrar que están al día, haciendo todo lo posible para tener éxito rápidamente.

Sin embargo, no está claro en qué consiste el éxito en la gestión, porque la sociedad tiene una visión peculiar del éxito, la buena gestión y los buenos resultados y piensa que consisten en hacer las cosas a lo grande y, si salen en los medios de comunicación, mucho mejor, ya que está convencida de que los directivos que salen en la prensa son buenísimos, sobre todo si son autores de *pelotazos* económicos, aunque sea a costa de poner en peligro la empresa y los puestos de trabajo. Hubo un tiempo en que los ídolos de este país (incluso para buena parte de la clase política) eran los empresarios Mario Conde[36] y Javier de la Rosa[37], hasta que ambos acabaron en la cárcel. Pese a todo, el público piensa aquello de que *alguna cosa tendrá el agua cuando la bendicen,* así que si los medios hablan de algunos directivos, la ciudadanía lo considera una prueba irrefutable de éxito y buena gestión. Hay algunos aspectos que ayudan a tales ideas como la dimensión de las cosas, que deben ser grandes; ya sea el crecimiento, cualquier crecimiento, como hemos visto con la burbuja inmobiliaria; o manejar dinero, que siempre debe ser mucho, tanto da que sea suyo como de los demás. Esa megalomanía es lo que le gusta a la gente, en cambio ¿quién recuerda a los buenos gestores de verdad, aquellos que hicieron la tarea sin hacerse notar? ¿Cómo se llamaba el director de Southwest Airlines que, después del atentado del 11-S, a las torres gemelas de Nueva York, no perdió dinero ni despidió trabajadores? Nadie lo sabe.

Como el gestor quiere dejar su huella en la institución, empieza a tomar decisiones que le hagan parecer un profesional moderno, haciendo lo que la sociedad considera que es una gestión de éxito. Para ello compromete recursos, tanto económicos como humanos, en proyectos grandes y caros, sean o no necesarios para la institución y se puedan o no pagar. Trasladado a la política esto es lo que condujo a que, una vez tuvimos hechas las infraestructuras básicas, empezamos a crear parques de atracciones, autopistas paralelas a autovías, líneas de AVE y aeropuertos, con independencia de su idoneidad, de si se tenían recursos para pagarlos o de si después

---

36   Mario Conde (1948) es un empresario español que llegó a ser presidente del Banco Español de Crédito (Banesto) a los 39 años. Su carrera se vio truncada en 1993 por el escándalo financiero conocido como "caso Banesto" (el agujero se calculó en 450.000 millones de pesetas; es decir, 2.704 millones de euros) y fue condenado a 20 años de cárcel por el Tribunal Supremo.

37   Javier de la Rosa (1947) es un empresario español conocido por el "escándalo del caso KIO" en el que supuestamente se apropió indebidamente de unos 500 millones de dólares cuando era el administrador de las inversiones del Grupo KIO (Kuwait Investments Office) por el que también acabó en presión.

tendrían usuarios. El gestor, como el político, sabe que a la ciudadanía no le interesa cómo pagar todo eso, la única cosa que le interesa son las grandes obras, y para ello hay que comprometer recursos, si no lo hace no será considerado un gestor moderno ni tendrá credibilidad, ya que tiene la posibilidad de volverse atrás y que no pase nada. Por alguna razón la gente cree que para ser un buen gestor hay que ser Superman y estar siempre *quemando las naves*[38], y los gestores que se lo creen no buscan consolidar la empresa de cara al futuro, sino conseguir unos resultados a corto plazo lo bastante llamativos como para salir en los medios de comunicación, aunque sean vacíos o perjudiquen a la empresa y al país a largo plazo.

Lo que nunca nos ha explicado nadie es que, así como en el matrimonio lo que cuesta más no es decir el sí, sino mantenerlo años y años en buena armonía, también en las empresas cuesta más el mantenimiento que empezar cosas nuevas, ya que necesita dedicación, esfuerzo, pelearse con los problemas y contentar a muchas personas para garantizar que funcione, por eso son más numerosos los directivos que empiezan grandes proyectos que los que hacen un buen desarrollo. En España lo que cuenta es *la fiesta, decir el sí, cortar el pastel y salir a inaugurar el baile,* pero mantener el matrimonio más de diez años, que es lo que interesa a los que se casan, eso es diferente y no todos están dispuestos a poner la dedicación y el esfuerzo que requiere. Después de todo, a lo mejor Rosanas tiene razón y en realidad a muchos gestores no les importa si la empresa va bien o mal, ya que, si prevén que irá mal, la única cosa que deben hacer es saltar del barco antes de que el destrozo se note demasiado.

En el sector público se añade un elemento adicional que favorece la política de comprometer recursos. Al haber tantas necesidades

---

38 "Quemas las naves" es una expresión sacada de un hecho histórico protagonizado por Hernán Cortés, el conquistador español de Méjico, cuando quemó los barcos en los que habían llegado a América (1518) para evitar que sus soldados tuvieran la tentación de volverse atrás.

y tantos lugares donde invertir dinero, si un gestor público ahorra, la Administración le descuenta la cantidad ahorrada del presupuesto del siguiente ejercicio al interpretar que la entidad puede funcionar con aquellos recursos de menos, por tanto no es posible hacer como en la empresa privada y preparar nuevas inversiones con los ahorros de dos o tres años. Aquí no hay ahorro que valga y se debe cerrar a cero cada vez, ya que lo que le sobra a uno sirve para tapar los agujeros de otro, aunque el primero sea un buen gestor, que hace maravillas con los cuartos, y el segundo un desastre, que necesita tres veces más dinero del previsto. Nada de esto cuenta porque no se hacen auditorías de la gestión económica. Este es el motivo por el cual no hay ningún gestor público que haga superávit a final de año, ya que el ahorro está mal tratado y no quieren, con razón, que a su empresa se le recorte el presupuesto de un año a otro, por el grave pecado de hacer las cosas bien. El reto de los buenos gestores públicos cada final de año es ver en qué gastar los ahorros que han conseguido a lo largo del ejercicio y hacer unas pérdidas mínimas para no llamar la atención, mientras que los malos gestores están tranquilos sabiendo que alguien les tapará el agujero que han hecho.

Como se deduce de los párrafos anteriores, con unas empresas privadas deseosas de salir en los medios de comunicación y unas públicas que no quieren ahorrar para no ser penalizadas, la triste realidad es que a nadie le interesan los buenos gestores, los que se niegan a poner la empresa en peligro con inversiones arriesgadas que no aportan nada, los humildes, abnegados y silenciosos gestores que ponen todo su esfuerzo en tirar adelante la empresa con mucho trabajo y dedicación aunque saben que eso tiene poco *glamour* y nunca les dará fama ni reconocimiento. Lo que admira la ciudadanía son los "milagros económicos" surgidos de la noche a la mañana, y sobre todo les gustan los charlatanes y timadores, aquellos que en las películas del Oeste venden remedios que curan todos los males y hacen crecer el cabello, con una fórmula secreta que lleva, entre otras cosas, veneno de serpiente.

El liderazgo empresarial

El concepto de liderazgo es bastante confuso, ya que muchos lo consideran una función elitista de un ser especial y carismático, que dirige los destinos del resto de los mortales. Creen que el líder es alguien que nace para dirigir, como si estuviera predestinado por los astros. Por contra Lao-Tsé[39], un autor que vivió en la China hace miles de años y cuyas enseñanzas continúan vigentes, dice que el mejor líder es aquel que apenas se hace notar y asegura que el buen líder habla poco y cuando ha acabado la tarea y asumido su objetivo la gente dirá: lo hemos hecho nosotros. Los líderes con éxito duradero ni son carismáticos ni tienen grandes ideas, ni les gusta hacerse notar, lo que sí saben es construir organizaciones, tratar a las personas, reconocer los intereses de estas y potenciarlas, sacando lo mejor de cada una de ellas. Los líderes de verdad avanzan, no a costa de los demás, sino a su lado, porque saben que los otros son realmente los que hacen el trabajo, ya que son quienes tienen el conocimiento específico que hace que la empresa sea mejor que la competencia. Esos líderes saben que hay una gran diferencia entre "mandar" y "dirigir" y que con profesionales formados y capacitados deben "dirigir" (no "mandar") si quieren tener éxito en su gestión. Lo mismo explica Peter Drucker[40] cuando recuerda que el directivo del siglo XXI debe "dirigir" en el mismo sentido en que lo hace un director de orquesta; es decir, sabiendo que quien hace todo lo que se ve y se siente son otras personas, la colaboración activa de las cuales es imprescindible para obtener un buen resultado.

El director de orquesta sabe que los músicos conocen mejor que él sus instrumentos y debe conseguir que cada uno saque el mejor resultado de la misma partitura, pero en ningún caso debe hacer él toda la tarea porque eso es imposible. Lo mismo ocurre con los

---

39   Lao-Tsé es un filósofo y una figura mítica de la tradición china al que se le atribuye la autoría del libro "Tao Te King".

40   Peter Ducker (1909-2005) fue un experto en el tema de la organización empresarial. Sus obras continúan siendo best sellers en su campo.

entrenadores de futbol, que deben ganar partidos a través de los jugadores; ellos no pueden salir al campo a jugar en todas las posiciones, por eso les deben entrenar bien y han de lograr que en el campo saquen lo mejor que llevan dentro. En cambio, mandar es otra cosa: es tener a los demás como si fueran meros instrumentos pasivos, sujetos a las órdenes de un capataz que cree ser poco menos que el centro del universo. Mandar sirvió en una época para hacer algunas cosas, pero nunca se podrá ser un director de orquesta brillante solo mandando, ni se podrá ganar una liga de fútbol solo mandando. Con profesionales de verdad hace falta otra cosa. Por cierto, ¿qué es un equipo de fútbol o una orquesta si no lo que decía la revista *"Business"*? *Un grupo flexible de personas disciplinadas fijamente centradas en una visión.*

Un buen líder sabe cuáles son los retos importantes que requieren su atención y cuáles se pueden delegar, y entiende que con frecuencia los detalles son tan importantes como las grandes decisiones estratégicas por eso, cuando una cosa es importante, no duda en bajar hasta los más mínimos detalles, delegando aquello que pueden hacer otros, en los que confía plenamente. Por eso, Herb Kelleher[41], que es el responsable de Southwest Airlines (del que nadie se acuerda, como apunté más arriba, aunque ni perdió dinero ni despidió gente tras el 11 de septiembre de 2001), discute personalmente con sus colaboradores sobre los detalles que le parecen importantes de uno de sus aviones a las cuatro de la madrugada hasta consensuar la mejor decisión para la compañía. En cambio, otros directivos consideran que su categoría implica reservarse únicamente para las decisiones estratégicas, aunque después se metan en todo lo que les parece porque para eso son los jefes; no confían en nadie, al pensar que son los únicos que tienen la visión de conjunto de la empresa, por eso no discuten detalles operativos a las cuatro de la madrugada

---

41   Herb Kelleger (1931) es el cofundador y presidente de Southwest Airlines con base en los Estados Unidos.

sino que esperan a ver qué han decidido sus subordinados, a los que consideran un desastre, así que seguro que tendrán que corregirles más tarda. No nos engañemos, en realidad es más cómodo echarle una bronca a alguien si la decisión no gusta, con el argumento de que no se puede estar en todas partes, que quedarse de madrugada y asumir personalmente la responsabilidad del posible error. Desde sus torres de marfil esos directivos desconocen cómo funcionan las cosas, pero lo discuten todo y se meten en todas las decisiones, por pequeñas que sean, cambiando con frecuencia lo que han decidido sus subordinados e imponiendo sus soluciones, para que todo el mundo tenga claro quién manda.

Recursos humanos

El capital más importante de cualquier empresa son sus trabajadores. Esto no es una frase hecha, aprendida en las escuelas de gestión, sino una certeza para cualquiera que haya pisado una empresa moderna, por eso lo que me gustaría sería decir que los trabajadores son de una profesionalidad extraordinaria, que están altamente cualificados para sus puestos de trabajo, que se implican con los objetivos de las instituciones, que van a trabajar motivados y se interesan en que la empresa, que les permite ganarse la vida y mantener a sus hijos, vaya bien y tenga buenos resultados económicos, pues cuanto mejor sean estos más seguros estarán ellos y sus familias. Pero si dijera eso mentiría, aparte de que, cualquiera que conozca la raza humana se daría cuenta del engaño. Las personas somos diversas y, quizá sí que el mismo barro nos esculpió a todos, pero la variabilidad es tan extraordinaria que en un lado podemos tener a un santo digno de veneración como Gandhi, y en el otro un Hitler que nos avergüence de pertenecer a la raza humana. El mundo laboral no es ninguna excepción, así que, aunque con pequeñas diferencias, en todas las empresas nos encontraremos:

- Un 20% de trabajadores motivados con su trabajo, individuos que responden a lo que comentábamos antes: buenos trabajadores, responsables, implicados, comprometidos, etc.

- Un 20% de trabajadores sin ningún tipo de motivación, personas amargadas con lo que hacen, por tanto la empresa difícilmente puede contar con ellas para tirar adelante. Dentro de este colectivo, un 65% (un 13% del total de la plantilla) está dispuesto incluso a boicotear a la organización a la primera de cambio, en resumen, una rémora para la institución que funcionaría mejor si pudiera enviarles el sueldo a casa.

- Por último, el grueso de la planilla está formado por el 60% restante de trabajadores que podríamos calificar de normales, personas que hacen sus tareas, aunque no sientan especialmente los colores, y están allí como podrían estar en cualquier otro lugar. A pesar de todo, cumplirán con sus responsabilidades lo mejor que puedan o sepan.

Estos porcentajes varían según el sector, el proyecto que tenga la empresa, la fase evolutiva en que se encuentre, las categorías profesionales, el programa de formación que se implante, el proceso de selección usado para escoger a los colaboradores y del tipo de gestión que se realice. En función de estos aspectos, los porcentajes pueden variar, pero incluso en las empresas más entusiastas la cantidad de amargados se sitúa al menos en un 10% de la plantilla. Evidentemente, si se consigue tener un 10%, la dinámica de la organización y sus resultados serán mejores que si se tiene un porcentaje doble o triple de esa cantidad. La pregunta obvia es que, si sabemos el trastorno que suponen esos individuos, y además se sabe quiénes son, ¿por qué no se despiden y se acaba con el problema? La respuesta es igualmente obvia, ya que inevitablemente una parte del 60% de los que hemos denominado "normales" se convertirá en los nuevos desmotivados de la institución.

Indudablemente, cuanto más se identifiquen y se comprometan los empleados con la entidad, mejor para todos. Y cuanto más realizados se sientan en sus cargos, más se identificarán con la empresa. Una forma de establecer las bases para que se sientan realizado empieza por un buen contrato, justo y duradero, ya que cuanto más dure, más estrecha y especial será la relación en beneficio de las dos partes: el trabajador se especializará en una tarea diferente de la que haría en otro lugar aparentemente idéntico de otra institución, invertirá tiempo y esfuerzo en aprender la manera de hacer y el estilo de aquella empresa; y esta dedicará tiempo y dinero a enseñarle sus peculiaridades. La relación con las personas que representan a la institución puede aumentar la confianza mutua o disminuirla, dependiendo del trato recibido, ya que los profesionales no se marchan huyendo de las empresas sino huyendo de sus jefes. La confianza es un importante activo para cualquier institución que pretenda que sus empleados hagan una tarea no rutinaria, por ello, siempre que una organización quiera diferenciarse de la competencia, debe tratar con especial cuidado todas las cuestiones relacionadas con su plantilla, que es la que hace la diferencia. Permanecer en el puesto de trabajo por un tiempo prolongado es un elemento clave, tanto en la diferenciación de la empresa como en la adquisición de conocimientos específicos de sus trabajadores para que la entidad consiga una fuerte personalidad.

En contra de todo esto hay una corriente neoliberal que predica que hay que deshacerse de la fuerza laboral, tan pronto los beneficios trimestrales no vayan como se esperaba y, si después hacen falta más trabajadores, ya se contratarán unos nuevos con un salario inferior, aunque tengan menos experiencia. Esta teoría, muy habitual en los Estados Unidos, se está imponiendo también en nuestro país, y se ha incrementado a raíz de la crisis económica, en que muchas organizaciones han aprovechado para despedir a gente experta y conocedora de la forma de hacer de la institución, a la espera de que los sueldos bajos de los nuevos contratados inexpertos les resolverán los problemas de tesorería. Es cierto que si se despide personal el peso de la nómina disminuye, y ello supone un incremento de beneficios..., pero solo si todo el resto del negocio sigue igual. Si las cosas se hacen peor, ya sea por la inexperiencia de los nuevos contratados o porque el clima laboral se deteriora, se puede perder calidad y cuota de mercado, y ello hará bajar los ingresos y los beneficios sin contar con la pérdida de personalidad de la institución al haber perdido experiencia y conocimiento. A no ser que una parte de la plantilla se hubieran contratado por pura beneficencia, echar trabajadores expertos supone a corto plazo una reducción de la productividad y de la calidad de los productos y servicios, por ello habría que contrastar si los despidos compensan o no.

Según Jeffrey Pfeffer[42], de la Universidad de Stanford, las empresas que han hecho estos tipos de despidos han quedado peor de cómo estaban antes, ya que los empleados que continúan se quedan desmoralizados, y la productividad y la calidad disminuyen, en consecuencia los ingresos también lo hacen y los beneficios no aumentan, sino todo lo contrario, así que no se cumplen los objetivos que se perseguían. Son prácticas absurdas desde siempre, pero hoy lo son más que nunca, ya que estamos en la "sociedad de la información", y ello significa que el núcleo fundamental de la institución es el conocimiento y la experiencia de su plantilla que es la base de las rentabilidades altas y duraderas. Hay una experiencia de los últimos años en nuestro país que ilustra perfectamente esta situación, cuando Catalunya Radio, líder de audiencia indiscutible en catalán, en prácticamente todas las franjas horarias, cambió de política hasta conseguir que los locutores estrella de la emisora (Antoni Clapés,

---

42   Jeffrey Pfeffer, de la Universidad de Stanford, ha documentado los graves errores que las empresas cometen con el *downsizing* en un trabajo llamado *Labor Market Flexibility. Do Companies Really Know Best?* Research Paper 1592. Stanfort University (1999).

Antoni Bassas, etc.) acabasen marchándose. El resultado fue que las audiencias bajaron hasta acabar perdiendo su liderazgo, que de momento todavía no ha recuperado, ya que es más fácil perder los altos niveles de calidad que se consiguieron en el pasado que volver a recuperarlos una vez perdidos. Lo mismo está ocurriendo con las deslocalizaciones de empresas de las TIC, como Telefónica, que se llevó las centralitas a países lejanos con mano de obra más barata, pero perdiendo el conocimiento del territorio que permitía a cualquier teleoperador ofrecer una excelente respuesta al conocer una dirección o los edificios emblemáticos de la ciudad, lo que redujo la calidad del servicio hasta el punto de que algunas han empezado a regresar al entender que el beneficio no es solo el resultado de una mano de obra barata sino, muy especialmente, de dar un servicio de calidad.

El talento en las empresas

Hoy, como nunca hasta ahora, el conocimiento generado dentro de la empresa se debe cuidar y fomentar, porque es lo que conforma su personalidad. La mejor fórmula para optimizar los resultados es mantener y fomentar el talento que tienen dentro y buscar y contratar nuevo talento fuera. Según Dave Ulrich[43] el "talento" es la combinación de "competencia y compromiso", una definición parecida a la que daba el escritor José Cadalso[44] para quien *el talento es el conjunto de mérito y buen corazón*. Para clarificarlo, podemos desglosar la "competencia" de Ulrich o el "mérito" de Cadalso como la combinación de "conocimientos y habilidades", ya que ambas son necesarias para desarrollar la competencia en cualquier ámbito. Por su parte, el "compromiso" o el "buen corazón" lo podemos equiparar a una "actitud personal". Entonces podemos dibujar el

---

43   David Olson Ulrich es profesor de negocios de la Ross Schooll of Business de la Universidad de Michigan.

44   José Cadalso Vázquez (1741-1782) fue un escritor y militar español autor, entre otras de las "Cartas marruecas".

talento como un triángulo que en cada ángulo tiene uno de los tres aspectos mencionados.

COMPONENTES DEL TALENTO
Actitud personal
Conocimiento   Habilidades

De los tres componentes, el más abundante es el conocimiento. Hay más conocimiento de las cosas que competencia, ya que esta exige también la habilidad; es decir, la práctica y hacerlo bien. Sin la práctica el conocimiento no sirve de nada, ya que el fin del conocimiento no es la erudición sino la acción, para llegar a ser competente. Las universidades de todo el mundo están llenas de estudiantes que reciben el mismo conocimiento, pero solo unos cuantos serán los que acabarán destacando y estos no serán necesariamente los que tengan más conocimientos, sino los que tengan más habilidades e inquietudes. ¿O alguien cree que Steve Jobs y Bill Gates, cuando empezaron sus empresas, eran los que sabían más informática de los Estados Unidos?

También debemos tener en cuenta que aunque alguien tenga el conocimiento y logre la habilidad necesaria; es decir, que tenga la competencia en palabras de Ulrich o el mérito en palabras de Cadalso, lo más difícil es que también tenga el tercer componente: el compromiso o buen corazón, en una palabra, la actitud correcta frente a la vida, el trabajo y las demás personas. No hay nada más decepcionante que un gran profesional, con unos conocimientos inmensos, con una tremenda habilidad, pero que sea un miserable, un pedante egoísta que solo piense en sí mismo y que utilice a los demás, pisándolos y olvidándolos cuando ya no le son útiles. El error más grave que puede cometer una empresa es darle a una persona así un cargo de máxima responsabilidad, porque lo acabarán pagando caro la empresa, los accionistas y sobre todo los trabajadores a su cargo. Muchos pensamos que de los tres componentes del talento, el más difícil de encontrar es precisamente este último, la actitud correcta, por eso es tan importante buscarla y atesorarla cuando se encuentra. Una buena manera de hacerlo es contratar determinados perfiles de personas. Si somos un 10, necesitamos otros 10 para trabajar con nosotros, pero si contratamos un 9, este contrata un 8 y el siguiente busca de 7 hacia abajo, pronto tendremos una organización llena de 1, y los 1 no proporcionan los mismos resultados que los 10.

En *Singapore Airlines* descubrieron las ventajas de buscar unas actitudes concretas y empezaron una política de personal que se resume en el lema: *contratar sonrisas*. Vieron que podían enseñar a una persona a servir comidas en los aviones en pocas semanas, pero lo que no podían hacer era enseñarle a nadie a que le gustara atender a los clientes si no le salía espontáneamente, así que optaron por "*contratar sonrisas*"; es decir, personas con determinadas actitudes: simpáticas, amables, que les guste el público y estén dispuestas a dar un paso más en el servicio y en la atención a los pasajeros. El resultado es que, de ser la peor línea aérea a principios de los 80, pasó a ser escogida "línea aérea del año" durante varios ejercicios consecutivos a finales de aquella misma década. Desde entonces se mantiene dentro de la lista en los primeros puestos en 2011 era la segunda y en 2010 fue la que recibió la máxima calificación en el apartado de "mejor tripulación". No se trata de suerte, sino de planificación y políticas inteligentes de contratación de personal.

Las empresas deben intentar atraer el talento por todos los medios posibles, y para hacerlo no pueden olvidar ninguno de los tres componentes, sobre todo el tercero, la actitud, que es el más importante en muchos puestos de la empresa. Probablemente, en los puestos muy especializados se necesita un determinado perfil técnico para el que lo más importante es la competencia, como cuando un hospital necesita un cirujano pediátrico, que tendrá que buscar a alguien con la máxima competencia (conocimiento, habilidad y experiencia), con independencia de su carácter (si además es simpático tanto mejor), pero para el personal de las plantas de hospitalización y los que hacen atención al público, la institución tendrá mejores resultados y satisfacción de los clientes si siguen los criterios de contratación de *Singapore Airlines*.

Ningún proceso de selección de personal debería iniciarse sin tener en cuenta algunos criterios básicos, por ejemplo, qué conocimientos se necesitan para aquel puesto de trabajo, qué habilidades técnicas o de otro tipo hacen falta (relaciones humanas, sociales, de comunicación, qué grado de compromiso se espera, etc.). A veces puede ser muy sencillo, como en los casos más técnicos (el cirujano pediátrico con 10 años de experiencia), pero otras puede ser bastante complicado, cuando ni la empresa tiene claras sus necesidades más allá de si quiere un titulado medio o superior para tal o cual cargo. Los aspectos técnicos no presentan dificultades, pues todo el mundo los puede valorar, incluso con baremos completamente objetivos, en el caso anterior, todos los candidatos serán cirujanos pediátricos y tendrán unos años de experiencia contrastada que corresponderán a unos determinados puntos, en caso de empate siempre se puede valorar la categoría del hospital del que proceden, la calidad de sus publicaciones científicas y, si están disponibles, sus tasas de infecciones quirúrgicas, reintervenciones o mortalidad, todo muy objetivo e indiscutible. Pero a medida que nos alejamos de los criterios técnicos, donde las demás habilidades y actitudes adquieren más importancia, la cosa se complica y nos sentimos incómodos, ya que nos cuesta tener en cuenta aspectos como las habilidades en relaciones humanas o las capacidades comunicativas orales y escritas, especialmente en un país como el nuestro donde ni la escuela ni la universidad las enseñan ni le dedican una triste asignatura. En este caso, ¿cómo las podemos valorar?, ¿cómo tener en cuenta las sonrisas como criterio de contratación? Además, ¿qué dirán los sindicatos si uno de los criterios para contratar es la sonrisa del candidato?, ¿qué dirán las feministas radicales si la contratación es mayoritariamente de mujeres y se tiene en cuenta la simpatía? Seguro que será difícil que entiendan que las mujeres tienen más habilidades de estas características que los hombres y que la decisión no tiene nada que ver con ningún criterio sexista. De esta manera la mayoría de los procesos selectivos, en el sector público y también en el privado, se ciñen a la parte técnica, con criterios lo más objetivos posibles y baremos claros e incontestables, perfectamente consensuados con los sindicatos para evitar problemas posteriores. El resultado de contratar sin tener en cuenta el tercer componente del talento, supone tener empleados en puestos equivocados y que, pasada la corta luna de miel de alta motivación por haber sido contratados, pasarán a engrosar el grupo de los individuos desmotivados de la organización.

Compromiso y confianza

La necesidad de velar por el talento no acaba con la selección de la persona adecuada para el cargo. Una vez se ha contratado al colaborador es cuando empieza la tarea de verdad, de la misma manera que cuando se le dice el *sí* a la pareja es cuando empieza la labor de echar adelante el matrimonio. El talento, como el matrimonio, hay que mimarlo, cuidarlo, regarlo, esforzarse para retenerlo y desarrollarlo a diario y eso se hace con confianza, estabilidad y seguridad en el puesto de trabajo, formación continuada, posibilidades de carrera profesional, reconocimiento, autonomía, facilitando la conciliación de la vida personal y profesional, con actuaciones que estimulen el orgullo de pertenencia a la empresa, como el compromiso social de la institución, y naturalmente con una retribución adecuada a las características y responsabilidades del cargo, es decir, cumpliendo los compromisos y satisfaciendo las expectativas que se despertaron al acceder al cargo.

Para hacer posible todo esto, el marco de referencia en el que se deben mover las relaciones dentro de la institución deben ser de confianza, con reglas de juego claras y conocidas por todo el mundo, equidad, evitar cualquier injusticia y ofreciendo incentivos o recompensas según las aportaciones de cada uno. Como podemos ver, son bastante parecidas a las que rigen, o deberían regir, en un buen matrimonio o en la educación de los hijos donde todos los miembros de la familia deben poner de su parte para mantener vivo el proyecto común. Mientras todo vaya bien, la relación será gozosa y placentera, pero cuando lleguen los problemas, que inevitablemente acabarán llegando, todos deben tener la confianza de que se resolverán aplicando las reglas establecidas con rigor si procede pero siempre con equidad y justicia. Si una parte del binomio, como sucede en el matrimonio, deja de estar comprometida, ya sea por sentirse traicionada, humillada o despreciada, el resultado será el distanciamiento que, en el caso del matrimonio supondrá la separación o el divorcio, y en el trabajo pasar a engrosar el grupo de los desmotivados y, si hay posibilidad, el abandono de la empresa por parte del trabajador. Cuando esto ocurre, inevitablemente las dos partes perderán, aunque a la empresa le parezca que no, sobre todo si se trata de un profesional con los tres componentes del talento, más imaginación, propuestas para mejorar la entidad y para innovarla.

Hay casos míticos en que la marcha de un creador supuso un fuerte trastorno para la empresa. Uno de los más conocidos es Steve Jobs, que se fue de Apple por desacuerdos con la dirección, y los productos de la marca empezaron a caer hasta que regresó al cabo de unos años y crecieron de nuevo. En su ausencia Jobs creó Pixar y produjo varias películas animadas de éxito. Pero el que más me gusta, por su reacción clara y contundente, que mantuvo a lo largo de toda su vida, es Walt Disney, que empezó a trabajar para la *Universal Pictures* haciendo los dibujos animados de un conejo que se llamaba *Osvaldo el conejo afortunado.* ¿Alguien lo recuerda? Todo iba tan bien que contrató a más caricaturistas y amplió su estudio, pero finalmente el productor de la serie, Charles B. Mintz, quiso bajar el precio de cada capítulo y además contrató a todos los caricaturistas menos a uno. Mientras Disney pensaba en qué respuesta dar a la bajada de tarifas, el productor le presionó diciéndole que el personaje de Osvaldo era propiedad de la *Universal Pictures.* Walt quedó abatido, ya que fruto de su creatividad, duro trabajo y esfuerzo había creado una valiosa propiedad que no era suya, así que cuando le dieron la noticia dijo: *¡Nunca volveré a trabajar para nadie!* Su respuesta fue la creación de un nuevo personaje de dibujos animados: Mickey Mouse, este quizá les suena un poco más, ¿no es cierto? Walt Disney es el paradigma de que la mejor forma de predecir el futuro es adelantarse a él, inventarlo y hacerlo realidad, una excelente manera de no estar nunca en crisis. Desgraciadamente estas decisiones sólo están al alcance de algunos privilegiados de esa categoría, pero pensando en ello siempre me he hecho una pregunta: con la marcha de Steve Jobs o de Walt Disney, ¿quién perdió más, ellos o la *Apple* y la *Universal Pictures*?

Igual que en el matrimonio, para que todo vaya bien, la empresa debe hacer cosas que enamoren a sus trabajadores, se debe comprometer con ellos, les debe implicar en el proyecto, explicarles hacia dónde va, debe transformar a los empleados, de cautivos por el sueldo, a cautivados por el proyecto y por los objetivos, hasta lograr su lealtad y fidelidad. Si se me permite la licencia podríamos decir que las empresas deben ser "sexys" y seducir a accionistas, colaboradores, proveedores y, sobre todo, a sus clientes; sin esta capacidad de seducción no hay nada que hacer en el mercado. Pero además las empresas evolucionan por selección natural; es decir, siendo mejores que sus competidores, y no hace falta que sean un 100% mejores que los demás, es suficiente ser un 1% mejores en unas cuantas cosas. Y si todo ello no es posible, si no se puede hacer nada por motivar a las personas, sería de agradecer que por lo menos se hiciera todo lo posible para no desmotivarlas.

EL PROCESO PRODUCTIVO

El Management y sus técnicas tuvieron en el siglo XX éxitos muy importantes con grades nombres propios que revolucionaron el mundo de la gestión de empresas y que multiplicaron la productividad de forma fabulosa. Todo empezó con Frederick Taylor[45], a principios del siglo XX, considerado el padre del *management* y de la dirección científica, que se hizo famoso por conseguir aumentar la productividad de los operarios manuales. Pese a que su figura todavía presenta algunas sombras, las contribuciones que aportó a la gestión y administración las podemos resumir en tres dimensiones:

1. Sustituir la intuición por el análisis detallado y científico basado en cálculos, incluso para los trabajos de bajo nivel. Demostró que pensando las cosas mejor y basándolas en estudios rigurosos se podía aumentar el rendimiento de manera espectacular.

2. Convencer a los trabajadores de adoptar sus métodos, mediante un aumento sustancial de salarios si lo hacían, y convencer también a los empresarios para que pagarán esta retribución adicional, por tanto haciendo que una parte del

---

45   Frederick Winslow Taylor (1856-1915) fue un ingeniero mecánico norteamericano que introdujo las técnicas de eficiencia industrial en las empresas a principios del siglo XX.

beneficio, generado por la mayor productividad de los nuevos métodos organizativos, fuera a los bolsillos de los empleados y no solo a los del empresario.

3. Conseguir que la aplicación de sus principios no fuera puramente mecánica, sino que se tuviera que pensar en cada caso cuáles eran los mejores a implantar, según las circunstancias particulares.

Taylor insistía en que sus métodos no eran solo herramientas más o menos útiles, sino una "revolución mental" que había que hacer llegar tanto a empresarios como a trabajadores para que juntos mejorarán las cosas en beneficio de todos. Han pasado muchos años desde entonces y han aparecido otros autores que han hecho aportaciones importantes para la evolución del *management* (Fayol, Mayo, McGregor, Bernard, Chandler, Drucker, Lawrence, Peter, etc.), todos ellos con resultados positivos para las organizaciones. Es habitual que se quiera vender un montón de supuestas técnicas empresariales, que se van "inventando" permanentemente, como si fueran panaceas para cualquier organización: remedios infalibles e inmediatamente rentables, siempre rodeados de un cierto "cientificismo" y con algún nombre que suene bien, basado en una complicada teoría inalcanzable para el profesional medio. La mayor parte de estas modas no aportan nada nuevo y desaparecen rápidamente, pero también desaparecen algunos instrumentos que sí fueron útiles, como ocurrió con la DPO (dirección por objetivos) de Peter Drucker, que nació como un sistema de autocontrol pero que se ha substituido en muchas organizaciones por medidas cuantitativas, que cada año se han de incrementar de manera mecánica, un automatismo que ha acabado desprestigiado el instrumento y decepcionado a todo el mundo. Pero que nadie piense que esta valoración de la DPO supone una invitación a dejar de emplear tales medidas, la única cosa que digo es que los incrementos constantes de productividad no siempre son positivos, como veremos en la siguiente historia.

Imaginemos un trabajador que está a cargo de una máquina, y que es tan competitivo y tiene tantas ganas de ascender, que quiere causar buena impresión a sus jefes, así que produce a unos niveles óptimos, sin ningún tiempo muerto y sin parar la máquina para hacer el correspondiente mantenimiento. La máquina funciona a tope, la producción es extraordinaria, los costes bajan y las posibilidades para el empleado son inmensas. Al cabo de un tiempo, efectivamente consigue el ascenso que esperaba y se merece. Su sucesor a cargo de la máquina se la encuentra deteriorada, mohosa y pronto empieza a fallar. Debe pararla repetidamente para repararla, hacerle diversos ajustes o cambiarle piezas viejas que hace tiempo se deberían haber substituido, la máquina está parada más de lo que es habitual, la productividad cae y los costes se disparan. ¿Quién tiene la culpa de esta situación? Evidentemente, el anterior responsable que no hizo los mantenimientos adecuados y no la tenía a punto, pero para la empresa será el nuevo encargado del aparato, ya que el sistema contable solo valora las unidades producidas y el tiempo empleado para hacerlas, mientras que el pasado no cuenta para nada, sobre todo si ya se ha cerrado el ejercicio. Desgraciadamente, así funcionan muchas empresas. Por eso hay que tener en cuenta otros aspectos y no solo la productividad, como nos enseña Esopo desde hace miles de años en la siguiente fábula.

Había una vez un granjero que un día descubrió que una de sus gallinas le había puesto un brillante huevo de oro. Primero pensó que se trataba de un fraude o de una broma, pero cuando iba a deshacerse del huevo, lo pensó mejor y fue a comprobar su valor. ¡Efectivamente el huevo era de oro puro! El granjero no podía creer su buena suerte. Y todavía lo creyó menos al comprobar que la cosa se repetía, ya que cada día, al despertarse, corría a ver la gallina y hallaba otro huevo de oro. El hombre se hizo fabulosamente rico y todo parecía demasiado bonito para ser verdad. Pero con la creciente riqueza apareció la impaciencia y la codicia así que, incapaz de esperar día tras día los huevos de oro, decidió matar a la gallina para conseguirlos todos de una sola vez. Sin embargo, cuando la abrió vio que estaba vacía. En el vientre del animal no había huevos de oro y una vez muerta ya no había manera de conseguir más. Había matado la gallina de los huevos de oro. Esta fábula contiene una ley natural, un principio fundamental que es la definición básica de la eficacia y haríamos bien de recordarla con frecuencia. La mayor parte de las personas y empresas, entienden el concepto de la eficacia de manera parcial, ya que piensan que consiste en producir cada vez más a cualquier precio, sea como sea. Creen que cuantos más huevos de oro se tengan, más ricos serán, y que pueden prescindir de todo lo demás. Pero la fábula nos enseña que la verdadera eficacia viene dada por dos variables: lo que se produce (los huevos de oro) y el cuidado de los medios o bienes de producción (la gallina), que son los que marcan la capacidad de producir. Si adoptamos una visión centrada sólo en los huevos de oro, y nos olvidamos de la gallina, pronto nos hallaremos como el granjero sin los medios que producen los huevos; y si nos limitamos a cuidar de la gallina, sin recoger los huevos de oro, pronto estaremos sin dinero para alimentarnos a nosotros mismos ni al animal.

Las técnicas empresariales, para ser útiles, no pueden ser puramente mecánicas, deben exigirle a la dirección un esfuerzo de análisis, deben provocar un replanteamiento de las cosas, porque en eso consiste la mejora, en usar el cerebro y la imaginación para buscar nuevas formas de hacer mejor el trabajo y producir más y mejor. Los instrumentos de gestión nunca pueden sustituir a la inteligencia ni al sentido común, por ello, si hacen pensar probablemente serán útiles y si tienen en cuenta a las personas que las deben aplicar, también. Pero hay que desconfiar de aquellos que prometen maravillas de manera automática, sobre todo si no hablan de lo que aportan sino de los defectos de los otros instrumentos disponibles.

Cultura e innovación empresarial

Todas las instituciones se enfrentan a un importante dilema: mientras que la mayor parte de la organización quiere permanecer como está, ya que a las personas les gusta la rutina y hacer las cosas siempre de la misma manera, ya sea por costumbre o por miedo, las necesidades de los clientes cambian y en igual medida lo deben hacer los productos y servicios que la empresa ofrece, pues en caso contrario pronto tendrá que cerrar puertas. El innovador es la primera persona que ve la necesidad de cambiar y desviarse de los caminos habituales. Ahora todo el mundo habla de innovación porque está de moda y se ha convertido en algo políticamente correcto, así que todas las empresas que quieren ser modernas se dotan de un departamento de innovación, que imaginamos como el laboratorio de las películas de James Bond, donde "Q" inventa formas extravagantes de matar enemigos, mientras prepara el fabuloso coche que usará el héroe en la próxima aventura.

Desgraciadamente, la cosa no es tan sencilla y la innovación sigue siendo poco comprendida, sobre todo en un país como el nuestro que busca la homogeneidad en todos los ámbitos, desde las costumbres o la cultura, al pensamiento, las ideas políticas o religiosas y sobre todo en el idioma. Si nos ponemos tan nerviosos porque una parte del territorio nacional tiene dos lenguas desde hace más de mil años, ¿cómo vamos a aceptar que alguien tenga ideas propias que estén fuera de la ortodoxia? Es cierto que se harán agrupaciones de expertos que producirán mejoras interesantes, que las empresas deben aprovechar y potenciar para no quedar anticuadas, y hasta es aconsejable que una de las competencias distintivas de la institución sea facilitar la incorporación de mecanismos de adaptación al cambio. Pero la verdadera innovación, la que lo transforma todo de manera radical (la de Edward Jenner, la de Pasteur, la de Colon, la de Bill Gates, la de Edison, la de Wats, la de Steve Jobs) esa continuará en nuestro país tan incomprendida como lo ha estado siempre (ver el capítulo octavo), por muchos motivos de los que destacamos tres:

- En primer lugar, porque con frecuencia está enmascarada por el ruido que hacen los charlatanes y timadores, más apreciados y reverenciados que los verdaderos innovadores, por eso es difícil que lleguemos a intuirla a causa de nuestra escala de valores.

- Segundo, por generar demasiadas envidias, sobre todo cuando las direcciones son tan mediocres que no entienden la innovación o, si la entienden, la viven como una amenaza, así que harán todo lo posible para frustrarla y evitar que ponga en peligro sus cargos conseguidos por influencias políticas y no por su validez profesional.

- Y tercero, porque una verdadera idea innovadora con frecuencia necesita de unas inversiones astronómicas para ponerla en marcha y en España nadie está dispuesto a afrontar un gasto así sin una seguridad de retorno que la innovación nunca puede proporcionar.

En temas de innovación debemos puntualizar que el hecho de que algo sea *nuevo*, no significa necesariamente que sea *bueno,* aunque tampoco hay necesidad de llegar al extremo que defiende James Gary March[46] cuando asegura que la mayor parte de las nuevas ideas son malas ideas. Además hay que tener en cuenta que algunas *viejas ideas* deben permanecer en la empresa, por más tendencias que quieran modificarlas, principalmente aquellas que funcionan bien, y lo mismo ocurre con los productos que satisfacen necesidades reales

---

46   James Gary March es un experto en Teoría de la organización y profesor de la Universidad de Stanford.

de los consumidores, tanto si son rentables como si no, porque fidelizan a los clientes. En pocas palabras, la empresa debe mantener aquellas cosas que sabe hacer bien, pero no se aprende a hacerlas bien si cambia métodos y productos a capricho cada vez que les parece o que varían las modas. Si quieren diferenciarse debería ser en aspectos difíciles de imitar, no en aquellos que puede copiar cualquiera, y menos aún copiarlos de otros. Una estrategia no se construye uniendo trozos aislados de prácticas más o menos acertadas, sino con esfuerzo, constancia, conocimiento del negocio y voluntad de hacer un buen producto o prestar un buen servicio. Lo más difícil de imitar es la experiencia creada dentro de la institución a lo largo de años, y lo más fácil es fabricar cosas copiadas que están al alcance de todo el mundo.

Una empresa es una verdadera *institución* cuando consigue tener una determinada cultura, cuando logra la integración entre los empleados y la organización, y aquellos sienten que forman parte de un proyecto, lo viven como propio y deciden en interés de la organización más que en el suyo propio. El carácter de una institución se define mejor por aquellas cosas a las que dice "no", que dejándose llevar por las modas que marcan los demás. Ello no significa que no esté abierta a la innovación, pero siempre teniendo claro lo que quiere o no quiere ser. El *carácter* es el conjunto de cosas que nos negamos a hacer para no perder identidad. Un buen ejemplo es la Orquesta Filarmónica de Viena, que es una institución, no solo por su calidad, pues está considerada de las mejores del mundo, sino por su funcionamiento peculiar que la hace única. Desde 1933 no tienen directores titulares, solo directores invitados y ello forma parte de su carácter. Naturalmente que la orquesta cambia y se adapta a los nuevos tiempos, pero solo en cosas secundarias, mientras procura mantener el mismo espíritu en aquello que considera fundamental. En cualquier caso, no parece que les vaya mal, especialmente si tenemos en cuenta el éxito de los Conciertos de

Año Nuevo que hacen, en honor de la música de la familia Strauss, desde 1941. ¿No es una buena muestra de *grupo flexible de personas disciplinadas fijamente centradas en una visión?*

Si hay que cambiar la cultura de empresa, tendrá que ser con un gran acuerdo de toda la organización y este será su principal objetivo hasta asumir una nueva, evitando las estrategias de adaptación oportunista, el cambio por el cambio o el *no queremos más de lo mismo*, ya que a poco que se descuiden habrán perdido la competencia distintiva que les hacía atractivos al público. Si las fuertes presiones del entorno les obligan a cambiar o ponen en peligro la supervivencia de la institución, incluso en este caso hay que evitar el cambio por capricho y deberían aplicarse la *ley de la situación*, de Mary Parker Follett[47], que se comenta en otro capítulo, lo que significa que la dirección no debe presentar *su* solución, sino exponer la situación, preguntarse en qué negocio debería estar la empresa y buscar una respuesta consensuada, pero nunca dar por sentado que ella sola es la única que sabe lo que ocurre y que además tiene todas las respuestas (aunque fuera verdad, creérselo la beneficia poco).

El síndrome de ser los mejores

Cuando hablo de prudencia a la hora de innovar y de mantener la cultura de empresa, espero que se entienda lo que quiero decir, pues no estoy aconsejando ni la rigidez ni el inmovilismo. Una empresa que se niega a cambiar se convierte en un dinosaurio que acabará extinguiéndose por la presión del medio ambiente. Resulta trágico ver instituciones, que han sido las mejores en alguna cosa, aferrándose al pasado y rechazando todas las alternativas de mejora que tienen a su alcance mientras la competencia empieza a emplearlas y a quitarles el mercado. Es el síndrome de *ser los mejores*

---

47   Mary Parker Follett (1868-1933) Trabajadora social y pionera en el *management* y la organización de empresas en los Estados Unidos.

y no querer aprender ni cambiar, por creer que nadie les puede enseñar nada, y tiene unos resultados lamentables como podremos ver en los dos arquetipos siguientes.

El primero es ilustrativo, pese a no tratarse de una empresa sino del ejército británico, que fue la fuerza militar dominante en el mundo cuando la revolución industrial cambió la cara del planeta, pero precisamente ese gran éxito le convirtió en un buen ejemplo de cómo personas e instituciones se quedan estancados en viejas creencias. Durante la época de la *Pax Britannica,* el imperio se extendía desde las Indias Orientales hasta las Occidentales e incluía buena parte de Norteamérica, territorios en África, Oriente Medio y Asia. El ejército británico paró a Napoleón en Waterloo y la marina de guerra británica acabó, casi sin ninguna ayuda, con el comercio de esclavos en el Atlántico. El imperio no solo era superior a cualquier enemigo individual, sino que era más poderoso que la mayoría de posibles alianzas adversarias, especialmente en el mar. Por desgracia, el Ministerio de Marina británico no entendía ni aceptaba la innovación por eso el escritor David Divine[48], asegura que: *De los veinte avances tecnológicos más importantes, desde el primer motor naval hasta el submarino Polaris, el aparato del Ministerio de Marina ha desalentado, ha postergado, ha obstaculizado o directamente, ha rechazado diecisiete.*

La situación del ejército era un poco mejor, pero tampoco permitía echar las campanas al vuelo. La tradición militar más orgullosa fue siempre la caballería que tuvo sus orígenes en individuos que tenían suficiente dinero como para mantener un caballo. Eran los más elevados en el campo de batalla y cruzaban las líneas de infantería con sus largas lanzas casi sin mancharse la armadura de sangre. Muchos grandes comandantes, desde Alejandro el Grande hasta George Patton, eran de caballería. A los militares del siglo XIX les gustaba montar. Desgraciadamente, los caballos no están

---

48   David Divine: The Blun ted Sword.

acorazados y, con la llegada de las armas modernas, el tanque se convirtió en una apuesta más segura para ir a la guerra, aunque los oficiales que habían crecido bajo el mito de la caballería no querían saber nada del tanque y lo subestimaban. El Ministerio de Guerra británico se resistió a la introducción del tanque, incluso después de que se hubiera utilizado con éxito en la Primera Guerra Mundial. Rechazar el tanque era de todo menos realista cuando las modernas ametralladoras y los fusiles de largo alcance ya habían anunciado la muerte de la caballería como fuerza principal en las grandes batallas, un hecho que preveían todos los observadores no profesionales de la guerra desde hacía años. En una fecha tan lejana como 1901, A. G. Hales corresponsal de *The Times* en Sudáfrica, fue testimonio de como el ejército británico, afectado por el síndrome de *ser los mejores y no tener nada que aprender*, se veía incapaz, pese a sus 450.000 soldados, de someter a 87.000 Boers que habían adoptado innovaciones tácticas y militares que los orgullosos británicos rechazaban. El periodista escribió:

> *La carga con bayoneta desde hace unos años está muerta como la falange griega; el rifle de largo alcance ha cambiado la manera de hacer la guerra... Me resulta incomprensible que (los británicos) no intentasen desarrollar un nuevo procedimiento de ataque que habría anulado las ventajas naturales y la astucia nativa de los Boers. Si los británicos hubieran construido vehículos acorazados habrían podido contrarrestar inmediatamente las ventajas que tenían los Boers (...) pero Inglaterra parece ser incomprensiblemente apática respecto a esta cuestión.*

Todo el mundo veía que la guerra acorazada era una amenaza a la supremacía de la caballería, el arma gloriosa a lo largo de la historia, pero hacia 1914 el ejército británico sólo compró 18 vehículos de transporte mecanizado y 25.000 caballos, más otros 25.000 de reserva, y eso ocurría en un tiempo en que el automóvil se empezaba a usar regularmente en el mundo civil. Los éxitos de la Primera Guerra Mundial todavía se medían por los metros ganados por cada 1.000 hombres caídos, pero esa locura no impactó para nada en el espíritu de los jefes del ejército por eso una vez acabado el conflicto, en 1919, el general sir Louis Jackson dijo en una conferencia que:

> *El tanque fue un fenómeno puntual. Las circunstancias que lo exigieron fueron excepcionales y no parece que vayan a repetirse. Si lo hacen, pueden ser tratadas de otras formas. En el mismo sentido Lord Kitchner, del Ministerio de Guerra comentó que el tanque era una bonito juguete mecánico (...) la guerra nunca se ganará con ese tipo de máquinas.*

¿Qué hacían mientras tanto los innovadores? En 1922 se hizo un concurso de ensayos centrado en la organización de las fuerzas británicas para la próxima guerra. Uno de los participantes era el capitán Basil Liddell Hart[49], con un texto titulado "Mecanización del ejército". Hart se convertiría posteriormente en un pensador militar reverenciado y en cierta forma, en uno de los padres de las tácticas de la guerra mecanizada. Sin embargo su ensayo no fue ni seleccionado (¿alguien creía que un innovador era reconocido y reverenciado inmediatamente por todo el mundo?), en cambio, una comisión muy anciana y ortodoxa premió uno titulado "Las limitaciones del tanque" (para que vean que la tiranía del pensamiento único no es exclusivamente nuestra). El ensayo de Hart se publicó en una revista, de donde fue leído, traducido y difundido por el ejército alemán, para convertirse en lectura obligada de los generales alemanes del Estado Mayor y estudiado en profundidad por Heinz Guderian[50], conocido más tarde como "Heinz el Rápido" por la guerra relámpago. En el primer asalto de las divisiones acorazadas alemanas sobre Francia, a principios de la Segunda Guerra Mundial,

---

49   Basil Liddell Hart (1895-1970) fue un historiador militar, escritor y periodista británico.

50   Heinz Wilhelm Guderian (1888-1954) fue un general alemán de la Werhmacht, jefe del Estado Mayor del Ejército y se le considera el fundador del concepto de la "Blitzkrieg" o "guerra relámpago" en la Segunda Guerra Mundial, gracias al uso innovador de los tanques y aparatos mecanizados.

Guderian dirigió sus fuerzas blindadas con gran éxito gracias a los conocimientos adquiridos con el libro de Hart. Desgraciadamente en aquella época el capitán inglés había sido expulsado del ejército británico. Parece que alguien se había equivocado. Les doy una pista: no eran los alemanes...

El segundo de los arquetipos es más cercano y fue la manera como la industria relojera suiza perdió su hegemonía mundial por el síndrome de *somos los mejores y no tenemos nada que aprender de nadie*. Hubo un tiempo en que los suizos eran los reyes de los relojes gracias a una industria que se inició en Ginebra a mediados del siglo XVI, cuando la reforma calvinista prohibió las joyas, lo que obligó a los joyeros de la ciudad a buscar nuevas fuentes de ingresos y empezaron a fabricar relojes. El inicio fue fulgurante y durante 400 años no hubo razones para mirar atrás. Innovaban constantemente, tanto en diseño como en mecánica, introdujeron los primeros aparatos de cuerda y fueron los primeros en emplear la producción en serie. Antes de la Segunda Guerra Mundial, el 90% de los relojes del mundo se fabricaban en Suiza. Aún en 1968 seguían monopolizando el 65% del mercado y casi el 80% de los beneficios de esta industria, dando trabajo a cerca de 90.000 personas y exportando 84 millones de unidades al año.

En 1967 un centro de investigación suizo desarrolló el primer reloj de pulsera de cuarzo. Los relojes de cuarzo marcan mejor la hora, son más fáciles y baratos de producir, ya que dan menos trabajo y no necesitan que se les de cuerda. Pese a ello los líderes mundiales en la fabricación de relojes no solo no decidieron apostar por el cuarzo, sino que le dieron tan poca importancia que lo mostraron abiertamente en el Congreso Mundial de Relojes de 1967. Los japoneses, siempre atentos, cogieron la oportunidad al vuelo y protagonizaron un asalto masivo contra la industria relojera, empleando la nueva tecnología. Su objetivo fue el mercado de masas, por su capacidad de fabricar productos más baratos y fáciles de producir. Los suizos ni siquiera sospecharon lo que se les venía encima hasta que fue demasiado tarde. Hacia 1980, su cuota de mercado había caído al 20%, y daban trabajo solo a 50.000 personas; en 1984 el número se había estabilizado en torno a las 30.000. Afortunadamente, resistieron en la gama alta del mercado, donde la mecánica es menos importante que el arte del joyero.

En los dos casos el dilema es el mismo: hemos sido los mejores del mundo durante años haciéndolo de esta manera y ahora no cambiaremos porque nadie nos puede enseñar nada. No es una crítica, ya que todos estamos expuestos a estas situaciones, aunque algunos expertos nos lo quieran hacer ver; por ejemplo, los británicos tuvieron innovadores que defendían los tanques y los suizos tuvieron a los especialistas que desarrollaron el reloj electrónico, pero ni los unos ni los otros pudieron convencer al *establishment* de que usarán las nuevas tecnologías. ¿Por qué? Parte de la respuesta nos la da la composición de los grupos que tomaban las decisiones. En ambos casos eran muy homogéneos, de personas con la misma formación y experiencia, o sea que más que tener a diez individuos implicados en una decisión, lo que significa diez cerebros buscando respuestas, estos grupos tenían un único cerebro trabajando en lo mismo diez veces, por eso hallaron una única solución. Otra parte del dilema es que el éxito continuado adormece el ingenio y aleja la innovación por innecesaria. Los alemanes, con menos éxito, ya que habían perdido la Primera Guerra Mundial, adoptaron la nueva tecnología del tanque; y los japoneses, que en aquel momento empezaban a desarrollarse como potencia económica, adoptaron el reloj electrónico. En los dos casos, un éxito duradero previo convenció a quienes tenían que tomar las decisiones de que sus triunfos se basaban en una verdad fundamental que no podía cambiar: los caballos y la minuciosidad de sus artesanos relojeros. Desgraciadamente, y esta es una realidad dura de digerir pero que se repite siempre, cuando el mundo cambió, no dejó lugar para los viejos mitos.

LOS RESULTADOS EMPRESARIALES

La gestión se evalúa por los resultados, pero la dificultad consiste en definir qué son los resultados, una tarea que no es tan sencilla como parece. Ya hemos visto, con el operario que estaba encargado de la máquina a la que hacía producir a tope, como unos resultados aparentemente positivos por la alta producción inmediata, se convertían en negativos más tarde. Esto ocurre con frecuencia, resultados que parecen fantásticos a corto plazo acaban no siéndolo con el paso de los años, cuando se ven en perspectiva o con una observación más detenida y alguna información adicional. El ejemplo típico son las famosas "empresas.com", que parecían fabulosas cuando aparecieron y tenían unos beneficios astronómicos de un día para otro, pero resultaron ser un desastre unos meses más tarde cuando todas ellas quebraron. También hemos hablado de los éxitos de los directivos Mario Conde y Javier de la Rosa, a los que todo el mundo veneraba, hasta que acabaron en prisión. ¿Y qué decir de la burbuja inmobiliaria, basada en la más pura especulación, o de los banqueros defensores del liberalismo salvaje que nos han llevado a la ruina? La causa es que no está clara la manera de valorar los resultados ni las tareas de los directivos, por eso haríamos bien en analizarlas con medidas que fueran más allá de los datos cuantitativos inmediatos, como el beneficio o el valor de las acciones.

La idea más habitual es que los resultados, en una empresa mercantil, son los beneficios. Pero los conocedores de la contabilidad dudan de lo que pueden expresar, aun considerando que como cifra resumen no está mal. Su cálculo se basa en criterios que no siempre están relacionados con decisiones que supongan un futuro prometedor para la empresa, por ejemplo la inversión en capital humano, que puede ser una garantía para el futuro, tiene un impacto inmediato desfavorable en los resultados, ya que se contabiliza como un gasto, en cambio la venta de un inmovilizado útil pero antiguo (una propiedad o un edificio), que puede ser una decisión nefasta por la pérdida de patrimonio, se refleja en la contabilidad como una ganancia por ser una entrada de dinero. Podríamos decir que ni es oro todo lo que reluce, ni deja de serlo por no relucir. Desconfiar de los resultados aparentes es una buena norma cuando se interpretan estados financieros, ya que la contabilidad se puede manipular.

Por tanto, el beneficio contable tiene limitaciones como indicador de buena gestión. El de corto plazo (1 año), no indica lo que pueda ocurrir en el futuro, ya que se pueden tomar medidas para mejorar los resultados del año en curso hipotecando el largo plazo y por tanto la viabilidad futura de la empresa. También puede suceder lo contrario, que estemos preocupados por el largo plazo, que por definición es imprevisible, y descuidemos el ejercicio actual enviándolo todo a la ruina. No hay una contabilidad que funcione perfectamente siempre, la realidad es más rica que la descripción que podemos hacer de ella con unos pocos números. Si una imagen vale más que 1.000 palabras, podríamos decir también que la realidad vale más que 1.000 números. A corto plazo, ni los beneficios, ni el valor de las acciones, ni la evolución de caja, ni ninguna otra variable financiera son garantía de una buena gestión, en otras palabras: no existen indicadores financieros infalibles de buena gestión a corto plazo. El beneficio tiene más sentido cuanto más largo es el periodo calculado, por eso unos buenos resultados financieros, obtenidos consistentemente durante un periodo largo de tiempo, casi garantizan una buena gestión.

EL FUTURO DEL EMPLEO

No puedo acabar este capítulo sobre el mundo del trabajo sin hacer una referencia a los millones de parados del país y a cómo abordar un reto tan grave que acabará poniendo en peligro el Estado del bienestar si no le ponemos remedio. Como comenta, entre otros, Jeremy Rifkin[51] en su libro *"El fin del trabajo"*, estamos entrando en la época de la fábrica sin trabajadores, algo que hoy ya estamos viendo. Cada día se necesitan menos trabajadores, no para hacer el mismo trabajo sino para hacer mucho más, ya que las fábricas tecnificadas y automatizadas son cada vez más productivas. Ello supone que, si todo sigue igual, lo que se nos viene encima aún será peor de lo que ahora tenemos. Rifkin prevé que los Estados Unidos lleguen al 20 o 25% de paro. Cuando ellos tengan esas cifras, nosotros podemos estar perfectamente en unas tasas del 35 al 40% o más. No se trata de alarmismo, sino de una realidad cada vez más patente, que hay que tener en cuenta para hacerle frente con medidas adecuadas e inteligentes, huyendo de la demagogia de unos y otros que se quedan en aquello de que *hay que crear puestos de trabajo* para cumplir con el expediente en elecciones. Debemos tomar buena nota: si seguimos por el mismo camino que hasta ahora, por cada puesto de trabajo nuevo que se cree en el futuro, se destruirá más de uno. Con el desarrollo tecnológico esto será inevitable y querer luchar contra ello con las viejas soluciones de siempre será hacernos trampas al solitario por eso, si pretendemos salir de la crisis únicamente con aumentos de productividad fracasaremos, ya que la productividad siempre la incrementamos reduciendo el denominador, que son los trabajadores. De esta manera cuando en un trabajo queden cero trabajadores la productividad podrá ser infinita pero ¿habremos resuelto el problema? Ni mucho menos.

---

51   Jeremy Rifkin es un economista y pensador norteamericano, autor de más de una docena de libros sobre tendencias económicas y sobre temas relacionados con la ciencia, la tecnología y la cultura.

No es ni justo ni ético crear una sociedad con tantas diferencias sociales y tanto paro, mientras la capacidad productiva de nuestras fábricas, y por tanto la posibilidad de crear riqueza para todos, es más alta de lo que ha sido nunca en la historia. Por eso, entre las medidas que Rifkin propone, destaco las dos que me parecen más importantes:

- La primera consiste en reducir la jornada laboral para crear más puestos de trabajo. Ahora que a muchos trabajadores nos han recortado los sueldos más de un 10 o 15%, esta medida se podría acompañar de una reducción similar de la jornada laboral y ello debería servir para crear empleo para muchas personas en paro, y además dinamizar la industria del ocio y del esparcimiento. Podría ser clarificador estudiar las propuestas basadas en compartir el trabajo que aparecieron en los Estados Unidos durante la crisis de 1929 donde algunas empresas, como Kellogg's, las pusieron en práctica y demostraron que la reducción horaria no solo mejoraba el entusiasmo y la eficacia de los trabajadores, sino que la empresa también salía ganando. En 1935, después de 5 años de estas prácticas, la empresa hizo un estudio según el cual sus costes generales habían bajado un 25%, el coste de la mano de obra se había reducido un 10%, los accidentes laborales habían disminuido un 41% y todo ello con un incremento del número de personas contratadas del 30% respecto a 1929.

- La segunda de las propuestas tiene que ver con cambiar el enfoque laboral hacia el tercer sector. Hemos centrado la creación de empleo únicamente en la economía productiva para competir con el resto de los mercados pero no se ha tenido en cuenta para nada el tercer sector. Ahora resulta evidente que no podemos competir con algunos países, que producen a unos costes imposibles para nosotros, pero también lo es que desde aquellos países no están en disposición de prestar los servicios que necesitamos y podemos ofrecer nosotros. La propuesta es crear puestos de trabajo en el tercer sector, potenciar y profesionalizar unas prestaciones que o no existen o se prestan parcialmente con voluntariado. Mucha gente estaría dispuesta a cobrar menos pero hacer una tarea con contenido social estimulante. En otras palabras, el camino para salir de la crisis debería tener más en cuenta lo que hacen empresas con contenido social como AMPANS en el Bages o LA FAGEDA en la Garrotxa, que no las multinacionales deslocalizadas del país para siempre.

CONCLUSIÓN

En resumen, podríamos decir que las empresas que quieran sobrevivir en el mercado y tener éxito en el futuro, deben respetar algunas reglas o les será imposible la supervivencia en un mundo tan complejo y competitivo como el actual. La primera es que deben cuidar de su capital más importante, que son sus trabajadores. Los han de tratar bien, con un contrato adecuado a su valía, de larga duración y con unos sueldos justos a sus aportaciones. Los deben implicar en la empresa, creando un buen ambiente de trabajo y haciéndoles participar en los beneficios que han contribuido a generar. Y cuando aparezcan las inevitables discrepancias, debe actuar con justicia evitando la prepotencia empresarial que puede ocasionar reacciones adversas en todo el colectivo. De la misma manera la empresa debe tratar de forma exquisita a sus clientes y proveedores. A los primeros debe ofrecerles unos productos excelentes a un precio razonable, y a los segundos permitirles conseguir unos beneficios acordes a la calidad de sus suministros. Además, debe centrarse en aquellas cosas que sabe hacer bien, siendo fieles a su cultura y procurando mantener su ventaja respecto a la competencia. Por último, añadir que el paro en el país no se resolverá ni con la demagogia de los políticos ni con la de los sindicatos.

- Lo primero que se impone es conocer las cifras reales, ya que en España hay una tasa de paro anormalmente alta, incluso en épocas que se consideraban de total ocupación, lo que indica que los registros son erróneos o fraudulentos.

- En segundo lugar, hay que aprovechar todas las potencialidades que nuestro país posee para sacarles el máximo partido tanto en la creación de empleo como en la generación de riqueza: muchos kilómetros de costa para turismo, piscifactorías, etc.; muchas horas de sol para desarrollar energías renovables hasta llegar a la independencia energética, etc.

- Y tercero, afrontar el reto con imaginación estudiando seriamente las propuestas de Rifkin u otras para adaptarlas a nuestra realidad hasta conseguir un país más justo y equilibrado.

CAP 7. ¿ERA EVITABLE LA CRISIS SIN MANUAL DE INSTRUCCIONES?

*La mayor parte de los fracasos nos vienen
por querer avanzar la hora de los éxitos*

Amado Nervo[52]

Crisis, crisis, crisis. Todo en los medios de comunicación está relacionado con la crisis. Los ciudadanos, a medida que van sabiendo más cosas, empiezan a preguntarse cómo hemos llegado a esta situación. Incluso los políticos, que eran los que tenían que haberla evitado, parecen ahora preocupados. Pero no han pasado demasiados años desde que esos mismos políticos (de todos los colores) se entusiasmaban con su capacidad de endeudamiento. Todos los ayuntamientos, comunidades autónomas y ministerios presumían de no estar del todo endeudados y en consecuencia de tener aún margen para hacerlo todavía más, como si endeudarse fuera la mejor de las políticas económicas posibles. Mi padre, que no había pasado por la universidad, y a penas por la escuela, me enseñó que cuantas más deudas se tienen, más dinero hay que pagarle al banco, y cuanto más les das a ellos menos queda para ti. Tan sencillo que puede entenderlo todo el mundo sin necesidad de ser un gran economista. Por eso mis padres ahorraron durante más de diez años antes de comprarse un piso, en el año 1974, pero una vez hecha la hipoteca tardaron solo catorce meses en acabar de pagarlo, trabajando todas las horas del mundo, con el objetivo de

---

52   Amado Nervo (1870-1919) Era un poeta modernista mejicano.

no deberles nada a los bancos. Lo que tendría que quedar claro es que a nadie le sale a cuenta pedir créditos. Dicho esto, debo añadir que a veces no hay más remedio que hacerlo, como en la compra de una vivienda o el desarrollo de un negocio, pero siempre debe ser por la mínima cantidad posible y hay que devolverla pronto, ya que en caso contrario *"acabas trabajando para el banco"* como siempre me repetía mi padre.

Desgraciadamente, esta no es la filosofía que ha imperado en nuestro país en las últimas décadas entre ciudadanos, empresas y gobiernos, ya que parecía que todos estábamos obligados a endeudarnos al máximo de nuestras posibilidades o incluso más allá, por mucho que ahora todo el mundo se lamente al ver la magnitud de la tragedia. En el presente capítulo quiero reflexionar sobre si la crisis ha sido inesperada, como un terremoto súbito, algo que nos ha cogido a traición, con nocturnidad y alevosía, para destrozarnos lo que teníamos bien construido, con lógica y sentido y común; o si por el contrario la crisis era previsible, a la vista de nuestras actuaciones. Para empezar, debemos recordar qué ha ocurrido en el mundo y qué hemos hecho, o qué hemos dejado de hacer, ya que la crisis en España tiene unas características especiales que la hacen diferente de otros lugares del planeta.

LA CRISIS MUNDIAL DE LAS HIPOTECAS SUBPRIME

La mejor descripción de qué ha sucedido con esta crisis global, la leí en el libro del Sr. Leopoldo Abadía, *La crisis ninja*. Este autor es un exprofesor jubilado del IESE que, como pasatiempo, se puso a reflexionar sobre cómo había evolucionado todo esto y escribió un informe que colgó en Internet, sin darle mayor importancia. El informe causó furor en la red y le hizo famoso de la noche a la mañana, desde entonces ha escrito cuatro libros que son cuatro maravillas por su lenguaje claro y comprensible del que tendrían que aprender muchos políticos y periodistas. Nadie como él ha sabido trasladar al público la problemática de las hipotecas basura de los Estados Unidos, que fue el detonante de la crisis, y la forma en que nos ha acabado afectando. Después de leerlo, creo que ciertamente ni los mismos responsables de la banca sabían lo que nos estaban vendiendo. Podríamos seguir más o menos el guión del señor Abadía para entender lo sucedido.

En el año 2001 hubo dos acontecimientos muy importantes: los atentados de las torres gemelas en Nueva York y la explosión de la burbuja de Internet, por tanto el dinero que se suponía fácil con las empresas tecnológicas, las llamadas *".com"*, se esfumó. El miedo a las consecuencias de estos dos acontecimientos adversos; es decir, una excelente buena intención de evitar la recesión, hizo reaccionar a la Reserva Federal, que bajó el precio del dinero desde el 6'5% al 1% en dos años, lo que supuso una fortísima expansión monetaria. Los bajos tipos de interés, más la afluencia de fondos monetarios internacionales que llegaban a los Estados Unidos, crearon las condiciones ideales para los créditos fáciles. El mayor impacto tuvo lugar en el mercado inmobiliario porque la gran demanda hizo subir el precio de las viviendas, que en diez años se multiplicó por dos. En un principio los bancos concedieron créditos a personas solventes, pero tantos años de intereses bajos y de beneficios escasos, en un mercado expansivo, les hizo suponer que el negocio se les quedaba pequeño y que debían ampliarlo, al fin y al cabo daban préstamos a bajo interés pero ellos aún pagaban menos por los depósitos de los clientes (cero por ciento si el depósito estaba en cuenta corriente).

Entonces, a alguien se le ocurrió la idea de que los bancos tenían que hacer dos cosas: la primera, conceder préstamos más arriesgados, por los que podrían pedir más intereses; y la segunda, compensar el bajo margen comercial aumentando el número de operaciones (1.000 operaciones x poco es más que 100 x poco). Para la primera parte (créditos más arriesgados), decidieron ofrecer hipotecas a un tipo de clientes que el señor Abadía llama *ninjas* (*no income, no job, no assest*), o sea, personas sin ingresos fijos, sin trabajos fijos y sin propiedades, pero que quisieran tener una casa. Puesto que el riesgo era más elevado, decidieron que les tendrían que cobrar un interés más alto. Como vemos todo dentro de la legalidad e incluso podemos suponer que su plan estaba lleno de buenas intenciones, ya que, si las cosas continuaban igual y el dinero seguía siendo fácil y abundante, los pobres (los *ninjas*) podrían adquirir las casas que nunca habían imaginado poder comprar y los ricos (los bancos) ganar dinero a espuertas con tanta hipoteca, así que todo el mundo se beneficiaba de un mercado en expansión donde el dinero circulaba fluidamente. Los bancos, entusiasmados con la idea, decidieron conceder créditos hipotecarios por importes superiores al valor de la vivienda, ya que, con el boom inmobiliario, la casa en pocos meses valdría más de la cantidad prestada; es decir, que, si todo continuaba igual, el negocio era seguro, pagara o no pagara el *ninja*. Por su parte los pobres, que habían encontrado trabajo temporal y precario en la construcción, firmaban préstamos por valor del 120% o más del precio de la vivienda, así tenían la casa y el coche de sus sueños, y podían permitirse unas vacaciones en el Caribe, convencidos de que por fin se les había hecho realidad el anhelado sueño americano. En resumen, todo el mundo ganaba y nadie parecía recordar que algún día el dinero se tendría que devolver con intereses. A este tipo de hipotecas de alto riesgo les llamaron *subprime*, para diferenciarlas de las de calidad, o sea las que se concedían a personas solventes, que era más seguro que los bancos cobrarían, a las que denominaban *prime*. El planteamiento fue bien durante algunos años, mientras los *ninja* pagaron los plazos de las hipotecas con las faenas más o menos precarias conseguidas en una economía tan dinámica.

Esas hipotecas nuevas también les sirvieron a los bancos para cumplir con el segundo objetivo que se habían propuesto: aumentar del número de operaciones. De hecho, las aumentaron tanto que se les acabó el dinero, así que tuvieron que ir a pedirles prestado a los bancos extranjeros. Una de las ventajas de la globalización es que todo el mundo puede participar de los beneficios de cualquier lugar del planeta, si sabe invertir en negocios rentables, por eso los bancos extranjeros no dudaron en prestarles dinero a los norteamericanos para algo tan seguro y rentable como vender viviendas en los Estados Unidos, ya que pensaban que si hay una cosa que nunca pierde su valor son las casas. De esta manera, nuestros bancos, y los de todo el mundo, prestaron dinero a los bancos americanos para poder participar en un negocio supuestamente seguro y rentable, que les permitiera ofrecer altos intereses a sus clientes o sea a todos los ahorradores, que pedían una alta rentabilidad por sus depósitos. Así fue como el dinero que teníamos en un banco o una caja; es decir, nuestros ahorros de toda la vida, los banqueros los mandaron a los Estados Unidos para acabar en las manos de un *ninja*, que se compraba una casa, un coche y se iba de vacaciones al Caribe, una forma curiosa de solidaridad con los pobres norteamericanos, a costa de poner los ahorros de todo el planeta en un riesgo demasiado alto. Quizá los bancos americanos sabían qué estaban haciendo; pero hay dudas de que los *ninja* lo supieran, aunque a ninguno de ellos le pusieron una pistola en el pecho para obligarles a firmar una hipoteca que les ataba de por vida; pero una cosa sí es segura y es que los ahorradores de todo del mundo no tenían ni idea de lo que las entidades financieras hacían con su ahorros; y, teniendo en cuenta cómo se ha desarrollado todo, es más que dudoso que los bancos de aquí y el mismo Banco de España supieran algo más.

Estamos ante una tremenda irresponsabilidad de todo el mundo, pero sobre todo de los mecanismos encargados de controlar el sistema financiero, que tienen la finalidad de garantizar su solvencia, pero que no vieron, o no quisieron ver, el riesgo al que se sometía el dinero de buena parte del planeta. Esos controladores no intuyeron las trampas que se inventaron para simular que cumplían con las reglas establecidas, como las llamadas Normas de Basilea, unos criterios que deben cumplir los bancos de todo el planeta y que les exigen tener un capital determinado en relación con sus activos, para evitar riesgos. Las trampas fueron una obra de ingeniería financiera que empezó haciendo "paquetes" con todas las hipotecas; es decir, que donde antes había 1000 hipotecas separadas, se hicieron 10 paquetes de 100 hipotecas cada uno, donde lo mezclaban todo: las buenas (*prime*) y las malas (*subprime*). Los bancos de los Estados Unidos vendieron rápidamente aquellos paquetes y con el dinero recibido podían justificar que cumplían las Normas establecidas sin que nadie se preocupara de qué era exactamente lo que habían comprado o vendido. Pero sí había unos organismos encargados de controlar la solvencia de todos esos bancos y empresas filiales, o sea que eran responsables de ver si lo que compraban o vendían era fiable o no, esos organismos eran las llamadas agencias de *rating* (en España la líder es Fitch Ratings), que no vieron nada y otorgaron a todos los que comerciaban con hipoteca basuras las máximas calificaciones de solvencia y seriedad (AAA), pese a que la mayor parte eran empresas creadas expresamente para limpiar los bancos de todo aquello.

La situación se lió cada vez más con la entrada en juego de otros actores que, atraídos por los altos intereses, estaban dispuestos a arriesgarse más para obtener mayores bonificaciones económicas y, para evitar que se notara que estaban vendiendo productos de mala calidad, continuaron con la ingeniería financiera. Mientras tanto las agencias de *rating* siguieron bendiciéndolo todo con la máxima calificación de solvencia. Estas agencias, que no vieron nada durante años y que hicieron el ridículo más espantoso, dándole la máxima calificación a entidades como Lehman Brothers pocos días antes de quebrar, son las mismas que ahora nos ponen el pie en el cuello, amenazan con rebajarnos la nota a países enteros y tienen a medio mundo asustado, aunque hoy día no deberían tener ningún tipo de credibilidad para cualquiera medianamente serio y además tendríamos que exigirles responsabilidades por su nefasta incompetencia. Por ineficacias menores hay empresas que han cerrado puertas, como veremos en otro capítulo al hablar de Arthur Andersen.

Todo el sistema estaba basado en creer que los *ninjas* pagarían sus hipotecas y que el mercado inmobiliario de los Estados Unidos seguiría subiendo. Pero a principio de 2007, los precios de las viviendas en aquel país se desplomaron. Entonces muchos de los *ninjas* vieron que estaban pagando por su casa más de lo que valía, según el nuevo precio de mercado, así que decidieron no seguir pagando. Automáticamente nadie quiso comprar más paquetes de hipotecas, ni de los demás productos que la ingeniería financiera había creado, y aquellos que tenían, cuando los quisieron vender para recuperar parte del dinero, no hallaron comprador. De pronto, todo el montaje se hundió, afectando no solo a los bancos norteamericanos, sino también a todos aquellos que les habían prestado dinero con el aval de las hipotecas, incluidos nuestros bancos y cajas así que, de la noche a la mañana, los ahorros que teníamos depositados perdieron un 50 o un 60% de su valor. De esta manera, el hecho de que los *ninjas* americanos dejasen de pagar sus casas en los Estados Unidos acabó afectando al mundo entero. Habíamos querido hacer negocios y sacar beneficios a nivel global, pero no tuvimos en cuenta que las pérdidas ahora también podían ser globales.

Llegados a esta lamentable situación en la que todo ha fallado, si las cosas se explicasen bien y hubiera transparencia, se podría encontrar la manera de resolverlo, pero en el caso de los bancos nadie explica la cantidad de hipotecas basuras que tiene: por una parte para no generar alarma entre sus clientes; y por otra supongo que por vergüenza, ya que nadie quiere reconocer que le han timado, así que todos ponen cara de póquer y se miran a los ojos sin hacer ni decir nada. En estas condiciones, de falta de información y desconfianza mutua, ningún banco presta dinero a otro, por las dudas de si podrá devolvérselo, lo que significa que ha desaparecido la alegría económica y ya no hay dinero para nadie. ¿Y qué ocurre si no hay dinero? Pues que no hay créditos para los clientes, ni para hacer nuevas hipotecas, ni para las empresas, con lo cual muchas instituciones lo empiezan a pasar mal y los accionistas ven que las acciones caen vertiginosamente y, si las empresas van mal, empiezan a despedir trabajadores. Mientras escribo estas líneas el país tiene más de cinco millones de parados, una cantidad difícil de asumir y de gestionar, ya que son cinco millones de familias que necesariamente deben reducir sus gastos y las demás, viendo que pueden peligrar sus puestos de trabajo, hacen lo mismo. Al caer el consumo, las tiendas compran menos a los fabricantes y estos para disminuir la producción reducen la plantilla, aumentando el paro y cerrando un ciclo vicioso del que no se sabe cómo salir.

Algunos dicen que todo esto es "la gran estafa" y se habla de 5,3 trillones (con "t") de dólares, por eso aseguran que el crac del 1929, comparado con este, es un juego de niños porque en el año 1929 muy pocos catalanes, por no decir ninguno, tenía acciones de la Bolsa de Nueva York, pero ahora todos tenemos vínculos con las hipotecas *subprime* a través de nuestros bancos y cajas. En cualquier caso, si queremos buscar responsabilidades, podríamos empezar por estas:

- Las autoridades financieras, que se limitaron a crear normas como las de Basilea, teóricamente diseñadas para garantizar la solvencia del sistema, pero que no supieron prever ni evitar la ingeniería financiera que acabó con la creación de paquetes de hipotecas basura hasta que finalmente han puesto en peligro a los mercados que tenían que proteger.

- Las agencias de *rating*, que se han mostrado incompetentes durante años al no ver nada de lo que pasaba aunque esa era precisamente su misión.

- Los consejos de administración de las entidades financieras, que tampoco se han enterado de nada y han permitido la venda de productos tóxicos a sus clientes, a los que tenían el deber de proteger por el bien de las entidades.

- Los altos directivos de bancos y cajas de ahorros, que presumían de ser ejecutivos súper modernos, agresivos, defensores de la libertad de mercado, que siempre estaban cuestionando los controles del Gobierno por coartar la posibilidad de negocio y la creación de empresas, y que se pusieron a sí mismos sueldos millonarios y *bonus* de final de año también millonarios, como si fuesen los que con sus dineros hubieran fundado los bancos. Ahora resulta que también les engañaron y tampoco se enteraron de nada (si lo hubieran sabido, sería el colmo y posiblemente habrían cometido varios delitos), así que han hundido los bancos y cajas y ya no son ni modernos, ni agresivos ni se atreven a defender el libre mercado mientras han de aceptar dinero público para rescatarles del desastre que ha supuesto su gestión. La única cosa que queda de aquellos súper ejecutivos son los sueldos y *bonus* millonarios a los que no han renunciado porque contabilizaron la ayuda estatal como ingresos, para simular que todavía eran grandes gestores. Habría que exigirles responsabilidades, ya que no hacerlo hará un daño terrible a nuestra credibilidad futura en el mundo entero. Pero España es un país donde la mala gestión no está ni penalizada ni mal vista, sobre todo cuando la hacen *los nuestros*, por eso se ha recompensado al Sr.

Rato[53] con una plaza en Telefónica tras hundir Bankia y hacer que nos cueste un ojo de la cara a cada español.

- Y, por último, el Banco de España, que hace tiempo debería haber dicho algo pero curiosamente tampoco se enteró, ni sospechó nada (como en el caso anterior, prefiero creer que no se enteraron, por más patético que resulte). Curiosamente ni reaccionó antes, cuando todos los bancos y cajas traficaban con hipotecas basura, ni parece tener nada que decir ahora cuando entidades, que han necesitado miles de millones de euros de los contribuyentes para evitar la quiebra, reparten entre los directivos que las han hundido primas millonarias para recompensar su pésima gestión.

Sería hora de que alguien pusiera un poco de orden en todo este galimatías. Se tendría que pedir responsabilidades a los que gestionaron de esta manera y a los que no se enteraron de nada. Si ha pasado todo esto durante tantos años y nadie ha visto nada, ¿para qué necesitamos todos esos organismos de "control"? ¿No será que la estructura bancaria del país necesita una profunda remodelación, empezando por el Banco de España?

¿POR QUÉ SE CREAN LAS BURBUJAS FINANCIERAS?

Hasta aquí hemos visto cómo se forman las burbujas financieras, pero veamos por qué se crean, con el ejemplo opuesto al de las hipotecas *subprime*. ¿Es razonable que alguien venda su casa a cambio de unos cuantos bulbos de flores?, pues eso ocurrió

---

53   Rodrigo Rato Figaredo (1949) es un economista español y político del Partido Popular. Ocupó el Ministerio de Economía en el Gobierno del Sr. Aznar (1996-2004). Posteriormente fue director gerente del Fondo Monetario Internacional (FMI), de donde regresó para presidir Bankia. Durante su presidencia de descubre un agujero por valor de miles de millones de euros y Bankia acaba siendo la principal causa por la que el Gobierno del Sr. Rajoy pidió a la UE el rescate de los bancos españoles. A raíz de su gestión al frente de Bankia el Sr. Rato fue nombrado, por la revista económico Bloomberg, el quinto peor presidente ejecutivo de 2012.

en Holanda en el siglo XVIIl, cuando aquel país era lo que hoy llamaríamos una superpotencia, gracias al comercio con América, y a haber desarrollado un sistema financiero ágil, eficiente y abierto al público. Holanda se convirtió en uno de los países más avanzados del mundo y aquel próspero entorno fue favorable al cultivo de los tulipanes, introducidos en Europa en 1550 desde el Imperio Otomano. Los nobles y aristócratas, maravillados por los vivos colores, los compraban para exhibirlos en sus mansiones. Como había pocos y los precios eran elevados, no todo el mundo se podía permitir el lujo de tener tulipanes en casa así que acabaron convertidos en un símbolo de estatus, y cualquier noble que no los tuviera podía ser etiquetado de mal gusto o, por lo menos, de ir corto de dinero. Entonces ocurrió un hecho insólito cuando un virus, llamado virus del mosaico, atacó los bulbos de algunos tulipanes de los que surgieron pétalos con formas y colores caprichosos. Como siempre, lo escaso se convirtió en valioso y los pocos tulipanes contagiados por el virus pasaron a ser un perfecto símbolo de distinción.

Una constante de las clases medias es su afán por aparentar que son más ricos de lo que son en realidad y ante ello los ricos reaccionan modificando sus costumbres para distanciarse de la clase media que les persigue. En el caso de los tulipanes sucedió lo mismo, pues tan pronto la burguesía empezó a ponerlos en sus jarrones, la aristocracia necesitó otras "de mayor cilindrada", como diríamos hoy, así que la aparición del virus del mosaico no pudo ser más oportuna, pues las plantas infectadas eran escasas y espectaculares, y en consecuencia bastante más caras. También empezaron a haber pedidos internacionales, pues algunos nobles franceses pidieron para sus casas, lo que solo podía significar que la moda se extendería también a Francia y el negocio crecería hasta que toda Europa acabaría pidiendo flores holandeses, así que la noticia atrajo a todo tipo de inversores y especuladores.

¿Cómo pudo formarse una burbuja especulativa con un producto tan efímero? Un tulipán florece en cuestión de una semana y se marchita con rapidez, además si un bien degenera pronto es difícil que su precio se dispare a niveles irracionales. Precisamente, para evitar la caducidad de las flores, la especulación se hacía con los bulbos. Al acabar la temporada de flores, empezaba la de los bulbos. A los holandeses se les ocurrió vender el derecho sobre el futuro de la planta. Nos puede parecer raro pero es algo que todavía hoy se sigue empleando y se denominan "contratos de futuros", que funcionan más o menos así:

- El señor "A" tiene un bulbo en el jardín de su casa. El señor "B" se lo pide por 10 florines. "A" le dice a "B" que de acuerdo pero no puede dárselo porque si lo desentierra ahora se estropeará. "B" está de acuerdo y para cerrar el trato le da 1 florín, como paga y señal para que se lo guarde y dentro de un año, cuando florezca, le pagará los otros 9. Entonces ambos firmaban un contrato ante notario y cerraban el trato.

- El precio subía rápidamente así que, antes de que la esposa de "B" se enfadara por los negocios de su marido, este buscaba a un tercer personaje, "C", a quien le proponía vendérselo. Como los bulbos ya se pagaban a 20 florines, "B" le preguntaba a "C" si quería comprar uno. "C" decía que de acuerdo pero quería verlo. Entonces "B" le explicaba que en realidad todavía estaba bajo tierra, pero le enseñaba el contrato notarial donde decía que en un año "B" lo recibiría. Entonces "B" le decía a "C" que si quería le podía pagar en efectivo 2 florines a cuenta y, cuando se lo entregara, ya le pagaría los otros 18 del precio pactado. Así se hacía el segundo trato y los dos iban a ver al notario que hacía un nuevo contrato de futuro.

- Al cabo de unos días "C" iba a ver a "D" y le decía que los bulbos se pagaban a 30 florines y que él tenía uno, así que le ofrecía vendérselo. "D" le decía que sí pero antes quería verlo y "C" le explicaba que estaba bajo tierra pero le enseñaba el contrato notarial donde decía que en un año lo tendría. El trato se cerraba con 3 florines de paga y señal y los otros 27 a pagar en un año y ambos firmaban el compromiso ante el notario.

- De esta manera se vendía una y otra vez haciendo la bola cada vez más grande hasta llegar a una floristería que estaba dispuesta a pagar 40 florines, ya que sabía que la aristocracia pagaría 50. Todos ganaban y nadie arriesgaba, ya que el noble que pagaba los 50 florines financiaba los beneficios y los pagos en cascada de los compradores que se sumaban a la cadena. Con pequeñas cantidades de uno o dos florines se podía hacer mucho dinero, ya que la única cosa que hacía falta era dar la paga y señal y revender rápidamente para asegurarse que otro cubriera el compromiso adquirido al cabo de un año.

Este sistema tan sencillo hizo que se desatara la locura entre los holandeses para hacerse con el derecho futuro sobre algún tulipán. Las variedades infectadas por el virus del mosaico, que empezaron a recibir nombres como "almirante", "general", "Alejandro el Grande", etc., aumentaron de precio por encima del resto, hasta alcanzar unos niveles astronómicos. Para hacernos una idea, en octubre de 1636, el derecho sobre un bulbo podía costar 20 florines (1 florín = 10 euros actuales), a mediados de noviembre llegaron a los 50, a finales de noviembre hasta los 100. Las compras y ventas de futuros tulipanes eran tan rentables que vender 10 bulbos suponía ganar el equivalente al trabajo de un año entero. En esas condiciones la gente ya no quiso gastar solamente 10 florines por un bulbo, sino que se comprometieron a pagar el equivalente a todos sus ahorros para comprar más de uno, ya que los contratos ante notario les garantizaban doblar la cantidad pagada en el mismo día. Todos se sentían inteligentes y ricos y ello desató la locura, pues todo el mundo quería comprar contratos de futuro de bulbos. Entre el 25 de noviembre y el 1 de diciembre los precios se estabilizaron pero después, en 12 días, pasaron de 100 a 150 florines. La rentabilidad era tan alta que muchos creyeron que era absurdo perder el tiempo trabajando en su tarea habitual, cuando las flores eran infinitamente más rentables y la única cosa que había que hacer era comprar y vender papeles hasta que, en la primavera del 1637, vencieran los contratos. Entre enero y febrero de 1637 los precios continuaron aumentando, pero a menor velocidad. El 3 de febrero llegaron al máximo: casi 200 florines. Para entender la dimensión del negocio debemos tener en cuenta que, como los tratos se hacían por varios bulbos, se podía ver individuos comprometiéndose a pagar el equivalente a 40.000 florines por 20 futuros tulipanes. Naturalmente no todo el mundo tenía ese dinero, pero nadie quería renunciar al beneficio que suponía hacerse con los derechos de unos cuantos bulbos. En 1637 se hicieron varios acuerdos que implicaban decenas de bulbos por unos 100.000 florines, una cifra que equivale a un millón de euros actuales. Incluso algunos, cegados por posteriores reventas, pagaron los bulbos con sus propiedades y posesiones. En estas condiciones no es extraño que un marinero que llegó con hambre a la cocina del barco y se comió lo que él creía que era una cebolla, cuando en realidad se estaba zampando un bulbo, por poco acaba linchado.

En febrero de 1637 se ponían a la venta los bulbos que tenían que florecer aquel año. La tan esperada venta anual arrancaba por fin y todos harían efectivos sus contratos y ganarían una cantidad ingente de dinero. Pero las ventas no fueron tan bien como se esperaba. No se sabe cuál fue el motivo, pero se barajan dos hipótesis: la primera es que los precios habían subido demasiado y, por muy símbolo de estatus que fuesen los tulipanes, todo tenía un límite.

Parece lógico que si a un aristócrata le pedían 2.000 euros por una flor, que la única función que tenía era mostrarla a sus vecinos, para hacer gala de su buen gusto y poder económico, algunos optasen por exhibirse de maneras alternativas como un concierto privado, una pintura o simplemente un vestido nuevo, porque con aquellos dineros, en la Holanda de 1637, uno se podía permitir muchos lujos. En cambio, otros piensan que las ventas fueron bajas por la peste bubónica que redujo la actividad comercial de los mercados de Haarlem. Para acabar de empeorarlo, tampoco vinieron los esperados compradores de toda Europa. En cualquier caso, la especulación de los bulbos había tenido lugar fuera del mercado real. Todo el mundo había asumido que el comprador final pagaría por la flor lo que ellos pagaban por un bulbo y nadie cuestionaba lo contrario. Estos son precisamente los peligros de especular de espaldas al mercado real. Ante unas ventas inferiores a las esperadas, los vendedores tuvieron que bajar los precios.

¿Qué ocurrió con todos los contratos firmados? "A" avisó a "B" para decirle que ya tenía el bulbo, así que podía darle los 9 florines que faltaban del contrato. "B", antes de pagar buscó a "C" para asegurarse de que le pagaría los 18 que le debía según el contrato firmado. "C" fue a ver a "D" para preguntarle si le pagaría los 27 acordados. Y como todos sabían que los tulipanes habían bajado de precio, "D" le dijo a "C" que se olvidara de cobrar los 27, ya que se había enterado de que los bulbos se pagaban a 5 florines la unidad; por tanto, no le daría 30 por un bulbo que podía comprar en la florista por 5. "C" le dijo a "B" que si "D" no le pagaba, él tampoco le daría los 18 que le debía y lo mismo ocurrió con "B" respecto a "A" con los 9 del contrato inicial. ¿Qué sucedió en estos y otros casos de importes superiores? Pues que todo el mundo fue directo al notario para denunciar el incumplimiento de los contratos. Los que tenían bulbos buscaron compradores a quien venderles sus derechos futuros, pero de la noche a la mañana tuvo lugar el efecto contrario del que había ocurrido hasta entonces: sobraban vendedores y faltaban compradores. Los precios bajaron, y ello suponía que cuanto más bajarán más se perdería o, lo que es lo mismo, más dinero se tendría que poner del propio bolsillo cuando venciesen los contratos. De golpe se desvanecieron todas las finanzas basadas en los bulbos y apareció el pánico con una reacción en cadena de sentido contrario, así que durante la caída de precios fueron pocos los que tuvieron tiempo de vender (un hecho habitual en todas las burbujas), y la mayor parte de vendedores no hallaron compradores, ya que nadie quería bulbos. Las discusiones fueron terribles y todos se reclamaban el cumplimiento de unos contratos que ellos mismos no estaban dispuestos a cumplir cuando les tocase asumir sus compromisos. Muchos llegaron a las manos y las denuncias se multiplicaron.

La situación acabó mal y las autoridades se vieron obligadas a intervenir declarando que los contratos de bulbos habían sido pura venta de humo. A veces faltaban años para las entregas así que lo mejor era declarar esas ventas como inexistentes. Pero esta solución no gustó a nadie: ni a los que esperaban cobrar, ni a los que se quedaron con la "patata caliente" después de desembolsar pagas y señales que no habían tenido tiempo de recuperar. El asunto llegó al Gobierno holandés, que ideó una solución salomónica: estableciendo que no se podía obligar a comprar en un futuro a un "precio absurdo" una cosa por la que "solo" se había dado una paga y señal. Pero no se podía dejar al propietario del bulbo sin un céntimo, así que la solución fue que, aquellos que tuviesen contratos, en el momento de su vencimiento podían abstenerse de ejercer la compra, pero estaban obligados a abonar el 10% del importe pactado. Esta fue una buena solución de creatividad financiera pero tampoco dejó satisfecho a nadie, ya que mientras el "contrato de futuro" *obligaba* a una compra o venta en una fecha determinada, la "opción" *permitía realizar o no* la compra o venta, lo que significa que el gobierno transformó de golpe, y por decreto ley, una "obligación" en una "opción", cosa que muchos consideraron un robo a mano armada, pero como era la solución gubernamental la aceptaron, o sea que los propietarios de las plantas recibieron un 10% de lo que pensaban que cobrarían y los que tenían contratos notariales tuvieron que pagar a veces un precio muy por encima del de mercado.

Por lo que respecta a las repercusiones de este asunto sobre la economía holandesa, todavía no está claro: unos hablan de colapso de los mercados, otros de recesión y quiebras financieras y los hay que le quitan importancia asegurando que se limitó a un grupo pequeño de comerciantes y artesanos. Posiblemente, los efectos sobre la economía holandesa fueron escasos, ya que la mayor parte de las entregas no se llegaron a materializar y, por tanto, estaríamos ante una sucesión de promesas de compras y ventas o sea una burbuja de contratos. Solo las pagas y señales cambiaron efectivamente de manos y nadie asumió el pago del resto. Puede ser que todo quedara en una tormenta entre unos centenares de holandeses que perdieron la cabeza durante unos meses y el susto no llegó a más, pero fue la primera constatación de los extremos a los que puede llegar una burbuja de estas características. Afortunadamente, Holanda no salió tan mal parada y hoy es un país experto en tulipanes que factura el 87% del comercio mundial de estas flores.

¿Qué podemos aprender de esta burbuja tan particular, pero que refleja fielmente la cita de Amado Nervo del principio del capítulo?

- Primero, que los pagos diferidos favorecen el aumento de los precios, al permitir comprar y vender bienes o activos con pequeñas cantidades en forma de paga y señal.

- Segundo, que es peligroso especular entre intermediarios con unos precios que nadie paga todavía en el mercado final.

- Tercero, que nadie se cuestiona si se pueden mantener los precios tan elevados, simplemente se asume que continuarán su meteórico ascenso (se puede ofrecer una casa por un tulipán si se piensa que la flor subirá de precio).

- Y, por último, que a un mercado tan expansivo acudirán profesionales de otros sectores, que abandonan sus trabajos habituales para especular.

¿Cómo son los participantes de las burbujas financieras?

¿Qué características tienen los inversores que participan en estas bacanales económicas? Fernando Trías de Bes[54] resume los 10 síntomas que presentan las personas que incurren en riesgos desmesurados. Él le llama el *Síndrome del Necio*, y cualquier persona puede contraerlo, pese a que su propagación necesita un entorno determinado, propiciado por un conjunto de factores: el primero de los cuales es que se haya vivido en una época de prosperidad, ya que difícilmente una persona actuará como un necio si no nada en la abundancia (años de opulencia, crecimiento, fácil acceso al trabajo y beneficios empresariales generalizados son algunas de las condiciones para que una burbuja llegue a dimensiones exorbitantes). El segundo factor es que haya una política monetaria expansiva, con fácil acceso al dinero, en otras palabras, con más dinero de la cuenta en circulación, ya sea por inversión pública o crédito fácil y unos tipos de interés bajos. En estas condiciones, de cantidades de dinero superiores a lo que la economía necesita para su crecimiento natural y fácil acceso al dinero, la gente se endeuda hasta el cuello para consumir o para invertir.

El apelativo *"Necio"* no se debe entender como un insulto, sino como el significado que le da a la palabra la Gran Enciclopedia

---

54   Fernando Trías de Bes (1967) es un economista y escritor catalán, especializado en mercadotecnia, creatividad e innovación.

Catalana: *que no sabe aquello que podría saber o aquello que tendría que saber*, ya que cuando haya perdido sus ahorros en una burbuja financiera se sentirá necio pensando que, informándose un poco mejor, se habría evitado la ruina y entenderá que fue un error destinar a la compra un importe excesivo e insostenible. Todos podemos resultar afectados por este síndrome, es más, todos hemos actuado alguna vez, o lo haremos en el futuro, como necios, por ser una enfermedad consustancial al ser humano y resultar más fácil contraerla que mantenerse siempre alejado de ella, ya que la tentación de ganar dinero fácil, la avaricia y el deseo de acumular son universales. Pero veamos los síntomas de este síndrome al que todos estamos expuestos.

- Síntoma 1: exceso de confianza. El *Síndrome del Necio* empieza por una profunda tranquilidad al creer que no hay nada que temer, puesto que nada puede salir mal, ya que ser *necio* implica cierta prepotencia y presunción. En temas de dinero el exceso de confianza es peligroso y un poco de prudencia es necesaria, aunque no hay que confundir la prudencia, que es buena y natural, con tener miedo.

- Síntoma 2: engaño consentido o autoengaño. El engaño no está solo en la información, sino también en la actitud con la que esta se transmite. El engaño empieza cuando se asocia la información "de hoy" a las predicciones "de mañana". Pero creerse las predicciones es más culpa de quien las escucha que de quien las hace, sobre todo si se basan en que irán a más porque es *lo que piensa todo el mundo*. *Lo que piensa todo el mundo* es la dirección hacia la que camina el rebaño, pero no convierte las cosas en ciertas. Como el ser humano es gregario y separarse del grupo provoca inseguridad, tendemos a creer que el rebaño sabe a dónde va, porque está dirigido por un pastor sabio, pero la verdad es que el pastor no es ni sabio ni tonto, sencillamente no hay pastor que dirija, ya que los movimientos de masas, incluidos los económicos, equivalen al desplazamiento de un rebaño a la deriva. Las fábulas de Esopo o de La Fontaine trataban de enseñarles eso a los niños, procurando que aprendieran desde pequeños a desconfiar de aquellos que ofrecen beneficios fáciles y rápidos, pero a los treinta años nadie se acuerda de aquellas enseñanzas y pensamos que eran sólo cuentos infantiles. ¿Cómo podemos olvidar tan alegremente que en este mundo nadie regala nada?

- Síntoma 3 y 4: envidia del beneficio ajeno y gula por el dinero. Ambas están relacionadas y por eso las juntamos, ya que tiene envidia quien tiene gula y al contrario. Todos queremos las ganancias que los demás obtienen o dicen obtener, sobre todo si creemos que las han conseguido de manera fácil. Durante las burbujas sobran los narradores de éxitos, ya que a todo el mundo le gusta explicar sus aciertos mientras oculta sus errores. La envidia de ver a otros ganar más que nosotros y la gula de no tener bastante con los ingresos propios lleva a meterse en las burbujas financieras. Además, durante las épocas de fácil acceso al dinero, muchos no le otorgan el valor real que tiene. La ambición es sana, pero la ambición desmesurada puede llegar a ser patológica. Haríamos bien de recordar que la persona más rica no es la que más tiene, sino la que menos necesita, y que la mejor inversión de futuro es el trabajo bien hecho.

- Síntoma 5: lógica irracional. Es importante entender que hay una lógica irracional cuando se ponen los ahorros en una burbuja financiera. Se trata de un fenómeno llamado *"disonancia cognitiva"* y consiste en que el ser humano, tras constatar que ha cometido un error o que puede cometerlo, selecciona sólo la información que minimiza esta posibilidad o que la niega, con el fin de reducir los desajustes entre realidad y expectativa. En temas económicos haríamos bien desconfiando de todo lo que lleve el adjetivo "nuevo", porque no suele ser nada más que viejos conceptos envueltos en explicaciones distintas. El romanticismo impregna los mercados financieros cuando se trata de buscar nombres a los productos y, con un nombre que suene bien y un buen discurso, la lógica deja de ser racional. Un supuesto aumento de rendimiento, sumado al adjetivo "nuevo" o a una brillante denominación, atrae el dinero de los inversores engañados (o auto engañados).

- Síntoma 6: confusión entre valor y precio. Una de las principales causas del contagio del *Síndrome del Necio* es la confusión entre el valor y el precio, tal como decía Machado: *sólo un necio confunde el valor con el precio*. Calcular el precio de las cosas fue uno de los primeros retos de los economistas y se basa en la teoría del valor subjetivo que les damos, por eso asimilamos los dos conceptos. En inversiones económicas productivas, no especulativas, una manera de saber si se está pagando un precio excesivo es calcular el rendimiento, es decir, el porcentaje que nos retorna respecto a lo que hemos pagado. Ello se calcula valorando los beneficios que genera con su actividad real y no por los que producirá en el futuro si aumentan los precios (que es pura especulación). Para calcularlo se puede dividir la renta que produce cada año por el precio que hemos pagado. Si hemos pagado 10.000 por una acción y proporciona unos beneficios de 1.200 anuales, su rendimiento es del 12%. Pero recordemos que toda inversión tiene un componente de riesgo y ningún método de cálculo puede eliminarlo.

- Síntoma 7: no reconocer que no se sabe. Los cracs económicos ocurren por no saber decir "no lo entiendo". Un hecho común a todas las burbujas especulativas es la convicción de que se trata de un modelo "nuevo" que justifica valoraciones que hubieran parecido un disparate en el "antiguo y superado". Los afectados por el *Síndrome del Necio* son incapaces de asumir su ignorancia para entender este punto. Además para reconocer que no se sabe hay que ser muy humilde, sabio y valiente. Debemos desconfiar de los directivos, como los que comentábamos antes de bancos y cajas, que quieran vendernos productos de nombres rimbombantes pero que sean incapaces de decirnos, en un lenguaje claro y comprensible, en qué consisten y de dónde sale el dinero. Y por supuesto, nunca compremos nada si no entendemos qué es.

- Síntoma 8: tomar excesivos riesgos. Hasta ahora únicamente hemos comprado mal y perdido algún dinero, pero si se continua, el paso siguiente será arruinarse. El secreto de las burbujas es conseguir que las personas hagan una inversión importante desembolsando solo parte del importe y la manera de conseguirlo es aceptando, como garantía para el resto, el valor del propio bien con el que se especula. A eso se le añade un efecto psicológico llamado *"percepción del precio mínimo"* que consiste en creer que hay un valor mínimo a partir del cual aquel bien es imposible que baje. En el caso de las hipotecas *subprime* el drama fue que hubo un conjunto de cajas y bancos serios y responsables que prestaron dinero de sus clientes para que personas insolventes comprasen casas a unos precios insostenibles, con la única garantía del bien sobrevalorado, que teóricamente no podía bajar de valor.

- Síntoma 9: creencia en la demanda infinita. La creación de una burbuja se parece a la de una estructura piramidal, que se basa en que los participantes recluten a más personas para que los nuevos aporten los recursos para pagar a los que entraron antes. Reciben el nombre de pirámide, porque se necesita que los participantes nuevos sean más numerosos que los iniciales (los de arriba son pocos y los de abajo muchos). Las pirámides funcionan mientras existen nuevas incorporaciones, cuando estas disminuyen los últimos de entrar se quedan sin beneficio pese a haber financiado las ganancias de los primeros.

- Síntoma 10: tardar en asumir la pérdida. Cuando los seres humanos cometemos un error y no lo aceptamos, podemos cometer otro todavía peor. Es lo que nos sucede cuando no salimos del cine, aunque la película sea pésima, porque hemos pagado la entrada, sin valorar el tiempo perdido o el mal rato que estamos pasando. Si nos equivocamos, vale la pena pagar por el error lo más pronto posible y olvidarse de él, en nuestro caso, salir del cine para evitar un error todavía peor: pasar una tarde nefasta aguantando una película mala. No querer salir del cine para aprovechar el dinero es absurdo, ya que los cuartos se gastaron en el momento en que compramos la entrada y no los recuperaremos, pero la tarde aún puede salvarse.

¿PUEDE CAER UN PAÍS EN UNA BURBUJA FINANCIERA?

Conocer las característica de este síndrome nos tendría que servir para abstenernos de entrar en burbujas financieras como las que hemos visto antes, las dos de la esfera privada donde los bancos o las personas entraban por voluntad propia. Podríamos pensar que los síntomas del *Síndrome del Necio* son propios de personas ambiciosas, sin medida ni control, pero dudamos de que una cosa así pueda ocurrirle a un Estado, ya que nos forzamos en creer que el rebaño está bien dirigido por un pastor sabio, que es el buen gobierno, una creencia racional basada en la imperiosa necesidad de pensar que hay cosas que se mantendrán inmutables por fuertes que soplen los vientos. Pero más arriba ya decíamos que la triste realidad es que no existe ningún pastor, sobre todo en temas económicos. En el caso de España, durante la época de mayor abundancia de riqueza de nuestra historia, en el siglo de oro, los Austria españoles, Carlos y su hijo Felipe II, deseosos de mantener *el imperio en el que no se ponía nunca el sol,* se endeudaron con banqueros alemanes, con préstamos que tenían unos intereses entre el 7 y el 24%, avalados con las explotaciones mineras de todo el territorio en manos de los Austria, desde el oro y la plata que venían de América hasta las minas de Almadén, la mayor reserva de mercurio del mundo. Los reyes españoles llegaron a deber el equivalente a 90 millones de euros (15.000 millones de las antiguas pesetas), así que en 1557 el rey Felipe II se declaró insolvente, proclamando la primera bancarrota oficial de un país en toda la historia de la humanidad.

Cualquiera pensará que se trata de cosas antiguas, de unos reyes metidos en guerras caras, pero que ahora eso no es posible. No estemos tan seguros. Incluso podríamos justificar aquellos reyes, que intentaban mantener una forma de vida que les había convertido en el imperio más poderoso del mundo. Pero ¿y ahora? ¿Qué buscaban los políticos españoles que nos han dejado hipotecados durante décadas? ¿Por qué han construido infraestructuras, que ni necesitamos ni nos podemos permitir, a cambio de las cuales ahora nos vemos obligados a despedir trabajadores que son los que proporcionan los servicios? ¿Por qué no vieron que estaban estirando más el brazo que la manga? ¿O sí que lo vieron y no dijeron nada? Personalmente, opino que sí lo vieron, quizá no todos pero sí la mayoría, porque resulta imposible creer que ninguno de ellos se diera cuenta cuando hacía años que, en todos los medios de comunicación, aparecían expertos en economía que insistían en que España tenía casi un 20% de población trabajando en la construcción, cuando en un país normal esta cifra no llega al 5%, y que estábamos construyendo más viviendas que Francia, Alemania e Italia las tres juntas. Por eso cuesta creerles cuando ahora dicen que la crisis les ha cogido por sorpresa. Además, todo el mundo sabe que la financiación de los ayuntamientos es un tema no resuelto en nuestro país y que una forma de conseguir ingresos es a través de recalificaciones de terrenos y licencias de obras, así que todos se apuntaron, desde los ayuntamientos y las comunidades autónomas, a los promotores y la población en general que, con dinero fácil y unos intereses bajos, nos dedicamos a comprar viviendas nuevas para mejorar nuestro nivel de vida o directamente para especular. Si observamos los municipios que tienen más problemas económicos comprobaremos que la mayor parte de ellos tienen un ayuntamiento, un pabellón polideportivo, una biblioteca o un teatro nuevos, diseñados por un arquitecto de moda y construidos con materiales nobles. Lo que ocurre es que ahora el dinero no les llega al no haber entendido que todo lo construido se tendría que acabar pagando algún día.

Pese a ello, aún hay algunos políticos que no saben qué ha ocurrido y creen que han hecho un buen trabajo, ya que posiblemente nadie les ha aclarado cuál era su función de verdad. Con una carrera hecha únicamente dentro de los partidos políticos, y sin ningún tipo de conexión con la realidad, todos pensaron que su obligación no era gestionar ni administrar los servicios públicos con los recursos disponibles, sino conseguir votos y ganar las siguientes elecciones, por eso se centraron en lo que siempre habían hecho: prometerle cosas al electorado, sin recordarle que todo lo que se hiciera habría que acabar pagándolo. Pero la culpa no es sólo de los políticos, así que lo diré tal como lo siento y sin tapujos: en este país, sin ningún tipo de cultura económica, donde cuenta más la fiesta que el trabajo y hemos recibido dineros a espuertas de las ayudas europeas, el electorado no quiere una buena gestión sino una buena fiesta, por eso quien quiera ganar las elecciones debe organizar acontecimientos llamativos y hacer obras con las que poder cortar cintas, en caso contrario la población no le votará. La economía, aquello de *"¡Es la economía, burro!"* que Al Gore le dijo al candidato Georges Bush hijo, en la campaña electoral norteamericana del año 2000, en nuestro país no le interesa a nadie y no tiene nada que hacer, por más que se empeñen los comentaristas expertos en las tertulias. Esto no es un problema sólo de los políticos, en todo caso ellos son culpables de manipular las debilidades de la ciudadanía, pero si fuésemos un país serio y nos creyésemos de verdad la democracia, no permitiríamos que nos gobernarán sin explicarnos los proyectos reales que quiere desarrollar y de done sacarán el dinero para financiarlos.

Un traje nuevo para el país

Recordemos el cuento del *traje nuevo del emperador*, que es un buen ejemplo de lo que nos ha pasado en los últimos años. Era un emperador, que vivía en un país lejano y que su máxima afición era acumular riquísimos trajes, en los que gastaba verdaderas fortunas. Un día dos charlatanes fueron a verle y le anunciaron que eran tejedores de bellas y ricas telas que además tenían una extraña propiedad: resultaban invisibles para todos aquellos que fuesen ineptos o estúpidos. El emperador, maravillado, ordenó que le hicieran un traje con aquella ropa y de esa manera podría comprobar la inteligencia de sus súbditos. Los timadores recibieron cantidades enormes de dinero para comprar sedas finísimas e hilos de oro, pero no compraron nada y solo pasaban horas junto al telar, simulando que trabajaban. Cuando el primer ministro fue a visitarles, no vio nada en el telar, pero no se atrevió a abrir la boca para no mostrar su ineptitud, ya que ocupaba un cargo tan importante. Unos días más tarde, fue el propio monarca quien visitó a los supuestos tejedores y, como es natural, quedó muy sorprendido al comprobar que él tampoco podía ver la ropa mágica, pero se cuidó de decirlo, ya que era ni más ni menos que el emperador y las dudas sobre su inteligencia habrían dañado al imperio. Este silencio solo benefició a los charlatanes que le fueron enseñando las supuestas ropas y le hablaban de los magníficos colores que tenían, mientras el monarca sonreía y asentía. De vez en cuando miraba a sus colaboradores que, por miedo de ser considerados poco espabilados, aseguraban ver los tejidos y los colores tal como decían los dos timadores. Finalmente, los supuestos tejedores hicieron saber al emperador que su traje estaba acabado y el monarca decidió estrenarlo en la siguiente celebración. Cuando empezó la ceremonia se repitió lo mismo, nadie veía la ropa pero todos decían que el traje era fantástico, fabuloso, majestuoso, hasta que una niña advirtió que el emperador no llevaba nada encima y que iba por la calle en paños menores. A mí lo que más me impresiona es el final del cuento, cuando el emperador, que hacía rato que se sentía incómodo, pensó que, ya que había empezado no podía echarse atrás y siguió caminando con paso solemne, mientras sus criados continuaban sosteniendo la invisible cola del traje imaginario.

Actualmente, tenemos muchos ejemplos de trajes nuevos del emperador, obras faraónicas que no necesitamos ni podemos pagar. Las más significativas son los aeropuertos sin aviones, las líneas de AVE que se deben cerrar por falta de viajeros, las autopistas paralelas a autovías que no usa nadie, las cárceles que no se pueden abrir por no tener funcionarios, los aparcamientos millonarios en municipios de 6.000 habitantes sin problemas de aparcamiento, los Centros de Atención Primaria gigantescos y con quirófanos, los hospitales nuevos que solo están al 30% de ocupación, los teatros locales con capacidad y equipamiento superiores a los grandes teatros de Madrid o Barcelona, y una larga retahíla de infraestructuras que solo se necesitaban en la mente de unos políticos que ansiaban inaugurar y rascar cuatro votos. Lo peor son las consecuencias de todo ello, ya que para pagar lo construido ahora no nos queda dinero ni para mantener los equipamientos como estaban antes de las ampliaciones.

Se aprendieron de memoria aquello de que lo más importante eran las personas, pero a la hora de la verdad han demostrado que no se lo creían, ya que están despidiendo a trabajadores y recortando servicios a la ciudadanía, una pésima inversión que pagaremos con creces en los próximos años o décadas. No nos debe sorprender que, como en el cuento, nadie haya sido capaz de decir que el emperador iba desnudo; es decir, que no se puede hacer una obra millonaria sin un plan de viabilidad o que no se pueden hacer aeropuertos en todas las provincias. Lo que ha ocurrido es el resultado de dos tiranías: la primera, considerarlo todo como parte del botín electoral, al que se tiene derecho por haber ganado las elecciones; y la segunda, el pensamiento único y políticamente correcto de cada momento. Estos dos criterios, limitantes del sentido común, son una amenaza para toda la sociedad, pero sobre todo para los técnicos competentes que no podían contradecir las propuestas megalómanas sin correr el riesgo de ser relegados o sustituidos por alguien *de los nuestros,* más comprometido, lo que ha llevado a una politización sin precedentes de la Administración Pública, hasta hacerla totalmente complaciente con los deseos del partido en el poder, por encima de los intereses comunitarios a los que debería servir. El efecto de tales amenazas y arrinconamientos es la causa de que nadie haya levantado la voz para decir que faltaba coherencia en la planificación, que no existían planes de viabilidad, que de ropa invisible nada de nada, que en realidad no había ropa. Como en el cuento, también aquí quien nos está haciendo ver las cosas no son los de dentro, sino los de fuera, los que pusieron el dinero para mejorar el país mientras nosotros nos lo gastábamos en ropa invisible para un traje nuevo del emperador. Esta manera de ejercer el poder, que impone el pensamiento único y lo considera todo botín electoral, es una grave deficiencia de nuestra vida política que, si no la resolvemos pronto, acabará por arrastrarnos al abismo en esta crisis o en la próxima.

El pueblo más endeudado

En un país donde todo el mundo sabe que tiene derechos pero nadie recuerda las obligaciones (la Constitución Española tiene muchos más artículos que hablan de derechos que de obligaciones); malcriados por una democracia que nos permite conseguir todo lo que queremos, con el dinero de los demás; donde las infraestructuras se hacen, no para mejorar la sociedad, sino porque el vecino las tiene y yo también tengo derecho a ellas; con unos políticos más pendientes de la aritmética electoral que de gobernar y que desprecian la economía, puede pasar de todo. Veamos un ejemplo revelador: en noviembre de 2011 apareció en los medios de comunicación que el municipio más endeudado de España era un pueblecito de Zamora (Castilla y León) que se llama "Peleas de Abajo"[55], y tiene una deuda que tardará 500 años en pagar, más o menos como si ahora hubiéramos liquidado una deuda contraída por los Reyes Católicos. El caso supone una situación extrema por el volumen de deuda por habitante, pero no por la totalidad de lo que se debe. Lo que ha pasado allí es similar a lo ocurrido en muchos otros ayuntamientos españoles.

La alcaldesa era un ama de casa, sin ninguna preparación, que se metió en política y empezó a arreglar el pueblo. La señora vio que como alcaldesa le hacían caso, las fuerzas de seguridad se le cuadraban por la calle, los bancos la escuchaban y le daban préstamos así que ella fue haciendo. Nada del otro mundo, asfaltar las calles, hacer cuatro plazas públicas, arreglar el pueblo y posteriormente,

---

55 http://www.dailymotion.com/video/xmn3g4_peleas-de-abajo-necesita-500-anos-para-pagar-deudas_news

con el boom inmobiliario, algunos proyectos urbanísticos que habrían triplicado los habitantes del municipio, más una residencia de ancianos sobredimensionada. Ella fue pidiendo préstamos, pero nadie le dijo que el dinero habría que devolverlo así que fueron pasando los años, hasta que los bancos y los proveedores, hartos de que no se les pagara ni un céntimo desde el primer préstamo otorgado, empezaron a poner denuncias y la alcaldesa fue inhabilitada. En cualquier país la inhabilitación supondría el fin de la carrera política, pero el nuestro es más sutil, así que la sentencia no le preocupó demasiado a la señora, que ya le había cogido el gusto al cargo, así que consiguió que eligieran a su hijo como alcalde y de esa manera ella continuaba moviendo los hilos de lo que ocurría.

La historia acaba, y el drama empieza, con una candidatura alternativa para echar al hijo y, cuando entran los nuevos concejales se encuentran un agujero que, dividido por el número de habitantes, les sale una deuda de casi 18.000 euros para cada uno (3.000.000 de las antiguas pesetas). El hecho puede parecer lamentable, pero la alcaldesa y su hijo llevaban 32 años en el ayuntamiento, pese a no ser los propietarios del pueblo, ni haber invertido un solo euro, ni tener los cargos asegurado de por vida, sino que el municipio está en un país democrático que permite cambiarlos si no hacen bien su tarea. ¿Por qué los vecinos no los cambiaron? Si a las elecciones se presentaron con unas siglas electorales, ¿por qué el partido tampoco dijo nada?, ¿no deberían asumir responsabilidades los partidos si sus alcaldes gestionan mal o son inhabilitados? ¿Y los técnicos municipales, dónde estaban?, ¿por qué callaron durante más de treinta años, mientras se arruinaba al pueblo? ¿Los responsables económicos de la Comunidad Autónoma tampoco vieron nada en más de treinta años? Ahora el problema de "Peleas de Abajo" ya no es de los vecinos ni del alcalde, ni del municipio, ni siquiera de la Autonomía, sino de todo el país, porque alguna cosa se tendrá que hacer mientras todo el mundo busca un culpable a quien cargar las culpas.

Multipliquemos esto mismo por los más de 8.000 ayuntamientos de España, añadámosle las deudas de las diversas Autonomías, las del Gobierno y las de los particulares, que se han hipotecado con la misma alegría, y tendremos una idea aproximada del drama que vive el país.

La infraestructura más moderna

Para entender mejor cómo se ha llegado a esta situación, veamos cómo se ha planificado la construcción de una de las infraestructuras de las que España está más orgullosa y satisfecha, y en la que han participado gobiernos de los dos colores políticos que han dirigido el país en las últimas décadas: el ferrocarril de Alta Velocidad Española (AVE). El concepto de alta velocidad se emplea para designar ferrocarriles que van a más de 250 Km/h y comporta la construcción de carriles específicos. En España se cambió la terminología habitual de Tren de Gran Velocidad (TGV) para darle una connotación patriótica (AVE) y se aprovechó para hacer las nuevas vías de ancho internacional. El primero fue el Madrid-Sevilla y comenzó en 1992, una decisión en la que hay que destacar tres componentes: un elemento sorprendente, uno paradójico y otro nunca visto hasta entonces.

- El elemento sorprendente es que la primera línea no fuera la que tenía más densidad de tránsito (Madrid-Barcelona).

- El elemento paradójico, que después de elegir el ancho de vía internacional, con el objetivo de integrar la red española con la europea, se construyó una isla peninsular de alta velocidad, en vez de empezar la modernización por las conexiones con Francia, todavía no resueltas en estos momentos.

- Por último, el elemento nunca visto era que por primera vez, desde las carreteras reales del siglo XVIII, la modernización de las infraestructuras terrestres comenzó por el Km. 0, un hecho que en la implantación del ferrocarril en el siglo XIX no se produjo hasta después de la Ley General de 1855.

La pregunta de por qué se procedió de esta manera tiene una respuesta muy sencilla: por la forma de financiación. La implantación de los primeros ferrocarriles en el siglo XIX comenzó por líneas que, en la mayoría de los casos, no preveían subvenciones públicas, por ello necesitaban que fueran las más rentables y ese es el motivo de que la primera fuera la Barcelona-Mataró, que entró en funcionamiento el 28 de octubre de 1848. A partir de 1855 se legisló la radialización y se inició una política de substanciosos subsidios presupuestarios así que desde entonces todas las líneas salieron de Madrid, sin tener en cuenta para nada la rentabilidad económica del proyecto. Lo mismo sucedió con la implantación de las autopistas en los años 60, que empezaron con un modelo de financiación por usuarios con peajes directos, en el cual tuvieron prioridad los corredores del Mediterráneo y el valle del Ebro, una tendencia que también cambió en los 80 hacia un modelo de financiación presupuestario, que tuvo por objetivo transformar en autopistas libres de peaje todas las carreteras radiales que convergían en Madrid, de nuevo sin tener en cuenta la rentabilidad.

En cambio, la creación del AVE se produce desde el principio con financiación presupuestaria, porque nadie piensa en recuperar la inversión con los ingresos de explotación, lo que obliga a conceder subsidios para soportar el coste desde el inicio. Con este sistema de financiación no se podía esperar un desarrollo diferente del que se ha producido: una red radial con principio en el Km. 0. A falta de mercado, que nunca habría hecho esta inversión, el Estado ha optado por un diseño radial. Esta es la primera diferencia entre la planificación del AVE en España y la de los demás países, que obviamente sí han tenido en cuenta los resultados económicos antes de hacer inversiones millonarias, pero no es la única. Las experiencias internacionales han demostrado que:

- Los proyectos de TGV tienen mejores resultados cuando resuelven problemas de comunicación entre corredores muy congestionados y cuando permiten optimizar las conexiones industriales, mejorando la accesibilidad al transporte de mercancías.

- La simple conexión con otros corredores, con el objetivo de promover el desarrollo regional, acostumbra a acabar con el fracaso económico del proyecto.

- La construcción de vías exclusivas para pasajeros solo tienen sentido en líneas con una densidad de tránsito muy alta y en caso contrario es más acertado construir vías de uso compatible para pasajeros y mercancías, facilitando las conexiones industriales, aunque ello comporte velocidades menos ambiciosas y costes un poco superiores.

- La mejor opción es combinar las líneas de alta velocidad, en los corredores congestionados por una gran demanda, con la mejora de las líneas de ferrocarriles convencionales, en los corredores que tienen baja densidad de tránsito.

- La localización de estaciones de alta velocidad fuera de los centros urbanos, cuando no hay conexiones multinodales adecuadas, suele acabar en fracaso.

- Las presiones políticas provocan grandes incrementos de costes y reducción de beneficios: tanto si los gobiernos nacionales ponen más énfasis en los intereses políticos que en la satisfacción de las necesidades de transporte; como si los regionales y locales presionan para conseguir estaciones de alta velocidad, aunque no tengan ningún sentido económico ni social, un elemento que aumenta el coste del proyecto y enlentece el trayecto.

- Las altas inversiones exigidas por el TGV, así como los elevados costes de funcionamiento, exigen una densidad de tránsito muy grande y en todas partes se considera que es difícil de justificar cuando la demanda estimada para el primer año está por debajo de 8 o 10 millones de pasajeros para una línea de 500 Km., distancia en la que el AVE es claramente competitiva respecto al avión y la carretera. Por eso, tan solo se tendrían que construir líneas de alta velocidad que conectasen áreas metropolitanas muy pobladas, con problemas importantes de congestión en la carretera y conexiones aéreas deficitarias.

La teoría es clara, comprensible y de una lógica económica abrumadora, además está contrastada por diversos países (Francia, Alemania, Italia, Japón, China, etc.). ¿Hemos seguido estas lecciones nosotros? Supongo que todos intuyen la respuesta, pero vayamos por partes. El AVE es la estrella de la política de infraestructuras en España, según demuestra claramente la cantidad ingente de dinero que se le ha destinado y que se continuará destinando hasta el año 2020, según el Ministerio de Fomento. ¿Recordamos lo que decíamos sobre el coste de oportunidad? Si nos gastamos el dinero en una cosa, no nos lo podemos gastar en otra. Los casi 1.800 Km. de líneas de TGV han costado unos 30.000 millones de Euros del 2010, una cantidad que es casi el doble de lo destinado a aeropuertos en toda la década del 2000 al 2010, pese a que todas las líneas transportaron unos 16 millones de pasajeros en 2009, mientras que los aeropuertos transportaron 187 millones ese mismo año, a los que hay que añadir más de medio millón de toneladas de mercancías. Lo mismo podemos decir de los ferrocarriles de cercanías, que transportan muchos más viajeros y para los que tampoco ha quedado dinero, aunque tienen unas instalaciones que dan pena por las décadas de retraso en inversiones y mantenimiento. Por lo que se refiere a las mercancías, durante la década de las grandes inversiones en AVE, la cuota de transporte de estas por ferrocarril ha caído del 7% a menos del 4%, una muy mala noticia para el bienestar social, ya que ello impide reducir la congestión de las carreteras, las emisiones de CO_2 y, además, ha evitado una mayor reducción de la siniestralidad viaria, sin mencionar que la falta de conexión entre puertos y centros logísticos, por ferrocarril, dificulta la movilidad de mercancías que llegan por vía marítima o aérea con destino a los mercados nacionales e internacionales y por tanto nos resta competitividad.

Por otra parte, España optó por comprar al exterior la tecnología ferroviaria en vez de desarrollar una propia, pese a tener los trenes Talgos que son una maravilla de la ingeniería española. Esta es otra diferencia del proyecto español respecto al resto del mundo: mientras todos los países prescinden de las señales de identidad a la hora de ponerle nombres, pero se quedan con la tecnología y con los puestos de trabajo que puedan originar; nosotros solo buscamos un nombre bien patriótico, pero sin quedarnos ni con la tecnología ni con los puestos de trabajo, una buena manera de mostrar nuestra solidaridad... con la industria y los trabajadores alemanes que hacen los trenes. Una nueva muestra de ese patriotismo de pacotilla que asegura amar a España pero sin amar ni al país ni a los españoles.

El ritmo de construcción de nuevos tramos es tan intenso que España se ha convertido en el país del mundo con más kilómetros operativos de TGV, después de la China. Esto nos lo quieren vender como un símbolo de modernidad y del poder económico español, y no como un signo de la prudencia planificadora y económica del resto de los países. Por eso a nadie le resulta paradójico que Alemania nos venda los trenes pero no construyan TGV para ellos mismos, pese a tener una densidad de población superior al doble de la nuestra. La única racionalidad constructora responde a un objetivo marcado por el presidente Aznar, continuado por Zapatero, y todo apunta a que también por el Gobierno Rajoy, que consiste en unir Madrid con todas las capitales de provincia por medio del AVE, con independencia de sus densidades de población, de si sus comunicaciones están o no congestionadas, y naturalmente ignorando cualquier racionalidad económica. Por eso no debe sorprendernos que en 2009, en todos los tramos operativos, el AVE solo transportara unos 16 millones de viajeros, o sea que, con una red tan extensa como la de Francia y Japón (en realidad en el 2010 ya era más grande que la de estos dos países), se ha transportado poco más del 5% de pasajeros que en Japón, apenas el 15% que en Francia y menos de un 25% de Alemania por InterCity Express, que tiene una red más pequeña. Todos estos países tienen más densidad y una estructura urbana más adecuada para el TGV, pero han sido más selectivos en sus prioridades de líneas y en su extensión a causa del alto coste que supone su construcción. En España, en cambio, con una estructura urbana menos propicia para el transporte por ferrocarril, nos hemos convertido en los líderes en oferta de alta velocidad, con el permiso de la China. Este alejamiento de la realidad económica es otra diferencia en la planificación de la alta velocidad española respecto al resto de mundo y tiene su origen en el hecho de que aquí el debate ha sido básicamente político y no se ha prestado atención a la rentabilidad social ni económica de la inversión. Por eso, aunque los análisis coste-beneficio sobre los resultados esperados de la línea Madrid-Sevilla mostraban que no es podía justificar económicamente, a causa de las pérdidas netas y el tránsito relativamente bajo, se construyó igualmente, ya que, por motivaciones políticas, se consideraba un símbolo de modernidad y, después de tantos años de retraso, estamos obsesionados con ser modernos. Por otro lado el AVE tiene el soporte de sus usuarios, que no saben el coste real del servicio al pagar unos precios bajos gracias a los subsidios públicos.

Así pues, los otros países que han construido redes de TGV han puesto las prioridades en cuestiones como la demanda de viajeros, la densidad de tránsito, la necesidad de transporte de mercancías y en general en cuestiones propias de una política de transportes. En cambio, en España, los criterios no han tenido nada que ver con una política de transportes (al menos no como la entiende el resto del mundo). ¿Entonces qué criterios se han seguido? Carmen Miralles-Guasch y Germà Bel creen que el desarrollo del AVE parece la consecuencia de una especie de fantasía romántica de los gobiernos de todos los colores políticos. Ya la primera línea construida, Madrid-Sevilla, obedecía al deseo de unos gobernantes, procedentes de una región postergada, de dotar a su territorio de una infraestructura ultra-moderna como símbolo de que el Sur también existe, y ahora la multitud de proyectos de ampliación responden al deseo de unos gobernantes, reafirmados en su nacionalismo español, de acercar todas las capitales de provincia a tres horas de tren con la capital del reino, y así cohesionarlo todo. Es decir, que mientras el resto del mundo invierte en función de una política de transporte establecida desde hace años, nosotros lo hacemos por romanticismo y para parecer modernos.

No deberíamos consolarnos con el hecho de que una parte de la inversión del AVE haya sido financiada con fondos de la Unión Europea, sino todo lo contrario, esas ayudas se podrían haber invertido en otras infraestructuras con mayor rentabilidad económica y social, como las redes de cercanías, de mercancías o las infraestructuras para las tecnologías de la comunicación, pero ya se sabe que *si paga usted, pediré langosta* y eso es lo que hemos hecho. No haber invertido suficiente en estas otras infraestructuras básicas será una grave deficiencia para el futuro, cuando despertemos del sueño de la alta velocidad y veamos el retraso que tenemos en todas ellas y la competitividad que nos restan.

También es preocupante que la alta velocidad genere pérdidas de explotación, como ha puesto de manifiesto la Comisión Europea, al declarar ilegales las ayudas para cubrir las pérdidas de los servicios de larga distancia, que la incluyen. Estas ayudas fueron de 248 millones de euros en 2007, y pueden haber alcanzado los 400 millones en ejercicios posteriores. Si Europa, que es quien paga, las considera ilegales, tendremos un grave problema, ya que, a medida que se vayan poniendo en servicio nuevas líneas, con densidades de transito cada vez menores, la necesidad de subvenciones aumentarán. Pese a todo se podría defender la decisión española de gestionar por motivaciones políticas y no económicas, por ser perfectamente legítima y estar en nuestro derecho de hacerlo, pero si los proyectos los pagamos con dinero europeo, sería aconsejable que nos ajustásemos a sus criterios o corremos el riesgo de que no nos vuelvan a prestar ni un céntimo más. Haríamos bien en recordar que si nosotros somos soberanos para decidir en qué nos gastamos el dinero, ellos lo son para decidir a quién se lo prestan, y dárselo a alguien que se cree un nuevo rico, para hacer obras faraónicas, que se cierran a los tres meses o tendrán pérdidas de por vida, puede generar dudas a la hora de decidir nuevas ayudas.

Todo esto me recuerda una conocida mía que siempre tenía problemas de dinero y de vez en cuando le pedía prestado a los compañeros de trabajo para poder llegar a final de mes. Quien más, quien menos se lo dejaba y ella lo acababa devolviendo. Un viernes le pidió una cantidad importante a un muchacho que tampoco iba demasiado sobrado y este, haciendo un gran esfuerzo, le prestó la cantidad solicitada. El lunes la mujer llegó muy contenta al trabajo y explicó que el sábado anterior se había comprado una televisión nueva de gran formato y de última generación. Así todo el mundo supo en qué se había gastado el dinero del pobre muchacho. ¿Se imaginan cómo acabó la cosa? Efectivamente, nunca más nadie del trabajo le prestó ni un céntimo.

Ya sé que en España la economía no cuenta y que no sabemos aprovechar ni las opciones que nos proporciona nuestra situación geoestratégica en el mundo, pero valdría la pena que lo hiciéramos porque tenemos posibilidades que ayudarían al crecimiento económico de todo el país. Cualquiera que mire un mapa político del planeta verá que la producción mundial se está desplazando hacia los tigres asiáticos y la China, ello significa que el transporte por barco pasará por el Canal de Suez hacia el Mediterráneo y, si no encuentra un puerto bien comunicado donde descargar, tendrá que continuar por el estrecho de Gibraltar hasta llegar a los puertos ingleses y holandeses, alargando tres o cuatro días más el viaje. Pero cuando encuentren un puerto en el Mediterráneo, con una conexión ferroviaria, ágil y rápida hacia Europa, podrán acortar el trayecto hacerlo más barato y aumentar su productividad con más viajes a los grandes centros de producción del Este. Cualquiera puede entender lo que esto significa: unos traslados en barco más cortos, unos transportes más económicos y unos productos más baratos en toda Europa, y por tanto muchos beneficios para todo el mundo, sobre todo para el país que gestione ese puerto y cobre un precio por cada contenedor de mercancías que vaya hacia el continente. Que España se empeñe, por cuestiones de política interna, en no construir el Corredor Mediterráneo hasta que no se hagan también otros corredores centrales, o considerar que es una infraestructura para Cataluña, es de una miopía difícil de entender para propios y extraños que pone en duda la capacidad de nuestra clase política para tomar decisiones racionales, y por lo tanto para sacarnos de la crisis.

ALGUNOS DETALLES INTERNOS

Si dejase el capítulo aquí se podría sacar una idea equivocada de la crisis, ya que hemos visto algunas situaciones internacionales y después hemos entrado en detalle en una infraestructura como el AVE, que se ha planificado de forma centralizada. Así se podría pensar que la crisis es algo que se ha generado a mucha distancia y que nosotros solo la padecemos por el balance negativo entre Cataluña y el Estado. Un razonamiento comprensible porque siempre tendemos a creer que los más cercanos serán más serios y no cometerán los errores que sí les atribuimos a los demás. Para ver si es así analizaremos un caso que se publicó en las páginas salmón de La Vanguardia en la edición de los días 31 de diciembre de 2011 y 1 de enero de 2012 y que llevaba el sugerente título de El "templo de los faraones" de Reus, sobre la construcción del edificio del 112 para atender las emergencias, que se inauguró en aquella ciudad en verano de 2010.

Los responsables de Iniciativa per Catalunya Verds (ICV), que eran los que diseñaron el edificio, por estar al frente del Departamento de Interior, le llamaron *la joya de la corona*, cuando todavía estaba en obras. En cambio para el siguiente consejero, de Convergencia y Unió, es *una obra faraónica, un lujo caro tanto por ser innecesario como por el sobre dimensionamiento de sus estructuras.* El edificio es visible a kilómetros de distancia y sirve para centralizar la atención de las emergencias en Cataluña, conjuntamente con su homólogo en Barcelona ciudad. Este tipo de infraestructuras es aconsejable que estén duplicadas para disponer de una alternativa si uno de los dos tiene un imprevisto y hay que proporcionar tota la respuesta desde el otro. Al estar duplicados, en condiciones normales, se reparten el territorio entre ambos, por tanto el de Reus es para atender al área de Tarragona y Tierras del Ebro. En total, en el edificio trabajan: una docena de teleoperadores del 112; la central de coordinación del Sistema de Emergencias Médicas, para los mismos territorios; los cuadros de coordinación de los Mossos de Escuadra y Bomberos de los mismos ámbitos; más la sala de coordinación, que es una réplica de la de Barcelona; en definitiva unas 150 personas en un día normal. El edificio tiene 15.000 m2, de los cuales 8.400 son interiores, o sea unos 60 m2 por persona. El espacio se diseñó para gestionar grandes emergencias o acoger en un momento determinado a unas 500 personas, pero incluso para esa hipótesis resulta demasiado grande. La sala de coordinación tiene una capacidad para 23 operadores, los mismos que Barcelona pero esta tiene la mitad de espacio. Viendo esto, el secretario general del Departamento de Interior dice que es una obra que está claramente sobredimensionada y asegura que no se hicieron bien los análisis de costes y beneficios ni se consultaron a los técnicos para su diseño, lo que explica que el edificio resulte tan poco funcional que necesite obras de adecuación. Ahora el Departamento de Interior busca nuevos inquilinos para llenar el inmenso espacio de una instalación cara y desmesurada, naturalmente con organismos vinculados a la gestión de las emergencias: protección civil, agentes rurales, punto de reunión del centro de coordinación operativa de las emergencias municipales, e incluso el Centro de Seguridad de la Información de Cataluña (CESICAT). La única cosa que el periódico asegura que está descartada es un centro comercial. Los anteriores responsables de ICV querían completar la atención a las emergencias con un edificio similar en Barcelona, que el Gobierno de CiU ha parado.

¿Por cuánto nos ha salido este edificio, de necesidad dudosa, según el nuevo titular de Interior y como se ha pagado? En su inauguración, el entonces Presidente de la Generalitat, José Montilla, ya dijo que era *una inversión sin precedentes en los cuerpos de seguridad civil* y la forma empleada para pagarlo ha sido el *método alemán*, lo que significa que se adjudica la obra a una constructora, que avanza el dinero y la financia, y cuando ya está en funcionamiento se retorna el dinero a la constructora con intereses. De esta manera, los 38 millones de euros en que se contabilizó el edificio se convertirán, dentro de 35 años cuando la Generalitat prevé liquidar la deuda, en 85. Pero lo que me llamó más la atención es el argumento que los anteriores gestores dan, según se desprende del diario, para defender su inversión. ¿Lo adivinan? Dicen que *es un referente de modernidad*, el mismo motivo por el que hemos hecho más Km. de TGV que ningún otro país del mundo, y además añaden otro argumento que es *la sostenibilidad*, una palabra de las políticamente correctas que a ICV les gusta mucho pero que en esta situación, de un edificio de 15.000 m^2 que es visible desde kilómetros de distancia, no sé exactamente qué quiere decir. Tampoco entiendo qué hay de moderno en hipotecar al país durante 35 años, con una infraestructura que, los que entienden del tema, aseguran que no necesitamos para nada. En otro capítulo comparo la actuación de un ladrón o un defraudador con la de un mal gestor de este tipo y digo que indudablemente prefiero a los primeros, pese a suponerles toda la buena fe del mundo a los segundos: en primer lugar porque salen más a cuenta; además cuando se descubren se pueden llevar a la justicia, hacer que devuelvan el dinero o expropiarlos y siempre queda el recurso de la cárcel; y por último, y más importante, el dinero que roba un ladrón o que desfalca un defraudador se limita al que hay en la caja o al de aquel ejercicio, pero no nos pueden hipotecar por 35 años. Y por si fuera poco, un ladrón o un defraudador que se precie nunca nos dará un argumento tan insólito como que le pareció *moderno*.

CONCLUSIÓN

Este capítulo daba para escoger entre las muchas tonterías que hemos hecho en los últimos años. Se podría haber mostrado la situación de los aeropuertos. En España ya tenemos 52 (alguna provincia tienen más de uno) para 46 millones de personas, mientras que Alemania, con 81 millones de almas, tienen 28. Sí, es lo que parece, ellos evitan construirlos, si no les ven suficiente rentabilidad, mientras nosotros los hacemos en ciudades de 50.000 habitantes, con el dinero que nos mandan, con el único objetivo que captar algún voto en las próximas elecciones. A pesar de ello, mucha gente, incluidos políticos, todavía se extrañan que en Europa no nos tomen por gente seria y se preguntan porque no nos dejan más dinero para salir de la crisis en vez de exigirnos tantos recortes. El caso es que nos hemos empeñado en ser un país moderno, pero con el dinero de los demás. Son tantos años de retraso español que ahora nos queremos poner a la cabeza de la modernidad mundial. Esto me recuerda una historia que leí y que dice más o menos lo siguiente. Hace muchos años se descubrió petróleo en la propiedad de un viejo indio que vivía a Oklahoma. Durante toda su vida el indio había sido pobre, pero el descubrimiento del petróleo le convirtió de pronto en un hombre rico. Una de las primeras cosas que hizo fue comprarse una gran limusina Cadillac, porque quería tener el coche más largo de los alrededores, también se compró un gran sombrero de copa así como ropas nuevas y lujosas. Cada día salía bien vestido y encorbatado y se paseaba con un gran puro por los pueblos vecinos para hacer ostentación de su nuevo estatus. Quería ver a todo el mundo y le gustaba que le viesen y, como era muy sociable y hablaba con cualquiera, se hizo muy popular. El hombre nunca forzó su limusina, no la chocó, ni atropelló a nadie, sino que siempre la mantuvo intacta, la razón era bien sencilla: nunca encendió el motor sino que, delante del gran automóvil, enganchó dos caballos que la arrastraban.

Así es esta nueva España, cuanto más moderna quiere parecer, más provinciana y patética se vuelve. Todavía no hemos asumido que estamos jugando en primera división, porque quisimos entrar en esta liga, por tanto estamos obligados a seguir sus reglas de juego (si nos dejan dinero, debemos poder explicarles que no lo hemos tirado en infraestructuras inútiles), a tener campos de primera división (no grandes edificios sino empresas solventes, competitivas y saneadas), jugadores de primera división (políticos competentes y con experiencia profesional y no profesionales de la política) y espectadores de primera división (ciudadanos exigentes con sus líderes, que los avalúen y se atrevan a cambiarlos si no funcionan). La palabra "crisis" en chino está compuesta por dos caracteres: uno significa "problema", el otro "oportunidad". El problema lo estamos sufriendo cada día, entre otras cosas con más de 5 millones de parados. Falta ver qué oportunidades hallaremos en todo esto, por ejemplo si sabremos aprovechar nuestra privilegiada posición geoestratégica en el mundo para liderar el desarrollo de energías renovables terrestres y marinas o crear el Corredor Mediterráneo (uno que funcione y no cinc para satisfacer a todas las CCAA) que nos conecte con Europa de forma rápida para convertirnos en el centro europeo de recepción y distribución de mercancías de todo Asia.

Las oportunidades están ahí, pero nadie nos las dará hechas, las tendremos que crear y trabajarlas nosotros mismos y tendremos que hacer cambios muy importantes o no saldremos adelante, o mejor dicho siempre iremos a la cola de Europa. Debemos trabajar con la hipótesis de que las ayudas europeas se han acabado de una vez por todas, ya que mientras tengamos dinero fácil, que no nos hemos ganado, seguiremos haciendo obras inútiles e hipotecándonos para el futuro y eso nos perjudica ante nuestros socios y competidores. Tenemos que empezar a tratar al país como una empresa, ver dónde estamos, qué queremos hacer en el futuro y empezar a estudiar cuales son nuestras fortalezas y debilidades internas, así como nuestras amenazas y oportunidades externas para poder fortalecer unas y contrarrestar otras. Solo de esta manera, y con unos políticos más profesionales, que permitan el juego y lo controlen, pero que se mantengan al margen de los proyectos faraónicos, saldremos de la crisis. Ya sé que esto no será demasiado popular, pero hay que empezar a tratar a la sociedad como a adultos y no como a menores a los que hay que tutelar. Estamos demasiado acostumbrados a que el padre Estado nos resuelva los problemas, pero de esta crisis no nos sacará, porque no puede, ya que también está hipotecado hasta la médula, así que solo nos sacarán las empresas y las personas que, trabajando más y mejor, produzcan riqueza y ahorren. Esta es la fórmula universal para salir de todas las crisis, no nos engañemos, no hay ninguna otra. Tengamos presente que, contra lo que nos han querido hacer creer, la crisis no es mundial ni mucho menos, ahora mismo hay países que están creciendo a marchas forzadas, en cambio nosotros estamos esperando, no se sabe exactamente qué. Estamos parados por no haber entendido que en este mundo globalizado si no avanzas, retrocedes, ya que los demás se mueven y te dejan atrás. Este era el riesgo de jugar en primera división, si no lo sabíamos cuando entramos ahora ya lo sabemos.

CAP. 8. LA CIENCIA
SIN MANUAL DE INSTRUCICONES

En los campos de la observación,
el azar solo favorece a los espíritus preparados.

Louis Pasteur[56]

He escogido esta frase, del gran científico francés Louis Pasteur, porque refleja fielmente las observaciones que quiero exponer sobre la ciencia, de la que desgraciadamente no puedo explicar demasiadas cosas, ya que, pese a mi titulación de médico, con mi currículum y mi trayectoria profesional, no me considero un científico. Como médico me identifico más con el Dr. Jordi Pujol Solei, expresidente de la Generalitat de Cataluña durante 23 años (1980-2003), a quien en alguna ocasión he sentido decir que él había salvado muchas vidas, por haber tomado la decisión de dedicarse a la política y no a la medicina. De todas maneras sí quiero hacer una observación que no es *"de"* la ciencia sino *"para"* la ciencia. Quiero hablar de un requisito imprescindible para cualquier científico, una cualidad que han tenido todos los hombres de ciencia, entendida esta en su sentido más amplio. Este criterio universal es la necesidad de verlo todo de una forma diferente a como lo hacen los demás, es el deseo de buscar nuevos caminos, de aclarar interrogantes, de saber cómo podrían ser las cosas si se hicieran de otra manera. Incluso me atrevería a decir que esta pauta deberíamos desarrollarla

---

56 Louis Pasteur (1822-1895) Químico e investigador francés, descubridor, entre otras cosas, del proceso de pasteurización y de la vacuna contra la rabia o hidrofobia.

no solo para ser científicos, sino para toda nuestra vida. Este es uno de los mejores consejos que puedo dar y parar argumentarlo me remito a N. H. Kleinbaum, quizá por este nombre no les diga gran cosa, pero escribió un libro sensacional titulado *"El club de los poetas muertos"*, que fue llevado al cine magistralmente por Peter Weir y que ganó un Oscar, de las 4 nominaciones a las que aspiraba. El profesor Keating, interpretado espléndidamente por Robin Williams, les dice a sus alumnos:

Hay que esforzarse sin descanso para cambiar de punto de vista... Entonces sube de pies encima de la mesa y continúa. *He subido a la mesa para recordarme a mí mismo que tenemos que modificar constantemente la perspectiva desde la que miramos el mundo. Porque el mundo es diferente mirado desde aquí. ¿No me creen?, pues levántense y vengan a comprobarlo. Vengan, todos ustedes... Por turnos.* La lección sigue mientras los alumnos van subiendo a la mesa uno tras otro y el maestro continúa. *Si tienen ustedes alguna certeza, entonces oblíguense a sí mismos a considerar la cuestión desde una perspectiva diferente, incluso aunque eso les parezca idiota o absurdo. Cuando lean, no se limiten a lo que dice el autor, intenten analizar lo que ustedes experimentan. Tienen que esforzarse para hallar otro camino, y cuanto más tarden en hacerlo menos posibilidades tendrán de asumir sus objetivos.*

Keating acaba su exposición citando a uno de sus autores preferidos, David Henry Thoureau, que aseguraba que *la mayor parte de los hombres llevan una vida de tranquila desesperación*, una reflexión que le sirve para cerrar la exposición con uno de los grandes interrogantes que todos nos hemos hecho en algún momento a lo largo de nuestras vidas: *¿por qué resignarse a esto? ¡Salgan a la búsqueda de nuevas tierras!*

Se puede decir más alto pero no más claro. Busquemos otras maneras de ver las cosas, evitemos la complacencia de lo evidente, hagámonos preguntas, analicemos nuevos interrogantes, incluso de aquello que creamos cierto, así encontraremos nuevas respuestas que nunca habíamos imaginado. Si elegimos esta forma de actuar y de pensar, nos ocurrirá lo que dice Robert Frost[57] en su poema, que concluye diciendo:

Dos caminos divergían en el bosque,
yo opté por el menos transitado,
así cambié mi viaje completamente.

No estoy sugiriendo que seamos inconscientes ni que nos lancemos a aventuras insensatas o peligrosas, sino todo lo contrario, estoy convencido de que para tener una vida rica y plena, no hace falta ponerse en peligro constantemente con drogas, deportes peligrosos, sobrepasando los límites de velocidad o con otros riesgos innecesarios, como lo demuestran muchos pensadores, científicos e intelectuales a lo largo de la historia. Para mostrarlo me basaré en algunas personas que se empeñaron en ver las cosas de otra manera y ello les permitió hacer aportaciones a la humanidad con las que trascendieron a su tiempo. Es el espíritu científico en acción, que constantemente se cuestiona el porqué de las cosas hasta que logra cambiarlo todo. Veremos que muchas veces no son situaciones extraordinarias, ni hablamos de los grandes exploradores que hicieron proezas sobrehumanas, incluso llegando a poner en peligro sus propias vidas y las de sus compañeros como Scott, Amundsen o, mi preferido, Shackleton, tampoco nos referimos a los grandes enigmas de la humanidad, de hecho casi nunca lo son. Algunas de las situaciones eran conocidas desde hacía años, incluso de toda la vida, pero nunca antes se les había prestado atención, hasta que llega alguien que se hace preguntas: ¿qué?, ¿cómo?, ¿por qué? Entonces, bajo la perspectiva de una mirada crítica, que busca e investiga incansablemente, todo cambia; hasta darse a sí mismo, y darnos a todos, nuevas respuestas a las preguntas formuladas. Pero desengañémonos, cuando el científico halla una explicación, habitualmente

---

57   Robert Frost (1874-1963). Poeta norteamericano.

viene acompañada de muchos más interrogantes, así es la ciencia. La vida del científico es la insatisfacción constante por el deseo de saber, de aprender y de mejorar, pero como decía Séneca: *nunca se descubriría nada si nos considerásemos satisfechos con las cosas descubiertas.*

LA INCOMPRENDIDA MENTE DE CIENTÍFICOS E INNOVADORES

¿Qué es lo que ocurre en la mente de esas personas tan especiales?, ¿qué las diferencia del resto?, ¿por qué cuando miran, ven diferente de los demás?, ¿por qué cuando escuchan, oyen distinto? La mente del científico y del innovador siempre me ha maravillado, es fantástica, enigmática y poco comprendida, por eso no hay ningún axioma científico que no haya sido criticado en un momento u otro. Las primeras fases de un nuevo descubrimiento pueden parecer puras tonterías o todavía peor y no despertar más que la incredulidad, el rechazo y la crítica. Todas estas reacciones no son de personas mal intencionadas, sino todo lo contrario, provienen de gente honesta, que no tienen ninguna animadversión contra la ciencia, pero les falta la imaginación y la audacia para creer que los hechos puedan ser distintos de como los han visto siempre. Afortunadamente Averroes[58] ya nos advirtió hace algunos siglos de que *cuatro cosas no pueden ser ocultadas durante mucho tiempo: la ciencia, la estupidez, la riqueza y la pobreza,* así que finalmente la ciencia se acabará imponiendo, adoptaremos el nuevo avance científico, la mejora tecnológica o entenderemos mejor un fenómeno poco comprendido, hasta que otra mente prodigiosa nos vuelva a maravillar con un nuevo hallazgo, en un ciclo sin fin en el que la ciencia nos va descubriendo en cuentagotas la magnitud de nuestra ignorancia. Veamos algunos casos de tal incomprensión.

---

58   Averroes fue un médico andalusí y profesor de filosofía y de leyes islámicas, matemáticas, astronomía y medicina que vivió en el siglo XII.

Pensemos por un momento en la mente privilegiada de uno de los grandes inventores de la historia, Thomas Alva Edison (1847-1931), un hombre admirable al que se podía ver en su laboratorio de Menlo Park atareado de un lado a otro sin poder dormir porque alguna cosa le rondaba por la cabeza. Cuando alguien se le acerca para preguntarle qué le preocupa, su respuesta es: e*stoy buscando la manera de atrapar una parte de la luz del sol en un frasco de vidrio y poderlo encender y apagar cuando quiera.* Podemos imaginarnos las prisas del pobre curioso, por salir corriendo lo más pronto posible y evitar que la locura de aquel demente se le contagiara. Hasta que, con esfuerzo, perseverancia y mucho trabajo, llega el milagro...

La misma incomprensión han tenido la mayor parte de los científicos, innovadores y descubridores famosos. Si hablamos de uno de los más indiscutibles, Cristóbal Colon, ahora todo el mundo le reconoce como el descubridor de un nuevo mundo, América, y como el artífice de uno de los mayores cambios en la historia de la humanidad, ya que la ciencia, las creencias, la civilización, la religión, la economía, todo cambió con su descubrimiento. A veces no nos damos cuenta de cómo se transformó la vida en Europa con la gesta de aquel genovés universal, pero si pensamos tan solo en nuestra alimentación actual y en como era antes del descubrimiento de América, nos podremos hacer una idea. Juan Eslava Galán[59] nos explica en uno de sus libros cómo era la dieta de la familia europea antes del descubrimiento del nuevo continente.

Ninguna familia europea que hubiera llegado a un nivel medio podía prescindir del uso, y hasta del abuso, de las especias. La pimienta, el clavo, el jengibre, la nuez moscada, se atesoraban en las arcas de las alcobas entre las joyas de las familias. La marca del rico era el consumo de platos de carne generosamente especiados. Los nuevos ricos, quizá preocupados por el recuerdo de las hambres pasadas, despreciaban todo lo que no fuera carne. Además, como se desconocía el café, el té, el limón y el azúcar, los gustos

59   Juan Eslava Galán (1948). Escritor español.

resultaban tan monótonos que solo el uso y el abuso de especias podía ofrecer cierta variedad a los platos. Las especias no solo cumplían la función de permitir la confección de cinco o seis platos diferentes a partir de la misma carne insulsa sino que, además, disimulaban sus olores y sabores putrefactos. Los cocineros llenaban los guisos de pimienta, clavo, cardamomo y nuez moscada; añadían jengibre a la dudosa cerveza; disimulaban con canela y clavo unos vinos irremediablemente avinagrados y picados: unas lacras que solo muy recientemente han superado los frigoríficos y la química alimentaria, así como los aditivos... Puestos a comparar, nosotros no sabemos lo que comemos; ellos, en cambio, sabían que comían carne podrida, pero ignoraban que desde el punto de vista dietético era un desastre y que aquellas despreciadas verduras y hortalizas, que relegaban a la mesa del pobre y al corral, eran ricas en saludables vitaminas.

No puedo releer este párrafo sin sentir un cierto asco por la descripción de la dieta y, a la vez, sin dar gracias por los bienes de los que ahora disfrutamos. No me refiero solo a los productos venidos de la otra orilla del Atlántico, sino a la posibilidad de tener cualquier tipo de alimentos del mundo, en todas las épocas del año y, lo que es más importante, en unas condiciones higiénicas y de salubridad óptimas para el consumo.

Los reconocimientos y recompensas vienen mucho tiempo después de los descubrimientos, a veces solo con el paso de los años, incluso cuando hay beneficios evidentes como en este caso. Pero antes de cualquier descubrimiento las dudas, las reticencias, las críticas y hasta las burlas son frecuentes. El mismo Colon fue víctima de todo ello y padeció un calvario hasta conseguir que creyeran en él. Catorce años le costó convencer a los reyes católicos, en realidad fue la reina Isabel la que se dejó embaucar cuando él le hizo ver que, si tenía éxito sería un gran beneficio para la corona española, pero si fracasaba ni ella ni el reino tenían nada que perder, ya que siempre podría argumentar que se trataba de un italiano loco que se había internado en la Mar Tenebrosa, como entonces se conocía al Océano Atlántico, y se había perdido. Colón, en cambio, no pudo convencer a los "sabios" de la época, que nunca se creyeron lo que anunciaba aquel extranjero: que se podía navegar hacia el Oeste hasta llegar a la tierra de las especias. Ellos eran teóricos puros y todo lo que sabían lo habían aprendido en los libros, pero los libros que consultaban no decían nada sobre el continente americano, ya que era desconocido. Una gran lección la de aquellos sabios, que habían leído todos los libros del mundo, pero que nunca se habían cuestionado lo que estaba escrito. Posiblemente, en aquella época eran las personas más eruditas del planeta, pero no se les puede considerar verdaderos científicos, por no tener el espíritu de buscar la verdad sino únicamente la erudición. Ninguno de los libros que habían leído hablaba ni de la existencia de América ni de que la Tierra fuese redonda, así que descartaron todas las tesis de Colón sin pensar que algunos de los textos, como los de Ptolomeo, habían sido escritos hacía más de 1000 años. Vemos, pues que la erudición y el espíritu científico no siempre coinciden en las mismas personas, de hecho muchas veces pueden estar completamente separados y mostrarse incompatibles. Era una época en la que creían que los conocimientos eran inalterables, pues pensaban que provenían directamente de Dios, recogidos en la Biblia, por tanto dudar de ellos o simplemente cuestionarlos era poco menos que una herejía, pues ponían en duda los dictados del Creador. Incluso los acuerdos que permitieron finalmente el viaje, las llamadas "Capitulaciones de Santa Fe", en homenaje al campamento donde se realizaron, que era el lugar donde los Reyes Católicos estaban esperando la rendición de Granada, estuvieron a punto de no ser firmados por diferencias de este tipo, añadidas a las dudas que generaban las demandas de reconocimiento y de recompensa del genovés.

Si eso ocurría con los más sabios del reino, ¿qué sucedería con el ciudadano de a pie? Ahora, cuando han pasado los siglos y conocemos el resultado de la travesía, es fácil hablar de los grandes descubridores, compartir el entusiasmo de los marineros por formar parte de los pioneros, de los elegidos que iban a descubrir un nuevo mundo; es fácil entender el orgullo de los habitantes de Palos, que verían el nombre de su ciudad escrito con letras de oro en todos los libros de historia; incluso podemos entender el deseo de pasar a la posteridad de algunos de sus vecinos que tuvieron el privilegio de participar en un acontecimiento tan excepcional. Pero todo eso lo sabemos ahora desde la perspectiva de cinco siglos después, pero entonces... Si leemos el libro de Stephen Maslow sobre las memorias de Colón veremos las dificultades que tuvo para encontrar tripulación que le acompañara en el viaje, o el miedo de estos ante un proyecto que parecía un suicidio, así como la desconfianza en un almirante extranjero, sin ningún tipo de credibilidad entre los marinos de la zona. Todo ello hizo que la empresa fuese muy difícil y solo se hizo realidad cuando se apuntaron a la expedición algunos lobos de mar, muy conocidos y respetados. En la lectura veremos la salida, el viernes 3 de agosto, al romper el alba para aprovechar la marea, y comprobaremos la soledad del acto, al que las pocas personas que asistieron lo hicieron para despedirse de algún familiar o para ver como aquel grupo de desarrapados iban a un suicidio seguro. No hubo fiestas, sonrisas, ni fuegos artificiales, sino tristeza, angustia y miedo por no saber qué saldría de la insensata empresa en la que los había metido aquel italiano loco.

La incomprensión sigue a la investigación científica, como si fuera su sombra. Eso es lo que le pasa a todo el que se atreva a pensar de manera diferente a lo establecido, a cualquiera que busca fuera del camino habitual. Esta situación ocurre en todas partes y no es exclusiva nuestra. En Francia, cuando la Revolución juzgó a Lavoisier, en el juicio alguien dijo que no se podía guillotinar a un sabio tan distinguido, pero la respuesta del juez fue que: *la República no necesita hombres de ciencia.* ¿Para qué los tendría que necesitar, pudiendo disfrutar del espectáculo de unos cuantos bárbaros cortando cabezas? Sin embargo, entre nosotros la incomprensión hacia la ciencia toma proporciones epidémicas, pues son muy pocos los que se la creen y ven su necesidad. En nuestro país ni se entiende ni se acepta el espíritu científico, por eso no estamos dispuestos ni a potenciarlo ni a financiarlo. Cuando digo muy pocos, quiero decir eso, casi nadie, o sea ni las mentes más privilegiadas, como nos recuerda la cita de *que inventen ellos,* de alguien tan notable intelectualmente como Miguel de Unamuno, refiriéndose a que fuesen los europeos y no nosotros quien se dedicasen a inventar. Cuesta entender que una persona tan brillante como aquel vasco universal, pudiera mostrar en este aspecto una miopía tan acuciante, imposible de justificar en cualquier país civilizado. Además, nuestro insigne intelectual no dijo aquella sandez en un momento de distracción, como cuando hoy los micrófonos abiertos cogen a un político diciendo aquello de *menudo rollo les he soltado,* ni fue una mala tarde, de la que se arrepintió más tarde, consciente de que un país que no investiga y no inventa está condenado a la mediocridad y a la dependencia. El Sr. Unamuno era plenamente consciente de lo que decía y además lo creía a pies juntillas, por eso unos meses más tarde, a raíz de la polémica con el pensador Ortega y Gasset, pone en boca de uno de sus personajes la siguiente frase: *inventen, pues, ellos y nosotros nos aprovecharemos de sus invenciones. Porque confío y espero en que estarás convencido, como yo lo estoy, de que la luz eléctrica ilumina aquí tan bien como allá donde se inventó.* Cuesta leerlo sin ruborizarse por una estrechez de miras tan lamentable, pero sin duda se trataba de unas ideas que debían ser las de la mayoría de nuestros compatriotas a principios del siglo XX. Lo peor no es la frase del vasco, sino el argumento con el que quería fundamentarlo, al afirmar que nosotros *no tenemos un espíritu científico.*

Si nuestro país fuera más culto, no habría habido esa disputa entre los dos intelectuales con unos argumentos tan débiles, o en todo caso tendría que haber acabado el mismo año que empezó, 1906, pero nunca continuar hasta 1912, principalmente después de que otro insigne español entrara a la palestra, no de la discusión en sí, que era tarea inútil y no llevaba a ninguna parte, sino haciendo lo mejor que se podía hacer para desmentir al vasco, ganando el Premio Nobel de Medicina de 1906, después de quemarse las cejas mirando las neuronas de diferentes animales en un primitivo microscopio. En cualquier país civilizado de verdad, el hallazgo de Santiago Ramón y Cajal habría cerrado la boca al escritor de la generación del 98, que se habría comido sus palabras y, avergonzado y acomplejado, se habría disculpado públicamente, pasando una buena temporada sin decir ni pío. Pero definitivamente el nuestro no es un país ni civilizado ni normal en muchos aspectos.

EL ESPÍRITU CIENTÍFICO

¿Cómo funciona el espíritu científico? ¿Cómo es ese deseo de conocer el porqué de las cosas y de cambiarlas? ¿Qué lleva a algunas personas a fijarse en un aspecto y a preguntarse cómo mejorarlo? La declaración de Unamuno deja claro que esa mentalidad no es inherente a las personas inteligentes y comprometidas con su tiempo, ni de las eruditas, según vimos en el caso de Colon. No pensemos tampoco que son individuos raros que aparecen por generación espontánea, sino todo lo contrario. El ansia y el anhelo por saber e investigar se pueden educar y fomentar, como si fuera una planta que cultivamos, regamos y cuidamos hasta que madura y da frutos. Quizá no sepamos qué individuo concreto será el que destacará, pero si los juntamos y los estimulamos, los resultados vendrán con toda seguridad, como lo demuestra el hecho de que en determinadas épocas aparecen tantos que se habla de generaciones enteras, en España tenemos la Generación del 98 y la del 27, dos grupos de escritores, la mayor parte de los cuales habían pasado por determinadas instituciones (algunas cátedras de universidad, la residencia de estudiantes, el Ateneo, etc.) o bien habían tenido unos profesores concretos, lo que favoreció el florecimiento de la excelencia en algunos campos. Matt Ridley[60] explica que en Inglaterra hay un cuadro titulado *"Los distinguidos hombres de ciencia de Gran Bretaña en 1807-08"*, cuando el Parlamento abolió la esclavitud, donde se muestran 51 ingenieros y científicos, todos vivos aquel año, como si hubieran sido reunidos por el artista. Entre aquellos hombres se pueden ver los que hicieron:

- Los canales: Thomas Telfort.
- Los túneles: Marc Brunel.
- La máquina de vapor: James Watt.
- La locomotora: Richard Trevithick.
- Los primeros cohetes: William Congreve.
- Las prensas hidráulicas: Joseph Bramah.
- La máquina de herramientas: Henry Maudslay.
- El telar mecánico: Edmund Carwright.
- La fábrica: Mathew Boulston.
- La lámpara del minero: Humphry Davy.
- La vacuna contra la viruela: Edward Jenner.
- Los astrónomos Nevil Maskelyne y William Herschel.
- Los físicos Henry Cavendish y el conde Rumford.
- Los químicos John Dalton y William Henry.

---

60   Matt Ridley (1958). Científico británico, periodista especializado en temas científicos y escritor.

- El botánico Joseph Banks.
- El polímates Thomas Young.
- Y muchos otros hasta completar los 51 mencionados.

¿Cómo pudo un país tener tanto talento en un mismo tiempo y lugar? En realidad, es falso que fuesen todos ingleses, ya que algunos eran extranjeros, como Brunel que era francés o Rumford que era norteamericano. Pero por más brillantes que sean y más envidia que produzcan, debemos tener presente que de Watts, Davys, Jenners y Youns los hay en abundancia en cualquier país y en cualquier época, y nosotros no somos ninguna excepción, lo que ocurre es que pocas veces se juntan la libertad, la educación, la cultura, la oportunidad y el capital suficientes para permitirles manifestarse. También ahora alguien podría pintar un cuadro de los grandes hombres de Silicon Valley y cercanías y, dentro de dos siglos, se admiraría el hecho de que gigantes como Gordon Moore y Robert Noyce (Intel), Steve Jobs y Stephen Wozniak (Apple), Sergey Brin (Google), Jimmy Walas (Wikipedia), Bill Gates (Microsoft), Mark Zuckerberg (Facebook) hubieran vivido en el mismo tiempo y lugar.

El empresario de manufacturas británico de 1807, era inusualmente libre, comparado con sus equivalentes europeos y asiáticos, libre para invertir, inventar, expandirse y recoger beneficios. Su gran capital, Londres, se distinguía de las demás por estar dominada por los comerciantes más que por los políticos. También tenían un mercado global gracias a la flota británica que navegaba por los siete mares. Sus tierras rurales estaban llenas de personas libres que vendían su trabajo al mejor postor y ello permitió la aparición de todos aquellos "distinguidos hombres de ciencia". La pregunta es ¿por qué no aparecieron en otros lugares de Europa? La mayor parte del continente estaba dominada por los señores, pero también los siervos se resistían a cambiar, ya que ni ellos ni los amos tenían incentivos para ser más productivos. Incluso donde se había obtenido la libertad para comerciar y prosperar, los extorsionadores constituían legión, aparte de que las frecuentes guerras causaban estragos en el comercio. Francia, tres veces más poblada que Gran Bretaña, tenía el país dividido en tres zonas comerciales, con barreras aduaneras entre ellas; y España era un archipiélago de islas de producción y consumo locales, separadas por siglos de tarifas interiores.

Por eso era imposible que apareciesen en otros lugares si no se daban las condiciones necesarias, ya que la excelencia nunca se produce por generación espontánea, como casi nada en la vida. La mentalidad científica e innovadora es una planta frágil y necesita mucho cuidado y atención, si la cuidamos y la regamos, florecerá, en caso contrario, no. La primera escena de la película *"Una mente maravillosa"*, dirigida por Ron Howard, sobre la vida del matemático y premio Nobel de economía de 1994, John F. Nash, muestra magistralmente lo que intento decir. Cuando los nuevos profesores son recibidos en la Universidad de Princeton, en el discurso de bienvenida, el rector les pregunta: *¿quién de los presentes será el próximo Newton?, ¿quién será el ganador de un Premio Nobel en el futuro?"* La cara de los recién llegados es de circunstancias pero no hace falta añadir nada más. ¡Sí señor, una magnífica lección de cómo hacer las cosas, si de verdad se quiere que funcionen! El rector no tiene ninguna duda de lo que está diciendo y los asistentes no se ríen ante la ocurrencia ni se muestran incrédulos, todos saben que son los mejores y que están en el mejor lugar, que su máxima preocupación es su formación, sus publicaciones y su carrera, por tanto los frutos han de llegar a la fuerza. Aunque no se pueda asegurar quien será, en aquellos momentos tampoco importa. ¿Cómo trabajará el grupo a partir de entonces con la expectativa depositada y la confianza mostrada? Lo más probable es que con ese estímulo se conviertan en lo que decíamos en el capítulo sobre el trabajo, en un *grupo flexible de personas disciplinadas fijamente centradas en una visión.*

ACONTECIMIENTOS COTIDIANOS CON MUCHO QUE APORTAR

Ya hemos mencionado que con frecuencia las investigaciones pueden ser de cosas conocidas desde siempre, objetos o situaciones en las que nadie se ha fijado por ser familiares, hasta que llega alguien bien preparado que las observa de forma diferente, que se cuestiona cómo funcionan y cómo sacarles provecho. El caso siguiente trata precisamente de un hecho completamente habitual, al que durante siglos nadie había prestado atención, pero observemos el impacto que tuvo una vez analizado con la mirada de una mente inquieta.

El hombre se llamaba George De Mestral (1907-1990), era ingeniero electrónico y tenía unos treinta años. Cada tarde sacaba a pasear al perro por los campos de su Suiza natal. Un día, al regresar a casa vio que, como era habitual, tenía los pantalones y la cazadora cubiertos del fruto de los cardos llamados *bardana* o *repalassa*, igual que el pelo del pobre perro. Una situación que, todo aquel que ha paseado por el bosque, ha sufrido en un momento u otro. Los frutos de esta planta son unas bolas de pinchos que se adhieren a la ropa, a los animales o allí donde pueden y, cuanto más te mueves, más enredados se quedan, por eso en algunos lugares les llaman arranca moños, que es una descripción aproximada de lo que ocurre si se enganchan bien al pelo y se quitan sin mucho cuidado. Pero el Sr. De Mestral aquella tarde, aparte de armarse de paciencia y quitar con cuidado las molestas bolas para no estropear la ropa ni hacerle daño al perro, no se le ocurrió nada mejor que preguntarse: *¿qué las hace adherirse tan tenazmente?* y su curiosidad le hizo emplear un microscopio para investigarlo. Descubrió que los pinchos en realidad eran ganchos, una especie de garfios, que se enganchaban a los rizos de los tejidos. Aquel era el plan de la naturaleza para favorecer la reproducción y dispersión de la planta, consistente en que sus semillas, en forma de erizo, se pegarán a los animales de tierra o a los pájaros que pasaban y las esparciesen. Entonces, se preguntó si se podría diseñar algún mecanismo, basado en aquel modelo que fuese útil, y creó un sistema para abrir y cerrar de manera rápida y sencilla, consistente en dos cintas de ropa que se fijan a las superficies cosiéndolas o pegándolas. Una de las cintas tiene unas pequeñas púas flexibles, que acaban en forma de gancho y que, por simple presión, se adhieren a la otra cinta que está cubierta de tejido con bucles. Como suele ocurrir, la sociedad de la época fue reacia a la nueva idea, así que nuestro protagonista no encontró a nadie que quisiera comercializarla, cosa que no nos debe sorprender si el Sr. De Mestral explicaba que aquello era una aplicación de la gran tecnología de los cardos del campo. Por eso en 1951 aquel incomprendido acabó creando su propia compañía y patentó su producto, al que llamó Velcro®, que ha servido para cerrar todo lo que necesita ser cerrado, menos las cajas fuertes; es decir, desde zapatos o batas de escuela, hasta ámbitos tan diversos como automóviles, muebles del hogar, aparatos médicos, equipos militares y muchos otros. Sus ventas suponen más de 60.000 km. anuales del producto y pronto convirtieron a su descubridor en multimillonario.

APROVECHAR LA SUERTE

A veces se buscan respuestas durante años, pero estas se resisten hasta que un golpe de suerte viene a ayudar a la persona inquieta ofreciéndole la solución de manera casual o inesperada, como en el caso que veremos a continuación. Pero no nos engañemos, el requisito imprescindible para aprovechar los golpes de suerte es estar bien preparado, sin preparación no hay suerte que valga.

A principios del siglo XVI, Colón y otros exploradores españoles vieron que los indios sudamericanos jugaban con una pelota hecha de un conglomerado vegetal llamado látex, que era segregado por ciertos árboles, principalmente el *Hevea brasiliensis*, posteriormente conocido como el árbol del caucho. Pese a que los exploradores trajeron un poco de esta *goma india* a Europa, primero no le hallaron otra aplicación que borrar las marcas hechas por el lápiz, de ahí que todavía le llamemos *goma de borrar* aunque ahora mayoritariamente ya no se hacen de látex. Durante más de dos siglos no se le encontró ningún otro uso, a causa de que la goma cambiaba de consistencia con la temperatura: mientras con el calor se volvía blanda y pegajosa, con el frío se hacía rígida y quebradiza. Finalmente, alguien aprovechó esa cualidad, de que en caliente se pegaba bien, y tuvo la idea de dar un baño de caucho a la ropa, creando el tejido impermeable con el que se fabricaron botas, zapatos y abrigos. Con eso parecía que el trayecto comercial del caucho había llegado a su destino final.

Aquí es cuando entra en acción un personaje que, después de fracasar en el negocio familiar, se pasó la vida obsesionado por fabricar un caucho que fuera insensible a los cambios de temperatura, ya que pensaba que podría tener muchas más aplicaciones. La obsesión de Charles Goodyear (1800-1860) por ese objetivo le persiguió toda su vida, y prácticamente le arruinó la salud y la economía, hasta el punto de que tuvo que pasar algunos periodos en prisión a causa de las numerosas deudas acumuladas. Para hacernos una idea de sus desgracias sólo decir que en cierta ocasión entregó al Gobierno de los Estados Unidos un gran pedido de paquetes postales, que había impregnado con caucho para hacerlos impermeables, con lo que pretendía evitar las pérdidas de los contenidos en caso de humedades indeseadas. Pero lo que sucedió fue que, con el calor los paquetes se volvieron pegajosos y se deformaron, por tanto se tuvieron que tirar íntegramente, con el correspondiente descrédito de su empresa y la compensación económica que tuvo que abonar por daños y perjuicios.

Después de muchos intentos infructuosos tratando el caucho para evitar el efecto de la temperatura, en 1839 estaba probando qué ocurría si le añadía azufre, cuando accidentalmente una parte de la mezcla entró en contacto con una estufa caliente. Para su sorpresa el caucho no se fundió, sino que quedó seco y flexible, convertido en una especie de cuero. Inmediatamente clavó uno de aquellos trozos de goma en la parte exterior de la puerta, para exponerlo al frío de la noche. A la mañana siguiente comprobó que, pese a las bajas temperaturas, no perdía su flexibilidad ni con el frío, ni con el calor, ni con la humedad. Por fin, había hallado lo que buscaba, un procedimiento para estabilizar el caucho al que denominó vulcanización en honor a Vulcano, el dios romano del fuego. No hace falta recordar las consecuencias de la vulcanización para nuestra vida diaria, solo diré que ya en 1858 el valor de las mercancías producidas con caucho llegaron a los 5 millones de dólares, y eso era mucho antes de la aparición de la industria del automóvil, de los camiones y de los aviones que llevan en sus ruedas la mayor parte del caucho empleado hoy día.

APROVECHAR INCLUSO LOS SUEÑOS

Cuando buscamos un objetivo que nos apasiona, todos los momentos son importantes, ya sea en el despacho, en la calle o en el hogar, una mente insatisfecha a la búsqueda de respuestas no para nunca, ni de día ni de noche, y cualquier cosa, en un instante, puede servir para encontrar lo que no hemos logrado con esfuerzo y dedicación durante años.

Muchos químicos de mediados del siglo XIX, intentaban descubrir las fórmulas de la química del carbono, pero quien resolvió el dilema fue el alemán Friedrich August Kekulé (1829-1896), en

1865, pero resulta interesante como le vino la idea a la cabeza. Él mismo explicó como se le había ocurrido resolver la estructura general con las siguientes palabras:

Una agradable tarde de verano, yo volvía detrás del autobús, por las calles de la ciudad desierta... Caí en un sueño y, de pronto los átomos jugaban ante mis ojos. Hasta ahora, todas las veces que estos diminutos seres aparecían ante mí, siempre estaban en movimiento; pero hasta entonces nunca había sido capaz de descubrir la naturaleza de su movimiento. Ahora, en cambio, veía como dos átomos se unían para formar una pareja; veía como uno de grande enganchaba a dos de pequeños; como los átomos todavía mayores quedaban sujetos a tres o incluso cuatro de más pequeños; mientras que todo el conjunto giraba en torno a una vertiginosa danza. Veía como los más grandes formaban una cadena, arrastrando detrás a los más pequeños siempre en los extremos de la cadena... Ese fue el origen de la "teoría estructural".

Ese sueño, en que los átomos *formaban una cadena y los mayores se unían a tres o incluso cuatro de los pequeños*, le llevó a pensar que el carbono podían unirse formando cadenas con el hidrógeno u otros elementos. Es conocido que el carbono tiene cuatro enlaces con los que puede combinarse a otros elementos, mientras que el hidrógeno tiene uno solo, de esta manera se van uniendo unos con otros, en función de tales enlaces y formando las moléculas que definen los diferentes compuestos químicos. Entre las combinaciones más sencillas de carbono e hidrógeno, tenemos las siguientes:

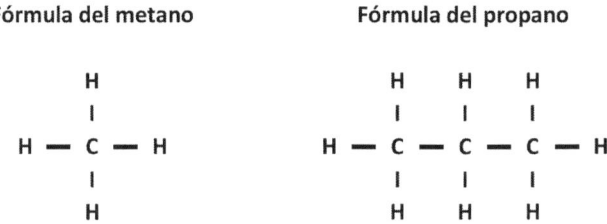

De esta manera se van combinando más carbonos e hidrógenos para formar diversas moléculas. Una muy conocida es el gas butano, que quema en muchas cocinas y estufas del nuestro país, y que tiene una fórmula compuesta por 4 carbonos y 10 hidrógenos:

Fórmula del butano

```
      H     H     H     H
      |     |     |     |
H  —  C  —  C  —  C  —  C  —  H
      |     |     |     |
      H     H     H     H
```

El descubrimiento de la estructura general fue una solución elegante a un interrogante complejo que había llevado de cabeza a los químicos durante años, pero no todos los compuestos químicos se ajustaban a esta teoría general. Uno de los que planteó más dificultades fue el benceno. El benceno es un gas volátil, aromático, ya que desprende un olor característico, que se empleaba en la Inglaterra del siglo XIX en las farolas para alumbrar las calles. El químico Faraday, que descubrió su fórmula empírica en 1825, determinó que estaba formado exclusivamente por 6 átomos de carbono y 6 de hidrógeno (C6H6), y además tenía unas propiedades muy diferentes de todos los demás compuestos formados exclusivamente por estos dos elementos pero con menos número de carbonos. Nadie había sido capaz de sugerir una fórmula satisfactoria, ya que, si se prolongaban las anteriores hasta los seis carbonos que tenía el benceno el número teórico de hidrógenos sería catorce y no los seis que había dicho Faraday. En pleno debate sobre le fórmula del benceno Kekulé tuvo nuevos sueños… Esta vez estaba en su casa trabajando en un libro, cuando se quedó dormido delante de la chimenea y entonces…

De nuevo los átomos estaban jugando delante de mis ojos. Esta vez los grupos pequeños se mantenían modestamente en el fondo. Mi visión mental (…) podía distinguir ahora grandes estructuras de conformaciones múltiples: largas filas, a veces muy cercanas, se encajaban juntas todas ellas haciendo una trenza y retorciéndose en un movimiento serpenteante. ¿Qué era aquello? Una de las serpientes se había cogido a su propia cola y la forma giraba dando vueltas rápidamente ante mis ojos. Como por iluminación me desperté; y esta vez también le dediqué el resto de la noche a elaborar la hipótesis.

Este segundo sueño, en el que la serpiente se mordía su propia cola, le llevo a proponer una nueva fórmula para el benceno, se trataba de una forma cíclica en la que los seis átomos de carbono formaban un anillo hexagonal, como se muestra a continuación.

Fòrmula del benceno

El descubrimiento, nuevamente sencillo y elegante como la naturaleza misma, no fue aceptado inmediatamente, como es habitual, pero tuvo una importancia fundamental para la industria química, tanto en lo referente al desarrollo de los colorantes como de toda la química orgánica en general. No es habitual que los científicos expliquen con tanta humildad cómo han tenido sus ideas, sino todo lo contrario, lo más común es presentarlas a bombo y platillo como el fruto de un duro esfuerzo, tanto si es verdad como para darse importancia. En cualquier caso tengamos en cuenta que los accidentes imprevistos, las casualidades y los sueños han sido también ingredientes importantes de los grandes descubrimientos. Por eso, como dijo el mismo Kekulé: *aprendamos a dormir, señores, entonces quizá hallaremos la verdad. Pero cuidado con publicar nuestros sueños antes de que hayan sido evaluados por el entendimiento despierto.* Tenía razón, con independencia de la fuente original, hace falta el análisis crítico, la racionalización de conceptos y la comprobación de resultados, antes de emitir teorías. Lo que debemos aprender es a respetar toda la información que nos llegue, incluso la de los sueños.

APRENDER DE LAS EQUIVOCACIONES

Con más frecuencia de lo que querríamos, cometemos errores, nos equivocamos y lo queramos mandar todo a paseo. Es normal que así sea, porque a nadie le gusta hacerlo, especialmente si tenemos un pariente que sabemos que nos recordará nuestro fracaso cada vez que nos veamos, no digamos si se trabaja en una de las numerosas empresas donde eso no se perdona, una de esas en las que no se progresa, ya que nadie se arriesga. Sí, todos queremos ser infalibles, pero nadie lo es, todo el mundo tienen desaciertos, así que mejor que estemos preparados para cuando ocurra porque significa que estamos haciendo algo. Sólo hay una manera de no fracasar, que es no hacer nada, pero nada más levantarnos de la cama corremos el riesgo de resbalar. Pese a ello, siempre que se pueda hay que evitarlos y corregirlos, ya que como decía Cicerón: *equivocarse es humano; pero solo los estúpidos perseveran en el error*, por eso cuando fallemos debemos corregirlo lo más pronto posible, pues en caso contrario cometeremos una falta todavía peor. No podemos evitar que algunas cosas nos salgan mal, especialmente cuando no dependen de nosotros, pero pase lo que pase, podemos aprender algo de ello. Siempre tenemos la posibilidad de sacar una experiencia nueva y así minimizar el fracaso. La única manera de perder es no aprender nada de las experiencias vividas, por eso una mente inquieta, que saca lo que hay de positivo incluso de sus errores, no perderá nunca. Además, a veces un revés contiene inmensas oportunidades. ¿No me creen?, pues sigan leyendo.

En el año 1968 el Dr. Spencer Silver (1941), de la empresa 3M, quería desarrollar una nueva cola pero quedó decepcionado al comprobar que el producto que había fabricado no pegaba con la fuerza esperada, sino que era fácil de despegar de todas partes. Imaginemos el cachondeo que habría en la empresa con el pegamento que no pegaba, que más que un descubrimiento parecía un chiste de Gila. Posiblemente el Dr. Silver no fue despedido de milagro. El nuevo producto fue rechazado por 3M durante años por inservible, hasta que otro empleado de la compañía, el Sr. Arthur Fry (1931), pensó en él por una razón puramente accidental. Los sábados el Sr. Fry cantaba en un coro de la iglesia y señalaba su libro de música, como hemos hecho todos, con pedazos de papel para facilitar una búsqueda rápida de las páginas. Pero a veces los papeles se caían y entonces tenía que buscarlas con cierta dificultad. Un día, todavía no sabe si fue por inspiración divina o porque el sermón era muy pesado, empezó a pensar en el producto del Dr. Spencer Silver y su imaginación le llevó a creer que aquel adhesivo serviría para poner las marcar en el libro de música, que se mantuviesen fijas mientras durara el oficio religiosos y después quitarlas sin que el libro quedara manchado. Trabajó en aquella idea, antes de presentarla a los responsables de marketing de 3M que, como era de suponer, no les agradó lo más mínimo, ya que no estaban seguros de que la gente necesitara una libreta de notas de enganchar en vez de una de hojas normales. Pese a todo crearon el producto, unas notas autoadhesivas de color amarillo a las que llamaron Post–It®. Las pruebas fueron un éxito allí donde los comerciales regalaron algunas muestras gratis, el resto es historia. Hoy se han hecho imprescindibles y están en todas las oficinas y en la mayor parte de hogares del mundo desarrollado.

No HACE FALTA SER LIMPIO NI ORDENADO

Estoy convencido de que ser limpios y ordenados son dos virtudes, que en casa hemos intentado inculcarles a nuestros hijos como herramientas que les deben acompañar a lo largo de la vida. Pero debo reconocer que estas cualidades no han sido siempre imprescindibles para la investigación científica, como se pone de manifiesto con las siguientes historias. Al menos, eso era lo que ocurría antes, ahora el funcionamiento de los modernos laboratorios es muy diferente y estos casos resultan impensables.

Un desorden afortunado

¿Cuantas cápsulas de Petri[61] se habrían contaminado con hongos desde que se empezaron a emplear para estudiar los microbios y se sembraron por primera vez? Seguro que muchas, pero siempre me ha sorprendido la reacción de Alexander Fleming (1881-1955) ante una placa de Petri contaminada por hongos que, en lugar de tirarla a la basura, como hacían otros microbiólogos de la época, sigue investigando y nos proporciona un descubrimiento tremendamente importante para la medicina y para la humanidad en general.

Fleming entró a estudiar en la escuela de medicina del Hospital Saint Mary de Londres y tenía la intención de dedicarse a la cirugía pero un profesor de microbiología, el Dr. Almoth Wright, le propuso quedarse en su laboratorio y ya no se movió de allí

---

61 La placa, cápsula o caja de Petri es un recipiente redondo, de vidrio o plástico, con una cubierta de la misma forma que la placa, pero un poco mayor de diámetro, para que se pueda colocar encima y cerrar el recipiente, aunque no de forma hermética. Se usa en los laboratorios para el cultivo de bacterias, hongos y otros microorganismos, poniendo en el fondo diferentes medios de cultivo, según los microorganismos que se quieren cultivar.

en toda su carrera, llegando a ser catedrático de bacteriología en 1929. Mientras sufría un resfriado, en 1922, hizo un cultivo de sus propias secreciones nasales y cuando estaba analizando las bacterias que habían crecido, le cayó una lágrima dentro del cultivo (hoy impensable). En vez de tirar la muestra, la guardó y al día siguiente observó que, en el lugar donde había caído la lágrima, había un espacio sin bacterias, lo que le llevó a la conclusión de que la lágrima contenía alguna sustancia que destruía las bacterias, pero que era inofensiva para el tejido humano. Denominó "lisozima" a esta sustancia antiséptica de la lágrima, pero concluyó que su poder antibiótico era de poca importancia, ya que solo mataba gérmenes bastante inofensivos. Pese a todo, aquel descubrimiento fue el preludio de sus posteriores hallazgos.

En el verano de 1928 estaba atareado con la investigación de la gripe. Mientras hacía una tarea rutinaria en el laboratorio, con algunos cultivos bacterianos en las placas de Petri, vio que en una de ellas había una zona anormalmente clara. El examen reveló que la zona clara rodeaba un punto del plato donde había crecido un hongo, a causa del tiempo excesivo que había estado destapado (un desorden impensable hoy día). Recordando su experiencia con la lisozima, pensó que el hongo estaba produciendo alguna sustancia mortal para las bacterias. Si no hubiera sido por su experiencia previa con la lágrima, seguramente habría tirado la placa, como habían hecho muchos otros antes que él. Pero con su antecedente lacrimal la examinó e identificó un hongo del género *Penicilium*, y por eso llamó *penicilina* a la sustancia que producía. En este descubrimiento hay varios componentes de casualidad: primero, que fuera precisamente aquel *penicilium* concreto, entre los miles de hongos posibles que podrían haber crecido en el cultivo; segundo, que en la cápsula contaminada crecieran bacterias sensibles a la penicilina; y tercero que, pese a que la penicilina es mortal para muchas bacterias, no fuera tóxica para las células humanas, ya que fue esta falta de toxicidad lo que hizo pensar a Fleming que podría convertirse en un agente terapéutico para tratar enfermedades infecciosas.

Un caso de poca higiene personal

Hay otras personas, digamos no demasiado cuidadosas con su trabajo y las normas higiénicas, que han hecho descubrimientos precisamente por esta lamentable cualidad. No lo digo para animar a nadie a ser sucios y desordenados, pero hay que reconocer que incluso en estos casos es posible conseguir cosas buenas. El descubrimiento del valor edulcorante de la sacarina se produjo en 1879 en el laboratorio químico de Ira Remsen, en la Universidad Johns Hopkins, donde trabajaba un joven científico, de nombre Constantine Fahlberg (1850-1910). Un día, mientras estaba almorzando notó la comida dulce y se lo dijo a la cocinera, esta probó la comida pero no halló nada. A continuación el científico comprobó que el pan también sabía igual, la cual cosa le hizo sospechar que aquel sabor raro tenía otro origen y que no era la comida. Intrigado se lamió la mano y advirtió que tenía el mismo gusto. Enseguida volvió al laboratorio y, después de una ojeada, llegó a la conclusión de que el dulzor provenía de una sustancia desconocida que había aparecido en el transcurso de sus investigaciones sobre la hulla, en la búsqueda de nuevos colorantes. Pronto se identificó el producto y se patentó con el nombre de sacarina.

Sorpresa en las aguas residuales

A veces no es que los científicos sean sucios o desordenados, pero no siempre pueden quedarse en el ambiente limpio y estéril de un laboratorio, sino que deben salir a buscar en los lugares más inverosímiles, ya que en cualquier sitio es posible encontrar hallazgos importantes, como le ocurrió a Giuseppe Brotzu (1895-1976), un médico especialista en higiene, que fue nombrado profesor de la Universidad de Cagliari en la isla de Cerdeña en 1932. Entonces empezó a analizar las aguas residuales de aquella ciudad. Cualquiera se preguntará porque escogió un lugar tan desagradable, pero todo tiene su explicación, ya que su intención era estudiar el papel de los antibióticos en el proceso de purificación natural de las aguas residuales. De esta manera aisló una sustancia antibiótica producida por un hongo, una variedad del *Cephalosporium acremonium,* hallado en el mar en un lugar cercano a la desembocadura de las aguas residuales de la ciudad. Esta fue la primera de las *cefalosporinas* descubiertas, un tipo de antibiótico muy efectivo, especialmente contra la fiebre tifoidea. Con el tiempo se convirtieron en algunos de los antibióticos más importantes del arsenal terapéutico disponible en la actualidad, pero no todo fue tan fácil, ya que el descubrimiento no siempre es suficiente, como comprobó el mismo Brotzu.

La triste realidad es que su hallazgo no generó ningún tipo de interés entre las compañías farmacéuticas italianas de la época, por eso publicó sus estudios en una revista llamada *"Trabajos del Instituto de Higiene de Cagliari"*, diciendo que esperaba que otros investigadores tuviesen en cuenta su trabajo, ya que él en Cerdeña no tenía ni equipo ni facilidades para desarrollarlo con éxito. El profesor comentó su hallazgo con un funcionario de la Salud Pública británica ubicado en la isla, que lo comunicó finalmente a Sir Edward Abraham (1913-1999), bioquímico de la Universidad de Oxford. Este se tomó el tema lo bastante en serio como para ponerse en contacto con el profesor italiano y le preguntó con qué periodicidad salía la revista científica. El italiano sonrió y le confesó que nunca se había publicado antes y que nunca más saldría, si no era que él mismo hallaba alguna cosa nueva que tuviera un interés parecido. ¿Se imaginan la cara de Sir Abraham, con toda su flema británica, escuchando aquella argumentación de pacotilla que no ofrecía ningún tipo de credibilidad a su interlocutor? Pero alguna cosa se olería el inglés, y no era precisamente el perfume de las aguas residuales, ya que apoyó al italiano en sus argumentos. En Oxford empezaron a hacer estudios en profundidad de las sustancias producidas por el *Cefalosporium* y hallaron varios antibióticos diferentes.

Este es un buen ejemplo de como un gran descubrimiento corre el peligro de quedar en el olvido por la estrechez de miras de los políticos y gestores, en este caso de la isla italiana, muy parecidos a la visión de vuelo gallináceo de nuestro Unamuno en temas científicos. Por suerte hay gente con más perspectiva, que analizan las cosas, buscan, investigan y tienen al lado industrias dispuestas a invertir y arriesgarse. Así es como los hospitales italianos, y los de todas partes, empezaron a consumir cefalosporinas de patentes inglesas, eso sí descubiertas con el esfuerzo y el talento italiano.

ESCUCHAR CON HUMILDAD

Es importante saber escuchar con humildad, en primer lugar porque es señal de buena educación y segundo porque, contra lo que puedan creer los eruditos de todo tipo, la sabiduría popular existe y hay que tenerla en cuenta, ya que puede ser tan rica como la de muchos grandes centros de conocimiento. Una muestra significativa es el descubrimiento de la vacunación por parte de Edward Jenner (1749-1823). La historia es bastante conocida pero, antes de recordarla, sería interesante ver el impacto de la viruela sobre la vida y la muerte de millones de personas, para valorar mejor las reacciones de los científicos de la época ante el descubrimiento.

Sabemos que millones de vidas se han salvado gracias a los antibióticos, pero todavía se han salvado más por la vacuna contra la viruela, sin tener en cuenta las otras vacunas que vinieron posteriormente y que han liberado al mundo de enfermedades que antes tenían proporciones epidémicas, con mortalidades inimaginables hoy en día o con terribles deformaciones para los supervivientes. Según el profesor Salvador Macip[62], el virus de la viruela, que tenía una mortalidad de hasta el 60% de las personas que se infectaban, es el que ha matado más humanos a lo largo de la historia. Durante el siglo XVIII morían 400.000 europeos al año a causa de la viruela. Se calcula que en el siglo XX le costó la vida a entre 300 y 500 millones de personas en todo el mundo una cifra tremenda si tenemos en cuenta que fue erradicada en 1979, pero en 1967, en plena era de los antibióticos, que hacían recular la mortalidad de la mayor parte de las patologías infecciosas, todavía se infectaron de viruela quince millones de personas de las cuales murieron dos millones.

Este era el enemigo a abatir cuando Edward Jenner entra en escena de una manera completamente fortuita, ya que su descubrimiento no fue el resultado de largos y penosos trabajos de laboratorio. A la edad de 19 años una amiga campesina, ordeñadora de vacas, le dijo que ella nunca podría enfermar de la viruela humana, ya que había sufrido la *vaccinia*, también llamada viruela de las vacas. Casi dos siglos después se vería que esta última era causada por un virus de la misma familia que el de la viruela, pero producía una forma leve de enfermedad, sin la mortalidad asociada, y dejando una inmunidad cruzada que protegía contra la viruela. La historia no dice la relación que tenía con la campesina, ni nos interesa, pero a lo largo de la edad media los trovadores cantaron a la belleza de las campesinas, posiblemente porque al no padecer la viruela no les quedaba la cara marcada o deformada, por lo que debían ser más hermosas que la mayor parte de las muchachas de ciudad. En cualquier caso, Jenner recordó lo que le había dicho su amiga cuando después, como médico, tuvo que reconocer la inutilidad de intentar

---

62   Salvador Macip (1970) médico, investigador y escritor catalán.

curar a los afectados por la viruela. Cuando se puso a investigar vio que efectivamente las ordeñadoras de vaca casi nunca padecían la enfermedad humana, ni siquiera cuando cuidaban a pacientes que sí la sufrían. Entonces se le ocurrió la idea de inocular la *vaccinia* a las personas para evitar que contrajeran la forma humana de la enfermedad mucho más mortal. Tuvo una intuición acertada al reconocer el valor de la información que le había transmitido la campesina, y supo hacer un buen uso de ella.

Pero a estas alturas ya sabrán que las cosas no son nunca fáciles, y menos para un joven que empezaba y tenía una idea mejor que el resto de sus colegas, más experimentados y famosos. Jenner era un médico de 21 años, cuando empezó su relación con la viruela, la gran bestia negra a la que nadie se había atrevido a frenar. Su maestro, el doctor John Hunter, uno de los médicos más prestigiosos de Londres mostró poco interés por las propuestas de su discípulo, así que tuvo que empezar a investigar por su cuenta, ya que nadie le hacía caso. Se fue al condado de Gloucester, donde los campesinos le confirmaron que, como ya habían tenido la viruela de las vacas, no podían padecer la humana. En mayo de 1796 inoculó la *vaccinia* a un niño de ocho años, James Phipps, a partir de las vesículas de las manos de una ordeñadora. Posteriormente en el mes de julio del mismo año, el niño fue inoculado de nuevo, pero esta vez con la viruela humana y, tal como había pronosticado, no desarrolló la terrible enfermedad. La vacunación estaba en marcha.

Ahora parece un descubrimiento maravilloso pero, ¿cómo pudo convencer al niño y a sus padres para asumir el riesgo que suponía aquella iniciativa? Puede que empezara una epidemia de viruela en la zona y eso hizo decidir a unos padres desesperados. En cualquier caso, el resultado positivo con James Phipps fue muy favorable para las tesis de la vacunación, pero temiendo la indiferencia de la clase médica, decidió esperar un segundo experimento antes de anunciar su éxito, sin embargo no pudo llevarlo a cabo hasta pasados dos años. Después de la segunda inoculación satisfactoria preparó una presentación para anunciar su descubrimiento y regresó a Londres dispuesto a repetirlo allí. Podríamos pensar que esta vez, con la experiencia acumulada y el éxito frente a un enemigo tan letal sí le escucharían y las cosas irían mejor, ¿no es cierto?, pues no, ni mucho menos, la mente humana es tozuda y el trabajo más duro del mundo es cambiar la opinión de las personas frente a una nueva idea. Durante tres meses de arduos intentos, no encontró a nadie que le mostrase suficiente confianza como para dejarse inocular, así que no tuvo más remedio que regresar a casa abatido. Sí que hubo un médico del hospital Saint Thomas de Londres, el Dr. Henry Cline, que hizo varias inoculaciones siguiendo las recomendaciones de Jenner, y comprobó la eficacia del método pero, aunque informó a la clase médica, tampoco a él le hicieron caso.

La vacuna sufrió dos contratiempos más que retasaron su aceptación. El primero fue la oposición frontal del distinguido cirujano J. Ingenhousz, que le criticó severamente y ello propició que muchos médicos se pusieran en contra durante bastante tiempo. El segundo fue todavía más trágico, ya que un médico imprudente, de nombre George Pearson, sin ningún conocimiento ni experiencia al respecto inoculó pacientes con una sustancia contaminada, por el deseo de obtener la fama de ser el descubridor de la vacuna, causando varias erupciones parecidas a la viruela y, como es natural, la población se asustó. Jenner tuvo que demostrar que la sustancia de Pearson estaba contaminada antes de tranquilizar a la ciudadanía y de que finalmente las noticias del éxito de la *vaccinia* pura se difundieran por todo el mundo.

Sorprende la pasividad y la reticencia de la clase médica respecto a aquel joven colega, que solo les transmitía las creencias ancestrales de los campesinos, unas ideas que eran fácilmente comprobables con una pequeña estancia en diferentes lugares donde vivieran ordeñadores de vaca y contrastando la información, que de hecho es lo que hizo él, siendo más joven e inexperto que la mayoría de sus colegas. Todo ello me recuerda lo que explica Antoine de Saint-Exupéry, en su libro "El Principito", de que otorgamos credibilidad a las personas según las apariencias externas. Recordemos que el Principito explica que el primero que vio su planeta por el telescopio fue un astrónomo turco, que lo presentó en un Congreso Internacional de Astronomía, pero nadie le creyó porque iba vestido con la ropa tradicional turca. Después un dictador de aquel país impuso la indumentaria europea así que, cuando el astrónomo volvió a presentarlo le creyó todo el mundo por ir vestido de manera muy elegante. Jenner no era turco pero no cuesta imaginarse a los miembros del *establishment* médico de Londres indignados con aquel joven, recién salido de la facultad, que quería aleccionarles sobre una enfermedad que nadie había sido capaz de curar, y él tenía la osadía de asegurar que podía conseguir que nadie la cogiera. ¿Qué se había creído el muy impertinente? Allí estaban las mentes más privilegiadas de la clase médica y él no era más que un chiquillo recién licenciado de la facultad haciendo propuestas absurdas basadas en leyendas populares de los campesinos. ¿Para qué iban a perder el tiempo con aquello?

Jenner no era turco, pero sí había un antecedente turco de la vacunación que él desconocía. El efecto de la vaccinia para evitar la viruela humana era conocido desde hacía muchos años en diversos lugares del planeta. En la antigua China se inoculaba por aspiración nasal con polvo de las costras de las lesiones o haciendo una pequeña escarificación en la piel sobre la que se colocaba directamente la secreción pustulosa, lo que confería la inmunidad. Un personaje europeo tuvo conocimientos de algunas de estas prácticas antes de que Jenner empezara sus investigaciones, era Lady Mary Wortley Montague, esposa del embajador británico en

Turquía, que observó que la inoculación era habitual en aquel país desde principios del siglo XVII. La mujer era muy sensible a los estragos de la viruela porque la había sufrido ella misma y le había dejado toda la cara llena de marcas, y además había perdido a un hermano víctima de la enfermedad. Por eso, cuando llegó a Constantinopla en 1717, y supo de la inoculación, una de las primeras medidas que tomó fue inocularse a ella misma y a sus hijos. En una serie de cartas a una amiga la embajadora dejaba constancia de esa práctica y cuando más tarde, en 1721, el matrimonio regresó a Inglaterra, ella se dedicó a dar a conocer este procedimiento preventivo. En agosto de 1721 se hizo un ensayo de inoculación con unos conejillos de Indias muy especiales: seis criminales condenados a muerte, que sobrevivieron a la prueba y, gracias a su contribución, se les perdonó la vida. Tras ese antecedente pasó a inocular a los hijos de la princesa de Gales, con tanto éxito que prácticamente todas las familias reales europeas hicieron lo mismo. ¿Cómo es posible que los médicos no continuarán esta línea de actuación y que sus reticencias hicieran caer la inoculación en desuso hasta que Jenner volvió a emplearla? ¿Cómo pudieron pasar por alto estos antecedentes en la lucha contra un enemigo tan letal?

LO QUE ESCONDÍA EL JUEGO

Otro de mis héroes es un muchacho de 18 años, estudiante de química que, durante las vacaciones de Semana Santa de 1856, se puso a hacer pruebas en su laboratorio casero, ya que uno de sus profesores, el Dr. Hoffman, les había dicho en clase que sería fantástico poder elaborar quinina artificialmente, ya que este fármaco (el único efectivo contra la malaria), solo se obtenía de la corteza del árbol *cinchona* que crecía en las Indias Occidentales. Un joven experimentando con su juego de química en el garaje de su casa, no parece un mal comienzo…

William Henry Perkin (1838-1907), con la inocencia que proporciona la juventud, se propuso sintetizar quinina a partir de la toluidina, un derivado del alquitrán de hulla, mediante el método *de adición y substracción* entonces muy popular. Partiendo de la fórmula de los dos productos, el joven pensó que sería suficiente con añadir a la toluidina un cierto número de átomos de carbono e hidrógeno, hasta llegar a los átomos que tenía la fórmula de la quinina. La ingenuidad del joven todavía es más patente si se piensa que en aquel momento Friedrich August Kekulé aún no había sugerido como se unían los átomos para formar las estructuras tridimensionales de las moléculas, y además que la fórmula de la quinina no se determinó hasta 1908 y su síntesis desafió a los mejores químicos hasta 1944. Nada de esto detuvo al muchacho, que había pensado una estrategia sin tener en cuenta los fundamentos del proceso. El resultado solo podía ser un desastre seguro, pero al fin y al cabo la Semana Santa pasaría pronto...

Un Perkin lleno de entusiasmo, llevó a término las reacciones previstas, primero añadiendo tres carbonos y cuatro hidrógenos a la toluidina y después empleando un poderoso agente oxidante. El resultado que obtuvo, no era quinina, sino un barro rojizo muy decepcionante. En vez de abandonar, el joven hizo gala de su pasión y volvió a probar, pero ahora con un material más simple, ya que cambió la toluidina por una anilina. Esta vez el resultado todavía fue peor que el anterior, ya que se trataba de un sólido de color negro. Antes de tirarlo a la basura, comprobó que el agua y el alcohol empleados para lavar el frasco se volvían de color morado. Cualquier otro no le habría dado más importancia a un resultado tan distinto del que buscaba, pero él quedó fascinado por el hallazgo, así que el joven aprendiz de químico probó las soluciones moradas y vio que teñían la roba. ¡Fantástico, ahora su madre se pondría hecha una fiera! Pero él no pensó en su madre, sino en que había encontrado una manera práctica de extraer un colorante morado a partir de la mezcla negra. Envió una muestra de su colorante sintético a una fábrica de tintes británica para probarlo en la seda y el algodón, y los resultados fueron muy prometedores. (¿Si hubiera vivido aquí, habría tenido la misma facilidad para enviarlo a una fábrica?, y lo que es más importante ¿alguien se habría arriesgado a perder dinero con el experimento de un estudiante de primer año de química?). Pero veamos las consecuencias que tuvo su hallazgo.

Su ingenuo intento de sintetizar quinina condujo a la producción accidental del primer colorante artificial. Con el entusiasmo de la juventud y una visión comercial digna de un magnate, decidió patentar su fórmula, construir una fábrica y entrar en el negocio de los colorantes. El profesor Hoffman estuvo en contra, por creer que debía acabar sus estudios, pero él construyó la fábrica e hizo el procedimiento a escala industrial. Las explosiones eran habituales en los primeros años y con frecuencia los trabajadores tenían que controlar el proceso, vigilando con una manguera de agua, por si la reacción se descontrolaba o hervía demasiado. Pese a todo, el negocio tuvo un gran éxito y él se hizo rico.

Para entender la importancia del hallazgo, hay que recordar que antes de su descubrimiento los únicos colores morados estables eran extremadamente caros, ya que se obtenían de unos caracoles del Mediterráneo muy difíciles de conseguir y se necesitaban más de 9000 por cada gramo de colorante, por eso únicamente la realeza podía permitírselo, de ahí viene la asociación del púrpura con la realeza, porque los comunes de los mortales no podían adquirirlo. La síntesis de un colorante morado estable a partir del alquitrán de hulla lo hacía accesible a un precio que casi cualquiera podía pagar. El éxito del malva señaló el nacimiento de la industria de los colorantes sintéticos, es decir, que Perkin fue quien nos permitió variar de colores sin limitaciones. Su descubrimiento es un buen ejemplo de suerte y casualidad en una mente entusiasta que indaga desesperadamente y que es inasequible al desaliento. Se puso a buscar una cosa y, a través de un accidente fortuito, acabó hallando otra distinta pero igualmente importante.

APROVECHAR LAS CONDICIONES ADVERSAS

Pero, ¿qué ocurre en las situaciones más duras y lamentables, como una guerra o una enfermedad? ¿Se puede aplicar la misma filosofía y seguir aprendiendo sin más? La respuesta es que sí, precisamente en estos casos puede ser más necesario que nunca seguir aprendiendo, hacerse preguntas y buscar nuevas respuestas, ya que la mente científica no solo ayudará a la persona a distanciarse de las desgracias, sino que puede ser la manera de sacar algo positivo y minimizar el impacto de las dificultades para toda la sociedad.

Una epidemia que transformó la concepción del universo

Sir Isaac Newton es una figura nada habitual, ya que son pocos los que pueden abstraer una ley universal a partir de un suceso corriente como la caída de una manzana al suelo. ¿Pero por qué estaba en el campo cuando le cayó la manzana en la cabeza? En 1664 fue aceptado como becario en el Trinity College de Cambridge, lo que le garantizó soporte económico y en consecuencia liberarse de las tareas domésticas que había desarrollado hasta entonces para ayudar a pagar su formación, como servir mesas en el comedor o limpiar las habitaciones de la residencia de estudiantes (¿o alguien creía que los grandes hombres siempre lo habían tenido todo fácil?). Se licenció al año siguiente, pero la universidad tuvo que cerrar a causa de una epidemia de peste bubónica en el año 1665 y él regresó a la granja familiar. Con frecuencia, antes de empezar un gran reto, tiene lugar algún incidente como si el cielo quisieran ponernos a prueba, pero no tenemos que rendirnos ni desanimarnos, ya que nunca se sabe porque ocurren las cosas. En los 18 meses que estuvo en la granja durante la epidemia se dedicó a trabajar por su cuenta en mecánica, matemáticas, óptica y gravitación. Lo que aparentemente tenía que ser una gran desgracia, ya que no sabía si podría volver a su plaza de becario en Cambridge, se convirtió en su *annus mirabilis*, su "año maravilloso", según sus propias palabras y fue uno de los periodos más productivos y fértiles de su vida.

Fue entonces cuando, según la leyenda, le cayó la manzana en la cabeza, despertándole de una siesta que estaba haciendo bajo un árbol, y ello le llevó a cuestionarse: ¿por qué las manzanas caían siempre hacia abajo? ¿Por qué no iban hacia un lado o hacia arriba, sino constantemente hacia el centro de la Tierra? Si se hubiera atrevido a hacerle estas preguntas a un campesino, atareado con la faena del campo o para ir a cuidar a las vacas, el pobre hombre hubiera pensado que la ciudad y la universidad habían trastocado a aquel muchacho si pensaba que algún día las manzanas en vez de caer al suelo saldrían disparadas por los aires. Pero Newton no estaba trastocado sino que intuyó algo que nunca nadie se había cuestionado antes: que si las manzanas caían era porque la Tierra las atraía. Debía haber una fuerza de atracción de la materia y esta fuerza debía estar en el centro del planeta, por eso las manzanas caían perpendiculares hacia el centro y de ninguna otra manera. Además, si esa fuerza de atracción actuaba a través del espacio, encima de un árbol o de una montaña, también podría llegar más lejos, incluso a la Luna, y si este era el caso, la Luna sería como una piedra lanzada horizontalmente, que estaría siempre cayendo, pero sin llegar a caer nunca, ya que su rápido movimiento la llevaría más allá del horizonte. De esta manera definió las leyes de la gravitación, que transformaron la concepción que teníamos hasta entonces del universo.

Algo positivo en lo peor de la guerra

El caso de Newton muestra que una persona puede sacar provecho de un periodo de aislamiento por una tragedia, como podía ser la epidemia de peste, pero es evidente que Newton no estaba en peligro mientras se encontraba en la granja familiar y además se pudo aislar y trabajar con ahínco pero, ¿habría sido lo mismo si hubiera estado en situación de verdadero peligro, en una guerra, por ejemplo? ¿Es posible mantener la misma entereza en esos momentos? Veamos si el siguiente caso nos da una respuesta.

Con el nombre de "gas mostaza" se conocen a un grupo de productos químicos, que se empezaron a emplear como armas químicas, y se lanzaron por primera vez en la Primera Guerra Mundial, en 1917, sobre la ciudad belga de Ypres. En contacto con los seres humanos causa ampollas en la piel y en las membranas mucosas, acabando con la muerte por asfixia agónica. Los efectos eran tan devastadores, y el gas tan incontrolable, pues la dirección del viento podía cambiar en cualquier momento, que en la Segunda Guerra Mundial prácticamente no se usaron, aunque todos los ejércitos las tenían cerca de los frentes por si el bando contrario los utilizaba primero.

En la Segunda Guerra Mundial un barco aliado, cargado de gas mostaza, fue bombardeado en un puerto italiano y parte del veneno cayó al agua, donde también habían caído algunos soldados. Cuando estos fueron rescatados tuvieron que ser tratados de los efectos tóxicos. Muchos de los afectados desarrollaron una discrasia sanguínea, es decir, una peligrosa reducción de los glóbulos blancos de la sangre, ya que el veneno les había "quemado" la médula ósea, interrumpiendo la producción normal de la sangre. En consecuencia, se quedaron temporalmente sin las defensas naturales que suponen estas células. Afortunadamente, alguien decidió aprender alguna cosa de la desgracia y vio que precisamente una disminución de glóbulos blancos era lo que se necesitaba para tratar los casos de leucemias, que son cánceres de la sangre que cursan con una proliferación anormalmente elevada de los mismos por sobreproducción de la médula ósea. Así que se le ocurrió aplicar dosis bajas de gas mostaza para tratar enfermos de leucemias y el resultado fue una reducción celular y una mejora clínica de los enfermos. El bombardeo de aquel barco supuso el principio de la terapia contra el cáncer con citostáticos.

Conclusión

Hemos comentado la necesidad de ver las cosas desde otro punto de vista, de mantener la mente alerta a la búsqueda de nuevas preguntas y de que hay que cuestionarlo todo para lograr un desarrollo pleno. Por lo que se refiere a la actitud científica no hay unos requisitos concretos para cuestionarse las cosas y acabar siendo uno de los descubridores que aporten a la humanidad un hallazgo o un avance científico que pueda cambiarnos la vida. No hay excusas por ser joven o viejo, por estar demasiado despierto o dormido, ni siquiera por saber mucho o poco, la realidad es que nunca sabemos cuándo puede surgir una nueva idea o hallazgo, por eso hemos insistido en que hay que perseverar en la actitud expectante no sólo en la vida cotidiana, sino también ante las casualidades y accidentes, los fracasos, la sabiduría popular y en todo lo que pueda enseñarnos algo. Pero una cosa sí la sabemos, que se necesita potenciar esa actitud, cuidarla y estimularla como una planta a la que se riega y se abona a la espera de que dé frutos y, cuando estos llegan, entonces es cuando empieza la tarea más difícil: convencer al resto del mundo.

CAP. 9. EL DERECHO Y LA JUSTICIA SIN MANUAL DE INSTRUCCIONES

*El fin de la ley es obtener la mayor ventaja
para el mayor número posible.*

Jeremy Bentham[63]

Por fin España, el año 1978, con la aprobación de la nueva Constitución, se convirtió en un Estado "democrático"; es decir, que todos los poderes están sometidos al poder constituyente del pueblo, del que emanan todos los otros poderes del Estado; de "derecho"; es decir, que hay una vigencia inequívoca del principio de legalidad; y "autonómico", por tanto con reconocimiento de otros entes territoriales diferentes del poder central con capacidad normativa propia.

Esta cita, adaptada del profesor Javier Pérez Royo[64], describe en un solo párrafo la transformación de nuestro país desde la dictadura. Nos puede parecer una declaración más o menos ingeniosa o una frase vacía, ahora que tenemos la suerte de gozar de libertad, pero la democracia, como la libertad o la justicia, no vienen por sí solas ni son inherentes a nuestra forma de vida, sino todo lo contrario, la forma habitual de gobierno en nuestro país ha sido mayoritariamente la falta de democracia y de libertad, una realidad que debemos tener presente para valorar lo que ahora tenemos y protegerlo con todas nuestras fuerzas. Nunca debemos dar nada

---

63 Jeremy Bentham (1748-1832). Filósofo y jurista británico defensor del utilitarismo.
64 Javier Pérez Royo (1944). Jurista español, catedrático de Derecho Constitucional en la Universidad de Sevilla.

por seguro, ni tan solo que el bien triunfará sobre el mal, porque no siempre es así. La dictadura nos robó nuestro país para dárselo a los vencedores de la Guerra Civil y la Constitución de 1978 nos lo devolvió a todos, al pueblo español, sus legítimos propietarios. Pero para alejar el peligro de involución, que mostró su hocico incluso en una fecha tan reciente como 1981, deberíamos preguntarnos qué significa para nosotros la Constitución, qué vale nuestra ciudadanía y qué futuro tiene nuestra democracia si no la defendemos y la fortalecemos por todos los medios. Cada día hay que reforzarla trabajando para conseguir un país más justo, más libre y más fuerte, incluso en contra el propio poder que con frecuencia amenaza nuestros derechos, pese a los riesgos que ello pueda comportar. Parafraseando a Kennedy, *no nos preguntemos qué puede hacer el país por nosotros, sino qué podemos hacer nosotros por el país*, ya que nunca ha sido tan nuestro como ahora.

NECESIDAD DEL DERECHO

Puede parecer insólito hablar de la necesidad del Derecho en nuestras vidas, cuando cada día tenemos noticias que contradicen las normas más elementales de la justicia y del sentido común, ante las que parece que todo da igual; los ladronzuelos reincidentes acumulan decenas de detenciones y siguen en libertad; se conculca el derecho a la propiedad, con ocupaciones de inmuebles y no se actúa durante meses; la corrupción pone en entredicho el funcionamiento de un Estado, que es severo con los débiles y tolerante con los poderosos, y ya no nos inmutamos; los mismos directivos que han hundido bancos y empresas se otorgan indemnizaciones millonarias sin que nadie les pida responsabilidades. La sociedad está cada día más perpleja y es fácil caer en el desánimo o pensar que estaríamos mejor sin ningún tipo de ley, pero no nos dejemos engañar por estas disfunciones ni por falsos romanticismos de estética anarquista, que ya no tienen ideas políticas, sino que solo buscan la aventura de vivir en grupo, mientras los padres siguen pagando las facturas. La sociedad ha avanzado gracias a que existen normas jurídicas que establecen la manera en que se debe ordenar la relación entre dos o más personas o instituciones. Nuestro contacto con ellas, y por tanto con el Derecho, es constante desde que salimos a la calle y compramos el periódico o nos tomamos un desayuno en el bar, actos en los que esperamos que el vendedor del quiosco o el camarero nos ofrezcan los servicios que les solicitamos y ellos a su vez esperan que nosotros les paguemos el precio que nos piden, siempre que no sea abusivo. El elemento que da significado a un acto jurídico es que podemos exigir de los demás una conducta determinada y ellos nos la pueden exigir a nosotros, en base a unos preceptos preestablecidos. Son esas reglas las que proporcionan soporte legal a los hechos antes citados: comprar la propiedad del periódico o disfrutar del desayuno, a cambio de los precios respectivos.

Pero hay otras conductas que no son jurídicas, como los "usos y costumbres" o incluso las "obligaciones", como la de ayudar a un compañero cuando nos pide dinero. La diferencia es que las reclamaciones basadas en leyes son aquellas en que podemos pedir la ayuda de una autoridad o de un tribunal para satisfacerlas, es decir, que se puede exigir su aplicación coactivamente a través de órganos establecidos a tal efecto y que tienen medios para hacerlas cumplir (el vendedor del periódico puede demandarnos, el tribunal declararnos culpables y la policía encarcelarnos por no pagarlo), mientras que las otras no tienen tal soporte (nuestro amigo se puede enfadar con nosotros pero no puede denunciarnos por no prestarle dinero, ni nos encarcelarán por no seguir las modas). Pese a esta diferencia conceptual, la separación entre los dos tipos de normas no es tan clara, ya que las jurídicas se sustentan con frecuencia en las costumbres; pero también hay casos que han sobrevivido siglos, estando incluso perseguidas por todas las leyes y códigos morales o religiosos, como sucedía con los duelos. El rigor en su cumplimiento tampoco sirve para diferenciarlas, ya que algunas personas que incumplen la legislación sin ningún miramiento llegan a delinquir para cumplir con las otras, como sucede con las deudas de juego o los asuntos de honor, porque la presión ambiental, el peligro de exclusión o de rechazo social se consideran peores que las consecuencias de estar al margen de la ley.

La sociedad en la que vivimos está organizada en forma de Estado y una de sus manifestaciones es el ejercicio del poder a través de la legalidad y de los tribunales. Eso, que a mucha gente, sobre todo jóvenes, le suena tan mal, es un gran avance para la humanidad, ya que reserva el ejercicio del poder a un solo agente, que lo ejerce de manera legal. Todo es perfectible, pero en materia de poder, siempre que nos cuestionen la autoridad estatal, antes de continuar charlando deberían informarnos de cuál es la alternativa que se propone. El ejercicio del poder en exclusiva por parte del Estado es un avance respecto a la situación anterior que era la venganza indiscriminada o aleatoria, por eso aceptar esa prerrogativa institucional implica confiar en que las leyes son razonables y que pretenden la justicia y la paz social, aunque no siempre es así, sobre todo en las dictaduras, por ejemplo la España franquista tenía unas leyes que hacían que todo el mundo estuviera fichado por la policía, por eso todos los políticos ajenos al régimen durante la transición tenían antecedentes penales, muchos habían pasado por la cárcel o eran considerados poco menos que delincuentes o terroristas.

Pero, para no meternos en temas de casa, que aún levantan polvareda, hablaré de las leyes de Nuremberg, que se proclamaron en Alemania en 1935, para impedir a los judíos relacionarse racialmente con el pueblo ario y que supusieron el principio de su discriminación y persecución en aquel país y posteriormente en toda Europa. Las leyes partían de la idea de que los judíos eran una lacra social insertada en el pueblo alemán y que tenía que ser extirpada (es decir, exterminada) como si fuera un cáncer. Alemania instauró el Derecho Penal de Autor lo que suponía que los delitos no eran únicamente los actos cometidos por los individuos sino también su raza, así que los tribunales no juzgaban solo los actos sino también la condición del detenido, eliminando así la imparcialidad de los jueces que se veían obligados a dictar sentencias más severas en función de la raza del acusado. Las consecuencias las conocemos bien, ya que permitieron a los nazis eliminar a más de seis millones de judíos en los campos de exterminio, eso sí, todo de manera perfectamente legal, ya que estaban amparados por unas leyes vigentes y aprobadas por el poder legislativo de la nació, elegido democráticamente.

Como vemos, la justicia no siempre ha sido tan virtuosa como suponemos en democracia. Por eso hay que ser prudentes y celosos con su funcionamiento. Muchos juristas piensan que el derecho no es ni bueno ni malo, sino un instrumento neutro respecto a los fines perseguidos. A través de él se pueden buscar los objetivos más diversos, incluidos los más terribles e inconfesables como ocurrió en Alemania. El derecho es un medio, una herramienta en manos del legislador, que lo puede emplear en diversos sentidos y con múltiples propósitos, un aparato coactivo que en sí mismo puede no tener ningún valor ético ni moral. Por eso es tan importante valorar lo que tenemos: un Estado democrático, de derecho y autonómico que debemos preservar y controlar para que no se revuelva nuevamente contra el pueblo.

EL ORDENAMIENTO JURÍDICO

En una democracia las finalidades que persigue la legislación nunca pueden ser la discriminación de un colectivo por razones de sexo, raza, religión, creencias o condición física, sino todo lo contrario, son otras bien diferentes como la libertad, la justicia, el bienestar, la seguridad, etc., palabras todas ellas cargadas de múltiples significados y que deben ser definidas claramente para evitar malentendidos (en otro capítulo ya hablamos de los diversos significados de la palabra "libertad"). Pero veamos de dónde proviene el derecho.

El derecho proviene de lo que se llaman las "fuentes del derecho", concepto con el que se pueden entender dos cosas distintas: la primera se refiere a aquellas fuerzas sociales con capacidad para crear normas, como los pueblos español y catalán, los gobiernos respectivos, los ministros, los alcaldes en sus municipios, etc.; y la segunda a las categorías que tiene cada una de ellas. Es fácil entender que entre ambos conceptos hay una relación clara y estrecha, ya que la categoría y la importancia varía según los organismos que las dictan. Las fuentes del derecho son una de las mejores formas de entender un régimen político, al reflejar por una parte las relaciones entre las diferentes fuerzas políticas del país y por otra el equilibrio entre los órganos dotados de capacidad normativa. Entonces, ¿cómo se ha organizado en España?

- El pueblo español soberano es quien ratificó la Constitución Española de 1978 en referéndum, por eso es la norma suprema.

- Por debajo están las leyes, que son aprobadas por los representantes del pueblo: el Congreso de los Diputados. Hay leyes de varios tipos según la importancia que la Constitución otorga a la materia sobre la que se legisla.

  ° Las leyes orgánicas están reservadas para los aspectos que la Constitución considera particularmente importantes.

  ° Las leyes ordinarias para temas menos importantes.

- Puesto que las leyes son muy amplias, se necesita un desarrollo más preciso, que dicta el Gobierno a través de sus directrices y reglamentos, y son las que acaban concretando el espíritu general de las leyes en acciones específicas para asumir los objetivos que la norma pretende.

- En los casos de extraordinaria y urgente necesidad, el Gobierno puede dictar disposiciones legislativas provisionales que reciben el nombre de Decretos-Ley, que deben ser convalidados por el Congreso de los Diputados en un plazo de treinta días.

- Con mayor concreción los ministros hacen sus órdenes ministeriales para desplegar los decretos y las leyes con más detalle.

Toda esta estructura se basa en el *principio de la jerarquía*, que según hemos dicho supone una dependencia del órgano emisor de la norma; complementado por el *principio de la temporalidad,* es decir, que la ley posterior deroga a la anterior; y por el *principio de la especialidad*, o sea que la ley especial prevalece sobre la general. El sistema se complementa con las costumbres, los principios generales del derecho y la jurisprudencia, que ocupan un papel subordinado respecto a las normas anteriores. Este sistema normativo, claro y comprensible se complica un poco cuando se añaden las normas de las comunidades autónomas, que siguen los mismos criterios que las del Estado, pero con los estatutos de autonomía, las leyes autonómicas y los mismos reglamentos gubernamentales e instrucciones de las consejerías. A todo esto hay que añadir la legislación que determina la distribución de competencias entre el Estado y las autonomías. De esta manera, la cosa la hemos complicado un poco más, ¿verdad?

¿Del Derecho o del revés?

La sumisión de las leyes a la Constitución es un principio básico e irrenunciable del Estado de derecho, pero a la hora de la verdad las cosas no son tan sencillas. En primer lugar, la Constitución está llena de buenas intenciones, como cuando se habla de los "*Derechos y deberes de los ciudadanos"* o de los *"Principios rectores de la política social y económica"*, proclamando que los poderes públicos promoverán las condiciones favorables para el progreso social y económico (artículo 40), así como la cultura, la ciencia y la investigación científica y técnica (artículo 44), que todo el mundo tiene derecho a una vivienda digna y adecuada (artículo 47), etc. También las leyes fundamentales del franquismo, que hoy son inconstitucionales, estaban llenas de buenas intenciones similares. Así pues, la sumisión a la norma fundamental resulta bastante retórica, ya que sería inconcebible que una ley fuera deliberadamente en contra de unos principios tan elementales. Además, una cosa es tener buenas intenciones y otra diferente que esos deseos se puedan desarrollar desde el punto de vista político, social y económico, ya que para asumirlos se necesita voluntad, esfuerzo y recursos de todo tipo. Entonces, ¿qué ocurre en realidad?

Con independencia del espíritu de la norma, el legislador debe planificar, priorizar e invertir los recursos limitados que tiene en unas iniciativas y no en otras, y ello hace que la acción del Gobierno tenga que ver con sus propias decisiones y con los recursos disponibles, pero no necesariamente con supuestos mandatos constitucionales. La Constitución deja las manos libres al legislador, como reconoce en el artículo 53: *solo por ley, que en todo caso tendrá que respetar su contenido esencial, podrá regularse el ejercicio de estos derechos y libertades*, así la sumisión de la Ley a la Constitución resulta ser una carta blanca al Parlamento para legislar lo que quiera y de la manera que considere, dándose el caso de que este llega a legislar incluso saliéndose del marco constitucional, como cuando hace una ley antiterrorista que vulnera los derechos fundamentales de los ciudadanos. Por eso los enunciados generales, imprecisos y ambiguos de la Constitución, admiten múltiples interpretaciones, y de ahí que su posterior desarrollo legal pueda ser incluso contradictorio, hasta el punto de que el legislador es técnicamente libre a la hora de escoger una solución concreta a cada concepto.

Para complicarlo más, el Tribunal Constitucional es también libre a la hora de interpretar lo que es o no es constitucional, y ello explica que una sentencia, como la del Estatuto de Cataluña, les costara más de cuatro años decidirse, a causa de las múltiples interpretaciones que les permitían dictar que el texto era conforme a la Constitución o que no lo era, y en los dos casos tener razón y poder argumentarlo amparándose en la misma Carta Magna. El Tribunal Constitucional debe controlar efectivamente que las leyes se ajusten a la norma principal, pero en realidad no actúa por criterios exclusivamente jurídicos, sino que lo hace de acuerdo con su propia voluntad política, por eso los partidos mayoritarios se han puesto de acuerdo en repartirse los cargos y asegurarse unas sentencias que se acerquen a sus intereses partidistas. Esta intromisión, durante más treinta años, en el Poder Judicial pone en entredicho la necesaria independencia judicial, de la que hablaba Montesquieu hace casi tres siglos y es el resultado de considerar al alto tribunal también como una parte más del botín electoral.

Aparte de la sumisión de las leyes a la Constitución, hay otro elemento que complica el sistema normativo y es que la misma Carta Magna ha introducido demasiados elementos de incertidumbre al haber creado una serie tan variada y heterogénea de figuras legislativas que generan desconcierto. Ya hemos dicho que no todas las leyes son iguales: las hay orgánicas, ordinarias, de bases y otras que no vienen al caso. Ello hace que los tribunales tengan que analizar cada día cuál de ellas es la de mayor rango a aplicar en cada caso, intentando aclarar la confusión, una tarea que no siempre es fácil, ya que hay leyes, publicadas como orgánicas, que el Tribunal Constitucional ha declarado que son simples leyes ordinarias y, lo que es más grave, leyes en las que cada artículo tiene una naturaleza diferente, etc. El resultado es que, pese a dar por buena una ley, nunca se sabe exactamente cuál es ni su valor ni la categoría respecto a las demás.

Aunque ya parezca un galimatías, aún podemos enredarlo un poco más, porque la Constitución ha admitido la existencia de tantas clases de leyes como parlamentos autónomos, todas ellas con el mismo rango, aunque tal rango no se ha definido claramente. Ello supone tener casi veinte ordenamientos jurídicos diferentes, con frecuencia contradictorios entre sí, que provoquen una gran inseguridad, ya que es difícil determinar cuál es aplicable al caso concreto.

¿Necesitamos tantas leyes?

Esta abundancia legislativa genera inevitablemente una gran incertidumbre jurídica sobre la norma a aplicar. Hallar una es con frecuencia tarea casi imposible y ni los juristas más expertos están nunca seguros de si la disposición que han encontrado sigue o no vigente. Los ciudadanos de la calle pensamos que lo más importante es interpretar la ley, pero no es así, la mayor complicación es encontrar una y precisar si está vigente o no y, en caso afirmativo, en qué medida entra o no en contradicción con otras leyes anteriores de rango superior o de igual rango pero posteriores. El sistema normativo se convierte así en un bosque impenetrable, un laberinto exclusivo para expertos e inaccesible para el resto. En las sentencias de los tribunales se puede comprobar que buena parte de la tarea consiste en identificar la norma aplicable y aclarar qué es lo que sigue vigente y lo que está derogado.

Algo similar ocurre en el caso de los decretos ministeriales, ya que su abundancia se ve fomentada por el amor propio de los titulares, pues una manera de medir su trabajo es por el número de decretos y normas que consiguen aprobar, y además ese número es también el que indica el peso político de quien las propone, por eso se le da tanta importancia a aprobar cuantas más mejor. El resultado es una pirámide normativa invertida, contradictoria con los rangos preestablecidos. Además, los funcionarios están más habituados a aplicar las normas ministeriales que las de rango superior, al ser las que tienen más relevancia para su titular y las que les proporcionan pautas específicas para el día a día.

Pero el enredo sigue porque las limitaciones que imponen las normas jurídicas solo se aplican a las decisiones más banales, pero no a las grandes medidas que afectan de verdad a los ciudadanos. Por ejemplo, para saber si en un terreno se debe plantar pinos o eucaliptos, hay que remontarse a la Constitución para ver si es el Gobierno central o la Comunidad Autónoma quien tiene la competencia; después habrá que comprobar que hay una ley que habilite y en caso afirmativo, buscar el decreto y los preceptos inferiores correspondientes. Ahora bien, para decidir las tarifas de los servicios fundamentales, el precio de la electricidad, del gas o de la gasolina, la reconversión industrial o sostener a los bancos deficitarios con el dinero de todos, es suficiente con una disposición fulminante del Poder Ejecutivo que cambia de la noche a la mañana la economía de los ciudadanos y la del país. Además, persistimos en la manía, que se repite cada vez que aparece algo nuevo, de que no se puede hacer nada hasta que no se disponga de una nueva ley que lo regule, la cual cosa deja cualquier novedad al margen de la legalidad durante meses o años, aunque cuando se haya legislado se continúe actuando por Decretos Ley. Viendo todo esto, uno no puede dejar de preguntarse si no son demasiadas alforjas para tan poco viaje.

La calidad de las leyes

Además de la cantidad de normas, otra limitación grave es que su calidad deja bastante que desear. Ello ocurre porque ni en España ni en Cataluña existe un equipo técnico de soporte que ayude a sus señorías en la elaboración de las leyes, como sí tienen otros países. La misión de este equipo de soporte es complementar la falta de conocimientos de los diputados en las materias sobre las que legislan, ya que inevitablemente no pueden poseer conocimientos enciclopédicos. En nuestro país, donde nada es ajeno a las Cortes y su competencia llega a todas las actividades sociales, los diputados han de manifestarse de manera sucesiva sobre las cuestiones más variadas, por eso cada uno de ellos, o por lo menos cada grupo parlamentario, debería tener un equipo de ayuda especializado que le proporcionara los conocimientos mínimos que deben acompañar a las decisiones políticas. Si bien es cierto que los diputados del grupo que gobierna pueden tener el soporte de los técnicos de la Administración, a cambio de una cierta dependencia, los de la oposición no tienen los más mínimos soportes, por eso deben suplir la falta de información con pintorescas improvisaciones. Esta falta de un cuerpo específico de soporte a los parlamentarios hace que la calidad técnica de nuestras leyes con frecuencia sea deplorable, ya que, en unas Cortes sin mayoría, es costumbre que cada partido, e incluso cada diputado, se sienta obligado a presentar enmiendas a todos y a cada uno de los artículos de los proyectos, los cuales pueden resultar incoherentes, cuando no contradictorios entre sí. Un proyecto de ley puede recibir centenares, cuando no miles de enmiendas, lo que significa que cada ley tiene centenares de miles de posibles variantes al texto definitivo.

El resultado es que o bien el proyecto no se apruebe o que se tenga que negociar dando satisfacción a los diferentes partidos políticos, con concesiones parciales por criterios políticos y no técnicos. Muchas veces, las negociaciones deben ser extraparlamentarias, porque es imposible discutir dentro de las Cortes todas las enmiendas y quien tiene la última palabra son determinados representantes de los partidos políticos que son los que se ponen de acuerdo para no eternizar los debates. Las propuestas se resuelven por criterios exclusivamente políticos, al margen de unas ayudas técnicas que serían imprescindibles para darle coherencia y agilidad a todo el proceso y al mismo ordenamiento aprobado, en beneficio de todos los ciudadanos. La causa de que tengamos tantas leyes que posteriormente son imposibles de aplicar es que los padres de la nación, que no tienen por qué saber de leyes, creen que les pagamos para hacer más y más textos legales y no para que estos tengan sentido, sean coherentes con el resto del ordenamiento jurídico y sirvan para alguna cosa. Por eso, al final de cada legislatura nos explican la cantidad de leyes aprobadas pero nunca se valora ni su utilidad ni su impacto sobre la ciudadanía. No tener este soporte técnico es un nuevo ahorro de unos céntimos, que pagamos demasiado caro en forma de un régimen jurídico contradictorio e ineficaz que, como todo el mundo pueden entender, tiene múltiples consecuencias...

Y por si fuera poco, resulta que de ahorro nada de nada, porque lo que no gastamos en un cuerpo especializado tan valioso para los grupos parlamentarios, y para conseguir un ordenamiento jurídico coherente para el país, lo dedicamos después a la contratación de asesores para unos políticos que ya tienen toda la Administración Pública para tirar adelante sus proyectos. No hace falta decir que esta contratación discrecional sigue con frecuencia los criterios más estrafalarios, permitiendo impunemente colocar a dedo a amigos, familiares, miembros del partido e incluso a entrenadores personales y profesores particulares de pádel[65].

CUMPLIMIENTO DE LAS LEYES

Idealmente, las leyes se hacen para que se cumplan, así que este debe ser el objetivo de quienes las promueven. Pero una cosa es legislar y otra distinta acatar las leyes, para lo cual es necesario que se cumplan algunos requisitos: primero, que el Estado tenga un auténtico interés en que así sea; segundo, que disponga de suficiente

---

65 En octubre de 2011 salió la noticia de que el Sr. José Antonio Monago, presidente de la Comunidad de Extremadura contrató como asesor a su entrenador personal y a su profesor de pádel, con un sueldo de 3.500 euros mensuales y 14 pagas.

fuerza política y energía como para imponerlas; y tercero, que los ciudadanos se identifiquen con ellas y las respeten. Dos de estos factores se complementan, ya que si el poder demuestra una intención clara e inequívoca de exigir su cumplimiento, la ciudadanía acabará respetándolas y asumiéndolas. Por contra, cuando la sociedad expresa un rechazo inicial y firme en contra de una norma, el Gobierno generalmente no encuentra la energía necesaria para imponerla. Uno de los incumplimientos más masivos y emocionantes es el que hizo Dinamarca a las leyes de discriminación racial de los nazis. Cuando Hitler ordenó que todos los judíos llevarán un brazalete identificativo con la estrella de David, los daneses de todas las religiones salieron a la calle llevando el brazalete, precedidos por su rey, Christian X (1870-1947), que también se lo puso, diciendo públicamente que *yo soy el primer judío de mi país*. ¿Quién dijo que no se podían combatir aquellas leyes racistas y discriminatorias? En un clima de hostilidad y resistencia pasiva a las fuerzas de ocupación alemanas, los nazis decretaron la detención inmediata de todos los miembros de la policía danesa, acusada de boicotear la política de ocupación y de no perseguir a los saboteadores civiles. Todos los policías daneses fueron deportados a campos de concentración en territorio alemán y el país aceptó el sacrificio para no perder su dignidad. Nos iría bien aprender de esa dignidad democrática.

En España, la relación entre el Estado y la sociedad, fundamental para garantizar el cumplimiento de las leyes, sufrió un deterioro progresivo en los últimos años del franquismo, cuando la sociedad dejó de identificarse con un ordenamiento jurídico que consideraba surgido de un régimen totalitario e intolerable, así que perdió la fuerza moral para lograr su cumplimiento efectivo. Afortunadamente, hoy las cosas han cambiado, la democracia cuenta con más legitimidad moral y el ordenamiento jurídico es completamente nuevo y adaptado a la nueva realidad constitucional, así que la sociedad está más dispuesta a respetar unas normas que considera cercanas. Pese a ello, el grado de incumplimiento de las leyes en España supera los índices de toda racionalidad para cualquier país civilizado y con frecuencia se vive en una situación de anomia (de estar "fuera de la ley"), que dificulta la convivencia social y la realización de las tareas públicas. Este incumplimiento sistemático de las normas obliga a buscar soluciones extraordinarias, que a veces generan mayores disfunciones y complican aún más las cosas, por ejemplo:

- Como las leyes fiscales no se cumplen y el fraude es enorme, Hacienda aumenta los impuestos a los que ya cotizan, que acaban con unas cargas abusivas, al tener que pagar lo que les toca más lo que han dejado de aportar los defraudadores. Con ello solo se consigue incentivar que el contribuyente también defraude, si puede. Pese a esta situación se reduce el número de inspectores fiscales, que son los que deben luchar contra el fraude y se promueven amnistías fiscales que premian con menores cargas impositivas a los defraudadores a los que habría que estar persiguiendo.

- Como algunos empleados públicos no trabajan las horas que les corresponden, se recurre a una legislación de incompatibilidad general, que no haría falta si se controlarán a los incumplidores.

- Como no se cumplen los términos previstos en la ley de enjuiciamiento criminal, hay que liberar a los presuntos delincuentes, para no congestionar más los juzgados y prisiones. En cambio no se crean más plazas de jueces para garantizar los plazos previstos.

- Como no se pagan las multas, se incrementa su número, pero nadie insiste en cobrarlas.

- Una de las medidas que está barajando el Gobierno Rajoy, para resolver la escasa previsión de las autopistas de los alrededores de Madrid, que son todas deficitarias, por ser paralelas a autovías, es pagarlas alargando la concesión de los peajes de Cataluña. Sin embargo a nadie se le ha ocurrido exigir responsabilidades por la mala planificación ni tratar a las concesionarias como lo que son, negocios que asumen riesgos y unas veces ganan y otras pierden. En cualquier caso pasar dinero de un lado a otro para cubrir unas pérdidas causadas por una pésima previsión no parece una buena manera de mandarles un mensaje de seriedad a las empresas españolas, ni el mejor aliciente para estimular la buena gestión y planificación.

De esta forma se van creando aberraciones normativas que, sin atacar directamente el origen del problema, lo agravan con disfunciones injustas hasta que algunas veces el rechazo social queda justificado, como ha ocurrido con la decisión de alargar los peajes en Cataluña (muchos ya amortizados y que se tendrían que eliminar) para sufragar la falta de previsión de las autopistas de Madrid. En otros casos, las leyes están tan mal hechas que su implantación produciría graves perjuicios, así que los funcionarios se encargan de impedir su aplicación estricta, evitando males mayores. Por ejemplo, si se cumpliesen a rajatabla las intervenciones fiscales, quedaría paralizada en 24 horas toda la Administración Pública; si se quisiera cumplir íntegramente la ley del suelo, se colapsaría el urbanismo. Otras veces, el incumplimiento lo produce el caos del ordenamiento jurídico, que es tan contradictorio que no permite una actuación eficiente de la administración, así que nuevamente los funcionarios evitan que todo se pare, asumiendo que para garantizar el servicio deben moverse al filo de la normativa y a veces caer en la más absoluta desprotección jurídica.

Pongamos un caso ficticio para que nadie se sienta reflejado. Imaginemos que tenemos una granja de gestión pública dedicada a la crianza de pollos. El gerente tiene un presupuesto para el funcionamiento general con el que paga al personal, el pienso, el agua, la luz y todos los gastos corrientes de la instalación; además, pidió una partida de dinero para pintar las oficinas porque, según Salud Pública, empezaban a ser insalubres. El mes de octubre el gerente comprueba que, con la subida inesperada del precio del pienso, no le llega para adquirir todo el necesario. Por ello, a final de mes se acabará la comida para los animales y no tiene presupuesto para comprar más. Cuando mira los números la única cosa que le queda son los dineros para pintura, así que se debate entre dos opciones contradictorias: la primera consiste en cumplir fielmente con los presupuestos, lo que implica dejar morir a los pollos pero tener unas oficinas limpias y recién pintadas; la segunda supone saltarse toda la normativa presupuestaria y gastarse el dinero de la pintura para comprar pienso, o sea que mantendrá vivas a las aves pero continuará con la oficina hecha un asco. ¿Qué hacer?

En una empresa privada esta pregunta sería impensable, ya que si te contratan para criar pollos y se te mueren por no alimentarlos, adiós negocio y adiós trabajo. Pero en una empresa pública, si el gerente cumple con su obligación, que es ejecutar el presupuesto (y que nadie crea que es otra cosa), no puede destinar una partida de dinero para algo diferente de lo previsto. Por tanto, no puede comprar pienso empleando el dinero de la pintura y si lo hace se expone a la bronca de sus jefes, a tener que dar un montón de explicaciones, rellenar un montón de informes, a que la prensa le acuse de malversación de fondos públicos y a que la Sindicatura de Cuentas le haga un informe desfavorable de su gestión, por tanto lo más racional, dentro de una empresa pública, sería dejar sin comida a los animales hasta el 1 de enero, en que volverían a tener pienso nuevo y de la mejor calidad. Evidentemente, no hay ningún gestor de verdad que deje morir los pollos, tampoco en el sector público, pero ello supone caer en una desprotección jurídica que, repetida con frecuencia, debilita la posición del gestor frente a cualquier avatar político o de otro tipo, por el simple hecho de hacer su trabajo bien.

Por una razón u otra, ni los ciudadanos ni los funcionarios cumplen las leyes y la sociedad lo acepta. En este país el funcionario que ocupa siete cargos y no atiende ninguno no es considerado un sinvergüenza sino alguien bastante listo; aquellos que cogen bajas laborales reiteradas por las razones más pueriles no lo ocultan sino todo lo contrario, porque saben que la gente no lo ve mal; aquí admitimos estas situaciones con total normalidad, sin entender que los perjudicados somos todos. La ciudadanía está siempre de parte del infractor, por eso quien incumple con Hacienda es visto como una especie de Robin Hood sin que nadie parezca darse cuenta del perjuicio que nos causa. Además, nuestro atavismo ácrata bloquea la acción de un Gobierno que quiere ser eficiente pero no demuestra demasiado interés en actuar como tal. Se hacen leyes que, por su dureza, injusticia o incoherencia, nacen con vocación de incumplimiento, ya que se sabe de antemano que los ciudadanos no las cumplirán, mientras que la población actúa en función de esa tolerancia y dejan de cumplir tales leyes y de paso otras con las que no se sienten bien identificados.

En ese ambiente siempre existe la amenaza de que inesperadamente el Estado, como una represalia gravísima, exija el cumplimiento estricto de la ley a un determinado ciudadano, hecho que supone un quebrantamiento del principio de igualdad y de la mecánica general del sistema. Parece fuera de toda lógica que tener que cumplir una ley se convierta en un castigo gravísimo, que coloca a todos los ciudadanos en la indefensión más completa, sobre todo porque no tiene sentido protestar por tener que acatar las leyes vigentes, tal como han dejado claro los tribunales de justicia al declarar que nadie puede pretender evitar sus obligaciones argumentando que a otros en igual situación se les tolera tales conductas.

LOS TRIBUNALES DE JUSTICIA

Las leyes pretenden regular las relaciones jurídicas entre los individuos, entre los ciudadanos y el Estado, y de los diferentes organismos públicos o privados entre sí. La Administración, que es quien debe aplicar las leyes, debe hacer su tarea y los ciudadanos deben cumplirlas, por eso el sistema se cierra con la presencia de los Tribunales de Justicia, que son los encargados de velar por su cumplimiento y, si hace falta, imponerlo.

El Tribunal Constitucional

En un país en que buena parte de las instituciones funcionan deplorablemente, el Tribunal Constitucional era un modelo de eficacia y de garantía institucional. Un éxito que no se podía atribuir a la Constitución, ni a las leyes orgánicas, sino a la acertada elección de sus miembros y a dotarlos de unos medios de trabajo que posibilitaban su correcta actuación. Además el hecho de que personas que trabajaban en organismos bastante deficitarios, cuando se integraban en aquella institución, asumieran una gran eficacia, hacía pensar que no eran solo las personas quienes garantizaban el éxito sino también la organización en la que ingresaban. Las condiciones que permitieron a los miembros de este alto tribunal asumir mayores logros que los conseguidos en sus puestos de origen (la universidad o la magistratura) fueron:

- Una excelente retribución, que les permitía concentrar su inteligencia y su tiempo en una única tarea. Esta experiencia nos enseñó que 12 magistrados bien remunerados eran más rentables que 24 mal pagados.

- Contaban con excelentes condiciones auxiliares de trabajo y tenían a su disposición una biblioteca bien dotada, unos locales de primer orden y unos colaboradores selectos, también dignamente remunerados. En esas condiciones se rentabiliza-ban hasta el máximo los recursos.

• Por último, y más importante, el Estado y la sociedad les otorgó tal respeto y confianza que se sintieron estimulados, ya que tenían sobre ellos la mirada esperanzada de todo el país, el agradecimiento de los ciudadanos y el peso de una enorme responsabilidad al descargar sobre ellos la garantía del funcionamiento del sistema constitucional.

Cuando todo el mundo pensaba que la Constitución estaba aca-bada desde el punto de vista técnico y político, por los desaciertos de todo tipo que la agraviaban, la jurisprudencia del Tribunal supo reflotar el texto, demostrando que pese a sus numerosos errores, todavía era garantía para el régimen democrático. Desgraciadamen-te, su politización de los últimos años, tanto por el nombramiento de sus miembros como por haberlo convertido en una nueva cá-mara legislativa donde parar todos los asuntos que se pierden en el Parlamento, así como algunas sentencias lamentables, le han hecho perder buena parte de un prestigio que se había ganado por méritos propios.

Los Tribunales contencioso-administrativos

A los tribunales contencioso-administrativos les corresponde aclarar si la Administración ha actuado de acuerdo con las normas establecidas. Nada se escapa a la vigilancia de estos tribunales y el Derecho Administrativo moderno se muestra satisfecho de esta conquista, que garantiza a los ciudadanos poder disfrutar tranquila-mente de su patrimonio jurídico y económico, sin tener que sufrir por la injerencia de la acción pública. Pero pese a esta impecable intención, también presentan sombras que hay que tener en cuen-ta. En primer lugar, hay una sobrecarga de recursos que colapsan literalmente estos tribunales, y eso hace que las sentencias se dicten con años de retraso, lo que supone una auténtica burla, incluso para los que ganan el proceso. Cuando un ayuntamiento paraliza una obra, a sabiendas de que la sentencia le será desfavorable al cabo de tres años, sabe que el constructor no podrá resistir económicamente la paralización durante ese tiempo, por tanto le tiene en sus manos y tendrá que aceptar las exigencias municipales. Otras veces, el dinero es lo más importante, ya que la justicia es cara, no tanto por las tasas judiciales, sino por los abogados y otros profesionales, imprescindibles dentro del laberinto de los tribunales, así que si una cosa no tiene demasiada importancia es preferible no ir a juicio, pues, como dice la sabiduría popular, *un mal acuerdo es mejor que un buen juicio.* Afortunadamente la vida del ciudadano corriente es una suma de cuestiones de poca importancia, así que la justicia es un lujo arriesgado, además, muchos de sus intereses son colectivos y para estos sirve de poco. Los tribunales se ponen en marcha si se expropia a un terrateniente un centímetro de más para hacer una calle o un parque público, pero los diez mil vecinos del barrio no pueden ir a los tribunales si la Administración decide arbitrariamente no hacer el parque o la calle que estaban previstos. De esta manera resulta que la justicia está pensada no solo para los ricos, sino para los ricos individualmente considerados. Los intereses de los pobres pueden ser atendidos, naturalmente, pero nunca se establecen tan bien como los de los ricos.

Pero no pensemos que esta situación es nueva o que la picaresca con las leyes es reciente, sino todo lo contrario. Que los ricos sacan más provecho, y que *hecha la ley, hecha la trampa,* es tan antiguo como el derecho mismo, tal como muestra la siguiente historia. Virgilio (70-19 a. de C.), el autor de *La Eneida*, pagó el funeral de una mosca que, según afirmaba, era su más valiosa mascota. La ceremonia, hecha en su mansión romana, tuvo de todo, desde una orquesta, hasta un coro de plañideras profesionales, según era costumbre en la época. Asistieron numerosos personajes importantes y Virgilio leyó unos poemas que había compuesto expresamente en honor de la mosca. El cadáver fue enterrado en un mausoleo construido al efecto. Todo ello le costó al poeta unos 800.000 sestercios. Pese a todo, la ceremonia no era tan altruista como puede parecer a simple vista, ya que Virgilio sabía que el triunvirato que gobernaba (Octavio, Marco Antonio y Lepido), promulgaría un decreto por el cual se confiscarían las propiedades de los terratenientes, para parcelarlas y dividirlas entre los soldados veteranos licenciados. Sin embargo esta reforma no incluiría los lugares que albergarán tumbas, ya que serían considerados terrenos sagrados. Cuando la ley se puso en marcha, Virgilio pidió la exención de su propiedad por contener el mausoleo de su mascota y le fue concedida.

La jurisdicción contencioso-administrativa margina también a la propia Administración, a la que le otorga muy pocas facilidades para defenderse, una actitud habitual cuando se creó en el siglo XIX, ya que se creía que esta era un animal peligroso para el que todas las cadenas y precauciones parecían pocas. La causa de esta indefensión radica en las personas designadas para defenderla, que son los abogados del Estado, unos juristas de gran formación y experiencia pero con unos resultados desastrosos por dos razones.

• La primera es que la cultura jurídica del abogado no puede suplir el conocimiento del asunto concreto, que sí tiene el funcionario implicado, y sin embargo el abogado del Estado nunca habla con ese funcionario, sino que solo mira los papeles que le envían. De esta manera resulta que la Administración, que para dictar sus procedimientos ha empleado a diversos juristas que conocen perfectamente el tema, a la hora de defender tales procedimientos ante los tribunales prescinde de sus expertos y pone el asunto en manos de una persona nueva que debe empezar por estudiarlo todo desde el principio de prisa y corriendo.

• La segunda razón es que no tienen tiempo por estar enfrascados con centenares de temas que llevan entre manos y que les obligan a contestar con naderías demandas en las que se ventilan intereses públicos muy importantes. De esta manera, resulta que el Estado, que se ahorra unos céntimos en salarios de sus defensores, pierde millones en las condenas que debe soportar por estar mal defendido.

Esto hace que la Administración esté indefensa mientras no se refuercen los servicios contenciosos con más abogados y no se haga participar de alguna manera a los funcionarios que intervinieron en la creación del procedimiento impugnado. Ante esta indefensión se actúa con nuevas deficiencias e improvisaciones que con frecuencia quedan al margen del derecho, como hacer una instrucción parcial de los expedientes, o sea que, cuando el tribunal pide la documentación, la puede enviar fragmentada y con mucho retraso, sabiendo que el tiempo juega en contra del reclamante; además si la persona que recurre se descuida unas horas, pierde todo su derecho, mientras el abogado del Estado puede presentar sus escritos con meses de retraso o puede pasarse años sin contestar; pero sobre todo, la gran arma de la Administración es dejar de ejecutar las sentencias condenatorias, cuando no le convienen. Esas reacciones habituales ni son legales ni se pueden defender y contribuyen a perjudicar la imagen y la eficacia de los tribunales contencioso-administrativos.

Sin embargo, el defecto más grave de la jurisdicción contencioso-administrativa es haber distorsionado por completo el funcionamiento de las instituciones públicas, a las que ha dado un sesgo jurídico fatal. La Administración Pública ha estado siempre dominada por los juristas, como si administrar fuera tarea de los abogados, por eso, su máxima preocupación son los procedimientos. Cuando el Gobierno decide hacer una carretera, la Administración no piensa en cómo facilitar las comunicaciones, sino en los trámites necesarios para su construcción: la ley, el plan, el proyecto, unos mecanismos de contratación, un presupuesto, etc. Y como trabaja para los papeles que conforman el procedimiento, el interés final del proyecto pasa al último plano, así que disponer de todos los papeles y hacer todos los trámites previstos se convierte en lo fundamental, ya que los tribunales suponen una amenaza constante y real. Si conseguirlo todo supone retrasar el proyecto e incluso paralizarlo, o si el coste supera el doble o el triple de lo que le habría costado a un particular, no pasa nada porque la única cosa que importa es que no aparezca ningún recurso contencioso así que si se respeta el procedimiento todo parece lícito: el coste, el retraso, la ineficacia, la paralización, todo. La jurisdicción contenciosa, como el Derecho Administrativo, es obra de los abogados y estos, pensando en evitar pleitos, han creado la Administración como si fuera un gran pleito y no como un servicio público.

Los Tribunales ordinarios

Pese a los múltiples esfuerzos realizados, los Tribunales de Justicia aún tienen mucho que mejorar. La situación había llegado a ser tan lamentable que empezaba a ser considerada una vergüenza nacional y resultaba contradictorio que un país, que se proclama constitucionalmente de Derecho, hubiera dejado caer a los tribunales en la penosa situación en que se encontraban. Además, es paradójico que unos funcionarios, los jueces, que gozan de una competencia técnica y honestidad superiores a lo normal, se vieran forzados a desarrollar un papel y a trabajar en condiciones tan lamentables. Pese a las recientes mejoras, al entrar en un juzgado, aún es fácil comprobar como los papeles, de los que dependen la vida y la hacienda de las personas se amontonan en completo desorden; o como los funcionarios atareados ordenan las colas de los que esperan horas y horas ante la sala de vistas; mezclados los delincuentes y sus acusadores. En fin, un gran desorden a resolver que contrasta con la dignidad de jueces y abogados. El juez, la cara y la voz de la justicia, trabaja en muchos casos en condiciones que no aceptaría ni la administrativa del banco más modesto. Algunos dictan una sentencia al día, suponiendo que han leído unos expedientes de centenares o miles de hojas. El Estado prefiere dejar en la calle a miles de procesados antes de agilizar los procedimientos con un número suficiente de magistrados. Es otro ahorro de unos céntimos que nos cuesta millones. Los pleitos tardan años en resolverse y cuando lo hacen es con precipitación. Posiblemente, de todos los problemas nacionales la Justicia es aún de los más dolorosos, aunque no sea así percibido por la gran mayoría de los ciudadanos, por eso son de agradecer los tremendos esfuerzos que hacen los profesionales de la justicia para mantener la dignidad de la institución, pero hacen falta más inversiones en infraestructuras y personal suficiente para resolver unas deficiencias aún tan graves.

Como nos hemos puesto un poco transcendentales, antes de acabar intentaré quitarle hierro al asunto exponiendo un caso en el que se comprueba que la justicia es imprevisible pero que siempre tiene razón. Un hombre de Charlotte, Carolina de Norte, compró unos cigarrillos muy caros y los aseguró, entre otras cosas, contra incendios. Al cabo de un mes, después de habérselos fumado, y sin haber pagado ni el primer recibo de la póliza del seguro, interpuso una demanda afirmando que los cigarrillos se habían perdido en *una serie de pequeños incendios*. Naturalmente, la compañía de seguros se negó a pagar y el "perjudicado" les demandó... ¡y ganó! Aunque el juez reconoció que la reclamación era frívola, argumentó que el hombre tenía una póliza en la que los cigarrillos estaban asegurados contra el fuego y el contrato no definía qué tamaño de fuego se consideraba inaceptable, así que el magistrado sentenció que el demandante estaba en su derecho de cobrar la póliza. Para evitar el lento y costoso proceso judicial de recorrer, la compañía de seguros aceptó pagar al hombre cerca de 12.000 dólares. Tan pronto el "damnificado" cobró el cheque, la misma compañía le hizo encarcelar por haber provocado veinticuatro incendios en artículos asegurados. Gracias a la reclamación y al testimonio empleado contra la compañía en el primer juicio, el hombre fue acusado de quemar intencionadamente una propiedad asegurada y la sentencia le obligó a cumplir veinticuatro meses de prisión y a pagar una multa de más de 18.000 dólares.

CONCLUSIÓN

Hasta hace poco más de 100 años el papel del Estado era preservar el orden social establecido, incluidas las diferencias de clases. Afortunadamente, hoy su papel ha cambiado y es más bien todo lo contrario, ahora regula las relaciones entre las diferentes clases sociales cuando las desigualdades entre ellas se consideran injustas o incluso peligrosas, además los ciudadanos no esperan que el Estado ejerza solamente el derecho sino que quieren que construya carreteras, ordene el comercio, distribuya la riqueza, asegure la paz social y proporcione servicios públicos, todo ello dentro de la legalidad y siguiendo unos procedimientos administrativos. Pero esa legalidad y esos procedimientos no deberían ser un fin en sí mismos, sino instrumentos dirigidos a la consecución de unos objetivos más generales. De la misma manera que cuando alguien se casa no lo hace para cumplir con el Código Civil o el Derecho Canónico, aunque tenga que ajustarse a ellos, la construcción de una carretera no debería hacerse únicamente para cumplir con el Plan Nacional de Carreteras o para ejecutar el procedimiento correspondiente, aunque resulte fundamental que lo haga. Los procedimientos y la legalidad administrativa deben ser un elemento más, evidentemente importante, de la actuación pública, pero no pueden ser su finalidad última, por eso la influencia de los juristas se debería adecuar a esta nueva realidad, ya que si se magnifica en exceso se dificulta y enrarece la prestación de unos servicios que la sociedad demanda y necesita.

CAP. 10. ENSEÑANZA Y EDUCACIÓN SIN MANUAL DE INSTRUCCIONES

La educación tiene dos finalidades:
por un lado, formar la inteligencia; por otra, adiestrar al ciudadano.
Los atenienses se fijaron más en la primera; los espartanos en la segunda.
Los espartanos ganaron.
Pero los atenienses perviven en la memoria de los hombres.

Bertrand Russell[66]

Cada año, cuando se publican los informes de evaluación que comparan el nivel educativo de los estudiantes del mundo occidental, en España se produce una verdadera hecatombe al evidenciarse que nuestros resultados dejan mucho que desear, y por tanto que nuestros modelos educativos son francamente mejorables. El hecho genera una gran alarma entre políticos, educadores y comentaristas mediáticos cuando en realidad no debería extrañar a nadie que recuerde que en nuestro país hay un nuevo modelo educativo cada vez que cambia el Gobierno, por lo que no damos tiempo a consolidar ni a evaluar ninguno. Haríamos bien recordando la frase de Russell y decidiendo qué es lo que queremos hacer con nuestro sistema educativo: ¿formar la inteligencia o adiestrar ciudadanos? Pero con esta decisión veremos que el dilema no ha hecho más que empezar: ¿a qué inteligencia nos referimos?, ¿qué tipo de ciudadanos queremos formar?, ¿para qué tipo de sociedad los vamos a preparar? Y sobre todo, ¿cómo hacerlo? Responder a esas preguntas

---

66 Bertrand Russell (1872-1970) fue un filósofo, matemático y crítico social británico.

nos proporcionaría mucha más información sobre lo que hay que hacer que no la decisión, tomada de prisa y corriendo, de si se debe hacer una hora más de una asignatura o introducir cambios en otra.

CADA SISTEMA EDUCATIVO RESPONDE A SU ÉPOCA

Cada día se pone más de manifiesto que nuestro sistema educativo tiene múltiples problemas a los que no se sabe dar soluciones, posiblemente porque se desconocen cuáles son las causas de los males que la aquejan, mientras la sociedad se lamenta porque, sin tener un diagnóstico preciso, es imposible instaurar un tratamiento eficaz. Los maestros advierten que la falta de educación destruirá las oportunidades futuras de los niños; las agencias del Gobierno, las iglesias, los expertos y los medios de comunicación incitan a los jóvenes a que sigan estudiando e insisten en que, hoy más que nunca, el porvenir de cada uno depende de su educación; en cambio, a pesar de esta retórica sobre el mañana, nuestras escuelas miran hacia atrás, a un sistema moribundo, y no hacia adelante, donde se halla la nueva sociedad en la que los jóvenes acabarán viviendo. Todas sus energías las emplean para formar al "hombre industrial", un individuo preparado para incorporarse a un sistema que morirá antes de que llegue a él. Todavía no hemos asimilado que ya estamos en la era postindustrial y por tanto tenemos que crear un sistema educativo para esta nueva sociedad y para ello debemos orientar nuestros objetivos y métodos de enseñanza hacia el futuro y no hacia el pasado.

Cada sociedad tiene una actitud característica frente al pasado, el presente y el futuro, que queda reflejada en la forma en que prepara a los jóvenes para la vida adulta. En las sociedades agrarias, de vida sencilla al aire libre, el tiempo venía marcado por las estaciones que indicaban el momento de plantar y cosechar. Estancadas en el tiempo, el pasado se confundía con el presente, y el devenir no suponía ningún cambio sino que era pura continuidad. En una sociedad así, la clave para formar a los individuos era la absoluta dedicación al pasado, donde estaba el conocimiento, las directrices y el ideal, por eso la manera de preparar a los niños era darles los conocimientos del pasado, sobre todo de la Biblia, así que los padres y las instituciones religiosas les transmitían a los niños unos valores claramente definidos y completamente tradicionales, que eran exactamente los que necesitarían posteriormente, junto con todo tipo de prácticas y habilidades, en las que ellos mismos eran expertos y que les serían útiles para el trabajo en el campo que esperaba a los jóvenes.

Pero la máquina y la mecánica acabaron con todo aquello, a través de una revolución industrial que cambió la sociedad y que necesitaba una nueva clase de adultos. Hacían falta conocimientos que, ni la familia ni la Iglesia podían proporcionar por sí solas y, por encima de todo, exigía que el adulto desarrollara un nuevo sentido del tiempo. El reto que se planteaba era bastante complejo: ¿cómo preparar a los niños para una vida adulta de tareas repetitivas dentro de edificios cerrados, llenos de humos, ruidos, máquinas, condicionantes y normas que imponían una fuerte disciplina colectiva? ¿Cómo cambiar el sentido del tiempo, del ciclo solar de las estaciones, al reloj y la sirena de la fábrica? La educación en masa fue la ingeniosa herramienta construida por el industrialismo para producir la clase de adultos que necesitaba aquella sociedad. Se creó un sistema docente que, en su estructura, simulaba aquel nuevo mundo al que se acabarían incorporando y para ello se reunieron masas de estudiantes (materia prima) para ser manipulados por maestros (trabajadores) en un edificio llamado escuela (fábrica), o sea que se hizo una réplica del modelo industrial, por eso toda la jerarquía docente se desarrolló siguiendo la burocracia industrial. Incluso la organización del conocimiento en disciplinas se basó en supuestos industriales. Los niños iban de un lugar a otro y se sentaban en pupitres previamente señalados. Sonaban timbres para anunciar los cambios de horario. De esta manera la vida dentro de la escuela se convirtió en un espejo que anticipaba la que les esperaba en el futuro, una especie de introducción perfecta a la sociedad fabril. Aquellos aspectos que ahora criticamos: la reglamentación casi militar, la falta de individualidad, el rígido sistema de aulas y grupos, el papel autoritario del maestro, son precisamente los que hicieron tan eficaz esta institución pública como instrumento de adecuación a su tiempo. Tras pasar por aquella máquina docente, los jóvenes salían a una sociedad adulta que tenía una estructura de puestos de trabajo, funciones e instituciones muy parecidas a las que había en la escuela. El alumno no solo aprendía las nociones que le servirían más adelante en la fábrica, sino que vivía un estilo de vida parecido al que encontraría en el mundo laboral, especialmente en lo que se refiere al ritmo del tiempo, que el industrialismo imponía a golpe de sirena. Como había que hacer frente a nuevos retos laborales, se tenía que dedicar más energía a entender el presente, por tanto el foco de la educación empezó a virar para ganar peso respecto al pasado. Incluso los sistemas escolares, que hacían del pasado un fin en sí mismo, empezaron a transformar el conocimiento en un medio para entender el presente.

¿CÓMO COMPROBAR LA MATERIA PRIMA?

En París, en el año 1900, alguien tuvo la idea de buscar un sistema para evaluar la materia prima de todo este proceso, así que le pidió a un psicólogo, llamado Alfred Binet (1857-1911), que diseñara algún tipo de medida que indicara de antemano qué alumnos de las escuelas primarias de París tendrían éxito en sus estudios y quienes fracasarían. Binet creó el test de inteligencia y su medida se denominó Coeficiente Intelectual (CI). Desde entonces, este test, u otros más o menos evolucionados, se han mostrado como uno de los éxitos más grandes de los psicólogos, una herramienta útil y genuinamente científica para clasificar a los alumnos. La sociedad, que siempre había confiado en juicios intuitivos sobre el grado de inteligencia, ahora tenía un instrumento para cuantificar la altura intelectual, real o potencial, de una persona. Esta concepción de la inteligencia única y mesurable encajaba perfectamente con una determinada visión uniforme de la escuela, en la que había un currículum básico que todo el mundo debía conocer y muy pocas materias opcionales. Además, el sistema permitía que los mejores estudiantes, aquellos con un mayor CI, siguieran mejor los cursos impartidos por medio de clases magistrales, lecturas críticas, cálculos y capacidades mentales. En definitiva, se tenía una forma de evaluación fiable para que los más brillantes fueran a las mejores universidades y asumieran una posición privilegiada en la vida, un método de medida y selección por meritocracia, que suponía un gran avance respecto al vacío anterior, pero que también fue objeto de fuertes manipulaciones, como la del psicólogo británico Cyril Burt (1883-1971), cuando en 1909 aseguraba que la inteligencia era una cualidad innata del ser humano, de lo que deducía que las diferencias entre clases sociales provenían de causas genéticas, y por tanto la pobreza no era nada más que la consecuencia de una desventaja hereditaria.

¿Una sola inteligencia?

Sin embargo, la cosa no es tan sencilla, sobre todo cuando cada día se hace más evidente que la inteligencia humana dista mucho de ser única y unidireccional, como se había pensado inicialmente. Hoy tenemos una visión más plural, que reconoce múltiples facetas de la personalidad y tiene en cuenta que los individuos poseen diversas potencialidades y pueden emplear varios estilos cognitivos, todo ello gracias a unos conocimientos basados en disciplinas, muchas de las cuales no existían en época de Binet y que han desarrollado la "*teoría de las inteligencias múltiples*", popularizada por el profesor de Harvard, Howard Gardner (1943), que define la inteligencia *como la capacidad para resolver problemas o elaborar productos que son de gran valor en un determinado contexto comunitario o cultural,* por tanto tiene en cuenta todos los roles diferentes que puede desarrollar la persona y no solamente las respuestas dentro de un aula a las preguntes de un formulario contestadas con lápiz y papel. En base a esta *"capacidad de resolver problemas o elaborar productos"*, hace una lista de siete posibles inteligencias, que define de la siguiente manera:

1. La inteligencia lingüística es la capacidad de comunicación oral y/o escrita y su exponente máximo es la producción artística de oradores y poetas.

2. La inteligencia lógica-matemática es la que mejor refleja la capacidad científica al permitir resolver problemas con rapidez. Gardner asegura que, cuando los psicólogos hablaban de inteligencia, se referían sólo a estos dos primeros tipos, que la sociedad ha acabado poniendo en un pedestal, pero poseerlas no asegura ni la validez humana del individuo ni proporciona garantías de éxito futuro, aspectos que probablemente dependen de otras inteligencias.

3. La inteligencia espacial es la capacidad para formarse un modelo mental del mundo y actuar empleando ese modelo. Se trata de características muy corrientes entre los marinos, cirujanos, escultores, pintores, etc.

4. La inteligencia o capacidad musical tiene a sus máximos exponentes en algunas personas con un don especial para la música.

5. La inteligencia corporal y cinética es la capacidad para resolver problemas y crear resultados empleando el cuerpo y está muy desarrollada entre bailarines, atletas, futbolistas, etc.

6. La inteligencia interpersonal consiste en la capacidad para entender a las demás personas: qué las motiva, cómo trabajar con ellas de forma cooperativa, como crear equipos, etc. Son exponentes destacados los buenos vendedores, políticos, profesores, maestros, médicos de cabecera, líderes religiosos, etc.

7. La inteligencia intrapersonal o capacidad de formarse un modelo ajustado y verídico de uno mismo para resolver los problemas que le afectan en la vida. Estas dos últimas son formas de inteligencia todavía poco comprendidas, pero tremendamente importantes para el desarrollo personal y las relaciones sociales.

Así pues, Gardner nos habla de múltiples inteligencias, con las que todos nacemos, es decir, diversas capacidades, que se subdividen entre ellas y se pueden potenciar, reprimir o reajustar en función de las experiencias personales y de los conocimientos adquiridos a lo largo de la vida, hasta el punto de que los individuos pueden nacer con unos perfiles determinados y acabar mostrando otros distintos. Para aquel autor son verdaderos potenciales biológicos en bruto, que únicamente se pueden observar en sus formas puras en individuos que son, en un sentido figurado, "monstruos" como Mozart. En los demás casos, todas ellas trabajan juntas para resolver problemas y asumir diversos fines sociales, culturales, vocacionales, relaciones, aficiones y similares.

Todo esto entra en contradicción con los análisis habituales centrados solo en el CI, principalmente en los numerosos casos que no encajan en el concepto de la inteligencia única. Un buen ejemplo son los "sabios" que, fuera de su campo, son incapaces de relacionarse con los demás o se manifiestan como verdaderos desastres sociales, y que constituyen un estereotipo peculiar. Cualquiera que haya escuchado la música de Mozart puede comprobar su capacidad sublime para la música, pero en cambio la película "Amadeus" muestra a un personaje ciertamente lamentable en muchos otros aspectos. También es habitual que individuos, que apenas saben leer y escribir, tengan una facilidad innata para orientar y resolver problemas complejos (no técnicos), superior a muchos de los "sabios" antes mencionados. Por otra parte, hay personas que se resisten a ser consideradas disminuidas y acaban destacando en cualquier campo, como le ocurrió a Albert Einstein, que tuvo muchas dificultades para leer y expresarse hasta que encontró unas materias que le interesaron: el álgebra y las matemáticas. Pero también está el caso contrario, el que se deja influenciar por las opiniones de los demás, lo que le impide que afloren sus potencialidades, como Víctor Seribriakoff, que a los quince años le aseguraron que nunca tendría capacidad para acabar sus estudios y él se lo creyó, así que vivió los siguientes diecisiete años de diversos trabajos, como un verdadero zopenco, hasta que a los 32 años, una evaluación indicó que tenía un CI de 161, entonces empezó a actuar como si fuera un genio, escribió libros, obtuvo patentes y se convirtió en un profesional de éxito que llegó a ser elegido presidente de la Sociedad Mensa, cuyo único requisito es tener un CI superior a 132. Por todo ello Gardner propone abandonar tanto el test de CI como sus correlaciones y buscar otras fuentes de información relacionadas con las formas en que los individuos desarrollan capacidades que sean importantes para resolver los problemas de sus formas de vida.

¿QUÉ ESCUELA QUEREMOS?

Por poca credibilidad que le demos a las teorías de Gardner, debemos aceptar que el tema es bastante más complejo que la teoría de la inteligencia única, por eso, tanto si el objetivo de la escuela es el adiestramiento de los ciudadanos como si es el desarrollo de las "inteligencias", que debería haber dicho Russell a tenor de estos nuevos conocimientos, sería conveniente que todo el sistema educativo ayudara a los alumnos a descubrir y potenciar aquellas capacidades que les proporcionan sus inteligencias naturales para que asuman unas profesiones y aficiones, acordes a las mismas y a las necesidades de la sociedad. Las personas que reciben soporte en este sentido se sienten más implicadas y competentes, y son más proclives a servir a los demás de forma constructiva. Ello implica un nuevo concepto de escuela que tenga en cuenta todos estos aspectos, centrada en el individuo, comprometida con esta diversidad y que desarrolle el perfil cognitivo de cada estudiante. Dos realidades más avalan la necesidad de cambiar de la escuela unidireccional a una centrada en el individuo.

- La primera es que no todo el mundo tiene los mismos intereses y capacidades, ni aprende de la misma manera. Tan ridículas son las afirmaciones que pretenden que todos los niños deben aprender lo mismo, de igual manera y al mismo ritmo, que propugnan algunos supuestos progresistas, como las que hacia el psicólogo Cyril Burt cuando aseguraba que la pobreza tenía una causa genética. Ahora no solo somos conscientes de la diversidad, sino que tenemos las herramientas para abordarla, gracias a las nuevas tecnologías de la información y la comunicación, que permiten afrontar las diferencias sin encasillar a las criaturas, sino todo lo contrario, identificando sus capacidades y potenciándolas con aquellas experiencias que puedan beneficiarles más e identificando sus puntos débiles para combatirlos y contrarrestarlos con habilidades alternativas.

- La segunda realidad para cambiar el modelo de escuela es más compleja, ya que supone reconocer que en nuestros días nadie puede llegar a aprender todo lo que le hace falta. Aunque queramos ser como los hombres del Renacimiento, y dominar todos los campos del saber, ese ideal es hoy imposible, tanto por la amplitud y variedad de materias como por la velocidad a la que cambian. Como esta nueva naturaleza del saber impide proporcionar a los niños unos conocimientos técnicos que les sirvan para toda la vida, lo más aconsejable es inculcarles la necesidad de seguir formándose mientras vivan, pero ello sólo será posible alineando sus potencialidades con sus deseos e intereses para que esa formación sea amena y placentera, que es uno de los secretos del éxito personal y profesional, como nos recuerda Mark Twain, para quien: *El secreto del éxito está en convertir la vocación en vacación.*

Una escuela centrada en el individuo supone múltiples diferencias respecto a la actual, ya que tendría que evaluar todas las capacidades intelectuales y potencialidades del alumno y no solo el CI; debería formarle, además de en materias comunes, en aquellas que le sean más propicias y en las que le permitan suplir sus deficiencias en campos que puedan ser importantes para el futuro. Supondría cambiar la manera de impartir las materias, manteniendo las clases magistrales, pero incorporando nuevas técnicas didácticas para interesar a estudiantes que tengan distintas formas de aprender, como videos, películas, charlas y participación en clase, prácticas sobre el terreno, juegos de rol, etc. Tras los primeros cursos, la escuela debería implicar a los alumnos en empresas, modelos de vida y opciones de trabajo disponibles en su medio, para familiarizarles con las diversas posibilidades que el futuro les depare y no esperar como ahora al final del periodo escolar para contactar con el mundo laboral.

La formación tendría que desarrollar nuevas funciones introduciendo una serie de cambios que podrían materializarse con la aparición de nuevas figuras en la escuela como:

- Especialistas evaluadores, para analizar las habilidades y los intereses de los estudiantes de manera global y no únicamente a través del prisma habitual de las inteligencias lingüísticas y lógico-matemáticas.

- El gestor del currículum del estudiante cuya función sería vincular los perfiles de los alumnos, sus objetivos e intereses, con las materias y estilos de aprendizaje que le fueran más propicios.

- El gestor escuela-comunidad, que relacionaría a los estudiantes con ámbitos y entidades que ofrecieran oportunidades de aprendizaje inexistentes en la escuela, como tutorías con especialistas en diversas materias, hermanos mayores, estancias en empresas que muestren alternativas ocupacionales para contactar con diversos tipos de trabajos, todo ello orientado a descubrir la vocación del alumno y a facilitar sus habilidades y posterior inserción en el mundo laboral, a la vez que se mantienen en la sociedad múltiples oficios y vocaciones.

- En esta escuela hay mucho espacio para los maestros y profesores, pero también para los coordinadores. Los maestros quedarían liberados para enseñar sus materias, pese a que tendrían que adoptar diferentes estilos docentes para llegar mejor a los alumnos.

- Los coordinadores tendrían mucha más responsabilidad, ya que, no solo supervisarían a los maestros nuevos y les orientarían, sino que también deberían asegurar el equilibrio de la ecuación *estudiante-evaluación-currículum-comunidad*. Cuando la ecuación se desequilibrase, los coordinadores intervendrían y propondrían soluciones.

La mayor preocupación en la escuela no son aquellos jóvenes que sirven para todo, porque a ellos les irá bien, sino los que no brillan en los test estandarizados de CI y que el sistema actual pasa por alto, al considerarlos faltos de talento. Recuperar algunos de estos alumnos, injustamente tratados por el sistema educativo, y por tanto desempeñar parte de las tareas que se han expuesto más arriba, es lo que intentan hacer, fuera del periodo escolar, los asistentes sociales municipales que, con más voluntad y dedicación que recursos, buscan empresas e instituciones donde poder colocar a unos jóvenes a los que la escuela no supo valorar ni interesar, y que hoy forman parte de esa tragedia que es la generación Ni-Ni. Junto al drama de esos jóvenes que ni estudian ni trabajan, hay un montón de fenómenos nuevos que tienen su origen en las deficiencias de la escuela unidireccional de la inteligencia única que, por no valorar más que una pequeña parte del individuo, falla en la preparación de muchos de sus alumnos en las dos vertientes que decía Russell, ya que ni les forma las inteligencias ni les adiestra como ciudadanos. La cantidad de analfabetos funcionales (que saben leer un párrafo pero no entienden lo que han leído) entre los jóvenes es alarmante, pero la falta de valores todavía es mucho peor. Los delincuentes más populares de los años 70 y 80 del siglo pasado, como el Vaquilla, podían atracar bancos a sangre y fuego, disparar a las fuerzas de seguridad o conducir coches con 11 años, pero nunca en su vida le habían levantado la mano a sus padres, una aberración que no existía en sus códigos de conducta. Hoy día, la violencia de los jóvenes contra sus padres es uno de los fenómenos más nuevos e inquietantes de los últimos años y constituye un problema en alza, que solo se puede combatir con eficacia desde las aulas. Lo mismo pasa con el botellón, que reúne a centenares o miles de jóvenes, muchos de ellos menores de edad, para beber juntos, algunos hasta caer en coma etílico, y que pretende ser el súmmum de la diversión cuando en realidad es una manifestación del fracaso social y educativo que sufrimos.

Por todo ello, debemos decidir qué escuela queremos: si la unidireccional, que sigue teniendo en cuenta solamente una parte de las habilidades de los estudiantes; o una centrada en el individuo que le valore en su totalidad. La primera es la más sencilla de conseguir, por ser la que ya conocemos, pero deja de lado a un montón de jóvenes, con inmensas habilidades, apreciadas por la sociedad, pero que no se miden con los tests de inteligencia convencionales. Un repaso del magnífico libro de Emilio Calatayud, el juez de menores de Granada, que ha revolucionado el mundo de la magistratura juvenil a base de ver a los chicos que caen en su juzgado, como a personas que han tenido un mal momento y no como a delincuentes, muestra algunos ejemplos de cómo aprovechar esas habilidades: desde el experto en desvalijar viviendas que, con el soporte del juez, acaba poniendo una cerrajería; hasta el que circulaba sin seguro y, sabiendo que le gustaba dibujar cómics, le condena a hacer un cómic sobre su infracción, para acabar convertido en ilustrador profesional; y muchos otros casos parecidos de muchachos que, gracias a encontrarse a un juez inteligente y con sentido común, han acabado convertidos en miembros respetables y valiosos de la sociedad y no en delincuentes. De haber ido a una escuela que se fijara en sus habilidades y las hubiera potenciado, la mayor parte de ellos habría hallado su camino antes de cruzarse con un juez de menores. Por tanto, nos toca decidir el modelo de escuela que queremos para el futuro del país, pero debemos hacerlo sabiendo que seguir como ahora supone que buena parte de los problemas que se deberían haber resuelto durante el periodo escolar los trasladamos a la sociedad para que sean los asistentes sociales y los jueces de menores quien los solucionen sin medios y a destiempo.

Por si este dilema fuera poco, debemos tener en cuenta que nuestra decisión debe enmarcarse en un mundo en total evolución. Qué ironía que, mientras nos debatimos entre el pasado y el presente, mientras nuestro sistema educativo todavía no se ha adaptado del todo a la era industrial, se divisa una nueva realidad, un futuro que ya está aquí y que cambia todas las perspectivas de la sociedad a través de una nueva revolución tecnológica que nos conduce a la era post-industrial y lleva camino de empequeñecer los impactos de las dos anteriores, la agraria y la industrial. Antes de afrontar cualquier decisión respecto a la escuela que queremos, haríamos bien en saber hacia dónde apunta esta nueva era, ya que las necesidades que nos marque serán fundamentales para elegir la mejor alternativa de futuro.

La escuela de la era postindustrial

Todo indica que en los sistemas automatizados y tecnificados del mañana, las máquinas harán las tareas físicas y repetitivas, mientras que las personas se dedicarán a generar información y corrientes de opinión. Máquinas e individuos, en lugar de estar ubicados en fábricas gigantescas, estarán repartidos por todas partes y se relacionarán mediante comunicaciones extraordinariamente sensibles y casi instantáneas. El trabajo humano saldrá de la fábrica y de las oficinas y se trasladará a la sociedad y al hogar. Las máquinas estarán completamente sincronizadas y las personas completamente desincronizadas. Ya no habrá sirenas en las fábricas para marcar el inicio y el final del trabajo e incluso el reloj, elemento clave de la era industrial, perderá parte de su poder sobre los humanos, porque la tarea se podrá hacer desde casa a la hora que se quiera, ya sea de día o de noche. En ese mundo ya cercano, los atributos más valiosos de la era industrial, como la disciplina ciega que inhibe la iniciativa, la reglamentación militar, la falta de individualización, el rígido sistema de aulas y grupos, etc., se convertirán en verdaderos obstáculos para la educación del alumno, ya que con la tecnología del mañana no se necesitarán millones de personas ligeramente formadas y capaces de trabajar al mismo tiempo en tareas infinitamente repetidas. No se necesitará gente que acate las órdenes sin decir nada, conscientes de que su nivel de vida depende de adaptarse a la autoridad, sino a gente capaz de tener juicios críticos, de abrirse camino en medios nuevos y de establecer nuevas relaciones en una realidad sometida a cambios rápidos y profundos. Ya no será suficiente con entender el pasado, ni tampoco el presente, pues todo se desvanecerá con cada nuevo cambio. Lo que habrá que hacer es prever la dirección y el ritmo de los mismos, para adaptarse lo mejor posible a ellos. Ante este panorama, no resulta difícil entender que los maestros que formen a los adultos del mañana no sólo resultan claves en todo el proceso, sino que ellos mismos se verán obligados a adaptarse a todas estas nuevas realidades.

Los "Consejos del futuro"

Crear un sistema educativo para la era postindustrial supone tener en cuenta conceptos y alternativas para el futuro, es decir, imaginar los tipos de trabajos, de profesionales y de vocaciones que habrá dentro de veinte o de cincuenta años, los modelos familiares o sociales, las clases de problemas éticos y morales que se plantearan, la tecnología disponible, el ambiente social, las estructuras organizativas más probables, etc. Es una tarea nueva y ardua a la que no estamos acostumbrados: debemos inventar el futuro que nos espera, y crear las condiciones de vida y afectivas que necesitarán los ciudadanos del mañana para sobrevivir al impulso acelerado de la tecnología y de la información que ya estamos viendo. Para facilitar esa tarea se podrían crear *Consejos del Futuro* en cada escuela y en cada comunidad: equipos de hombres y mujeres dedicados a hacer propuestas y ensayos sobre las tendencias y expectativas venideras. Como ningún grupo tiene el monopolio de la visión del mañana, deberían tener la máxima representatividad y ser completamente democráticos. Es cierto que los especialistas son imprescindibles, pero los Consejos no tendrían que caer en manos de educadores profesionales, proyectistas o miembros de cualquier élite, sino que es fundamental la participación de jóvenes y estudiantes. Los Consejos de las tendencias del futuro proporcionarían una buena manera de escapar del callejón sin salida en el que se encuentran nuestros colegios y escuelas, enseñando materias que muchos alumnos ven como anacronismos que no tienen nada que ver con la realidad que les rodea y por eso no se sienten identificados ni implicados, convirtiéndose en candidatos a futuros Ni-Ni.

Con esto no estoy diciendo que el actual sistema docente no esté cambiando en absoluto, ni mucho menos, la verdad es que está experimentando una rápida transformación, pero una gran parte de este movimiento no es nada más que un intento de afinar la maquinaria existente, haciéndola más eficaz para la consecución de unos objetivos anticuados. Todo el resto, incluidas las persistentes reformas educativas, solo son una especie de movimiento browniano, sin dirección y que se anula a sí mismo. Ha faltado un análisis crítico del punto de partida y una dirección consistente, por eso hemos ido dando bandazos que no nos han llevado a ningún sitio (salvo las reformas españolas, que hablan de *"adoctrinar"* y que nos llevan directamente al pasado más oscuro y remoto). Los *Consejos del Futuro* podrían aportar las dos cosas: la dirección del postindustrialismo y el punto de partida que debería ser directamente el mañana que queremos.

Estructuras y programas de ayer

El hecho de que en la sociedad post-industrial el conocimiento se quede rápidamente anticuado, unido a la mayor longevidad, hace pensar que es poco probable que las cosas aprendidas en la juventud, sirvan durante demasiado tiempo y por tanto los conocimientos se tendrán que ir actualizando a lo largo de toda la vida, por eso se debe prever una formación continuada permanente. En estas condiciones, de un proceso formativo que ya no servirá para toda la vida y unos conocimientos técnicos que caducarán en pocos años, resulta poco razonable obligar a los alumnos a dedicar todo su tiempo a la escuela, sin ver una empresa hasta que finalicen el periodo escolar, a riesgo de que al acabarlo los conocimientos adquiridos ya no les sirvan para integrarse en el mundo laboral. Sería más realista e instructivo, y posiblemente más satisfactorio para la mayoría de los alumnos, dedicar una parte del tiempo a la escuela pero otra a estancias en empresas con pequeños trabajos, remunerados o no, al servicio de la sociedad.

Desgraciadamente, estamos muy alejados de esta realidad, ya que en nuestro país hay una gran separación entre el sistema educativo y el laboral, que incluye a la formación profesional y la universidad. Resulta paradójico formar a los futuros empleados de espaldas a las empresas, ya que ello nos hace producir demasiados trabajadores de algunos ámbitos, que no encontrarán trabajo por sobresaturación, mientras en otros casos nos faltan tantos que debemos traerlos del extranjero. Hay que acabar con esta separación y hacer que el sistema educativo vaya de la mano del laboral en beneficio de la sociedad a la que los dos deben servir. Las escuelas deben difundir sus enseñanzas por empresas e instituciones, centros sociales y sanitarios, almacenes y peluquerías, oficinas y hogares particulares hasta el punto de que sea difícil saber dónde acaba el colegio y dónde empieza la sociedad. Los estudiantes deberían aprender oficios, tanto en la escuela como de los adultos que los dominen bien. Estudiantes, educadores profesionales y grupos comunitarios tendrían que intervenir activamente en la elaboración de los programas formativos. Y el camino tendría que ser de sentido inverso, así que también la sociedad debería entrar en la escuela de manera que los salones de belleza, imprentas, empresas informáticas, oficinas de arquitectos, etc., tuviesen espacios gratuitos dentro de los colegios, y sus dirigentes y especialistas diesen lecciones a los chicos en la realidad de los negocios y de la vida laboral. Se podría crear un sistema de tutorías con profesionales, que no solo transmitiesen sus conocimientos técnicos, sino que mostrasen como trasladar las abstracciones que se explican en las clases o en los libros a la práctica diaria.

Así como la era industrial formó personas para ocupar una casilla relativamente permanente en el orden social y económico, la educación postindustrial debe preparar a los individuos para actuar en organizaciones temporales. Los niños que ingresan ahora en la escuela no tardan en descubrir que forman parte de una organización estándar y fundamentalmente invariable: una clase dirigida por un maestro. Esa estructura de la era industrial no enseña cómo adquirir experiencia de otras formas de organización, ni las dificultades inherentes al cambio de una entidad a otra. A los alumnos no se les prepara para un cambio de papeles, pero la realidad es que, a lo largo de su vida cambiarán varias veces de trabajo, y por tanto necesitarán una capacidad de adaptación que nadie les habrá proporcionado. Si las escuelas quieren facilitar la adaptación de los jóvenes en sus etapas posteriores como adultos, tendrán que enseñar esquemas variados: clases con varios maestros, estudiantes organizados en fuerzas de trabajo temporales y en equipos de proyectos, pasar del trabajo en grupo al individual y al contrario, etc. Los criterios que deberán marcar la nueva escuela son: dispersión y descentralización, completa conexión con la colectividad, ruptura del rígido programa curricular, potenciar las capacidades individuales, facilitar la adaptación a los cambios sociales y laborales, y promover la formación continuada.

Por lo que respecta a las asignaturas a impartir, tenemos que dejar de suponer que todas se enseñan por alguna razón e invertir la premisa: ninguna materia se debería incluir en el currículum escolar sin estar plenamente justificada con vistas a las necesidades del futuro. Ello no debe entenderse como una declaración anticultural, ni como un alegato para destruir el pasado, y aún menos que podamos prescindir de las enseñanzas principales, pero el actual sistema de asignaturas es una reminiscencia del pasado, a causa de la cual los niños se ven obligados a estudiar materias de más que dudosa utilidad futura. Sería más beneficioso estudiar otras que sirvan mejor para el mañana: cálculo de probabilidades, lógica, programación, estética, comunicación de masas, animación, intermediación y resolución de problemas, lucha contra catástrofes, contaminación, vida submarina, fuentes de energía, espacio exterior, etc. Por último, la actual separación de materias en compartimentos separados, tampoco se fundamenta en criterios que faciliten el aprendizaje, sino en la inercia y en la lucha entre gremios docentes interesados en aumentar sus presupuestos y presencia académica.

Un cambio que ya se adivina

Así como la diversidad genética ayuda a la supervivencia de las especies, la diversidad en educación aumentará las probabilidades de supervivencia de las sociedades. En lugar de cursos estándares, donde todos los alumnos tienen que aprender lo mismo, el futuro de la docencia tendrá que crear una mayor diversidad de materias, oportunidades y resultados. Se deberá permitir a los niños una mayor libertad de elección que en la actualidad, se les podría hacer asistir a una gran variedad de cursillos breves (dos o tres semanas) antes de comprometerse en estudios más largos. Cada escuela debe ofrecer gran número de materias fundamentadas en posibles necesidades futuras, una diversificación que implica que no todos los estudiantes tendrán que seguir los mismos cursos, aunque sí deben ser instruidos en ciertos conocimientos comunes, necesarios para la comunicación humana y para la integración social. Si la era postindustrial se prevé llena de cambios, transitoriedad, diversidad y novedades constantes, entonces las personas necesitarán nuevas aptitudes para afrontarlos, principalmente en tres áreas: el aprendizaje, las relaciones humanas y la gestión de opciones múltiples.

- El aprendizaje. A causa de la creciente aceleración de la información, debemos aceptar que vivimos en un mundo en el que los conocimientos caducarán cada vez más pronto. Aquello que hoy es un hecho, mañana será un error del pasado. Ello no significa que no tengamos que aprender hechos y datos, pero en una sociedad en la que el individuo cambia constantemente de empresa, de lugar de residencia, de lazos sociales, etc., este nivel de detalle pierde importancia. Por tanto, las escuelas no tendrían que enseñar únicamente datos, sino la manera de manipularlos. Los estudiantes deben aprender a cuestionar las viejas ideas, pero sobre todo la manera de sustituirlas, en una palabra, deben aprender a aprender. El psicólogo Herbert Gerjuoy lo explica de la siguiente forma:

  La nueva educación debe enseñar al individuo como clasificar y reclasificar la información, comprobar su veracidad, cambiar las categorías en caso de necesidad, pasar de lo que es concreto a lo que es abstracto y al contrario, considerar los problemas desde un nuevo punto de vista y enseñarse a sí mismo. El analfabeto de mañana no será el hombre que no sabe leer, sino el que no ha aprendido la manera de aprender.

- Las relaciones humanas. Si la velocidad de los cambios sigue igual, podemos prever problemas para establecer y mantener vínculos entre las personas, ya que la antigua manera de hacer amistades, con relaciones más o menos estables a lo largo de la vida, será más difícil por los cambios constantes de lugares donde vivir y trabajar, que harán que la fugacidad en los contactos difuminen las relaciones, incluso las de pareja. Las consecuencias de este paso incesante de personas por nuestra vida, supondrá tener menos tiempo para desarrollar lazos de confianza y amistad, lo que acortará la etapa de cortesía de las relaciones para intentar llegar directamente a la intimidad, incluido el sexo, al que muchos consideran una manera rápida de conocer a alguien sin tener que esperar una relación larga y profunda. El sistema educativo debe ayudar a asumir esta nueva situación de falta de amistades prolongadas, a aceptar la soledad y a encontrar maneras de cultivar nuevas relaciones más efímeras, ya sea creando grupos más interactivos de estudiantes, organizando nuevos equipos de trabajo en una o más clases o por otros sistemas.

- La gestión de opciones múltiples. En la era postindustrial, de cambios constantes que exigirán una adaptación permanente, se multiplicarán las decisiones a tomar y serán más complejas, ya que adaptarse supone elegir, entre las diversas alternativas posibles, aquellas que son más compatibles con nuestros valores y objetivos vitales. Pero si la persona no los tiene claros, se verá incapaz de resolver el dilema de elegir entre múltiples alternativas, algunas contradictorias entre sí y otras incluso perjudiciales para sus intereses. En condiciones normales, todo lo referente a los valores es delicado, por eso las escuelas se resistían a afrontarlos y dejaron de enseñarlos definitivamente, con unos resultados nefastos para los jóvenes y para la sociedad en general y, si no lo remediamos, cuando esas creencias es conviertan en elementos aún más críticos para los individuos, por los cambios constantes, la inestabilidad laboral, la inconsistencia social y la soledad personal, las consecuencias aún serán más dramáticas. Con la actual falta de valores no es raro que millones de jóvenes busquen los caminos hacia el futuro, yendo de un lado a otro como pelotas sin dirección: botellones, drogas, sexo, predelincuencia, etc. ¿Cómo hemos llegado hasta aquí?

  ° En las sociedades preindustriales, relativamente estables, no se discutía el derecho de los adultos a imponer sus valores a los jóvenes, y la educación se preocupaba tanto de inculcarlos como de transmitir conocimientos prácticos.

° Posteriormente, cuando la era industrial cuestionó los valores tradicionales, reclamando unos nuevos, los educadores se inhibieron para centrarse en la enseñanza de hechos y datos, dejando que los estudiantes se formarán sus propias opiniones. El relativismo cultural y la neutralidad científica ayudaron a los docentes, que substituyeron los valores por estas materias, así toda enseñanza de la escuela fue desposeída de valores y se eliminaron las connotaciones morales. El resultado es que pocas veces se anima a los alumnos a analizar sus propias creencias, las de sus maestros o compañeros y en general pasan por el sistema educativo sin obligarles una sola vez a buscar sus propias contradicciones, ni a examinar en profundidad sus objetivos vitales o a discutir sinceramente estas cuestiones con los adultos o amigos, en consecuencia son individuos inseguros de sus objetivos y creencias o de su papel en el mundo, personas incapaces de tomar decisiones efectivas en condiciones de opciones múltiples.

° Los educadores postindustriales no tendrán que imponer a los estudiantes rígidas escalas de valores, pero sí organizar sistemáticamente actividades formales e informales que ayuden al alumno a definir, explicar y probar cuáles son sus creencias.

Mientras no enseñemos a los jóvenes los conocimientos necesarios para identificar, analizar y resolver los conflictos de sus propios objetivos vitales, nuestras escuelas seguirán preparado personas para la era industrial.

Una nueva concepción del tiempo

Todavía hay que añadir al menos un elemento más para acabar de orientar el sistema educativo plenamente hacia el futuro: cambiar la concepción del tiempo que se enseña en las escuelas y que es completamente diferente a como se trata el espacio. Todos los alumnos son situados cuidadosamente en el espacio, ya que estudian geografía, mapas, planos y globos terráqueos que les ayudan a ubicarse en el espacio y les damos la referencia, no solo de su ciudad, región o país, sino que también les explicamos las relaciones de la Tierra con el resto del sistema solar y con el universo. En cambio, cuando se trata de situarlo en el tiempo, le hacemos una trampa terrible. Le cargamos con nociones del pasado, de su país y del mundo: relatos bíblicos, Grecia, Roma, feudalismo, Revolución Francesa, Revolución Rusa, leyendas patrióticas, etc., todo ello bien referenciado con las correspondientes fechas. A veces, incluso les ponemos al corriente de la actualidad (recortes de prensa, comentarios de noticias, etc.), y ahí el tiempo se para. La escuela guarda silencio sobre el mañana. Los cursos de historia acaban el año en que se imparten y lo mismo ocurre en el estudio de la política, economía, psicología, biología, etc. El tiempo llega corriendo y se para bruscamente, sin solución de continuidad, lo que hace que el estudiante mire hacia atrás y no hacia delante. El futuro, desterrado del aula, es también desterrado de la conciencia, como si no existiera, por eso nos es más fácil hablar del pasado. Si nuestros hijos deben adaptarse a los cambios rápidos que el porvenir les depara, debemos poner fin a esta distorsión del tiempo, sensibilizándoles para que perciban las posibilidades del mañana y fomentando su sentido del futuro. La sociedad ha forjado múltiples elementos que nos ayudan a asociar el presente con el pasado, gracias al contacto con la generación anterior, a nuestros conocimientos de la historia, a la herencia cultural en materia de arte, música, literatura y ciencia, etc., transmitidas a lo lago de los años, una relación que se fortalece por medio del contacto con los objetos que nos rodean, cada uno de los cuales tiene un origen que le identifica con el pasado. En cambio, ninguno de estos aspectos fomenta nuestro sentido del mañana, no tenemos objetos, amigos, parientes, obras de arte, de música o literatura que tengan su origen en el futuro, no tenemos ningún tipo de herencia del futuro, pese a que sí existen maneras de proyectar la mente hacia delante y no solo hacia atrás.

Tenemos que crear una conciencia más viva del mañana, no a base de ciencia ficción, sino con enfoques centrados en las implicaciones personales y sociales que vendrán. Aunque pueda parecer raro en otras épocas sí se hacía; el hombre medieval tenía una imagen de la vida de ultratumba, que se completaba con cuadros del cielo y del infierno aunque nadie los había visto nunca. Debemos propagar imágenes dinámicas, no sobrenaturales, de lo que será la vida del mañana, con el objetivo de amortiguar el impacto que puede tener sobre nuestra existencia, y para lograrlo hace falta en primer lugar respetar e incentivar la especulación sobre cómo será, debemos animar a las personas desde la infancia a pensar libremente, incluso fantasiosamente, no solo sobre lo que el porvenir les tiene preparado para la próxima semana, sino sobre lo que la próxima generación aportará a la raza humana. Si damos a nuestros hijos cursos de historia, ¿por qué no darles también cursos sobre el mundo del mañana donde acabaremos viviendo? Si conocemos como se vivía en el pasado, ¿por qué no explorar las posibilidades que nos depara el porvenir? Recordemos a Julio Verne, que teorizó sobre el futuro y en muchos aspectos acertó; o a Hergé que hizo llegar a Tintín a la Luna, mucho antes de que el Proyecto Apolo de la NASA lo hiciera realidad. De la misma manera que estudiamos el sistema social de los romanos o el desarrollo de los castillos medievales, ¿por qué no estudiar la sociedad, la arquitectura o la estructura social que nos espera? El filósofo Robert Jungk lo expresó de esta manera:

Actualmente, se pone un esfuerzo casi exclusivo en saber lo que ha pasado y lo que se ha hecho. Mañana..., al menos un tercio de todas las lecciones y ejercicios serán sobre los trabajos científicos, técnicos, artísticos y filosóficos en curso, sobre crisis anticipadas, y sobre las posibles respuestas del futuro a estos desafíos.

Cuando le perdamos el miedo, puede resultar fascinante.

CONCLUSIÓN

Este capítulo lo podría haber enfocado desde el punto de vista del fracaso escolar, pero decidí ampliar la perspectiva para ver más allá de la situación actual y mostrar que la tarea que tenemos entre manos es mucho más seria y compleja de lo que posiblemente cree la mayoría de los ciudadanos y muchos políticos. De todos los problemas actuales del país el que más me indigna es el de esos jóvenes que no han aprovechado la escuela, porque esta nunca supo integrarles ni interesarles; que son analfabetos funcionales porque, aunque saben leer no entienden lo que leen; que apenas articulan tres palabras seguidas sin que una de ellas sea "tío"; que no saben comportarse; y van por la vida dando bandazos sin esperanzas ni expectativas. Y el motivo de mi indignación es que mientras todos somos responsables de los problemas que padecemos (también la mayoría que consiente con su silencio), esos jóvenes no son culpables de su situación, sino que son las víctimas de un modelo que nosotros no hemos sabido hacer mejor. Por eso a la hora de las conclusiones no puedo resistirme a dedicarle unas líneas al fracaso escolar y posteriormente haré la conclusión del capítulo como tal.

Me sorprende que desde hace más de treinta años, nadie haya encontrado la fórmula para mejorar algo tan sensible como le educación. La escuela fracasa en la formación de más de un 30% de nuestros hijos. Si ustedes tuvieran un coche que les fallase el 30%

de las veces que giran la llave de contacto, ¿qué harían? Si la luz de su comedor no se encendiera una tercera parte de las veces que accionan el interruptor, ¿qué pasaría? Buscarían una solución, ¿verdad? Si fuera el Barça o el Madrid, que perdieran uno de cada tres partidos, sería una catástrofe nacional. Pues en este tema, que es mucho más importante, no entiendo qué nos pasa. Tenemos que encontrar una solución pronto, pero hay algunos antecedentes que podemos analizar por si pueden servirnos. En el caso de la sanidad hace unos treinta años se empezó por profesionalizar la gestión de los hospitales y por pasar una acreditación a todos los centros, cerrando los que tenían más dificultades para atender enfermos agudos y convirtiéndolos en otros servicios que la sociedad necesitaba. También se mejoró la formación pregrado en la universidad y se creó un sistema de selección de los licenciados mejor preparados con el examen MIR. Posteriormente, se completó la formación de estos con una especialización, de 3 a 5 años, en un centro autorizado por su prestigio científico y técnico para formar especialistas. El resultado es que hoy el sistema sanitario está entre los cinco mejores del mundo. La educación necesita un proyecto de la misma profundidad y envergadura. Que premie a los mejores centros y maestros, así como a los alumnos que tengan mejores resultados, que integre gestores profesionales que velen por la calidad de la enseñanza y por la vinculación de la escuela con las empresas (la actual separación, incluso en la universidad, es una aberración que no nos podemos permitir). Y sobre todo hace falta que la sociedad recupere la cultura del esfuerzo o todo esto servirá de bien poco.

Por lo que se refiere a la conclusión del capítulo, decir que la escuela unidireccional de la inteligencia única, necesita una profunda revisión y estamos en un momento crítico para decidir si hay que reformarla y, en caso afirmativo, en qué sentido debemos hacerlo. Antes de tomar la decisión, se deberían tener en cuenta los nuevos conocimientos en materia de inteligencias múltiples y las necesidades de la era postindustrial que cada vez están más presentes. Para ayudar a la reflexión, veamos un pequeño cuento que nos explica qué ocurrió cuando los animales quisieron crear una escuela unidireccional que impartía la enseñanza de habilidades idénticas para todos sus alumnos.

Una vez, los animales decidieron que tenían de hacer algo para facilitarles la respuesta a las exigencias del "nuevo mundo futuro", de manera que organizaron una escuela a la que todos asistirían para estar mejor preparados. A causa de las nuevas necesidades que afrontaban adoptaron un currículum escolar de actividades consistente en correr, trepar, nadar y volar. Para no hacer ningún tipo de discriminación y facilitar la administración general de la escuela, todos los animales cursarían todas las materias y las tendrían que superar.

El pato era excelente en natación, mejor incluso que su instructor y tuvo muy buenas notas en vuelo, pero pobres en carrera. Para mejorar en ese aspecto tenía de quedarse a practicar después de clase e incluso abandonó la natación para concentrarse en aquella asignatura que le costaba más. Eso duró hasta que se lastimó una de sus patas de palmípedo y se convirtió en un nadador mediano, pero su promedio era aceptable, de manera que pasó el curso y nadie se preocupó, salvo el mismo pato, claro.

El conejo empezó encabezando la clase en carrera; pero tuvo un colapso nervioso a causa del tiempo dedicado a la natación.

La ardilla trepaba bien hasta que empezó a sentirse frustrada en la clase de vuelo, en la que el maestro le hacía salir desde el suelo en vez de permitirle bajar desde arriba de los árboles. El gran esfuerzo en las clases de vuelo le produjo muchos calambres en las piernas y a causa de eso finalmente sacó únicamente un "suficiente" en trepar y en correr.

El águila era una alumna problemática, ya que en las clases de trepar llegaba a lo más alto de los árboles antes que los otros, pero siempre insistía en hacerlo a su manera. Por ello, el maestro la tuvo que castigar severamente.

A final de año, una anguila anormal que nadaba bien, corría, trepaba y volaba un poco, era la que tenía el promedio más alto, y los maestros estaban tan satisfechos con ella que le pidieron que hiciera el discurso de despedida del año académico.

Los perros se quedaron fuera de la escuela porque el currículum no había tenido en cuenta las materias de cavar y construir madrigueras. Pusieron a sus crías a aprender con el tejón y más adelante se les unieron las marmotas y topos con quienes inauguraron una escuela privada de gran éxito.

Es de la máxima importancia reconocer y estimular la magnitud y diversidad de la inteligencia humana en todas sus variedades. Si todos somos tan diferentes es porque tenemos múltiples combinaciones de inteligencias y habilidades. Cuando lo reconozcamos tendremos mejores oportunidades para enfrentarnos a los problemas que se nos presenten. Si potenciamos todas las habilidades humanas, las personas se sentirán más competentes y satisfechas con ellas mismas, y además es posible que se sientan más comprometidas a colaborar con el resto de la colectividad en la consecución del bienestar general. Si movilizamos todas nuestras inteligencias para conseguir objetivos comunes y positivos, podremos contribuir a nuestro bienestar e incrementar las posibilidades de supervivencia en este planeta. El reto es impresionante y las recompensas también.

CAP. 11. LAS CORRIENTES DE OPINIÓN SIN MANUAL DE INSTRUCCIONES

El periodismo moderno nace en el siglo XVIII
precisamente para frenar al absolutismo.
Donde hay luz, no hay tinieblas.
El periodista es el guardián de la democracia,
si cumple con su deber.

Francisco Rubiales[67]

Dicen que el saber nos hace libres. El saber nos ayuda a entender lo que pasa en nuestro entorno y en el mundo, así como a conocernos a nosotros mismos y a participar conscientemente de todo aquello que nos afecta. Pero, silenciosa y progresivamente, el poder intenta usurparnos tanto el derecho a saber cómo el de participar. Estamos en una nueva era de la comunicación política, donde ya no importa el debate de las ideas, sino el relato en sí mismo, estas técnicas denominadas *storytelling* o el arte de contar historias, ya no son simplemente una ficción inventada, sino una nueva arma de distracción masiva, una forma de gestionar la información que utiliza la narración como una manera de simular, convencer y movilizar a la opinión pública. Es mil veces más eficaz que la simple propaganda, pues, sin necesidad de cambiar la forma de pensar de la gente, la hace participar de una novela heroica y fantástica. El *storytelling* precede a la realidad, porque lo que pretende es crear esa

---

67 Francisco Rubialas (1948) es un periodista, corresponsal de guerra y escritor español.

realidad a su gusto y en interés propio. Ronald Reagan[68] fue pionero en el uso de estas técnicas mediante las cuales se inventa una historia patriótica, con buenos y malos, que llega a la población a través de las emociones, más allá del debate racional de las ideas. Uno de los mejores ejemplos nos lo dio George Bush hijo con las supuestas armas de destrucción masiva y su eje del mal, que sirvió para invadir Irak. Se trata de relatos que le permiten a quien los emplea, legitimar sus actuaciones ante la opinión pública, incluso antes de debatir o probar nada. Si cambian las circunstancias, solo hay que cambiar el guión. Según Christian Salmon[69]:

La comunicación política obedece cada vez más a una retórica preformativa (los discursos fabrican hechos o situaciones concretas), que ya no tienen por objeto transmitir información ni aclarar decisiones, sino actuar sobre las emociones y los estados de ánimo de los electores, considerados cada vez más el público de un espectáculo y por ello se propone (...) la, puesta en escena de la democracia en vez de su ejercicio real.

En esta época de *storytelling* y de contadores de historias el poder cambia su estrategia respecto a los medios de comunicación y del clásico enfrentamiento se pasa a su deglución y desnaturalización. El cuarto poder deja de serlo para engrosar la lista del clientelismo político. Los medios de comunicación, capaces de derrocar a un presidente electo en los Estados Unidos, como ocurrió con Richard Nixon, se convierten en cómplices necesarios del poder que, directa o indirectamente, los alimenta y los coarta. De esta manera, dejan de ser los guardianes de la democracia para convertirse en cooperadores necesarios de aquellos que socavan sus cimientos. La consecuencia inevitable es la caída de la credibilidad informativa, por eso en 2008 España bajó del lugar 36 al 44 en la clasificación

---

68   Ronald Reagan (1911-2004) fue presidente de los Estados Unidos entre los años 1981 y 1989.

69   Christian Salmon es un escritor e investigador francés, miembro del Centro para la investigación de las artes y el lenguaje, y fundador del Parlamento internacional de escritores.

mundial de libertad de prensa, situándose a la cola de la Unión Europea, según Reporteros Sin Fronteras, un gravísimo déficit democrático a consecuencia de la intromisión de las instituciones políticas en los medios de comunicación que solo persiguen la instrumentalización del voto, sin ninguna otra consideración.

En este capítulo veremos cómo el poder político estimula la creación de rumores y corrientes de opinión y como los medios de comunicación las aceptan y les sirven de altavoces por tratarse de la versión oficial. En ningún momento pretendo afirmar o desmentir ninguna de las corrientes de pensamiento comentadas, pero sí dar argumentos para poner en duda las tesis oficiales, con el objetivo de que en el futuro dudemos de todos aquellos que nos quieran mostrar las cosas como incuestionables e irrefutables. Nuestra obligación de personas libres es ponerlo todo en duda, buscar cuanta información nos sea posible y formarnos nuestras propias ideas, sin caer en el simplismo de aceptar las opiniones que nos vengan desde arriba. Tenemos el deber inexcusable de poner en duda todas las corrientes de opinión establecidas, principalmente las ideas únicas y las políticamente correctas, que nos pueden llevar a las peores barbaridades, como nos ha demostrado la historia en otras épocas. Es imprescindible hablar fuerte, claro y sin complejos cuando se trata de Justicia, de Igualdad o de Libertad, en mayúsculas y la ignorancia o el seguidismo es la negación de todos esos conceptos.

CÓMO SE GENERAN LOS RUMORES

Para entender cómo se generan los rumores lo mejor es que veamos una muestra concreta, alejada de la actualidad para no levantar susceptibilidades. El investigador Jean-Nöel Kapferer relata uno extremo que tuvo lugar en la prensa europea durante la Primera Guerra Mundial. Todo empezó cuando el periódico alemán *"Kölnische Zeitung"* informó de la toma de la ciudad belga de Amberes por parte del ejército alemán, con los siguientes titulares: *Las campanas sonaron con la noticia de la caída de Amberes*, entendiéndose que se refería a las campanas alemanas, pero a partir de este titular la situación fue liándose:

- Basándose en esta noticia, el diario francés *"Le Matin"* informó: *según el "Kölnische Zeitung", los curas de Amberes se vieron obligados a tocar sus campanas una vez las defensas habían caído.*

- Después fue el turno del londinense *"The Times"*, que daba su versión: *según "Le Matin", que reproduce una noticia de Colonia, los sacerdotes belgas que se negaron a hacer volar las campanas, después de la caída de Amberes, han sido depuestos de sus funciones.*

- La noticia se va enredando cuando la hizo pública el italiano *"Corriere della Sera"*: *según "The Times", que cita noticias de Colonia comentadas en París, los desafortunados sacerdotes que se negaron a hacer sonar sus campanas han sido condenados a trabajos forzados.*

- Pero el rumor alcanza su zenit cuando de nuevo *"Le Matin"* informa sobre el suceso: *según una información del "Corriere della Sera", vía Colonia y Londres, se ha confirmado que los bárbaros ocupantes de Amberes han castigado a los sacerdotes que heroicamente se negaron a repicar las campanas, colgándolos de ellas con la cabeza hacia abajo como badajos vivos.*

Se trataba de una guerra, pero un poco de objetividad y contrastar la información tampoco habría sido tan complicado, ¿no? Por eso es necesario que, si queremos estar bien informados, consultemos diversos periódicos y quizá nos sorprenderá la orientación tan diferente que cada medio da a una misma noticia. Además, debemos hacernos una idea propia de los acontecimientos en base a los hechos puros, de la forma más objetiva posible, distinguiendo la información de las opiniones de los periodistas, que son valiosas y hay que respetar, especialmente cuando se trata de profesionales con experiencia y solvencia contrastada, pero recordando que son simplemente opiniones tan valiosas como las nuestras o las de otros.

¿EL MUNDO SE ACABA?

Una de las corrientes de opinión más pesimistas que hay es el exterminio de la raza humana, una idea que de vez en cuando aparece en los medios de comunicación, con predicciones de catástrofes diversas que acabarán con nuestra existencia. Ahora el fin del mundo viene en forma de calentamiento global del planeta que fundirá los casquetes polares, así que supuestamente una parte de la humanidad perecerá ahogada y el resto chamuscada como pollos asados. Hace pocos años el fin del mundo tenía que llegar exactamente por lo contrario, por un enfriamiento del planeta a causa del *efecto invernadero* que helaría medio planeta tal como explica la película *El día de mañana* dirigida por Roland Emmerich. En mi juventud el fin del mundo tenía que llegar por la catástrofe nuclear y también hicieron una película que se titulaba *El día después,* de Nicolás Meyer, que la veías y quedabas agarrotado de pensar en las formas de aniquilación global que habíamos inventado. No es casualidad que ambas hagan referencia a un *día* concreto, ya que tratan de asociar la idea con el Día del Juicio Final anunciado en la Biblia para darle mayor contundencia a la catástrofe.

Las noticias de que el fin del mundo se acerca han sido habituales a lo largo de la historia. Las predicciones de la gran catástrofe empiezan por la Biblia, que le dedica todo el capítulo del Apocalipsis, aparte de que las amenazas del fin del mundo, del fuego eterno y del día del Juicio Final están siempre presentes en ella. En el año 1000 hubo una verdadera hecatombe por las numerosas personas que, convencidas de que el mundo se acabaría con el milenio, se suicidaron para evitar tener que soportar el desastre que pensaban estaba a punto de llegar. Lo mismo se ha repetido con frecuencia por medio de anuncios de visionarios que, sin nada mejor que ofrecer, se han dedicado a darnos un buen susto, que afortunadamente no se ha cumplido nunca. Veamos algunos de estos anuncios, sin ánimo de ser exhaustivos, para ir relativizando las previsiones de estos "adivinos".

- 1523. En el mes de julio algunos astrólogos londinenses coincidieron en señalar la llegada de un diluvio que destruiría Londres, exactamente el 1 de febrero de 1524. Aquella fecha más de veinte mil personas habían abandonado la capital inglesa atemorizadas, pero no ocurrió nada, ni siquiera llovió, cosa extraña en aquella ciudad. Los videntes volvieron a hacer cálculos y aseguraron que el diluvio se produciría cien años después, el 1 de febrero de 1624.

- El astrólogo alemán Johannes Stroeffler, de la Universidad de Tubingia, había previsto un diluvio universal para el 20 de febrero del 1524. Aquel día coincidió con una gran tormenta en el valle del Rin que, además de producir la correspondiente alarma entre la población, causó bastantes víctimas y daños materiales.

- En 1528 el mismo Stroeffler predijo de nuevo el fin del mundo, pero esta vez nadie le hizo caso.

- 1736. Para ese año el matemático y teólogo inglés William Whiston aseguró que se acabaría el mundo, concretamente el 13 de octubre.

- En 1761 lo pronosticaba William Bell, concretamente para el 5 de abril, al interpretar como signos del fin de los tiempos, dos pequeños terremotos que tuvieron lugar en Londres en febrero y marzo.

- En 1806 una oleada de superstición popular quiso ver la llegada del fin del mundo ante el rumor de que una gallina de la ciudad inglesa de Leeds había puesto un huevo en el que se podía leer la inscripción *Jesús está llegando*.

- El famoso astrólogo John Dee lo pronosticó para el 17 de marzo de 1842.

- El año siguiente, William Miller, un campesino ateo, súbitamente convertido, que fundó la secta de los Adventistas del Séptimo Día, convenció a sus seguidores de que el Juicio Final se produciría el 23 de abril de 1843, conclusión a la que supuestamente había llegado después de un atento análisis de los libros de Daniel y del Apocalipsis. Ante su fracaso, lo volvió a pronosticar para el 7 de julio de 1843, el 21 de marzo de 1844 y el 22 de octubre de 1844. Posteriormente, se demostró que esas falsas profecía no tenían otro interés que favorecer un fraudulento negocio del propio "profeta", que se enriqueció vendiendo las *ropas de la ascensión.*

- En 1881, "expertos" egiptólogos pronosticaron el fin del mundo para aquel mismo año, midiendo las proporciones de la pirámide de Keops.

- Unos años después, la secta rusa de los Hermanos de la Muerte Roja, lanzaron su pronóstico apocalíptico para 13 de noviembre de 1900, lo que provocó el suicidio masivo de muchos de sus adeptos.

- El comerciante de Nueva York Lee T. Splanger señaló el mes de octubre de 1908 como el último del mundo.

- La muchacha californiana, Margaret Rowan, anunció que el arcángel San Gabriel le había comunicado que la fecha definitiva del fin del mundo sería el 13 de febrero de 1925.

- Otras profecías hablaban de 1931, como la que hizo la Sociedad Profética de Dallas y posteriormente 1936, de nuevo a cargo de algunos "expertos" en pirámides.

- El 30 de octubre de 1937 hubo un brote de histeria colectiva al explicar los científicos el peligroso acercamiento a nuestra órbita del enorme asteroide Hermes, que chocaría con la Tierra y produciría un cataclismo.

- Los "expertos" en pirámides, inalterables pese a las muchas erradas anteriores, lanzaron una nueva predicción apocalíptica para 1953.

- La secta canadiense de los Hijos de la Luz señalaron la fecha del 9 de enero de 1954.

- Aquel mismo año, el 24 de mayo de 1954, cuando se observaron grietas en el Coliseum romano, los italianos recordaron el viejo dicho latino de que *el mundo permanecerá seguro mientras el Coliseum se mantenga de pie y* se pusieron muy nerviosos ante la inminencia del final.

- Héctor Cox, uno de los más famosos oradores espontáneos del Hyde Park Corner de Londres pronosticó el fin del mundo para el 28 de junio de 1954.

- La Comunidad de la Montaña Blanca, anunció que habría una explosión accidental de una bomba atómica que acabaría con el mundo el 14 de julio de 1960.

- El 1962 volvió a surgir una cierta psicosis cuando se conoció la extraordinaria casualidad de la conjunción, por primera vez en cuatro siglos, de los ocho planetas entrando en Capricornio el 2 de febrero.

- Un predicador de Bogotá en Colombia, señaló el 18 de abril de 1965.

- El líder danés de la secta de los Discípulos de Orthon, Anders Jensen, pronosticó, durante una emisión en directo de la televisión norteamericana, que el fin del mundo se produciría el 2 de diciembre de 1967.

- María Stafler, una mujer que se autoproclamó papisa, lo anunció para el 20 de febrero de 1969, y después trasladó su profecía al 17 de marzo, como si dijéramos en segunda convocatoria.

- La visionaria norteamericana Viola Walker indicó que sería en el mes de septiembre de 1975, advirtiendo que había recibido el mensaje directamente de Dios.

- También se anunció para el 1998, en base a que Jesús murió en la semana 1998 de su vida.

- Un señor llamado Criswell, corrigió la fecha anterior y dijo que sería en 1999, ya que en aquel año una perturbación magnética absorbería el oxígeno de la atmósfera terrestre y el planeta se precipitaría hacia el sol, convirtiéndose en cenizas.

- Posteriormente, con el inicio del año 2000 tenía que ocurrir una catástrofe por el "*efecto 2000*" que haría que todos los ordenadores se volvieran locos y provocasen un desastre peor que el mismo fin del mundo.

- La última moda entre los profetas apocalípticos, ha sido la llamada "profecía maya" que preveía que el mundo se acabaría a finales del 2012. Los mayas hacían predicciones sobre el futuro en unas inmensas piedras que tallaban para la posteridad y que reciben el nombre de estelas. Por grandes que fuesen aquellas piedras, tenían limitaciones es decir que podían escribir hasta un tiempo determinado y parece que llegan hasta final del 2012. ¿Recuerdan lo que decíamos de la necesidad de cambiar la mentalidad del tiempo futuro en el capítulo de la enseñanza y la educación? Pues los mayas ya lo hacían antes de la llegada de Colon a América y sus predicciones eran para los próximos cinco siglos, lo cual no está nada mal. Bien, pues los profetas de las catástrofes han querido interpretar esta fecha como la del final del mundo con el argumento de que no hay ninguna otra estela posterior. Ninguno de ellos ha caído en el detalle de que en los últimos cinco siglos los mayas no han podido continuar sus predicciones, ya que los españoles los exterminamos al llegar a aquel continente.

Ahora que ya hemos visto que el tema no es nuevo sino bastante reiterativo y que las amenazas son todas terribles, podemos analizar la última, la supuesta espada de Damocles que tenemos sobre nuestras cabezas con el calentamiento global del planeta para ver si debemos preocuparnos o no.

La catástrofe climática

La teoría dice que el calentamiento del planeta es la razón más importante para ser pesimista y además está causado por la actividad del hombre, por eso la humanidad se encuentra ante un grave dilema: continuar con una prosperidad basada en los combustibles fósiles, hasta que el calentamiento global nos imponga la parada definitiva; o restringir su uso y arriesgarnos a una drástica caída de los estándares de vida por falta de fuentes alternativas de energías baratas. Cualquiera de las dos posibilidades puede ser un desastre.

Ya hemos mencionado que hubo un breve periodo de tiempo, en los años 70 y 80 del siglo pasado, en que estaba de moda que los periodistas escribieran columnas siniestras sobre el enfriamiento del planeta. Ahora está de moda el calentamiento pero con historias igual de lúgubres. Tanto en un caso como en otro se decía que los resultados serían desastrosos, lo que implica pensar que solo la temperatura existente en la actualidad es la perfecta. Pero lo que no tienen en cuenta estas teorías es que el clima de la Tierra siempre ha variado, por lo que es una forma muy particular de narcisismo el creer que solo el clima actual es el idóneo. Hubo periodos más cálidos durante la Edad Media y también hace unos 6.000 años, sin llegar a las supuestas aceleraciones y "puntos de inflexión" que ahora se anuncian como momentos de no retorno hacia el cataclismo final. Hoy nadie duda de que el clima de este planeta ha estado sujeto a cambios en el pasado y que, aunque afortunadamente no ha habido un cambio drástico en los últimos 8.200 años, sí han habido perturbaciones que han acabado con civilizaciones enteras, como parecen testimoniar las ruinas de Angkor Wat, en Camboya, o de Chichen Itza, en Méjico, a pesar de tener economías que no dependían de los combustibles fósiles. Sin embargo, la humanidad y la naturaleza sobrevivieron tanto a las glaciaciones como a los periodos de calentamiento más rápidos que los de este siglo.

Pero analicemos los cambios que supuestamente nos traerá la catástrofe climática. Los expertos pronostican que el planeta se calentará este siglo unos 3°, pero esta cifra no es la única con la que se trabaja, sino que se tienen hasta 6 hipótesis y los escenarios van de 1,8 a 4° sobre los niveles de temperatura de 1990. Para estudiar lo que pueda pasar más allá del año 2100 se han nombrado algunos expertos, como Nicholas Stern en Gran Bretaña, pero resulta más difícil hacer pronósticos. De todas maneras, cuando nos hablen de estas hipótesis recordemos que las alternativas no son si queremos el calentamiento o no, sino algo un poco más complicado, como apuntábamos al principio de este apartado: ¿queremos continuar con nuestra prosperidad basada en los combustibles fósiles o restringirla y arriesgarnos a una drástica caída de los estándares de vida? Esta es una cuestión que afecta a todo el planeta así que no podemos responderla solo los occidentales, sino que tiene que contestarla la humanidad entera, por eso también deberíamos convencer a los países en vías de desarrollo de la necesidad de parar las emisiones de CO_2. La consecuencia para ellos será quedarse prácticamente todo el siglo XXI en las mismas condiciones en que están ahora. Para convencerles podemos recordarles los sacrificios que ello supondrá para Occidente, ya que solo seremos ocho veces más ricos al acabar el siglo, y no las diez que podríamos ser si continuamos quemando combustibles fósiles. Por tanto parar máquinas supone que, hasta que salga otra fuente de energía alternativa y barata, todos dejaremos de crecer, sobre todo los países en vías de desarrollo, que todavía están lejos de nuestros niveles de vida.

Los peores escenarios de calentamiento se basan en que el mundo continúe al ritmo actual de crecimiento y de creación de riqueza; es decir, hacernos todos mucho más ricos a partir de grandes emisiones de dióxido de carbono a la atmosfera. En el escenario más cálido los ingresos de los países pobres subirán, de 1.000 dólares por habitante actual, a los 66.000 dólares en el año 2100 (ajustado por la inflación). En todos los futuros hipotéticos con los que se trabaja, la posteridad es bastante más rica, también en África pese a sus terribles perspectivas, ello sucede incluso si el cambio climático reduce la riqueza un 20%, como prevé Stern para el 2100, lo que quiere decir que el mundo sería "solamente" de 2 a 10 veces más rico que ahora. El dilema es que, si hay un 99% de probabilidades de que los pobres del mundo prosperen durante el siglo XXI, mientras seguimos emitiendo CO_2 a la atmosfera, ¿qué derecho tenemos a negarles esa oportunidad?

Además, cuanto más ricos seamos más probabilidades tenemos de encontrar nuevas tecnologías y fuentes de energía alternativas y baratas que nos hagan menos dependientes de los combustibles fósiles que, según dicen, son la causa del cambio climático. Resulta difícil creer que una sociedad más rica, inteligente y preparada sea incapaz en todo lo que queda de siglo de encontrar alternativas para evitar el daño que nos puede producir la emisión de humos contaminantes. Valdría la pena recordar que hace 350 años todavía usábamos el carbón como simples piedras porque no sabíamos qué hacer con él; que hace 150 considerábamos al petróleo como una verdadera maldición que arruinaba los campos de cultivo; y que hace 100 años todavía no teníamos clara la utilidad que podíamos darle al uranio. A pesar de ello, podemos continuar suponiendo que nuestra incompetencia hará que, a lo largo de todo el siglo XXI, no seamos capaces de dejar de depender de los combustibles fósiles y realmente sufriremos un calentamiento planetario de las proporciones previstas, de tres o cuatro grados centígrados para el año 2100. Debemos calcular los costes, pero también los beneficios, del calor extra en términos de nivel del mar, agua, tempestades, salud, comida, ecosistemas y posiblemente muchos otros.

- El nivel del mar es el asunto más preocupante, ya que este sí que es el mejor de todos los posibles para nosotros y cualquier cambio, hacia arriba o hacia abajo, inutilizaría los puertos actuales. Se cree que el nivel del mar subirá entre 2 y 6 milímetros cada año. Con estas tasas, y a pesar de las inundaciones costeras, algunos continentes todavía seguirán ganando más territorio, por la acumulación de limo, del que pierden por la erosión. Los campos de hielo de los polos pierden masa a una tasa de menos de un 1% por siglo; es decir, que dejarán de existir hacia el año 12.000.

- Por lo que se refiere al agua dulce, todo parece indicar que, si el resto de factores sigue igual, con más calor habrá una mayor evaporación de los océanos y una mayor precipitación de lluvias en un mundo más caliente. Ello hará que disminuya la cantidad de personas que tienen escasez de agua en todo el mundo. Las grandes sequías que cambiaron la historia en Asia occidental tuvieron lugar, según predice la teoría, en tiempo de enfriamiento: entre 8.200 y 4.200 años. Pese a todo, no acabarán los pleitos por el agua, a causa de la gran cantidad de agua contaminada y agotada en muchos lugares, mientras ríos y pozos se secan por la sobreexplotación; pero eso ocurrirá también en un mundo frío y por tanto necesita un abordaje específico con calentamiento o sin él. Quizá las lluvias harán que haya más inundaciones, pero cuanto más ricas sean las personas y las colectividades, menor será la posibilidad de que se ahoguen o pierdan sus hogares, así que cuanto más cálido y rico sea el mundo, probablemente mejores serán los resultados globales.

- Lo mismo pasa con las tempestades. Durante todo el periodo de calentamiento del siglo XX no ha habido incremento ni en el número ni en la velocidad máxima del viento de los huracanes que tocaban tierra, en concreto el año 2008 fue el de menor velocidad de los últimos 30 años. El coste por las tempestades se ha incrementado pero es por los seguros de las propiedades en la costa, no por desastres naturales, que de hecho se han reducido un 99% desde los años 20 del pasado siglo. El poder devastador de los huracanes depende más de la riqueza y de las predicciones meteorológicas que de la velocidad del viento

- A nivel de la salud, hay que recordar que el número de muertes es superior en invierno que en verano. Además, hay que tener en cuenta la gran capacidad de adaptación de los humanos: si podemos ir de Estocolmo a Málaga o de Montreal a Miami sin morirnos por el cambio de temperatura, ¿por qué tendríamos que morir si la temperatura de nuestra ciudad se incrementa paulatinamente algunos grados a lo largo de décadas?

- Respecto a las enfermedades, la malaria era muy común, tanto en los Estados Unidos como en Europa e incluso en la Rusia ártica, en el XIX y principios del XX, cuando el mundo era un grado más frío que ahora. Su desaparición tuvo lugar mientras el planeta se hacía cada vez más cálido, pero no por la temperatura sino por las medidas adoptadas por la población:

como guardar el ganado en los establos, lo que proporcionó a los mosquitos una alternativa para alimentarse en vez de ir a buscar a los seres humanos; pasar más tiempo dentro de las casas con las ventanas cerradas; y en menor medida porque los pantanos fueron drenados y se empezó a emplear pesticidas. Actualmente, el clima no limita la malaria, ya que la causa del rebrote de la enfermedad es la migración humana y el cambio de hábitat, no el cambio climático. A pesar de todo, sería mejor hacer alguna cosa por el millón de personas que mueren cada año de malaria antes de preocuparnos por la posibilidad de que el calentamiento global añada los 30.000 muertos máximos anuales que las previsiones más pesimistas anuncian como producidas directamente por esta causa.

- Los brotes de enfermedades transmitidas por garrapatas del Este de Europa en los años 90 del pasado siglo, no tuvieron nada que ver con el cambio climático, sino que se produjeron porque las personas que habían perdido su trabajo, después del colapso del comunismo, pasaban más tiempo en los bosques buscando setas.

- También se ha hablado arbitrariamente de que morirían unas 150.000 personas a causa de que el cambio climático haría aumentar un 2,4% las muertes por diarrea, debido a que el calentamiento generaría más bacterias patógenas. Un análisis más detallado demostró que todas esas cifras eran hipotéticas y sin ningún tipo de fundamento.

- Otras muertes por el calentamiento climático, siempre resultan muy inferiores a las producidas por la falta de hierro, el colesterol, el sexo sin protección, el tabaco, los accidentes de coche y otras causas, por no mencionar la diarrea y la malaria habituales en algunos países. Incluso la obesidad causa más del doble de muertes que las previstas por el cambio climático.

- Por otro lado, los estudios sobre el calentamiento global no han valorado el número de vidas que se han salvado al eliminar las emisiones de humo de los hogares que han apagado los fuegos para cocinar y se han pasado al suministro de energía eléctrica; ni las muertes por malnutrición que se han evitado por la mayor productividad agrícola gracias al uso de los fertilizantes.

- En relación a la comida, es probable que la producción global de alimentos se incremente si la temperatura aumenta los 3 grados centígrados previstos. No solo el calor mejorará la productividad de las tierras frías, y la lluvia la de las tierras secas, sino que la mayor cantidad de CO_2 por sí misma aumentará el crecimiento vegetal. Es sabido que el trigo crece entre un 15 y un 40% más rápidamente con 600 partes por millón (ppm) de CO_2 que con 295 ppm. Los invernaderos ya usan aire enriquecido con CO_2 hasta las 1.000 ppm para incrementar el ritmo de crecimiento de las plantas. En esta situación de mayor productividad agraria, buena parte del mundo podría volver a su estado salvaje, necesitando solo un 5% de la tierra para ser cultivada, en vez del 11,6% actual, lo que devolvería muchos espacios salvajes a la naturaleza.

Todas estas también serían consecuencias del calentamiento global, sin tener en cuenta la capacidad de las sociedades humanas para adaptarse a un clima cambiante. Los cuatro jinetes del Apocalipsis humano, las cuatro principales causas de muerte prematura y evitable en los países pobres son, y continuarán siendo durante muchos años: el hambre, el agua sucia, el humo dentro de las casas y la malaria. Aunque pudiésemos mantener el clima en los niveles de 1990, ello supondría dejar intactas más del 90% de las causas de mortalidad humana. Por último un dato económico que aporto ahora para no ser tachado de economicista desde la primera línea, pero que también hay que tener en cuenta: se estima que por cada dólar gastado en mitigar el cambio climático, hay un retorno de 90 centavos de beneficios; en cambio por cada dólar invertido en salud, el beneficio es de unos 20; y por cada dólar invertido en mitigar el hambre, retornan 16.

DESIGUALDADES Y SOLIDARIDAD

Una de las ideas más hermosas del mundo es la lucha contra la desigualdad, aunque no todos están de acuerdo en la forma de hacerlo. Hemos visto a políticos bien intencionados convencidos de que la manera de eliminar las desigualdades es repartiendo una riqueza, que se ha demostrado que no tenemos, entre individuos que nunca han contribuido a crearla. Ayudar a los más necesitados es tan hermoso que resulta difícil resistirse y la gente de buena fe lo han practicado desde siempre. Cuando yo era niño había las campañas del Domund que pretendían salvar a un "negrito", como se les llamaba entonces, o bautizar a un "chinito" para que fuera al cielo, ya que los pobres niños no tenían ninguna culpa de que sus padres hubieran abrazado las ideas comunistas de Mao. Desgraciadamente con la crisis y los cinco millones de parados que hay en el país la solidaridad debería empezar por nosotros mismos y una buena manera de hacerlo sería no volver a despilfarrar los fondos de la Seguridad Social. Pero hagamos un repaso de algunas situaciones para ver si hay que ayudar tan alegremente o deberíamos trasladar la responsabilidad a cada uno para que espabilen un poco.

Unas desigualdades muy evidentes

Si hablamos de desigualdades en el mundo, uno de los lugares donde son más evidentes es en la frontera entre las ciudades de El Paso (EEUU) y Ciudad Juárez (Méjico). Están tan juntas que un lado del Río Grande pertenece a los Estados Unido y el otro a Méjico.

- La ciudad de El Paso es una de las más pacíficas y prósperas del país, hay poca delincuencia, pocos problemas de drogas, no hay paro y su economía florece como todas las ciudades fronterizas, además tiene la posibilidad de disponer de mano de obra barata abundante del otro lado de la frontera.

- Por contra Ciudad Juárez es una de las más violentas de tota América, donde el año 2010 hubo más de 3.000 víctimas de tiroteos a manos de las bandas que luchan por controlar el tráfico de droga hacia los Estados Unidos. Aun así es de las ciudades que genera más puestos de trabajo y más riqueza de Méjico, ya que muchos de sus habitantes trabajan al otro lado de la frontera y profesionales liberales, como médicos o dentistas, se aprovechan de sus precios inferiores a los que tienen los del lado yanqui. Pese a ello, tiene un grave déficit de seguridad, los empresarios deben cerrar sus empresas o controlarlas desde la vecina del Norte a causa de las extorsiones y amenazas de secuestros.

Esta situación plantea diversas dudas. Naturalmente, que es loable querer reducir la diferencia de riqueza, pero parece razonable que, si todo sigue igual, El Paso será cada día más rica y además se aprovechará de los cerebros privilegiados de Ciudad Juárez, a medida que estos sean amenazados por las bandas y decidan instalarse al norte del Río Grande. Por el contrario, si la ciudad mejicana no pone fin a la violencia, no podrá crecer al mismo ritmo que su vecina, y por tanto las desigualdades serán cada vez más evidentes entre ellas.

En cualquier caso, ¿qué es más lógico para reducir las desigualdades: que los Estados Unidos carguen de impuestos a los habitantes de El Paso para frenar su crecimiento o que Méjico ponga fin a las bandas? Nunca he entendido por qué cuando se habla de reducir diferencias algunos políticos únicamente proponen disminuir el crecimiento de los más desarrollados a base de impuestos, confiscaciones u otras cargas fiscales. En cambio, nunca proponen implantar medidas para hacer avanzar más rápidamente y de verdad a los desfavorecidos, sin tener que recurrir a subvenciones que a la larga resultan perjudiciales sobre todo para quien las recibe, que acaba malviviendo sin otro estímulo que subsistir de la caridad.

¿País pobre o país rico?

Quiero hacerles una pregunta, pero espero que no me tomen por loco. Si fuesen los responsables de la ayuda internacional de nuestro Gobierno y tuviesen que ayudar a uno de estos dos países, ¿por cuál se decidirían: Méjico o Japón? Sí, ya sé, la pregunta puede parecer estúpida, pero la comparación se la escuché una vez a un mejicano llamado Miguel Ángel Cornejo[70] y desde que la sentí siempre me ha hecho reflexionar. Naturalmente, que ayudarían a Méjico, como haríamos todos, en eso no hay trampa alguna. Méjico, decía este mexicano universal, es un drama con miles de niños abandonados en la miseria, con niñas prostitutas de 10 y 12 años que hacen la calle porque no tienen ningún otro medio de vida, con la droga que está destruyendo a la juventud y con las bandas criminales que imponen su ley de terror y su justicia de plomo sobre el silencio de los muertos. Es evidente que Méjico necesita mucha más ayuda que Japón, pero, antes de responder definitivamente a la pregunta, ¿qué les parece si comparamos la riqueza de los dos países en materias primas?

- Méjico es el quinto productor mundial de petróleo, con 3,8 millones de barriles diarios; además es el segundo productor

---

70   Miguel Ángel Cornejo y Rosado es rector y fundador del Instituto Politécnico Nacional de Méjico. Conferenciante y experto en excelencia, desarrollo y productividad.

mundial de plata, con 3.500 toneladas el año 2010; es el doceavo en producción de oro, con 60 toneladas el año 2010; también es el doceavo productor mundial de cobre con 0,23 millones de toneladas aquel mismo año. Aparte de eso, es un país inmenso, de casi dos millones de kilómetros cuadrados, para sus 112 millones de habitantes, lo que les da una densidad de población de 57 habitantes por km_2. La cantidad de materias primas que produce son inmensas, ya que el país es riquísimo y no sufrió los desastres de la Segunda Guerra Mundial.

- En comparación Japón no tiene petróleo, ni plata, ni oro, ni cobre, ni la mayor parte de materias primas imprescindibles, por eso siempre ha estado en guerra con sus vecinos a la búsqueda de las que necesitaba. Sus 127 millones de habitantes ocupan un territorio formado por islas con una superficie de 377.835 km_2, lo que les hace tener una densidad de población de 336 habitantes por km_2, por tanto Japón solo tiene dos materias primas en abundancia: mar y japoneses. Además, el país quedó devastado por la Segunda Guerra Mundial después de recibir el impacto de dos bombas atómicas.

Si no supiesen nada más de los dos países, ¿cuál les parece ahora que necesita más ayuda? Con toda esta riqueza, ¿cómo puede Méjico ser un país con tantas desigualdades? ¿No será que alguna cosa han hecho mal para que el Japón les haya pasado la mano por la cara en poco más de 50 años? ¿Cómo podríamos ayudar mejor a los mejicanos: apadrinando un niño y enviándole dinero para sobrevivir; o exigiéndole responsabilidades a su Gobierno por no haber sabido trasladar la riqueza del país a sus habitantes y dejarlo caer en manos de las bandas criminales?

Unos países parecidos

Me pueden decir que hago trampas y que los dos países son demasiado diferentes para compararlos, ambos tienen mentalidades completamente distintas, por tanto no son comparables. Pero precisamente tota la diferencia radica en la mentalidad de sus habitantes y sobre todo de sus líderes, que son los que deciden hacer las cosas de una manera u otra, pero acepto la crítica y podemos suponer que los japoneses tienen habilidades diferentes de los mejicanos que les hacen más proclives a la producción y al comercio. Cojamos otro ejemplo protagonizado por individuos que son tan parecidos que sus dos países tienen el mismo nombre: las dos Coreas. No se puede decir que una y otra estén formadas por razas distintas, sino todo lo contrario. Las dos con una superficie equiparable, la del Sur tiene el doble de habitantes y una densidad de población de 487,7 hab./km$_2$, mientras que en el Norte su densidad es de 182 hab./km$_2$. Como en el caso anterior, en Corea del Sur solo tienen dos cosas en abundancia: coreanos y agua de mar. ¿Entonces cómo puede ser que el PIB por habitante en Corea del Sur (29.835 dólares) sea casi 27 veces superior al del Norte (1.118 dólares)? Mientras Corea del Sur es uno de los denominados *tigres asiáticos* y de los países con mayor crecimiento industrial del mundo, Corea del Norte a penas si puede alimentar a su pueblo. Durante la crisis de las vacas locas, en los años 90, llego a importar animales infectados para alimentarse con carne a un precio bajo, eso sí, continuaron adelante con su programa atómico para asustar a todos los vecinos. Alguna cosa deben haber hecho mal los coreanos del Norte para no poder ni alimentarse correctamente, pese a haber inventado un nuevo sistema de gobierno con la creación, por primera vez en la historia, de la monarquía comunista. ¿Deberíamos ayudar a la más pobre de las dos Coreas, mientras sus vecinos del Sur les han mostrado el camino alternativo que podrían seguir para ser un país rico y autosuficiente?

¿No es un contrasentido empeñarse en ser una potencia nuclear, cuando hay prioridades más urgentes dentro de casa, como alimentarse correctamente?

El continente de la pobreza

Otra corriente de opinión muy extendida en el enfoque sobre la pobreza es la situación de África. Por supuesto que no toda la pobreza está en África, pero gracias al progreso en otros lugares, se ha concentrado en este continente como nunca anteriormente. De los 1.000 millones más pobres, más de 600 son africanos. El africano medio vive con 1 dólar al día. La opinión más generalizada considera difícil que África salga de la pobreza y cree que el continente está condenado por la explosión demográfica, las enfermedades endémicas, el tribalismo, la corrupción, la falta de infraestructuras, etc. El ecologista Jonathan Porritt cree que el crecimiento demográfico, completamente insostenible en la mayor parte de África, la mantendrá permanente e inevitablemente atrapada en la más profunda y oscura pobreza, y añade que no se puede esperar una mejora, ya que el cambio climático devastará el continente durante el próximo siglo, antes de que pueda prosperar. Por todo ello, salvar África se ha convertido tanto en la meta de los idealistas como en la desesperación de los pesimistas. Es cierto que África ha sido incapaz de unirse al crecimiento asiático desde 1990, y que ha pasado mucho tiempo estancada o en retroceso. Entre 1980 y 2000 se duplicó el número de africanos que vivían en la pobreza. La guerra en el Oeste, el genocidio al Este, el sida en el Sur, el hambre en el Norte, los dictadores en el centro y el crecimiento demográfico en todas partes, ningún lugar del continente parece escapar del desastre.

Pese a que la transición demográfica ha empezado, todavía falta mucho para que el crecimiento poblacional se desacelere. También hay algunos países, como Mali, Ghana, Mauricio y Sudáfrica, que han conseguido un cierto grado de libertad, progreso económico y paz, pero estas excepciones no hacen cambiar la opinión generalizada hasta el punto de que algunos occidentales aseguran que lo que África necesita no es crecimiento económico, sino una solución que logre los Objetivos de Desarrollo del Milenio[71] y que erradique el sufrimiento sin necesidad de elevar los ingresos. Tal desconfianza hacia el crecimiento económico solo podemos permitírnosla los occidentales ricos. Pero no nos dejemos engañar, lo que los africanos necesitan son mejores estándares de vida y estos provienen básicamente del crecimiento económico, la cuestión es cómo conseguirlo.

Los occidentales nos hemos empeñado en ayudar a África con donaciones económicas. Algunas de las necesidades más urgentes del continente pueden ser satisfechas con aportaciones monetarias del mundo desarrollado: salvar vidas, reducir el hambre, etc., lo que la ayuda no puede hacer es empezar o acelerar el crecimiento económico. El porcentaje del PIB africano que proviene de la ayuda internacional se duplicó en los años 80, y en aquel mismo periodo el crecimiento autóctono bajó del 2% a 0%. Nunca se ha hallado evidencia de que la ayuda internacional genere crecimiento económico en ningún país, pero sí puede empeorar aún más las cosas, ya que la mayor parte del dinero se entrega de gobierno a gobierno, y por tanto pueden ser una fuente de corrupción y de desmotivación para la actividad empresarial local. Por lo que se refiere a

---

71   Los Objetivos de Desarrollo del Milenio, marcados por la ONU el año 2000, con la intención de "*no escatimar esfuerzos para librar a nuestros semejantes, hombres, mujeres y niños de las condiciones degradantes y deshumanizadoras de la pobreza extrema*" se concretan en ocho objetivos a asumir en el año 2015.
  · Objetivo 1: Erradicar la pobreza extrema y el hambre.
  · Objetivo 2: Conseguir la enseñanza primaria universal.
  · Objetivo 3: Promover la igualdad de género y el empoderamiento de la mujer.
  · Objetivo 4: Reducir la mortalidad materna.
  · Objetivo 5: Mejorar la salud materna.
  · Objetivo 6: Combatir el VIH/SIDA, el paludismo y otras enfermedades.
  · Objetivo 7: Garantizar el sostenimiento del medio ambiente
  · Objetivo 8: Fomentar una alianza mundial para el desarrollo.

las condiciones para otorgar la ayuda una parte se da a cambio de importar ciertos bienes de los países donantes, en perjuicio de los fabricantes locales. El destino del dinero es diverso pero una parte acaba en la cuenta suiza de los dictadores y altos funcionarios; otra parte se dedica a construir hornos de 1.000 millones de dólares que nunca funcionan porque ni los países ni la población los necesitan. Además, en general no se evalúan los resultados conseguidos con la ayuda, ni por parte de quien la da ni de quien la recibe, como si lo que contara fuera ayudar, no conseguir resultados, tal como decíamos en el capítulo primero. Con todo ello no debe sorprendernos que la economista zambiana Dambisa Moyo[72] asegure que *la ayuda no funciona, no ha funcionado y no funcionará (...) sin ser parte de la solución potencial, es ahora parte del problema, de hecho la ayuda es el problema.*

Con frecuencia una parte de la ayuda está condicionada a la obertura de libres mercados en lugares con otras tradiciones, pese a que William Easterly[73] asegura que *un mercado no se puede planear*, ya que la imposición desde arriba, de un sistema que debería emerger desde abajo, está destinado al fracaso. Un buen ejemplo son las mosquiteras tratadas con insecticida, que constituyen una forma barata y eficiente de prevenir la malaria (cuatro dólares la unidad). Cuando son repartidas gratuitamente por los colaboradores de la agencia de cooperación, se convierten en artículos de moda vendidos en el mercado negro y empleadas como velos para bodas o utilizadas como redes de pesca, además les quitan clientes a los comerciantes locales vendiéndolas a precios más bajos que los de fabricación autóctona. Una asociación tuvo la idea de venderlas a 50 centavos a las madres que asistían a clínicas prenatales en Malaui, mientras a los ciudadanos urbanos con más dinero se las vendían a cinco

---

72   Dambisa Moyo es una economista nacida en Zambia, que se doctoró en Economía por la Universidad de Oxford y es autora de diversos libros sobre crecimiento económico mundial.

73   William Easterly (1957) es un economista norteamericano, profesor de la Universidad de Nueva York, especializado en crecimiento económico.

dólares. Las madres pobres, que compraban estas mosquiteras con el equivalente a la mitad de un día de trabajo, se aseguraban de que fuesen utilizadas correctamente y de esa manera, en cuatro años, la tasa de niños menores de 5 años que dormían bajo una mosquitera subió del 8% al 55%.

Para producir mayores beneficios y no dañar el comercio local, Easterly recomienda que la ayuda sea más transparente y las donaciones financien proyectos locales, que pretendan cubrir necesidades reales, y compitan por atraer fondos. Esto, que antes era muy complicado, hoy es posible gracias a Internet. La ayuda debe democratizarse, retirándola de las manos de los cooperantes internacionales ineficientes y de los funcionarios africanos corruptos, alejándola de la terapia de choque de los idealistas, de los negocios de armas y de los grandes proyectos industriales, y entregada de persona a persona. En el país de origen se deben otorgar desgravaciones fiscales a los donantes. Algunos dicen que esto sería un lío tremendo, poco coordinado y mal planificado, pero eso exactamente es lo que le iría mejor a África, ya que los objetivos megalómanos y los planes centralizados millonarios tienen una historia tan larga y desastrosa en el campo de la ayuda como en política. Deberíamos recordar que nadie planificó la revolución industrial ni el crecimiento económico chino, sino todo lo contrario, lo que hicieron los planificadores centralistas fue ir en contra de las soluciones que emergían desde abajo.

La mayoría de expertos coincide en las razones sobre la incapacidad de África para generar crecimiento económico: poca costa, caminos deteriorados, elevada natalidad, enfermedades, instituciones penosas, haber sido antiguas colonias, la maldición de los recursos, etc. Pero pensemos por ejemplo en Botsuana, el cuarto país más pobre del mundo en 1950, con todos los ingredientes para fracasar, pero que no fracasó y además su éxito fue espectacular.

En los treinta años posteriores a la independencia, su PIB creció al 8% anual, casi el más alto del mundo, multiplicando su renta per cápita 13 veces así que sus ciudadanos son ahora más ricos que los tailandeses, búlgaros o peruanos. No han tenido golpes de estado, guerras civiles ni dictaduras y no han exterminado a sus elefantes. Es la economía con más éxito del mundo de las últimas décadas. Es verdad que tiene una población pequeña y homogénea étnicamente, pero su mejor baza para entender este desarrollo económico consiste en disponer de buenas instituciones, como el derecho a la propiedad privada segura y fácil de cumplir, que todo el mundo respeta. Cuando Daron Acemoglu[74] comparó los derechos de propiedad y el crecimiento económico en el mundo, concluyó que los primeros explicaban las dos terceras partes de los segundos. Botsuana no es un caso atípico, su crecimiento se debe a que las personas pueden tener propiedades y tienen menos miedo que el resto de África de que estas sean confiscadas por líderes corruptos. Esa es la misma razón por la que Inglaterra tuvo un buen siglo XVIII y en cambio la China no. Las buenas instituciones no pueden ser impuestas desde arriba, sino que deben surgir desde abajo. Las instituciones de Botsuana tienen raíces profundas y además el país tuvo suerte en su experiencia colonial, ya que apenas experimentó el dominio británico.

Puede parecer raro hablar de títulos de propiedad, de comercio o de intercambio pero en África no hay que inventar la empresa, sus calles están llenas de empresarios expertos en cerrar tratos, pero no pueden hacer que sus negocios crezcan debido a las trabas y bloqueos del propio sistema. La principal dificultad se halla en los gobiernos que ponen barreras burocráticas en el camino de los empresarios y emprendedores, como los que quieren construir casas asequibles. Si los promotores inmobiliarios no pueden funcionar correctamente

---

74   Kamer Daron Acemoglu (1967) es un economista de origen armenio, profesor de Economía en el Instituto Tecnológico de Massachusetts (MIT) que ha estudiado el desarrollo económico posterior a la descolonización de los países.

en el laberinto administrativo, los pobres deben construir sus casas al margen de la ley y después esperar que las máquinas del Gobierno no las derriben. En El Cairo se necesitan 77 procesos burocráticos, de 31 agencias oficiales, y hasta 14 años, para comprar y registrar determinados terrenos para construir una casa. Ante esta realidad, nadie debería extrañarse de que haya más de 5 millones de viviendas ilegales en la ciudad, con todo lo que ello supone de menor calidad de la construcción y mayor riesgo para sus habitantes. En general, el dueño de una casa en El Cairo construirá, al margen del papeleo oficial, y muchas veces sin planos fiables de arquitectos, hasta tres pisos de altura para alquilarlos a familiares. Si el edificio es ilegal no se puede pedir una hipoteca para construirlo o ampliarlo, ni se puede ofrecer como aval para emprender un negocio, ya que oficialmente no existe. Todo ello no es por falta de dinero, ya que, según el economista peruano Hernando de Soto[75], los africanos tienen un millardo (mil millones) de dólares en capital ahorrado al que podrían añadir sus propiedades como avales para desarrollar negocios si tuvieran los documentos en regla. Aunque parezca una situación compleja e irresoluble, diversos países sufrieron el mismo problema en otras épocas y hallaron soluciones. En Estados Unidos ocurría lo mismo a principios del siglo XIX con los colonos recién llegados, que no podían tener propiedades ni desarrollar negocios, a diferencia de los pioneros que sí gozaban de tales privilegios. En aquel caso la transformación se produjo por cambios que llegaron desde abajo y no por la planificación que se imponía desde arriba, hasta que en 1862 el Congreso aprobó una ley que permitía a cualquier ciudadano adquirir 160 acres de tierra pública por 10 dólares. Así la democracia y los derechos de propiedad permitieron que casi todos los que tenían capital pudieran emplearlo para adquirir una propiedad o avalar un negocio. El resultado fue que miles de personas se desplazaron hacia las grandes praderas para convertirlas en cultivos

75   Hernando de Soto (1941) es un economista y escritor peruano, presidente del Instituto de Libertad y Democracia.

y granjas con animales, para acabar siendo una de las zonas agrícolas más importantes del mundo. Y lo mismo había ocurrido antes en la Gran Bretaña.

Hernando de Soto también recomienda liberar las reglas que gobiernan los negocios en África. Mientras en Estados Unidos o en Europa abrir un negocio supone pocos trámites y poco dinero, en Tanzania se tarda un mínimo de 379 días y cuesta unos 5.500 dólares, pero además cuando se ha conseguido abrirlo no ha acabado la burocracia y se calcula que, durante su vida activa, un empresario de aquel país pasará más de 1.000 días arreglando trámites burocráticos en las oficinas del Gobierno o pidiendo permisos de uno u otro tipo, que le costarán un mínimo de 180.000 dólares. De esta manera, resulta que el 98% de los negocios que se hacen en Tanzania están fuera de la legalidad (lo que no quiere decir que sean actividades delictivas). Los acuerdos en Tanzania se hacen en una hoja de papel donde se apuntan los importes, los intereses, etc., pero esas formas y costumbres, que funcionan bien para comerciantes solitarios en comunidades pequeñas, son un rompecabezas que no ayudan al empresario que intenta expandirse más allá de su localidad. De Soto encontró 67 cuellos de botella que impiden a los pobres utilizar el sistema legal para generar riqueza.

(Permítanme un paréntesis para recordar que estamos hablando de África desde nuestra atalaya de país desarrollado, que presumiblemente tiene algo que enseñarles, pero según el Banco Mundial, en su informe Doing Business de 2013, crear una empresa en España es más difícil que hacerlo en Afganistán, Albania, Burundi, Irán, Kosovo, Kenia, Marruecos, Nepal, Nicaragua, Ruanda, Senegal, Tanzania, Yemen o Zambia, concretamente estamos en el puesto 136, de un total de 185 países, por tanto haríamos bien siendo humildes y aplicándonos algunas de las recomendaciones que se ofrecen para el continente negro a ver si logramos progresar adecuadamente).

Reformar todo esto mejoraría más los estándares de vida africanos que las fundiciones, las presas, la ayuda internacional o el control demográfico. Un ejemplo de cambio que surge desde abajo es el entusiasmo con que los pobres en África han adoptado los teléfonos móviles. Los campesinos kenianos llaman a diferentes mercados para encontrar mejores precios antes de sacar sus productos y se benefician de ello. En Botsuana aquellos que disponen de cobertura de móvil tienen más trabajos fuera de la agricultura, pero los teléfonos móviles no solo ayudan a conseguir trabajo sino que se han convertido en una especie de banca al permitirles pagar, y que les paguen, por diversos servicios. Los productores de camisetas reciben los pagos de sus compradores en Estados Unidos o Europa directamente a través de créditos telefónicos. Esta es una posibilidad que no tuvieron los habitantes de Asia hace unos años cuando empezaron sus crecimientos, por ello el que está teniendo África es muy superior al que tuvo Asia en su momento. El papel del móvil en el enriquecimiento de los pequeños negocios de países en vías de desarrollo es muy claro entre los pescadores de sardinas de Kerala, al suroeste de la India y tiene incluso fecha de inicio cuando, el 14 de enero de 1997, un barco perdió una buena pesca por falta de compradores, mientras que a 16 Km. de su puerto había compradores de sobra que podrían haber adquirido toda la carga. Ahora buscan con el móvil donde hay más compradores y un precio mejor. El resultado es que los pescadores ganan un 8% más de promedio, que el precio de las sardinas ha bajado un 4%, gracias a la competencia y las sardinas desaprovechadas se han reducido a casi 0%.

Empleando esta tecnología África puede seguir el mismo camino hacia la prosperidad que el resto de la humanidad, ya que puede especializarse e intercambiar productos. Para aquel continente el futuro está en el comercio pero les será imposible convertirse en empresarios involucrados en el comercio internacional con contratos escritos a mano en servilletas de papel. Podríamos ser optimistas sobre el futuro del continente si cambiasen las políticas globales, lo que supone abolir los subsidios agrícolas en Norteamérica y Europa, abolir las cuotas y las tarifas de importación, formalizar y simplificar las leyes que gobiernan el comercio mundial, quitarles poder a los tiranos locales, y favorecer el crecimiento de ciudades donde haya libre comercio. Y digo que podríamos ser optimistas porque la China de 1978 era tan pobre como lo es hoy África, pero cambió cuando copió a Hong Kong, permitiendo el desarrollo de zonas de libre comercio, así que ¿por qué no repetir la misma fórmula con África? Podemos emplear la ayuda occidental para crear una nueva ciudad, al estilo de las chinas, que sea independiente, una parte de África libre para comerciar con el resto del mundo y permitir que atraiga a personas con iniciativas de las naciones vecinas. Esta práctica funcionó para la ciudad de Tiro hace 3000 años, para Ámsterdam hace 300 y para Hong Kong hace 30. Seguro que volvería a funcionar hoy para África.

EL NUEVO MACHISMO DEL FEMINISMO RADICAL

Por último, hemos llegado a la parte más delicada de todo el capítulo, la de las corrientes de opinión creadas desde el poder y secundadas por los medios de comunicación, es decir, "legitimadas" como versión oficial, pese a generar injusticias claras e intolerables. Estos casos suponen un conflicto individual, ya que guardar silencio nos convierte en cómplices de la injusticia, a un precio demasiado alto, el de perder el alma a cambio de tranquilidad, mientras que rebelarnos también supone un coste personal, pese a la recompensa de no traicionarnos a nosotros mismos ni a las personas que nos rodean. Pero también supone un conflicto colectivo, ya que acatar la injusticia es la mejor manera de que ésta acabe invadiendo el subconsciente general y finalmente la moral social.

Al principio del capítulo se ha comentado que el uso de las *storyte-lling* supone un ejercicio de distracción y manipulación sin precedentes, realizado con mensajes sencillos, que desnaturalizan la realidad, dirigidos a un público desinformado, que solo ve las cosas con los datos que se le proporcionan. Con estas técnicas cualquier manipulación es posible, ya que crean una realidad virtual en la que se implica emocionalmente a la población. El éxito o fracaso de un gobernante o de un partido político radica, más allá de sus ideas, en la capacidad que tenga para movilizar las emociones de la población a su favor. Ya se ha mencionado que uno de estos relatos fue el de George Bush hijo para justificar su "cruzada contra el mal", pero no quiero hablar de otros países cuando en España tenemos algunas situaciones gravísimas, como el papel del feminismo radical en nuestra vida política y social a través de la Ley de Violencia de Género.

En otros capítulos se ha comentado que durante la transición española se hicieron muchas cosas bien, pero también se cometieron errores, algunos con efectos perniciosos que han llegado hasta la actualidad, y uno de ellos es el papel otorgado al feminismo radical. Antes de continuar, quiero aclarar que me considero feminista, pero de las primeras corrientes igualitarias, no de las actuales tendencias radicales. Soy feminista porque creo en la igualdad entre todas las personas y por eso respeto y admiro la lucha de tantos años por la emancipación de las mujeres y la equiparación entre los dos sexos en nuestro país y en todo el mundo; pero de la misma manera que se puede ser nacionalista sin ser nazi; o que se puede ser blanco, negro, amarillo, azul o verde, sin ser racista; se puede ser feminista sin caer en el radicalismo que tanto daño le está haciendo a toda la sociedad, y en especial a las mujeres, como se pondrá de manifiesto a lo largo de las siguientes líneas.

En Europa los movimientos feministas se fueron desactivando a medida que se lograba la igualdad y dejaban de tener sentido, y los que quedaron siempre se mantuvieron dentro de los límites constitucionales. En cambio, en España, con una población democráticamente inmadura, los partidos políticos cayeron en la tentación de apelar al voto femenino por cuestiones "de género" para conseguir sus objetivos electorales, por eso necesitaban a las feministas dentro de sus estructuras. Después de la aprobación de la Constitución, aquellas feministas iniciales, las que habían perseguido la igualdad entre los sexos y se negaban a la militancia en los partidos políticos, fueron sustituidas por otras más radicales, que vieron en la democracia emergente la posibilidad de conseguir una cuota de poder para su movimiento y para ellas mismas, así que optaron por integrarse en los partidos. Como estos eran conscientes de la importancia que tendría el voto de las mujeres, todos incluyeron en sus programas electorales el apartado "mujer", una concepción tan extendida que todavía perdura. Esta persecución del voto femenino la empezaron los partidos "de izquierdas" pero pronto todas las formaciones políticas fueron asumiendo las tesis y reivindicaciones feministas cada vez más radicales, en una ciega competición por conseguir los votos de las mujeres a base de cargos y privilegios otorgados desde el poder. En nuestro país estas medidas individuales y egoístas de *qué hay de lo mío* dan resultado, por eso, según Sigma Dos, en las elecciones de 2004 entre los votantes del PSOE había un 4'22% más mujeres que hombres; en cambio en 2008, después de aprobar la Ley de Violencia de Género, esta diferencia se amplió a un 7%. De esta manera, el feminismo radical fue, y sigue siendo, utilizado por los partidos políticos para sus fines; a cambio, el feminismo radical ha utilizado, y sigue utilizando, a los partidos y al poder institucional para los suyos propios.

Esta evolución ha hecho que el feminismo pasara, de la reivindicación inicial de igualdad constitucional entre los sexos, a la "discriminación positiva" y posteriormente a una ideología discriminatoria por razones "de género", hasta el punto de que la primera crítica que recibe el Gobierno del Partido Popular, a los pocos minutos de ser nombrado, en diciembre de 2011, es la falta de paridad entre hombres y mujeres. Como decía Pilar Rahola, feminista de pro, en su columna de La Vanguardia, del sábado 24 de diciembre de 2011:

*¡No hay paridad!, claman por las aceras, y el mantra de la derecha malvada que no quiere a las mujeres se reproduce como un viejo fantasma (...) ¿No sería hora de superar el concepto de paridad, especialmente en los altos niveles del poder, y comenzar a aplaudir a las grandes mujeres que hay en política? (...) ¿No era eso lo que buscábamos (*las mujeres*), la posibilidad de llegar a donde nos lleve nuestra categoría profesional, con independencia del sexo? ¿No sería hora de empezar a cambiar los viejos esquemas y reinventar el discurso? (...) Hace años que en España mandan y mucho algunas mujeres muy notables, y este es el gran éxito de feminismo: que cuando Rajoy piensa en su hombre fuerte, le sale una mujer (*Soraya Sáenz de Santamaría, vicepresidenta del Gobierno, nacida en 1971). Quizá deberíamos empezar a entender que ya no necesitamos que nos tutelen como si fuésemos párvulos.*

Para conseguir una verdadera emancipación de las mujeres, hubiera sido suficiente con la ideología de la igualdad efectiva entre todos los españoles, tal como prevé la Constitución, pero el feminismo radical optó por la no emancipación sino por continuar estando tuteladas, no por los hombres de la familia, sino por el gran macho Estado, que ejerce una tutela "cualificada"; es decir, que optaron por el machismo institucional. Emplearon el victimismo para buscar culpables e hicieron recaer la culpa, toda la culpa, sobre el hombre por el hecho de serlo y así poder justificar el agravio comparativo al que querían someterles, ya que su visión reduccionista e interesada supone que la única manera de conseguir los derechos de las mujeres es a expensas de disminuir los derechos de los hombres, que es lo que le exigen al Estado. Así el feminismo pasó de ser igualitario e integrador a convertirse en una ideología de discriminación, como un racismo cualquiera, que establece una frontera rígida e infranqueable entre las personas por unos pocos criterios, como el color de la piel o, en este caso, por uno solo: el sexo.

El paso siguiente para este tipo de ideologías (como hizo el nazismo con los judíos) es homogeneizar los grupos y negarles a los miembros del grupo contrario, sin excepción, la condición de semejante que merece un trato igual. Una vez instaurada la teoría de que "los otros" son peores, que son menos personas, la discriminación está justificada. El feminismo radical ha seguido todo el proceso fielmente, hasta llegar a la conclusión de que los hombres son peores que las mujeres, tal como lo expresa la Ley de Violencia de Género, por eso merecen más penas por los mismos hechos y, como no son dignos de confianza, no hay que creerles así que la presunción de veracidad siempre es para la mujer y de esta manera, se afirma una cierta "superioridad moral" del sexo femenino. Como feminista igualitario deploro el rumbo que ha tomado el feminismo radical, pues, aparte de las facetas racistas y discriminatorias, ya de por si lamentables, incorpora algunas muy particulares, que la hacen única entre todas las ideologías de discriminación.

- En primer lugar, la capacidad de simplificación al segregar a la humanidad radicalmente en dos únicos grupos de individuos: mujeres y hombres. Incluso los nazis en la Segunda Guerra Mundial tenían más grupos, igual que los blancos del Apartheid en Sudáfrica.

- Segundo, por ser capaz de establecer prejuicios en función del sexo, fijando una clasificación "moral" con un sexo bueno y otro malo para justificar la discriminación en base a esta única particularidad (una postura radicalmente opuesta al feminismo igualitario que considera iguales a hombres y mujeres).

- Y tercero, porque el feminismo radical es insensible a la discriminación de un ser muy cercano. No es el negro o el judío que viven en el gueto más o menos alejado y con los que se tiene poca relación, sino todo lo contrario, se discrimina a personas muy cercanas, al hombre que convive en el hogar, generalmente en estrecha relación de intimidad o parentesco.

Todo ello hace que la actitud del feminismo radical sea la más chocante de todas las ideologías de discriminación, no sólo por la simplicidad de sus criterios de segregación, sino porque ni tan solo tiene el recurso racista de la distancia. Aunque la ideología goce del soporte del poder, convertida en "versión oficial", sea políticamente correcta y el único pensamiento aceptable, ya no engaña a nadie, por eso la politóloga Edurne Uriarte[76], comparando el racismo con el feminismo radical, en relación a la pretendida superioridad biológica de las mujeres dice:

Aquello que en relación con los negros es un atentado contra la democracia y los derechos humanos, se convierte en una interesante, sugerente y progresista teoría cuando hablamos de diferencias entre hombres y mujeres.

En el siglo XXI la lucha por la igualdad no puede tener sexo, ni ser monopolio de ningún grupo particular. Si supeditamos los Derechos Humanos a los de cualquier particularidad, estamos retrocediendo más de 150 años en la historia.

El instrumento del nuevo machismo

La Ley de Violencia de Género, que no tiene precedentes en nuestro entorno democrático occidental, legaliza el escarnio y la condena del hombre por el hecho de serlo, impone penas diferentes a los hombres y a las mujeres por los mismos actos, lleva implícita la presunción de culpabilidad para los hombres y crea

---

76   Edurne Uriarte Bengoechea es politóloga, profesora universitaria, columnista y escritora española.

juzgados de excepción encargados de juzgar a los hombres contra las mujeres por cuestión de sexo. Según la ley, casi todo es delito de mal trato, si el sujeto activo es un hombre, para ello invierte la carga de la prueba y presupone la culpabilidad masculina, así que es el hombre quien debe demostrar su inocencia, en contra de lo que establece el Estado de derecho de que hay que demostrar la culpabilidad. La ley no ha resuelto el problema de la violencia en el ámbito del hogar, pero está causando ingentes dosis de dolor y desgracia en las personas que la padecen; y a nivel colectivo genera injusticia, al haber creado una clase de ciudadanos de segunda: los hombres, a los que se les niegan los derechos fundamentales que tanto nos costaron conseguir, como el derecho a la igualdad o la presunción de inocencia.

Se trata de un proceso discriminatorio en pleno siglo XXI como reconocen destacadas feministas como Cristina Almeida[77], que afirmó que la Ley de Violencia de Género contiene *"despropósitos jurídicos que ponen los pelos de punta"*. La ley resucita el Derecho Penal de Autor (que fue el que instauró la Alemania nazi, con las leyes de Nuremberg, para discriminar a los judíos, o la Sudáfrica del Apartheid, para hacerlo con los negros) que elimina la imparcialidad de los jueces obligándoles a dictar sentencia en función del grupo o categoría a la que pertenece el acusado, prejuzgando la existencia de una culpabilidad aún no demostrada. El Derecho Penal de Autor fue mencionado como algo repugnante para nuestro Tribunal Constitucional en la sentencia 150/1991 y, según Enrique Gimbernat[78], *se creía sepultado en los anales de la doctrina penalista nacionalsocialista*, ya que choca frontalmente con nuestra Constitución y con la Declaración Universal de los Derechos Humanos. Pues bien, esto es lo que ha resucitado este feminismo radical con la ayuda del

---

77   Cristina Almeida (1944) Abogada, política y feminista española. Diputada del Congreso de los Diputados el año 1989 por el Partido Comunista de España.
78   Enrique Gimbernat es catedrático emérito de Derecho Penal de la Universidad Complutense de Madrid.

poder político en pleno siglo XXI, una irresponsabilidad tan grave que las primeras voces que se levantaron en contra de la Ley fueron voces feministas igualitarias convencidas.

- Cristina Alberdi[79] fue bastante contundente cuando dijo, en el año 2005, que *nunca el movimiento feminista había pedido la discriminación positiva, ni nada de estas características en el código penal y* además se refirió a la Ley como *un retroceso parecido a la época del adulterio, cuando al hombre se le imponía una pena y a la mujer otra.*

- La primera cuestión de inconstitucionalidad que se le puso (de las más de 200 que acumula, un hecho único en la historia de la democracia española), también la planteó una mujer en el año 2005, la magistrada María Pozas cuando, en aplicación de la Ley, tuvo que enviar a un hombre a la cárcel por haber discutido con su esposa. El periódico El País, de 17 de agosto de 2005, decía que *Pozas afirma que la imposición de penas diferentes en función del sexo del agresor vulnera tres artículos de la Constitución: el principio de igualdad del artículo 14, el derecho a la presunción de inocencia del artículo 24-2 y el derecho a la dignidad de la persona establecido en el artículo 10.1.*

- La jueza decana de Barcelona, María Sanahuja, tuvo la valentía de alzar la voz públicamente en contra de esta Ley cuando, en el año 2006, reconoció la realidad de que *miles de hombres son detenidos por casos que después acaban en nada. Si cada año se interponen más de 140.000 denuncias por malos tratos y el Observatorio de Violencia da datos de lo que ha pasado finalmente con 8.000 o 10.000 casos, ¿qué pasa con los otros miles?*

- Las dos principales asociaciones de jueces, la progresista Jueces para la Democracia y la conservadora Asociación Profesional de la Magistratura, también coinciden en *dudar de que la*

---

79   Cristina Alberdi (1946) Abogada, feminista y política española. Fue ministra de Asuntos Sociales los años 1993 a 1996 en el Gobierno de Felipe González.

Ley Integral contra la Violencia de Género respete la Constitución, al establecer gravedad de las penas según el sexo del agresor. Jueces para la Democracia admite que el tratamiento penal diferencial entre hombres y mujeres podría llegar a ser considerado inconstitucional por vulneración del principio de igualdad del artículo 14. Por su parte la Asociación Professional de la Magistratura fue rotunda en su apreciación de que *esta ley es clarísimamente inconstitucional, sin ningún tipo de duda, porque genera una situación de desigualdad penal por el mero hecho de ser hombre.*

- También los fiscales de violencia doméstica fueron muy críticos con la Ley, como expresaron en sus "Conclusiones del Seminario de Fiscales de Violencia Doméstica", en noviembre de 2004, afirmando que *se propone que en la Ley (...) no se recoja la llamada "discriminación positiva" (...) por entender que ello puede implicar la violación del artículo 14 de nuestra Carta Magna; ante un mismo comportamiento (amenazas y coacciones) el hombre comete un delito y la mujer una falta o, si es delito para ambos, a este se le impondrá una pena mayor, lo que puede constituir una clara discriminación por razón de sexo, y una vuelta al Derecho Penal de Autor.*

- El Consejo General del Poder Judicial (CGPJ) emitió un informe demoledor en contra del anteproyecto de Ley, con el que resulta incomprensible que llegara a ser aprobada por el Congreso de los Diputados. Pero el caso es que ninguna de las contundentes oposiciones, provenientes de los organismos y personas más cualificadas de este país en la materia influyó en los políticos, entregados a sus luchas para conseguir el voto femenino. Así la Ley, que había sido una promesa electoral del candidato socialista Rodríguez Zapatero, fue aprobada también por el Partido Popular en el Congreso de los Diputados, por no querer enfrentarse con el feminismo radical y arriesgarse a perder votos femeninos.

- Lo mismo ocurrió en el Senado, antes de la aprobación definitiva, *después de una complicada votación de enmiendas, donde el PP volvió a insistir sin éxito en la necesidad de modificar la Ley para proteger a todas las víctimas de la violencia doméstica, y no solo a la mujer, todos los senadores apoyaron el texto* (EFE 02/12/2004).

La Ley ha venido a conformar una nueva realidad legal para "demostrar" la existencia de un "enemigo invisible" que la justifique. En palabras del profesor de Derecho Penal, Miguel Polaimo Orts, esta Ley no es más que la aplicación del Derecho Penal del enemigo, pero agravado. Es el que se aplica a los terroristas, pero en el caso del "género" el sexo del individuo implica automáticamente la "pertenencia a banda armada". En España estar en contra del terrorismo no impide que se pueda criticar la Ley Antiterrorista, en cambio no se puede criticar la Ley de Violencia de Género, aunque hacerlo tampoco significa dejar de condenar el mal trato que se sufre en el ámbito del hogar, sino todo lo contrario, la única postura lícita es condenar todo mal trato y cualquier violencia, incluida la generada por la propia Ley. La norma no impide los malos tratos y además genera injusticia en materia de derechos fundamentales, lo que supone otra forma de violencia, pero eso no se puede decir, ya que es políticamente incorrecto así que quien se permita disentir del integrismo feminista se enfrenta a la maquinaria de las instituciones controladas por el poder político.

- Eso es lo que le pasó a María Sanahuja, jueza decana de Barcelona, denunciada por el propio poder judicial cuando criticó abiertamente la Ley, aparte de ser atacada por el estamento feminista oficial.

- Lo mismo le ocurrió a la ex-titular del Juzgado de Violencia de Genero núm. 1 de Santander, María Jesús García Pérez, sancionada con una "falta grave" por cuestionar la Ley en unas declaraciones a un periódico. Es el relato oficial convertido poco menos que en imposición, disfrazado de legitimidad institucional.

- También el juez Francisco Serrano fue el blanco del aparato institucional cuando, en febrero del 2009, comparó la Ley con la base de Guantánamo. Primero fue el PSOE quien le acusó de "falta de rigor y profesionalidad", después la fiscal en jefe de Sevilla y por último el CGPJ.

- Pero no solo se persigue la disidencia "ideológica", sino también la que está argumentada técnicamente. Emilio Pérez Pujol, director durante más de 20 años del Instituto de Medicina Legal de Murcia, fue destituido en 2009 por el Ministerio de Justicia, dos meses después de que declarase que *dos de cada tres denuncias que llegaban al Instituto de Medicina Legal por agresión sexual resultan ser falsas.* Parece que todo dato que haga peligrar el relato oficial debe ser silenciado.

Un relato oficial que tiene un único objetivo, transmitir a las mujeres que deben seguir votando a los partidos que más las "discriminen", positivamente claro. De totas maneras las políticas agresivas del feminismo radical no sólo están agotadas sino que han sobrepasado todos los límites y ya todo el mundo empieza a dudar de la eficacia de la Ley, de la legitimidad de su aplicación y del trato sensacionalista con que se actúa ante los actos de violencia domestica cometidos por los hombres, y ello hace que el feminismo radical necesite nuevos argumentos que lo justifiquen:

- Por eso ahora van, sin ningún tipo de pudor, a la justificación "histórica", explícita en la Ley de Violencia de Género, lo que supone discriminar a alguien por el supuesto comportamiento de sus antepasados (exactamente lo mismo que decíamos en el capítulo primero sobre la *limpieza de sangre*).

- También se quiere justificar la discriminación por la llamada "ley del péndulo", que de un extremo pasa ciegamente al contrario, como si la racionalidad y la justicia fuesen imposibles sin perjudicar a nadie.

- Otra justificación es la situación global de la mujer en el mundo, haciendo una especie de media aritmética mundial, lo que supone una perversión interesada al generalizar y deslocalizar las conclusiones de la cumbre de Pequín sobre las mujeres.

- Pero como buena muestra de pensamiento único, el mensaje definitivo supone que no comulgar con la teoría oficial es una aberración, solo explicable por mala fe o enfermedad mental, algo inaceptable que debe ser normalizado y reconducido.

Insisto en que, como feminista igualitario, deploro estas actitudes del feminismo radical que no tienen nada que ver con la ideología original, a la que hacen un daño terrible disminuyendo su credibilidad, dignidad y legitimidad. Lo peor es que todo esto no era necesario, pues ya existían mecanismos contra los llamados "malos tratos en el ámbito doméstico" antes de la Ley de Violencia de Género, por más que ahora nos quieran hacer creer que se trata de una innovación sin precedentes. A través de la Ley Orgánica 3/1989, de 21 de junio, ya tenía carta de naturaleza en el código penal el delito de "malos tratos en el ámbito familiar", y en el año 2003 el Partido Popular había agravado las penas por estos actos, considerando delito el mal trato ocasional sin distinción de sexo y por tanto protegiendo, no solo a la pareja, sino también a los menores, incapaces y ascendientes que conviven en el hogar, con medidas más que contundentes. Pero, como hacemos habitualmente, no se dejó tiempo para comprobar la utilidad de la norma sino que la cambiamos por intereses políticos y electorales.

Unas consecuencias catastróficas

Una vez, puesta en marcha la Ley, el filósofo Gabriel Albac dijo que cualquiera que estuviera en contacto con la realidad *sabe hasta qué extremos la Ley ha envilecido cualquier afecto conyugal.* El 31 de octubre de 2008, al cabo de tres años de su entrada en vigor, el 10% de la población reclusa española estaba en la cárcel en aplicación de la Ley de Violencia de Género, contribuyendo así a ser el país con el índice de penados más alto de Europa, a pesar de tener uno de los índices de delitos violentos "de género" más bajos del continente. Según Enrique Gimbernat, tanto el *Código Penal más represivo de tota Europa occidental* como la *creación de nuevos delitos y los bárbaros incrementos de penas (pese al bajo índice español de criminalidad)* explicarían el amontonamiento irracional que existe hoy en las cárceles españolas, factores todos ellos a los que ha contribuido, de manera decisiva, la Ley de Violencia de Género.

Una vez etiquetado un hombre de "maltratador" es susceptible de ser imputado por otros cargos de consecuencias aún peores, como los delitos contra la libertad sexual en el ámbito de la pareja o sobre los menores, que también son instruidos por los Juzgados de Violencia de Género. La Ley ha enrarecido la realidad de las parejas en España, ya que la regulación de las separaciones y divorcios (que tendrían que ser procesos normales) está desvirtuada por esta norma, así que las acusaciones de malos tratos planean sobre la mayoría de los procesos de separación y además muchos abogados se han especializado en introducirlos como medida de presión porque, con una mera denuncia, el expediente de separación pasa del Juzgado de Familia, que es civil, a un Juzgado de Violencia de Genero, que es penal. Además la Ley también regula las relaciones de intimidad, introduciendo factores de distorsión que desnaturalizan el sentido mismo del término intimidad, un concepto que solo puede existir si se fundamenta en la igualdad, la reciprocidad, la confianza y la libertad de las dos partes.

Esta moral inmoral e injusta del feminismo radical, aunque avalada desde el poder, necesita disfrazarse de legitimidad ante la sociedad, y la única manera de hacerlo es distorsionando la verdad a base de mostrar una parte como si fuera la totalidad, construyendo una realidad acorde a sus aspiraciones, lo que sólo es posible desde el poder institucional manipulando a la opinión pública y a los medios de comunicación.

- En octubre de 2009, una nota de prensa del CGPJ empezaba diciendo que *solo el 1% de las 530 resoluciones estudiadas podrían encuadrarse como denuncies falsas.* La realidad es que la información se refería solo a las condenas en que sí hubo reclamaciones (que suponían menos del 10% de todas las denuncias realizadas).

- Según la estadística oficial, desde julio de 2005 a junio de 2008, sobre un total de 480.000 denuncias, solo el 16,35% eran condenas. Los datos de Serrano rebajan esta proporción al 9,7%, al suprimir los casos de faltas por insultos y otros asuntos de carácter leve.

- Hay muchas formas de tergiversar la información y una de ellas es decidiendo qué datos se presentan y cuales no a la opinión pública. Una muestra son los hombres que se suicidan tras haber matado a sus mujeres, y que no se consideran muertos en pareja, pero si las sumásemos a las de sus esposas, las cifras de fallecidos serían muy parecidas entre ambos sexos, lo cual no es ningún consuelo pero indica que el problema es más profundo de lo que el feminismo radical quiere hacernos creer.

- Tampoco se tiene en cuenta la cantidad alarmante de hombres que se suicidan durante el proceso de separación o divorcio, sin agredir a nadie, una cifra que por sí misma multiplica por diez a las mujeres muertas en pareja. Según el juez Francisco Serrano, el 80% de los hombres que se suicidan en España lo hacen durante un proceso de separación (630 en 2006), pero de esto no solo se habla poco sino que como dice Fernando Basanta, *es curioso que a partir del año 2006 el Instituto Nacional de Estadística dejó de publicar el estado civil y otras variables familiares de los hombres que se suicidaban, y que suponían una cifra que triplica al de las mujeres y es veinte veces mayor que el número de las mujeres asesinadas por sus parejas o ex parejas.* En España hay más muertes por suicidio que por accidentes de tráfico, pero mientras se hacen campañas de prevención de las muertes en la carretera parece que a nadie le preocupan los suicidios, aunque muchos se podrían evitar.

• La primera imagen que se envía a los medios de comunicación es que mal trato es sinónimo de agresión física, pero eso es falso. Las verdaderas lesiones constituyen una parte ínfima del total de las denuncias por malos tratos. Sin embargo los datos del CGPJ no las separan sino que agrupan "lesiones y malos tratos", siendo imposible discernir unas de otras. La mayoría del mal trato hacia las mujeres se refiere a cuestiones menores, incluyendo casi todo lo que puede ocurrir en una pareja o ex pareja en conflicto. De los casos condenados se deduce que:

  ° El 59,33 % son por desprecio psíquico, mal trato de obra sin causar lesión o lesión que no requiere tratamiento médico.

  ° El 21,78% eran amenazas leves.

  ° El 10,22% quebrantamiento de la pena o medida cautelar.

  ° Los delitos por lesiones son únicamente el 4% de las condenas.

- Se calcula que las sentencias condenatorias, excluyendo las de "conformidad", constituyen menos del 10% de las denuncias presentadas y el porcentaje de lesiones suponen el 0,4% de todas las denuncias, es decir, unos 500 casos sobre una media de 150.000 denuncias anuales, una cifra que se aproxima más a la realidad de los malos tratos que la que transmiten las campañas oficiales, al ajustarse mejor al número de reclusos condenados por lesiones "de género" acumulados desde 2007, que no llegaban a los 600 a finales de 2009. Además, como se ha dicho anteriormente, los verdaderos casos de malos tratos ya eran delitos, y graves, antes de la Ley de Violencia de Género, y solo hacía falta que aplicarán la justicia, con justicia.

- Se minimizan las denuncias de hombres maltratados por sus parejas (10.902 en 2007, según Gómez Javier, 06/09/2009), ya que la propia Ley enmascara el mal trato hacia los hombres al ser suficiente una contra-denuncia de la mujer, para que él tenga que responder por delitos y ella por simples faltas, lo que impide que muchos casos sean denunciados. Este es uno de los aspectos más perversos de la Ley así que lo sorprendente es que aún haya hombres que, a pesar de todo, denuncien. Según los datos del juez Francisco Serrano, los verdaderos malos tratos entre hombres y mujeres en pareja son equivalentes en ambos sentidos, pero los hombres maltratados no se atreven a denunciar porque, con esta Ley en vigor, puede ser peor el remedio que la enfermedad.

- Pero la peor forma de manipulación y la más injusta es negando la posibilidad de que las mujeres puedan ser también mal tratadoras de sus parejas. Una ministra socialista, en un ataque de igualitarismo, dijo aquello de *"miembros"* y *"miembras"*, y *"jóvenes"* y *"jóvenas"*, pero nunca se la escuchó decir que existieran *"mal tratadores"* y *"mal tratadoras"*. Siempre se transmite la idea de que los malos tratos en pareja son sinónimo de violencia de los hombres contra las mujeres, sin aceptar ninguna otra posibilidad. Por eso, el primer hombre asesinado en pareja por el que en España se decretó un día de duelo local fue un homosexual, al que su ex marido asesinó en Adra, el día 3 de abril de 2009. El caso contrario, el de una mujer homosexual muerta por su pareja, también mujer, causó muchos dolores de cabeza y la movilización de todas las organizaciones feministas radicales en contra de que se le aplicara la Ley de Violencia de Género, simplemente por no haber agravio comparativo entre los sexos, lo que implica que las mujeres no pueden ser mal tratadoras. El de Adra fue el primero, aunque en el año 2006 en España hubo 44 hombres asesinados en el ámbito de la pareja (Díaz Herrera, 2006).

Resulta imprescindible disponer de una regulación legal del máximo rigor sobre la veracidad de los datos que se transmiten a la ciudadanía y debería implicar tanto a políticos como a periodistas. Pero como la realidad es tozuda ya en 2009 la sociedad empezaba a ser consciente de la situación y, según el Informe del Consejo Audiovisual de aquel año, el 70% de los andaluces, *veían sensacionalismo en la información sobre la violencia machista,* ya que la imagen mediática del mal trato no describe la realidad al ser únicamente una parte de ella. Haría falta que los poderes públicos hiciesen una rigurosa radiografía de los verdaderos malos tratos sin olvidar ni a los hombres, ahora en situación de indefensión legal, ni a los otros colectivos manifiestamente desprotegidos, como los menores o los ancianos, potenciales víctimas también y en total indefensión porque la Ley los olvida vergonzosamente.

Hablando de lesiones, y no solo de malos tratos en general, Diego de los Santos[80] asegura que durante el 2008 el Hospital Valme de Sevilla atendió a 171 casos de mal trato infantil, y solo 14 mujeres víctimas de violencia (dentro y fuera de la pareja) y estas mismas proporciones se repiten en todos los hospitales de España. Como afirma el pediatra Juan Gil Arrones *el mal trato infantil no interesa políticamente, no da votos ni luce.* Y tampoco interesan los ancianos dependientes que ya no votan. Naturalmente, estos dos olvidos se manifiestan también en la inexistencia de registros de malos tratos infantiles y geriátricos. Aunque valdría la pena recordar que el mal trato infantil representa un importante problema de salud pública, ya que es la segunda causa de muerte en menores de 5 años, si se excluye el periodo neonatal (el primer mes de vida, en que los recién nacidos sufren otras patologías, entre ellas las congénitas). Se estima que la tasa de incidencia de mal trato infantil en España oscila entre 5 y 15 por cada 1000 menores de 18 años, pero estos datos son de dudosa fiabilidad, ya que, según los expertos, solo se detectan del 10 al 20% de casos[81]. La situación todavía es peor en los ancianos donde no existe ningún tipo de información, pero según De los Santos el perfil de la persona mal tratada en Andalucía es una anciana viuda, de 75 años, que padece alguna enfermedad crónica y demencia, y quien la maltrata no es precisamente su pareja o ex pareja. Estoy seguro de que este mismo perfil se repite en todo el país. Insisto en que todo ello no tiene nada que ver con la ideología feminista igualitaria que no habría permitido nunca esta aberración y, cuanto más pronto se corrija, mucho mejor para todos, pues entonces podremos empezar a tener una ligera idea de la violencia real en el ámbito del hogar.

---

80   Diego de los Santos es médico cirujano, escritor y político andaluz. Fue cofundador del Partido Andalucista y eurodiputado (1989-1993). El libro referido es "Las mujeres que no amaban a los hombres" (ver bibliografía).
81   Datos obtenidos de Piedrola Gil, 10ª edición (ver bibliografía).

Todo esto es ignorado por la Ley y por la ideología discriminatoria que la sustenta, que solo busca proteger a las mujeres, pero que finalmente ha acabado desprotegiéndolas también a ellas al haber saturado la justicia y las fuerzas de seguridad, haciendo llegar a los tribunales un alud de las más insignificantes disputas de pareja, con el objetivo de inflar las cifras de denuncias para justificar las campañas de género encaminadas a captar el voto femenino y mantener su cuota de poder. Este es otro de los temas tabúes que no se pueden mencionar: que las mujeres hacen un uso abusivo de la ley. Se considera plausible que un hombre, exponiéndose al peso de la Ley, maltrate a su pareja; pero se asegura taxativamente que es imposible que una mujer, a pesar de la impunidad que le proporciona la norma, utilice la justicia de forma interesada como agresión. Es de nuevo la afirmación de que hay buenos y malos por cuestiones de sexo. Pero cómo sabe todo el mundo la maldad y la bondad no tienen atributos sexuales.

- Un juzgado de Sevilla archivó, en junio de 2009, la causa abierta contra un hombre, que se pasó 11 meses en la cárcel, por ocho denuncias de malos tratos presentadas por su ex esposa. El hombre salió cuando el juez recibió un informe forense asegurando que se trataba de autolesiones. ¿Cuantos inocentes hay en las cárceles españolas en las mismas condiciones?, nunca se sabrá, ya que, mientras continúe en vigor esta Ley, que los considera culpables en función del sexo, quedarán oficial y socialmente como maltratadores, en virtud de denuncias falsas.

- En noviembre de 2009, por primera vez en España una sentencia de la Audiencia provincial de Málaga condenaba a una mujer a un año y nueve meses de cárcel por amenazar a su pareja con denunciarlo por malos tratos y advertirle que *acabarás en la cárcel y te buscaré la ruina*. Con las amenazas la señora consiguió echarlo de la casa que ambos habían comprado. La sentencia recoge los delitos de coacciones y amenazas, reconociendo que la Ley de Violencia de Género provoca la indefensión de los hombres.

- La Ley que, como hemos dicho, impregna la regulación de separaciones y divorcios; lleva implícito el Síndrome de Alienación Parental que significa que los hijos pueden ver a su padre detenido por la policía y expulsado del hogar de la noche a la mañana, convertido en un delincuente mal tratador sin ningún tipo de pruebas, cosa que ellos no pueden comprender.

- Desde su entrada en vigor hasta junio de 2009 se acumulaban más de 600.000 denuncias por malos tratos, de las que hasta un 86% podrían ser falsas o abusivas, en la mayoría de las cuales se puede haber usado la Ley como chantaje emocional, psicológico o material.

- La conflictividad en las separaciones en España es totalmente desproporcionada, producto de la regulación legal. Separarse supone hoy una situación de riesgo para muchos hombres, con un 30% de probabilidades de ser denunciados por malos tratos.

- Con el conflicto han crecido también los costes de todo tipo, principalmente para los hombres y los niños. La mujer tiene un trato favorable en las separaciones como lo demuestra que el 95% de los casos recibe la custodia de los hijos. Y lo mismo sucede con las pensiones alimentarias que las madres asumen solo en un 2'5% de los casos, es común a los dos cónyuges en un 3,6%, mientras en el resto es exclusivamente para los padres. Unos datos que difieren escandalosamente de las cifras de incorporación femenina al mercado laboral.

- La Ley de Violencia de Género no solo promueve el conflicto sino que también impide toda posible reconciliación, por eso si una mujer se acerca a su pareja o ex pareja sobre la que hay una orden de alejamiento, si le espera en el portal de él o en el trabajo, es el hombre quien infringe automáticamente la medida cautelar y quien recibe una sanción agravante de seis meses a un año.

- Antes de esta Ley ya se hacía un abuso de la justicia en procesos de separación, por ejemplo con denuncias de abusos sobre menores. Según Fernando Basanta, *la denuncia por abusos sexuales a menores se ha consagrado como la bala de plata para garantizar a un hijo que se quede huérfano de padre. Siega las ganas de vivir de sus protagonistas, "presuntos culpables" que deben esperar su absolución durante años. Entonces los hijos los odiarán o ya no les conocerán.*

- El espíritu de la norma lo que pretende es la pura desintegración del supuesto mal tratador, muy lejos del deseo de conciliación, rehabilitación o de la ley natural que debería inspirarlas a todas. En octubre de 2009, la Plataforma Andaluza de soporte al Lobby Europeo de Mujeres entregó una propuesta al delegado del Gobierno contra la violencia de género, pidiendo una reforma de la Ley que impidiera que los mal tratadores pudiesen ver a sus hijos: una definitiva estigmatización de por vida para todo condenado por malos tratos y para sus hijos. Ni los judíos en Alemania ni los negros en Sudáfrica mostraron tanto rencor por sus opresores. Nelson Mandela se obsesionó por integrar a los blancos al país, como podemos leer en su autobiografía o ver en la excelente película "Invictus" dirigida por Clint Eastwood; y en Israel también se han obsesionado por hacer juicios justos a los responsables nazis capturados, como ocurrió con Eichmann, ya que todos ellos sabían que la venganza ciega solo desprestigiaría su causa. Unas medidas que nunca ha tenido en cuenta el feminismo radical y que ahora desprestigia a todo el movimiento y denigra a las mujeres que usan las denuncias fraudulentamente.

Una tragedia sin resolver

Lo más trágico de todo este asunto son las muertes en el seno del hogar. Según un informe del CGPJ sobre sentencias dictadas durante 2007, una cuarta parte de los crímenes cometidos dentro de las parejas los cometieron las mujeres (Hernández, J.A. 31/07/2009). Según Francisco Serrano, hasta noviembre de 2009 aquel año había 52 mujeres muertas en pareja y más de 30 hombres (ABC 23/11/2009), pero de estos nadie se acuerda porque no están en las mismas estadísticas. Además los métodos de las mujeres para matar a sus maridos son diferentes a la violencia física, como expresa la célebre canción *Lady Veneno*, popularizada por Massiel hace unos años, que decía sin tapujos:

Yo tuve tres maridos y a los tres envenené
Con unas cuantas gotas de cianuro en el café
Pero seguramente no me guardan rencor
Pues derechos marcharon hacia un mundo mejor

No debe estar tan alejado de la realidad, ya que algo similar puso de manifiesto Lady Nancy Astor, primera mujer parlamentaria de la Gran Bretaña, a principios del siglo XX, cuando no se privó de decirle a Sir Winston Churchill: *si usted fuera mi marido, endulzaría su café con veneno*. No se puede decir que Lady Astor fuese demasiado sutil, por eso el primer ministro no tuvo ningún reparo en responderle: *Nancy, si yo fuera su marido, ¡me lo bebería!*

Pero la triste realidad es que los organismos oficiales que emiten los datos relativos a las muertes en pareja solo tienen el mandato de velar por las mujeres muertas, así que los datos tienen un sesgo legal según el género del difunto. La situación aún va más allá y desde el Ministerio se considera que el control de las llamadas al móvil o los celos excesivos ya son causas de malos tratos y, como el mal trato es, para el discurso feminista radical, la antesala de la muerte en pareja, la conclusión es que cualquier hombre al que se señale es, además de presunto mal tratador, un asesino en potencia. De esta manera se ha querido justificar la extensión de la Ley con el argumento de prevenir tales muertes. Pero, ¿realmente las ha prevenido?

Según el Centro Reina Sofía para el Estudio de la Violencia, *España se encuentra entre los países con una menor tasa de asesinatos de mujeres cometidos por la pareja o ex pareja de Europa.* En 2003 teníamos una tasa de 3,61 asesinadas por millón de mujeres; Luxemburgo la tenía de 15,71; Finlandia de 10,32 y Suiza de 6,75. Según el "Informe Tatiana", del 2001 al 2005 el porcentaje de mujeres muertas en relación al total de homicidios en España rondaba el 5%. Tatiana Torrejón (2007), afirma que con *los resultados comprobamos que el porcentaje es muy poco significativo respecto al total, y en cambio producen una gran alarma social* (¿no habría menos alarma social si el trato oficial y de los medios de comunicación fuera distinto?). A pesar de ello la introducción de este informe deja bien claras cuáles son sus intenciones al afirmar:

> *Advertimos que nos dedicamos exclusivamente a la violencia de género, pero no a la violencia ejercida contra los hombres, contra menores, ni contra los ancianos, pues el mayor porcentaje de violencia en el ámbito familiar, se da contra las mujeres* (una afirmación atrevida al no disponer de datos sobre la situación en los otros colectivos, que pese a todo no parece interesarle en absoluto a la autora). *Además, este colectivo representa la razón de ser de las últimas políticas públicas en materia de violencia doméstica.* Por esa parcialidad tan descarada y vergonzosa De los Santos califica el informe de "silenciado" y en Internet aparece como *Tatiana-y-el-informe-que-nunca-existió.*

Las primeras estimaciones que se hicieron sobre la prevención de la Ley para reducir las cifras de mujeres muertas en pareja dieron resultados exactamente contrarios a los esperados, ya que los primeros años tras su implantación no hicieron más que aumentar (si en 2005 se contabilizaron 57 mujeres muertas en pareja, en 2006 fueron 68, en 2007 la cifra era 71 y el 2008 se llegó a 76. De todas maneras son pocos años para sacar conclusiones de un fenómeno tan complejo, por eso mostramos los datos de los años 1999 a 2011[82], donde se puede ver una gráfica en dientes de sierra con subidas y bajadas, pero con una tendencia aparentemente al alza.

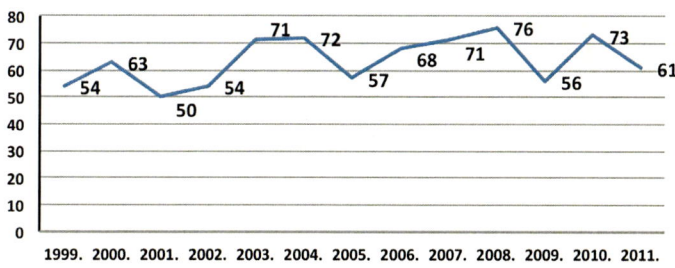

MUJERES MUERTAS POR VIOLENCIA DE GENERO ENTRE 1999 I 2011

Si se hacen las medias aritméticas de los 6 años anteriores a la entrada en vigor de la ley (1999 a 2004) da un resultado de 60,7, mientras que la de los 7 años posteriores (2005 a 2011) da un valor de 66, por tanto hay una diferencia de 5,3 mujeres muertas de más cada año desde la entrada en vigor de la Ley. Algún estadístico debería analizar si ese incremento del 8,75% es significativo o no, hasta entonces la Ley parece completamente ineficaz para el objetivo que pretendía combatir.

¿Podemos sorprendernos por esos resultados? Hemos visto que buena parte de las separaciones se resuelven por la vía penal y no por la civil, como debería ser en un país civilizado; que todo se

---

82   http://lab.rtve.es/noticias/violencia-genero/violencia_genero.html.

hace bajo amenaza de denuncias por agresiones reales o falsas; con una legislación que considera al hombre siempre culpable, aunque su mujer sea una Lady Astor cualquiera; que sistemáticamente el juez dará la custodia de los hijos a la mujer; que le tocará pagar la pensión, aunque ella trabaje y gane más dinero que él; que existe la posibilidad de no ver nunca más a los hijos una vez condenado; en resumen el feminismo radical ha trasladado el cainismo español de los ganadores y perdedores, con sus inevitables represalias, al ámbito conyugal. Ante ese panorama, ¿no es posible que los hombres más débiles mentalmente o con problemas de personalidad, al sentirse acorralados reaccionen con aquella respuesta tan española de: *me la llevo por delante y después me ahorco?* ¿Recuerdan lo que decíamos de Versalles en los primeros capítulos? ¿No será que al feminismo radical se les ha ido la mano? Desde la entrada en vigor de la Ley las mujeres muertas a manos de sus maridos han aumentado; pero además no sabemos el impacto sobre los hombres que se suicidaban, en el curso de un proceso de separación o después de agredir a sus esposas, ya que no hay estadísticas, pero seguro que no han disminuido; tampoco sabemos las consecuencias del enrarecimiento del clima familiar para los niños y los ancianos fallecidos, porque en este caso no hay ni registros, pero tampoco será nada bueno.

Nos habríamos ahorrado muchas muertes si, en vez de darle esta norma al feminismo radical, hubiésemos analizado qué ocurría en los lugares donde tenían sistemas parecidos, por ejemplo Edurne Uriarte, asegura que:

Investigaciones hechas en los Estados Unidos han mostrado que aquellos estados donde se han aprobado leyes de detención obligatorias, veintidós en total, se cometen en la actualidad hasta un 50% más homicidios que donde no se han implantado estas leyes.

Sí, lo han leído bien, un 50% más de mujeres muertas después de implantar medidas parecidas. ¿Significa eso que si trasladamos esta previsión a España, tomando como base la media aritmética anterior a la puesta en marcha de la Ley, llegaremos a las 90 mujeres muertas anualmente? Si es así tenemos un problema grave que consiste en una Ley perniciosa que hay que derogar cuanto antes mejor. Si ya se sabía que este sistema no funcionaba en los lugares donde se había implantado, estamos ante una grave irresponsabilidad de sus impulsores, y si se desconocía pero ahora comprobamos que tampoco funciona para nosotros hay que actuar lo más pronto posible, en cualquier caso la irresponsabilidad es mantenerla vigente un día más. Es por eso que el feminismo radical ha resultado nefasto para toda la sociedad, incluidas las mujeres.

Me niego a entrar en el campo, que tanto le gusta al feminismo radical, de justificar una ley tan nefasta con el argumento de que el número de muertes o de malos tratos de uno y otro sexo son diferentes. De lo que estoy hablando es de delitos y no de estadísticas, y un caso de mal trato o de muerte por violencia doméstica de un hombre, niño o anciano se merece el mismo respeto, trato y justicia que cualquier otro. El hecho de que hayan más hombres que mujeres que maten a sus parejas (un argumento que no se ha basado nunca en estudios comparativos serios, teniendo en cuenta todos los aspectos en sentido amplio), no puede ser motivo para privar a los hombres asesinados por sus mujeres de la condición de víctima, tal como hace la Ley, ni puede suponer la culpabilidad de todos los hombres. Las estadísticas (parciales e interesadas) le sirven al feminismo radical para simplificar las cosas, pero este es un planteamiento peligroso, poco democrático y tan injusto que abre la puerta a la ley de la selva. Precisamente, la madurez de una sociedad se mide por el trato que presta a los más débiles y a las minorías, y en este sentido el feminismo radical y los partidos políticos han demostrado una insensibilidad y una falta de madurez espeluznante.

Lo mejor sería hacer un análisis riguroso de lo que está pasando en los hogares y de las medidas necesarias para minimizar todas las muertes por violencia doméstica. Sin duda se trata de conductas límite, muy alejadas de la normalidad y las causas de este rotundo fracaso social y personal son múltiples, y cualquiera que tenga un poco de sentido común sabe que no tienen sexo. Lo más grave del caso es que mientras esta Ley siga vigente nunca sabremos cuantas asesinas saldrían a la luz si su género no tuviese un instrumento legal que las protege cuando agreden a sus parejas. Muchos de estos casos se podrían evitar, pero sería imprescindible profundizar honestamente en sus causas últimas. En cambio la visión reduccionista y discriminatoria que sostiene el feminismo radical, para el que la única causa de muerte en pareja es la "violencia machista", mientras exculpa a la mujer asesina, hace un flaco favor a la prevención de las muertes en pareja, de todas las muertes, y solo sirve para justificar la criminalización de los hombres.

Rechazo de pleno todo tipo de violencia, también la del ámbito doméstico, y espero que algún día podamos acabar con todas las muertes por esta causa, pero estoy convencido de que la mejor manera de hacerlo es derogar esta ley injusta, ya que la violencia doméstica es bastante más complicada de lo que el feminismo radical nos quiere hacer creer y no se acabará incitando al odio conyugal, ni cerrando las puertas a toda posibilidad para los hombres, ni negando el cariño de los hijos, ni con la injusticia de tratar distinto a unos y otros, sino todo lo contrario, si esperamos tener un buen resultado será a base de educación, de respeto, de abrir puertas y hallar alternativas cuando la convivencia se hace imposible, facilitando las separaciones como un proceso normal de la vida y no como un drama que ponga fin a todo intentando aniquilar a la pareja. Sí, no lo duden, la violencia doméstica es compleja y requiere una atención más profunda que una simple mirada de vuelo gallináceo que acabe diciendo que unos son buenos (siempre los mismos) y los otros malos (también siempre los mismos). Necesitamos estudios en profundidad, justos y sin prejuicios.

A pesar de lo que se ha expuesto, de la opinión de los expertos, de las evidencias de manipulación, de los datos parciales, de los vergonzosos olvidos de la Ley, de los problemas que esta ocasiona y especialmente de que no parece demostrar que haya servido para cumplir los objetivos esperados, hasta ahora ninguna fuerza política ha sido capaz de posicionarse de manera inequívoca contra esta Ley y el feminismo radical, por eso continúan solicitando el voto por cuestiones exclusivamente "de género", ignorando cualquier otra consideración. Cuando la señora Carme Chacón se presenta a las primarias para liderar el PSOE hace una reunió con mujeres del partido (sábado 28 de febrero de 2011) y, para demostrar que el PP no quiere a las mujeres, les acusa de que a la violencia contra las mujeres ahora empiezan a llamarla "violencia doméstica" con la cual cosa concluye que estamos dando un paso atrás, lo que no dice es hacia donde nos conducía el camino que llevábamos. Todo ello, además de pervertir la justicia y la democracia, perpetúa la no emancipación de las mujeres y su no incorporación efectiva a la vida política del país. Por otra parte, es irresponsable la acción política encaminada únicamente a asumir objetivos para las mujeres; como es irresponsable y lamentable un voto que se decide básicamente por lo que me ofrecen *"a mí como mujer, en contraposición a los hombres"* y no como ciudadana. Cualquiera que siga creyendo en la igualdad de oportunidades, de derechos y obligaciones, debe ser consciente de que la confabulación entre feminismo radical y poder político ha desvirtuado de raíz tanto a la teoría feminista original como a la ideología del poder que se aprovecha de ella, porque el uso meramente electoral de cualquier argumento acaba siempre corrompiendo dicho argumento.

CONCLUSIÓN

Acabo este capítulo enfadado, ya que el último tema siempre me ha hastiado, pero es tan delicado que me he tenido que extender un poco en los argumentos. Ya es bastante duro que casi la mitad de las parejas que se casan acaben separadas, pero que además se hagan la vida imposible, hasta llegar al mal trato y al asesinato mutuo o bien de los hijos y ancianos que tienen a su cargo, es deprimente. Por eso, que el feminismo radical se quiera aprovechar de ello para conseguir su cuota de cargos políticos y de puestos de responsabilidad, me parece vergonzoso, y que además olviden deliberadamente a los más débiles, que son los niños y los ancianos, lo encuentro repugnante. Repito que el problema de la violencia generada en el hogar es mucho más profundo de lo que nos quiere hacer creer el feminismo radical, que ha pervertido las reivindicaciones históricas del feminismo igualitario y solo ha traído desigualdad y desconfianza a las relaciones de pareja, injusticia en función del sexo y, probablemente más muertes de mujeres, hombres, niños y ancianos. Como feminista igualitario que soy les aseguro que en materia de gestión, de política y de delitos, la única cosa que me interesa es lo que las personas tienen entre las orejas y no lo que tienen entre las piernas. Para acabar solo un consejo que me parece fundamental (y este permítanme que lo dirija directamente a mis hijos, y espero que a todos los jóvenes que serán los adultos de mañana): esta situación no se resolverá sin generosidad, amor y respeto, como muchos otros. La misma generosidad, amor y respeto que en casa siempre nos hemos tenido todos. Cuando tengáis un hogar, espero que lleno de esas bendiciones, y unos hijos a los que seguro que amareis más que nada y a nadie, recordad que lo mejor que podéis hacer por vuestros hijos es respetar y querer a vuestra pareja, incluso si tenéis la desgracia de que la convivencia se rompe. Lo mejor que puede hacer un padre por sus hijos es respetar y amar a la madre de estos y lo mejor que puede hacer una madre por sus hijos es respetar y amar al padre de las criaturas. Recordadlo siempre.

CAP. 12. LA SALUD Y LA SANIDAD SIN MANUAL DE INSTRUCCIONES

El doctor pregunta: ¿Le duele la cabeza?
—No, señor.
—¿Tiene hambre?
—Bastante, sobre todo antes de comer.
—¿Duerme bien por las noches?
—Sí, de un tirón.
Bien, bien —acaba el doctor— no se preocupe,
verá cómo van desapareciendo todos esos síntomas.

Anónimo

Para que quede claro, desde el principio empezaré diciendo que la vida es una enfermedad universal, hereditaria, de transmisión sexual e incurable, que siempre acaba con la muerte, y que vivirla plenamente exige mantener un equilibrio entre las actitudes y riesgos razonables y no razonables. También recordaré que la medicina suele provocar un daño (como una cirugía digestiva) para evitar otro mayor (como una peritonitis mortal), por ello es imprescindible valorar la dimensión del mal inicial para ver si vale la pena aplicar el remedio. Empiezo así para desmentir desde ahora buena parte de los argumentos de quienes nos prometen poco menos que la inmortalidad, y para dejar claro que el equilibrio entre actitudes razonables y no razonables, no admite dogma alguno. En otras palabras, algunas preocupaciones por la salud y la estética pueden ser tan perjudiciales como lo es la completa despreocupación por la misma y si no me creen recuerden a la niña inglesa de 7 años que ya ha recibido de su madre, Sara Burge (la Barbie humana), dos cheques cambiables por una liposucción y un aumento de pechos. Deberíamos ser prudentes con esta trivialización de la actividad médica y valorar siempre sus consecuencias. Como tendríamos que serlo también con los medios de comunicación que nos bombardean constantemente magnificando unas supuestas amenazas para la salud, que en realidad son tan raras que lo más inteligente sería ignorarlas. Y de la misma manera habría que rechazar las propuestas constantes de soluciones milagrosas que prometen alargarnos la juventud y que casi nos garantizan la vida eterna.

¿QUÉ ES LA SALUD Y CÓMO HAN CAMBIADO LAS PATOLOGÍAS?

Según la definición de la OMS, *la salud es el estado de completo bienestar físico, mental y social, y no solamente la ausencia de enfermedad.* Una definición muy ambiciosa y loable, que desgraciadamente hace referencia a una situación que prácticamente es imposible asumir, más que en algunos momentos puntuales de la vida e implica a muchos agentes, no únicamente a los sanitarios. Para ser honestos, hay que tener en cuenta que las grandes mejoras de salud de la humanidad tienen poco que ver con la actuación médica, como lo demuestran los cambios experimentados por las patologías que hemos sufrido a lo largo del último siglo, cuando desaparecieron tantas causas de mortalidad que dos terceras partes de las muertes actuales tienen relación con enfermedades crónicas y con procesos asociados a la vejez, mientras los jóvenes mueren de accidentes, violencia y suicidios. Aunque este cambio se atribuye con frecuencia a la asistencia médica, hay serias dudas de que haya sido así y podemos comprobarlo con un breve repaso a la evolución de las infecciones que predominaban al principio de la era industrial. Si tomamos de ejemplo a la tuberculosis, que era la primera causa de muerte en Nueva York en 1812; la mortalidad disminuyó a 370 casos por 10.000 habitantes el año 1882, cuando Robert Koch teñía el primer bacilo productor de la enfermedad; la tasa caía a $80/10.000$ cuando se abrió el primer sanatorio para tuberculosos en 1910 (pero todavía era la segunda causa de muerte); después de la Segunda Guerra Mundial, pero antes de los antibióticos, había bajado al lugar 11º de les 48 causas de mortalidad principales. Lo mismo ocurrió con el cólera, la disentería o la fiebre tifoidea, que disminuyeron con independencia de la actividad médica. Las tasas de mortalidad por escarlatina, difteria, tos ferina y sarampión, entre 1860 y 1965, muestran que el 90% de la disminución de su mortalidad ya se había registrado antes de la introducción de los antibióticos y las vacunas. Entre las causas de estos descensos de mortalidad se ha mencionado una disminución de la virulencia de los gérmenes o las mejoras en la vivienda que acabaron con el amontonamiento, pero el factor que parece más importante es la mayor resistencia de los individuos gracias a una mejor nutrición. Eso todavía lo vemos hoy día en los países en vías de desarrollo, donde la diarrea o las infecciones respiratorias son más frecuentes, duran más y causan mayor mortalidad cuando la nutrición es deficiente, pese a una asistencia médica similar.

En la Inglaterra de finales del XIX las epidemias de enfermedades infecciosas fueron substituidas por los síndromes de malnutrición, como el raquitismo o la pelagra; estos fueron relevados más tarde por las enfermedades de la infancia; después por las ulceras duodenales de los jóvenes; y últimamente por las epidemias modernas o sea cardiopatías coronarias, enfisema y bronquitis, obesidad, hipertensión, cáncer, artritis, diabetes y desórdenes mentales. No sabemos por qué se producen estos cambios, pero hay dos cosas seguras: la primera, que no se puede atribuir en exclusiva a la asistencia sanitaria la eliminación de antiguas formas de mortalidad; y la segunda, que tampoco es la causante en exclusiva de la mayor expectativa de vida. El análisis de las tendencias de morbimortalidad muestra que el ambiente es el determinante primordial de la salud de cualquier población por eso la alimentación, la vivienda, las condiciones de trabajo, la cultura y el grado de cohesión social, son los factores decisivos para determinar como de saludables se sienten las persones y a qué edad tienden a morir.

Todo esto no resta importancia a algunas técnicas modernas que han supuesto cambios importantes para la salud, como los anticonceptivos, el tratamiento del agua y de los excrementos, el uso de jabón y tijeras en las salas de partos, la asepsia en los quirófanos, la vacunación, los antibacterianos e insecticidas, etc. El número de médicos en una población, los recursos sanitarios o el número de camas de hospital tampoco son los causantes de los grandes cambios en las características generales de las enfermedades más frecuentes. Las nuevas técnicas diagnósticas, los modernos tratamientos quirúrgicos o de otro tipo redefinen la morbilidad, pero no la reducen globalmente, pues al hacer las dolencias más llevaderas y alargar la vida, facilitan la aparición de más patologías asociadas. Naturalmente eso supone un grave revés para lo que esperaban los planificadores sanitarios, por ejemplo cuando William Beveridge[83] diseñó el National Health Service de la Gran Bretaña, en el año 1948, consideraba que había una cantidad estrictamente limitada de morbilidad y que, si era tratada adecuadamente, el resultado sólo podía ser la reducción del número de enfermedades, en consecuencia pensaba que el coste del sistema sería cada vez más bajo a medida que se acabase con ellas. Lo que no había previsto eran los cambios que se producirían simultáneamente: primero, que la definición de mala salud ampliaría su campo, abarcando cada vez a más ámbitos; segundo, que el nivel de tolerancia ante cualquier trastorno

---

83   William Beveridge (1879-1963) Economista y político británico, ideólogo e impulsor del Estado del Bienestar y del National Health Service en su país.

disminuiría entre la población, que se mostraría cada vez más demandante por molestias que hasta entonces se pasaban en casa; tercero,
que la mayor dependencia del sistema sanitario disminuiría la competencia individual para hacer frente a las enfermedades, incrementando
la demanda sanitaria y trasladando a los profesionales responsabilidades que antes eran atendidas por la familia; y cuarto, que aparecerían
nuevas patologías concomitantes a causa de la evolución de procesos
graves, antaño mortales por falta de tratamiento, y eso haría parecer a
la medicina como parcialmente ineficaz.

¿DE QUÉ DEPENDE LA SALUD?

Esta pregunta fue ignorada durante años, mientras invertíamos
ingentes cantidades de recursos en grandes centros sanitarios y nos
olvidamos de la salud pública y de la medicina preventiva, que velan
por las buenas prácticas higiénicas; es decir, el cuidado y el mantenimiento del cuerpo para que permanezca sano durante muchos
años, evitando que enferme. El olvido continuó hasta que lo cuestionó un ministro canadiense llamado Marc Lalonde (1929), que
propuso hacer un estudio para saber qué factores influían en la
salud y en qué porcentajes lo hacían. Tras unos meses de análisis, en
1974, presentó los resultados con lo que llamó "determinantes de
la salud", llegando a la conclusión de que la salud en Canadá, y de
hecho en todos los países desarrollados, en que las patologías crónicas y los accidentes constituyen los principales retos sanitarios,
dependía de la interacción de cuatro variables:

1. La biología humana: genética, envejecimiento, etc.

2. El medio ambiente: contaminación física, química, biológica,
   relaciones sociales, cultura, etc.

3. El estilo de vida de la persona: conductas higiénicas, hábitos
   y costumbres, trabajo, etc.

4. El sistema de asistencia sanitaria: médicos, CAP, hospitales, etc.

DETERMINANTES DE LA SALUD

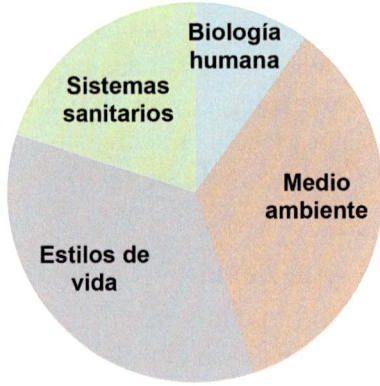

De estas cuatro variables, que tienen unos pesos diferentes sobre la salud, hay una que no se puede modificar, que es la biología humana, ya que si se nace con una malformación, una enfermedad genética, un trastorno cromosómico o una predisposición a sufrir una enfermedad, poca cosa se puede hacer, más que tratarla de la mejor manera posible. Pero las otras tres sí son susceptibles de ser alteradas con nuestras decisiones, ya que son aspectos como la contaminación, y podemos decidir contaminar o tomar medidas para no hacerlo; estilos de vida, y también podemos escoger emborracharnos cada noche o no; y sistemas de asistencia sanitaria, que podemos orientarlos más hacia la curación o hacia la prevención. Teniendo en cuenta que la biología humana es bastante homogénea en todos los países y clases sociales, las diferencias en la distribución de enfermedades son causadas por variaciones de los otros tres componentes, incluidas las desigualdades sociales, culturales y laborales entre individuos y colectivos. Sabiendo cuáles son los factores que influyen en la salud Lalonde quiso saber también cómo se invertían los recursos en cada uno de ellos y lo que encontró fue lo que vemos en el gráfico siguiente:

INVERSIONES REALIZADAS

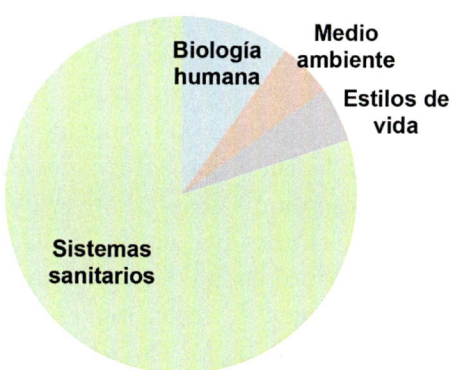

Lo primero que le llamó la atención es que la distribución de recursos no tenía nada que ver con el peso que la epidemiología le otorgaba a cada uno de los cuatro factores determinantes de la salud, ya que los destinados al sistema sanitario eran muy superiores a los que le correspondían en función de su importancia epidemiológica. Lo contrario pasaba con el medio ambiente y el estilo de vida, que tenían un peso sobre la salud muy superior a los recursos destinados. El estudio causó mucho revuelo, pero sus conclusiones han sido corroboradas por otros similares efectuados en diversos países desarrollados, que siempre han tenido resultados parecidos. Las consecuencias de aquel informe se tradujeron en corrientes de opinión en todo Occidente que recomendaban cambiar las prioridades hacia la prevención y proponían dedicar más recursos a la salud pública y a la educación sanitaria, corrigiendo así las desviaciones observadas y haciéndolas más acordes con el peso de cada determinante de salud. A pesar de los grandes esfuerzos de los últimos años, los avances tecnológicos de la asistencia médica y la inercia de los gastos del sistema sanitario hacen que aún se continúe con la misma desviación señalada por Lalonde en 1974.

Nosotros no escapamos a esta situación, y también en nuestro caso sería necesario cambiar las prioridades para promover los hábitos de vida saludables y las mejoras ambientales. Aspectos como la comida basura, el sedentarismo o los accidentes de tránsito, son verdaderas lacras para la salud que habría que combatir por todos los medios, ya que disponemos de alternativas que han demostrado mejorarla de manera significativa, como la dieta mediterránea, el ejercicio físico moderado o las medidas coactivas contra el exceso de velocidad. En otro orden de cosas, una educación que inculque valores y eleve la autoestima de los jóvenes, ayudaría a luchar contra otras lacras como la drogadicción, el alcoholismo, la violencia juvenil y esa ceremonia del fracaso colectivo que es el botellón. Por último, mejorar la formación sanitaria en general, y la de grupos de enfermos con patologías prevalentes en particular (diabetes, hipertensión, asma, bronquitis, insuficiencia cardíaca, etc.), siempre ha tenido grandes resultados para los afectados, en forma de mejores controles y en consecuencia menos complicaciones y descompensaciones, lo que supone menos visitas a urgencias y menos ingresos.

¿QUIÉN ES EL RESPONSABLE DE LA SALUD?

Si la salud depende mayoritariamente del medio ambiente más cercano y de los estilos de vida, ¿de quién es la responsabilidad de mantenerla intacta la mayor parte del tiempo? En contra de la creencia hoy generalizada, el primer responsable de nuestra salud somos nosotros mismos, no el medico ni el hospital. Si nosotros no la cuidamos ni velamos por ella, de nada servirán todos los médicos del mundo o todas las pruebas preventivas a que nos podamos someter. Si nos dedicamos a beber cada día hasta caer en coma etílico, de poca cosa servirán los controles analíticos. Ni el sistema sanitario, ni el gobierno, ni los ayuntamientos son responsables, por más que durante cuarenta años todos ellos han querido hacerle creer a la población que podían hacer lo que les pareciera porque los avances médicos les curarían de cualquier enfermedad. En nuestro país, donde nos asusta tanto la responsabilidad, nos apuntamos pronto a delegarla en el Estado y en un sistema sanitario que prometía poco menos que la inmortalidad. Además, la ciudadanía asegura que tiene derecho a la salud, como si la "salud" fuera algo externo a la persona que se puede coger de un armario y llevártelo puesto como un abrigo. Lo que dice la Constitución Española del 1978, en su artículo 43.1, es que *se reconoce el derecho a la protección de la salud*, que es una cosa bien diferente. Por más que nos pese, el sistema sanitario se parece más a un taller de reparación de coches que a una fábrica de automóviles. De la fábrica pueden salir todos los vehículos más o menos iguales (salvo los defectuosos, que en el caso de la salud los podríamos asimilar a las enfermedades congénitas, cada vez menos frecuentes gracias a las detecciones precoces) y lo que marca la diferencia entre la vida de un coche y otro, es el uso que hace cada conductor, la manera de conducir, la forma de cuidarlo, si duerme en el garaje o está en la calle, si va por carreteras asfaltadas o por montaña, si se le hacen las revisiones que corresponden, etc. Una vez que la salud se ha perdido, por haber hecho estragos con nuestro cuerpo, podemos ir al hospital para que nos hagan alguna reparación pero, como en el caso del taller mecánico, los médicos trabajan sobre lo que se encuentran y si todo está estropeado pueden intentar arreglarlo, pero nunca lo dejarán nuevo como al salir de fábrica.

¿PREVENIR ES MEJOR QUE CURAR?

Estamos acostumbrados a escuchar que "prevenir es mejor que curar", pero, como he dicho al principio del capítulo, debemos rechazar todos los dogmas, incluso este, ya que también la prevención tiene riesgos y un precio que a veces puede resultar desorbitado. Un ejemplo didáctico para que me entiendan fácilmente: si todos nos quedásemos en casa sin salir no habrían accidentes de tránsito, pero el coste personal, social y económico sería inmenso al frenar en seco la economía y el progreso. Sin llegar a tales extremos se sabe que la prevención tienen mayor probabilidad de ser eficaz cuando no depende de la modificación de la conducta de los individuos, por eso las grandes reducciones de la mortalidad en los países desarrollados se han conseguido con medidas como la adecuada eliminación de las aguas residuales, la buena alimentación o la mejora de las viviendas, etc. El dilema es que en la actualidad la mayor parte del éxito de las medidas preventivas depende de cambios en la conducta de los individuos, ya sea evitar algo, como dejar de fumar, de beber, etc., o de todo lo contrario, hacer algo, como ejercicio físico moderado, vacunarse o someterse a pruebas de detección precoz de determinadas enfermedades. En este último caso, hay otros aspectos a considerar, ya que para que las pruebas de detección precoz sean útiles hace falta: primero, que se trate de enfermedades frecuentes y graves, en caso contrario puede suponer un gasto innecesario para situaciones banales que quizá no preocupan ni a quien las padece; segundo, que se disponga de un tratamiento eficaz para los casos diagnosticados, si no lo tenemos haremos un flaco favor a los afectados al etiquetarlos de algo incurable mientras no tienen ningún síntoma ni molestia; tercero, que la prueba sea fiable y con pocos falsos positivos, ya que estos pueden necesitar exploraciones de confirmación agresivas que supongan un riesgo para el afectado.

Pero, además, parece que la prevención está exenta de consideraciones éticas, por aquello de que prevenir vale más que curar, por tanto los beneficios no necesitan ser defendidos éticamente. Ello ignora que muchas actuaciones preventivas suponen la posibilidad de lesiones para el individuo, que además está sano hasta que no se demuestre lo contrario, así como la ineficacia de algunas de sus medidas. Recordemos también que originalmente la medicina preventiva era sinónimo de policía médica, que suponía el aislamiento forzado de los leprosos; la separación de los emigrantes al llegar a los Estados Unidos (al lado de la estatua de la Libertad, por cierto); y medidas similares. Lo mismo podemos decir de las primeras pruebas de detección precoz, que se usaron con el fin de separar a los individuos sanos de los enfermos con fines laborales. Todos estos criterios deben ser tenidos en cuenta antes de empezar cualquier campaña preventiva, para evitar que se convierta en una actuación enferma o en un gasto desproporcionado e inútil en comparación al beneficio obtenido.

Hay otro aspecto de la epidemiología moderna no menos importante y es el hecho de que el concepto de "causa" ha sido reemplazado por el de asociaciones estadísticas de los llamados "factores de riesgo". Pero estos no son sinónimo de padecer una enfermedad, ya que la causa de una patología es bastante más compleja que tener algún factor de riesgo. Incluso un martillo (factor de riesgo) que cae sobre el pie y provoca una enfermedad (un dedo roto) puede no ser la causa del problema si no sabemos porque se ha caído. Sin embargo, se ha convertido en una práctica habitual describir muchas enfermedades como de origen multifactorial, principalmente cuando no se conoce la causa necesaria o suficiente, sobre todo en cánceres y enfermedades coronarias. Esto no supone ningún descubrimiento, ya que todas las enfermedades tienen un origen multifactorial, pero en este caso el término es sinónimo de desconocido y por tanto es un eufemismo de la ignorancia que tenemos sobre el tema. Un buen ejemplo es la cardiopatía coronaria que, desde la Segunda Guerra Mundial se ha convertido en parte importante de la vida, tanto de los médicos como de la población general, y de la cual se han descrito más de 300 factores de riesgo. Skrabanek y McCormick cuando se refieren a las "parodias de la prevención", recogen la definición de G. S. Myers sobre el perfil de la persona con bajo riesgo de sufrir una cardiopatía coronaria, según diversos estudios realizados, y asegura que es:

...un funcionario municipal afeminado o un embalsamador sin ningún tipo de imaginación y sin iniciativa, ambición, ni espíritu competitivo; un individuo que nunca se habría impuesto una meta; un hombre con poco apetito, que vive a base de frutas y verduras condimentadas con aceite de maíz y de ballena, que detesta el tabaco, la radio, la televisión y los coches, con abundante pelo y con un aspecto enclenque y poco atlético, a pesar del constante ejercicio físico que practica para fortalecer sus débiles músculos. Su renta es baja, así como su presión arterial y sus niveles en sangre de glucosa, ácido úrico y colesterol. Habría tomado ácido nicotínico, piridoxina y un tratamiento anticoagulante a largo plazo después de haberse sometido a una castración profiláctica.

Estos autores añaden que el doctor Howard ha descrito también al prototipo de persona con menos probabilidades de sufrir un infarto como:

...una mujer enana, premenopáusica de bajo peso, que está en paro, con hipolipemia e hipobeta lipoproteinemia, que viviera en la isla de Creta antes de 1925, que fuera en bicicleta y que sobreviviera con una dieta a base de cereales de grano entero, aceite de alazor y agua.

Los dos autores aseguran no tener la menor duda de que si estos dos extraños seres se encontrasen y copulasen, sus descendientes serían doblemente afortunados.

Como decíamos más arriba en la actualidad la mayor parte de la prevención depende de cambios en la conducta de los individuos, aunque mucha gente no está dispuesta a cambiar ya sea por comodidad o porque están de acuerdo con lo que afirmaba el sociólogo Irving Zola (1935-1994) cuando aseguraba que en realidad no importa tener diez años más de vida, ser quince centímetros más alto o disfrutar de unos fármacos que aumenten nuestra capacidad y poder; lo que deberíamos preguntarnos es en qué condiciones viviremos los diez años de más, si es importante ser quince centímetros más altos o quien decidirá qué capacidades y poderes serán potenciados o reprimidos.

La publicidad nos quiere hacer creer en la posibilidad de burlar la vejez e incluso la muerte. En este sentido, los anuncios de cosméticos contra las arrugas, protagonizados por muchachas de veinte años con cara preocupada por unos problemas que no sufrirán hasta dentro de varias décadas, resultan ilustrativos a la vez que patéticos. Debemos aceptar que todos los seres vivos tienen un intervalo de vida biológica, y en la mayor parte de los países ricos la esperanza de vida empieza a aproximarse a la vida media biológica, lo que supone que con frecuencia los ancianos se mueran con la enfermedad y no de la enfermedad, que son dos cosas distintas. Si hiciéramos autopsias de todas las personas que mueren de viejas, seguro que en muchas de ellas encontraríamos malformaciones y enfermedades, incluidos cánceres de diversa localización, que no les impidieron llevar una vida normal y que no han sido la causa de la muerte. En Suecia, la edad media de los fallecidos por cáncer entre los varones es de 74 años, y 76 para los no enfermos de cáncer; en mujeres la muerte por cáncer es a los 75 años, y 80 para las que no lo padecen; la vida media de los portadores de cardiopatía coronaria es de 76 años para los hombres y 82 para las mujeres. Por tanto, hay que valorar cuidadosamente las ventajas de usar medidas agresivas para tratar estas patologías en los extremos de la vida. Hay que ser prudentes y valorar los pros y los contras que conllevan algunos métodos diagnósticos y terapéuticos demasiado contundentes y agresivos en personas de edad avanzada, que posiblemente no morirán de la enfermedad de la que son portadores. Si deben suponer acabar la existencia en un hospital, dependiendo de goteros, respiradores y catéteres, cargados de medicación y fuera de su ámbito natural, probablemente la gente tiene derecho a saberlo, para decidir por su cuenta y evitar el ensañamiento terapéutico cuando el final es irreversible. En el futuro todavía se prevé una mayor "compresión", no solo de la mortalidad sino también de la morbididad, o sea que viviremos y moriremos "sanos" hasta el último momento. La muerte por vejez no es ni rápida ni agradable, por ello deberíamos preguntarnos si tiene sentido hacerla más larga y dolorosa, ya que la prolongación de la muerte no es sinónimo de prolongación de la vida.

NECESIDAD, DEMANDA Y OFERTA SANITARIA

Ya hemos visto que la salud depende de muchos factores, aparte del sistema sanitario, y que la prevención también tiene sus límites, pero al menos tendemos a creer que nuestra sanidad responde fiel y eficazmente a las demandas y necesidades de la población en materia de salud. Veamos si es así. Lo primero a tener en cuenta es que estos tres conceptos (necesidad, demanda y oferta sanitaria) no son sinónimos sino que significan cosas diferentes. Podemos mostrar gráficamente los tres ámbitos como tres círculos que se superponen parcialmente. El círculo de las demandas y el de las necesidades son más grandes que el de la oferta, ya que siempre tenemos menos recursos de lo que la gente demanda y necesita. Como vemos en el gráfico siguiente, los tres círculos no tienen un centro común, sino que se superponen con más o menos coincidencia entre ellos y de esta manera aparecen una serie de áreas, que hemos numerado del 1 al 7, y corresponden a situaciones diferentes del dibujo pero también de la realidad asistencial.

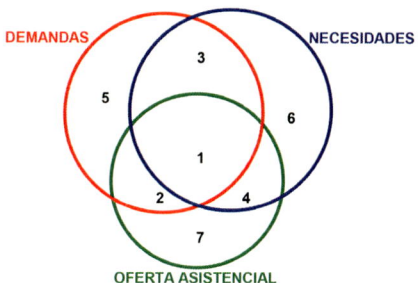

- <u>El área número 1</u> es aquella en que la oferta sanitaria responde a una demanda expresada y a una necesidad real, como en el caso de la asistencia a enfermos agudos y urgentes que necesitan una atención inmediata, una intervención quirúrgica, un trasplante, etc. Que sea un ámbito en el que coinciden los tres criterios de manera tan clara no significa que no haya aspectos a mejorar. Aquí están muchas ineficiencias del sistema sanitario, como: la descoordinación entre niveles asistenciales; el mal uso de los recursos por parte de la población; el 70% de urgencias hospitalarias que se atenderían antes y mejor en la atención primaria; el exceso de demanda médica que supone tener un 40% más de visitas que los países de nuestro entorno; las derivaciones innecesarias a los hospitales por casos no resueltos en otros niveles; los traslados en taxi o en ambulancia de un lugar a otro, ya que la compra de pruebas diagnósticas no tiene en cuenta el coste de estos desplazamientos, a pesar de ser caros para el sistema y hacen perder el tiempo a los enfermos; el seguimiento deficiente de los enfermos crónicos y frágiles que favorece las descompensaciones y por tanto las visitas a urgencias, que es el lugar menos idóneo para tratarlos, etc. La forma de resolver estas situaciones es que la autoridad sanitaria ejerza su función;

que los contratos de cada proveedor promuevan el diálogo con los otros niveles asistenciales y que quede reflejado en el pago; implantar formas de seguimiento más estrechas y proactivas de los enfermos crónicos y frágiles; que la compra de pruebas complementarias incluya el transporte sanitario; cambiar el modelo de atención a las urgencias para que pivote más sobre la atención primaria, etc.

- El área número 2 refleja las demandas atendidas por el sistema sanitario, pero que no responden a ninguna necesidad real, por ejemplo: muchos medicamentos que se dan para complacer al enfermo, como las vitaminas en casos de dietas equilibradas o tratamientos sintomáticos que se podrían resolver con medidas higiénicas; por ejemplo, tranquilizantes, somníferos, laxantes, etc.; o aquella parte de las bajas laborales que se alargan más de la cuenta, a veces hasta que un requerimiento de la inspección médica acaba con un alta repentina. Se trata de una verdadera sangría económica para el sistema sanitario y para todo el país, que no aporta ningún valor a la sociedad sino todo lo contrario: en el caso de la medicación innecesaria expone a personas sanas a múltiples efectos secundarios, a veces peligrosos; o bien favorece a individuos con pocos escrúpulos, en el caso de las bajas. La forma de combatir esta situación es formando a los ciudadanos en la manera de gestionar mejor los síntomas que generan las demandas, por medio de medidas higiénicas y no farmacológicas, controlando las recetas de medicamentos innecesarios, incluso con medidas disuasorias de tipo económicas contra el médico y el paciente, y poniendo plazos clínicos concretos a las bajas laborales en función de cada patología.

- El área número 3 supone necesidades reales, que además han sido demandadas por la población pero que el sistema sanitario no atiende por causas diversas, principalmente por falta de recursos. Aquí se incluyen buena parte de las medidas higiénicas y preventivas que a la larga podrían disminuir las enfermedades y por tanto el gasto: desde la educación sanitaria hasta la creación de grupos de ayuda mutua con enfermos que tengan experiencia con las patologías. Los casos en los que el sistema sanitario ha entrado y formado a grupos de estas características (diabetes, trasplantados, etc.) han dado muy buenos resultados con menos complicaciones y descompensaciones gracias a un mayor control y concienciación de estos enfermos. Es una línea claramente a desarrollar para todas aquellas patologías graves y prevalentes que lo permitan.

• En el área número 4 hay necesidades reales, que son atendidas por el sistema sanitario, pero que no han sido demandadas por la población, ya que, o no son conscientes de que las necesitan o desconocen los beneficios que la actividad sanitaria puede proporcionarles. La introducción de nuevas tecnologías, de nuevas vacunas o algunas reformas del sistema estarían en este grupo. La puesta en marcha de tales mejoras pueden generar múltiples resistencias, si son vistas como una amenaza por la población. Es lo que ocurrió con el proceso de reforma de la atención primaria, que ocasionó múltiples movilizaciones populares a pesar de que la mejora era importante respecto a la situación anterior. Saber que existirán reticencias y oposiciones frena el avance de reformas necesarias pero impopulares (fusiones sanitarias, impulsar una mayor coordinación entre niveles, definir la cartera de servicios, tickets moderadores, penalizaciones en casos de mal uso de los recursos, etc.). Como inevitablemente se tienen que continuar desarrollando, es fundamental disponer de gobiernos fuertes y de gestores capacitados. Por lo que respecta a la metodología, siempre se debe hacer mucha pedagogía para que todo el mundo esté informado de lo que puede esperar del modelo actual y del futuro, una vez acabada la reforma o el despliegue previsto. No informar, con humildad pero con insistencia, o actuar con prepotencia por tener la autoridad, supone un grave error, ya que, aunque permita avanzar en los primeros pasos, posteriormente el proceso se estancará por la oposición de una población que, además de desinformada se sentirá traicionada o manipulada, y puede suponer el final de un proyecto positivo que, con paciencia e información suficiente, la sociedad acabaría aceptando y abrazando, tal como ocurrió con la reforma de la atención primaria.

- El área número 5 contiene demandas de una parte de la población pero que ni responden a necesidades ni son atendidas por el sistema sanitario, como las peticiones para incorporar medicinas alternativas (homeopatía, acupuntura, etc.) o algunos tratamientos experimentales que deben seguir su curso hasta ser aprobados para el uso general. Una modalidad particular, y que de vez en cuando aparece en los medios de comunicación, generando mucha alarma social, son las personas que recaudan dinero para ser operadas en un hospital del extranjero, argumentando que aquí no se practica la técnica o no se dispone de los recursos. En nuestro país tenemos una medicina puntera, a la altura de las mejores del mundo, por ello costaría encontrar tratamientos útiles, fiables y contrastados que se hagan en otros países y que no hagamos nosotros; pero si este fuera el caso, se dispone de mecanismos para trasladar a los enfermos públicos a cualquier país del mundo a la búsqueda de la cura. La respuesta en esta área debe continuar siendo la misma que hasta ahora, ya que, si los recursos son limitados y tenemos tantas necesidades donde destinarlos, parece razonable reservarlos para prestaciones con eficacia probada.

- El área número 6 muestra necesidades reales de la sociedad pero que ni son demandadas por la población ni atendidas por el sistema sanitario. Se trata de problemas ocultos, como pasa con muchos ancianos o enfermos mentales que viven solos o en la calle; los malos tratos de ancianos y de niños, que son una causa importante de mortalidad en los dos colectivos y que no están ni registrados ni estudiados; los mundos marginales de la drogadicción, la prostitución heterosexual y homosexual (con toda su problemática de tráfico de personas, ilegalidad, enfermedades, marginación, muertes prematuras, miedo e hipocresía social, etc.); el drama de los suicidios, muchos de los cuales posiblemente se podrían evitar, etc. Son problemas sanitarios y sociales de primer orden y de los que nadie habla, así que primero habría que aflorarlos para poderlos identificar. La manera de afrontarlos sería con estudios específicos, con mucha información y concienciando tanto a la clase médica como a toda la sociedad. Para ello hace falta la colaboración de todos: ciudadanos, políticos, economistas, sociólogos, fuerzas de seguridad, etc., y no solo de los sanitarios.

- Por último, en el área número 7 encontramos actuaciones que hace el sistema sanitario y que no responden a necesidades reales ni son demandadas por la población. Aquí podemos incluir buena parte de las ineficiencias médicas, desde la variabilidad de la práctica clínica (que para la misma patología en un sitio se haga una cosa y en otro una distinta); la variación en la utilización de recursos asistenciales en cada zona (cuando se hicieron las transferencias de la sanidad a la Generalitat, unas comarcas tenían más de 120 ingresos hospitalarios por mil habitantes, con estancias medias de 12 días, y otras tenían menos de 80 ingresos por mil habitantes, con estancias de 7 días); y todos los efectos indeseables causados por el sistema sanitario (iatrogenia) que el enfermo no necesita ni ha pedido y que no habría sufrido si no hubiera tenido contacto con el mismo (infecciones hospitalarias, complicaciones, errores de tratamiento, lesiones, muertes, etc.). La manera de combatirlas es con protocolos clínicos que definan cuáles son los estándares idóneos para cada patología (cuando deben ingresar y cuando no, qué tratamiento debe tomar y cuantos días de internamiento son los adecuados, etc.), controlar a los centros sanitarios en base a estas escalas de medida y una política inteligente, no punitiva, para hacer aflorar los errores médicos y de medicación a fin de combatirlos eficazmente.

¿CÓMO HA RESPONDIDO EL SISTEMA SANITARIO?

Con tantas posibilidades que nos ofrece el modelo y los determinantes de salud de Lalonde, cualquiera pensaría que los gobiernos autodenominados progresistas cambiarían la dinámica del sistema sanitario haciéndolo más preventivo. Se esperaba que invirtiesen más en salud pública, en educación sanitaria, en aflorar problemas ocultos, en pocas palabras, que se acercarán a lo que proponía el ministro canadiense de ajustar las inversiones al peso de cada determinante de la salud. Desgraciadamente no ha sido así y también se han dejado llevar por las ilusiones y fantasías de las grandes obras e inauguraciones que les aseguraban algunos votos, olvidando de nuevo la salud de la población. Durante los años de gobierno de esos partidos hemos asistido a la construcción desmesurada de consultorios municipales, centros de atención primaria y hospitales, la mayoría de proporciones mastodónticas y con gastos millonarios. Se han comprometido tantos recursos que ahora no queda dinero ni para mantener las estructuras, así que serán verdaderas cargas para la administración autonómica y local que pagaremos con creces nosotros y nuestros hijos durante décadas. En realidad, no hacían falta ni tantos centros ni tan grandes y sofisticados, en un país que afortunadamente ya no tiene epidemias masivas, principalmente si ponen en peligro la viabilidad del sistema o si para pagarlos se deben despachar profesionales que son los que prestan los servicios. Y lo mismo ha ocurrido con la investigación, al confundir "investigar" con tener edificios nuevos que lleven tal nombre, así que hemos hecho grandes obras a un coste desorbitado y ahora no queda dinero para pagar a los científicos que son los que de verdad investigan.

El negocio ha sido ruinoso, ya que los ladrillos, el mármol y el acero no operan enfermos ni hacen diagnósticos ni investigan. No puedo concebir una planificación peor de unos políticos que siempre que hablaban decían que lo más importante eran las personas, que son a las que han tenido menos en cuenta. Decían que estaban "reconstruyendo el país" un concepto que habría que reservar para lugares como Haití después del terremoto (enero de 2010), o para el Japón después del tsunami (marzo de 2011), Cataluña lo que necesitaba era buena gestión y sentido común, no hospitales al 25% de ocupación y centros de atención primaria con quirófanos, cuando las deficiencias del país no son la falta de quirófanos sino de profesionales para hacer funcionar los que hay. Todo ello debe servirnos para aprender una lección: que las personas "son" aquello que hacen y no aquello que dicen. Yo puedo decir que soy el más honrado del mundo, pero si le meto la mano en el bolsillo al alguien para robarle la cartera, soy un ladrón. Lo mismo ocurre con los políticos, pueden decir que son modernos y progresistas pero si hipotecan al país durante décadas con unos edificios que además no hacen falta y después se deben recortar servicios, no le veo progresismo por ningún lado. Y por lo que se refiere a la modernidad, no hay nada menos moderno que la mala gestión y el despilfarro de los dineros públicos.

Pero las obras faraónicas no son la única amenaza para el sistema sanitario. Los médicos españoles somos los peor pagados de todos los países occidentales, y los catalanes somos de los peor pagados de entre los españoles. El llamado "modelo sanitario catalán", que tan buenos resultados nos ha proporcionado durante décadas, y que ha servido de inspiración para muchos otros a nivel del Estado y del extranjero, se sustenta a base de pagar sueldos muy bajos a los médicos, que han soportado la eficiencia de un sistema del que los políticos han hecho bandera. Esta situación, de una carrera como Medicina, que supone más de una década de formación para tener una especialidad, no puede acabar ofreciendo únicamente un futuro oscuro con condiciones laborales precarias y perspectivas de ser mileurista de por vida. Hace falta reconoce la preparación, el esfuerzo y la aportación profesional acabando con la situación actual en que la diferencia entre una formación sólida, puntera, de calidad o la falta de preparación es con frecuencia de unos pocos euros mensuales. El sistema no podrá continuar demasiado tiempo sin resolver esta situación, en una Europa donde faltan sanitarios porque, como estamos viendo, muchos profesionales al acabar la especialidad se marcharán a otros países donde sean más valorados desde todos los puntos de vista. La alternativa no puede ser dejar marchar a los mejor preparados para cubrir esos huecos con médicos de países extracomunitarios de los que no podemos asegurar su correcta formación y, con frecuencia, no podemos garantizar ni que hablen un idioma con el que entenderse con los enfermos. No parece una actitud demasiado inteligente la de gastar dinero en formar especialistas, hacerlo con una alta calidad (ahora sabemos que los sanitarios españoles son muy valorados fuera de nuestras fronteras) y cuando pueden empezar a ser productivos para el país, que se vayan por no ser capaces de incorporarlos al mercado laboral. Se trata de un drama que está ocurriendo con los sanitarios, pero también con otras muchas profesiones, y habría que encontrarle una solución, ya que en la era de la información y la tecnología no podemos permitirnos el lujo de prescindir de los mejor preparados mientras generan riqueza en otros lugares.

Pese a todo debemos ser positivos y ver si la situación tiene ventajas que podamos explotar de cara al futuro. Creo que el sistema sanitario catalán tiene algunas cartas que, si las jugamos bien, pueden ayudarnos a salir con éxito de la crisis:

- La primera es la formación y capacitación de nuestros profesionales, que nos hace continuar siendo punteros en muchos campos (ser el país del mundo que hace más trasplantes es un buen ejemplo).

- La segunda, que nuestro sistema es más barato que el de los países del entorno y eso, en un mundo competitivo y caro como el sanitario, ha de ser una carta a nuestro favor que debemos saber jugar.

- Tercera, que tenemos unas excelentes instalaciones sanitarias (que no habría sido necesario construir pero que ahora no podemos derrumbarlas ni hacer marcha atrás), por tanto disponemos de capacidad para incrementar nuestra "producción" sanitaria.

- Y cuarta, que somos un país de atracción de personas que vienen a hacer turismo, incluido el turismo sanitario, una tendencia mundial que cada día será más importante, por los costes desorbitados en todas partes.

Hay que aprovechar esta realidad como un elemento dinamizador de todo el sector sanitario, social y turístico. Podríamos convertir Cataluña en la Florida de Europa, para estancias de jubilados europeos y para tratarles sus patologías menos graves. Se podrían hacer convenios de colaboración con todos los ministerios de salud del continente y con las compañías de seguros para garantizar unas tarifas adecuadas y ofrecer paquetes turísticos-sanitarios-sociales con estancias en la costa, turismo y los servicios sanitarios que necesiten, proponiendo al resto de países europeos hacer economías de escala a nivel continental. Por nuestra parte preservaríamos y potenciaríamos un sector económico en el que hemos demostrado que podemos aportar la misma calidad a un precio muy inferior que la mayor parte de Occidente, algo que desgraciadamente no podemos decir de otros sectores. Si nos especializamos en la atención a la vejez como un todo, estaremos en una posición privilegiada para hacer investigación sobre el envejecimiento y la tercera edad de alcance mundial, lo que supone rentabilizar los centros de investigación con líneas de I+D, servicios nuevos, etc., que ahora ni podemos llegar a imaginarnos. Además este sector ocuparía a muchos trabajadores, tanto en puestos de trabajo poco cualificados en las zonas residenciales de la tercera edad (hostelería, mantenimiento, transporte, etc.), de puestos cualificados (personal sanitario de hospitales, atención primaria, socio sanitaria, asistencia social, etc.) y de alta cualificación (investigación, recerca, biotecnología, farmacia, etc.).

UNA SOCIEDAD MEDICALIZADA

Pese a todo lo dicho sobre la responsabilidad individual en la propia salud, sobre la importancia de aumentar recursos en los otros determinantes de la salud y de adquirir hábitos de vida saludables, a nadie se le escapa que la sociedad está cada vez más medicalizada, una realidad en la que habría que profundizar, ya que sus ventajas son más que dudosas. La medicalización se pone de manifiesto de diversas maneras pero las agruparemos en cinco apartados: primero, unos presupuestos cada vez mayores para sanidad; segundo, una dependencia creciente de los profesionales sanitarios; tercero, el hábito de consumir medicamentos; cuarto, la clasificación de las edades patológicas del hombre; y por último, quinto, convertir en patologías procesos completamente banales.

1. Los incrementos presupuestarios

Sobre el aumento del gasto sanitario poca cosa a decir que no sea del dominio público, ya que aparece en los medios de comunicación cada vez que se aprueba un nuevo presupuesto nuestro o de cualquiera de los países occidentales. A pesar de todo debemos insistir en que el modelo catalán y español son baratos en comparación con los del entorno.

2. Dependencia de los sanitarios

La dependencia que tienen los ciudadanos de los centros y profesionales de la salud es cada día más patente y genera serias consecuencias, no solo por los posibles errores, efectos secundarios o complicaciones de la actividad médica, sino porque cuando la gente les traspasa la responsabilidad de su salud, automáticamente pierden su capacidad para cuidarse a sí mismos, así como el estímulo para modificar su ambiente y estilo de vida, pensando que con la atención especializada es suficiente. A ello ha contribuido el discurso político que combina la promesa de una tecnología imponente y una retórica igualitaria, creando la ilusión de que la medicina altamente tecnificada es tan eficaz que no hay que preocuparse de nada, pese a los efectos indeseables de la misma. Un ejemplo ayudará a entender lo que quiero decir: en 1960 un 96% de las madres chilenas daban el pecho a sus bebés, pero entonces la alta tecnología del biberón (con todo lo que comporta de procesado de la leche, etc.) se convirtió en un símbolo de prestigio e inició un nuevo interés por la salud de las madres (más comodidad, evitar lesiones en los pechos, etc.), y se quiso ofrecer a los niños los mejores avances en forma de leche en polvo. El resultado fue que en 1970 solo había un 6% de madres chilenas que daban el pecho, y de estas solo un 20% lo hacían durante más de 2 meses. Las consecuencias de esta "modernidad" comportaron serias dificultades: de una parte médicas, al aparecer patologías que ni las madres ni las abuelas sabían atender, por no comportarse como las de los niños alimentados con pecho; pero también económicas, ya que fabricar la leche necesaria para todas las criaturas suponía el equivalente a 32.000 vacas. Más cercano es el caso de la publicidad que recomendaba a los adolescentes tomar ácido acetilsalicílico (AAS) sin receta para los dolores de cabeza y otros síntomas banales (incluida la resaca del fin de semana), que hace pocos años llenó las urgencias hospitalarias con jóvenes que hacían hemorragias digestivas por los efectos irritantes del AAS sobre la mucosa gástrica.

El sistema sanitario tendría que explicarle a la población que no puede banalizar los efectos secundarios de los medicamentos, aunque se vendan sin receta; que la salud depende del ambiente, de la alimentación, de las condiciones de vida y de trabajo, y en consecuencia que cada individuo es responsable último de su salud. Se debería estimular la responsabilidad, la independencia y la autonomía, en contra de la situación actual que hace a las personas cada vez más dependientes a medida que se incrementan sus "carreras" de enfermos, con nuevos informes clínicos que certifican más enfermedades, limitaciones o trastornos, que les califican de "incompetentes" para trabajar o llevar una vida autónoma. Si no rompemos esa tendencia a favor de una mayor responsabilidad y autonomía de los ciudadanos corremos el riesgo de que cuando haya una crisis de confianza en la sanidad sea de proporciones dramáticas.

3. Consumo de medicamentos

En el caso de los medicamentos no se necesitan médicos para fomentar su consumo, ya que este se produce espontáneamente tanto en los países ricos como en los pobres. Las farmacias mejicanas vendían, en los años 60, la mitad de las variedades de los Estados Unidos, hasta que este último país decidió controlar las composiciones de los productos poniendo un poco de orden en su farmacopea, cosa que no hizo el primero, poco después Méjico tenía cuatro veces mes variedades que Estados Unidos. Lo mismo ocurría en España hasta que los decretos de los medicamentos también empezaron a ordenarlo. La poderosa farmaindustria hace grandes aportaciones al mantenimiento de los diversos sistemas sanitarios en todo el mundo; incluso buena parte del reciclaje que reciben los médicos proviene de los agentes de la industria farmacéutica, pese a la regulación; y otra aportación no despreciable es la publicidad que realizan y que insiste en la bondad de la nueva química para resolver nuestros problemas más cotidianos, una práctica con la que han conseguido medicalizar funciones normales de la vida como el dormir y el despertar, el tránsito intestinal, la tristeza, el miedo, la sexualidad y en general todos los estados de ánimo, por eso en la mayor parte de los países occidentales, los productos que actúan sobre el Sistema Nervioso Central, son los medicamentos más consumidos y los de crecimiento más rápido.

Sin embargo los fármacos que se necesitan para hacer la mayor parte de la medicina de atención primaria se podrían limitar a poco más de dos centenares, por tanto una de las mejores iniciativas que podría hacer el Ministerio de Sanidad o el Departamento de Salud de la Generalitat sería crear la guía de medicamentos básicos de atención primaria, que simplificaría la prescripción, haciéndola más ágil y equitativa, así no tendríamos el mismo producto con precios tan diversos (un tema que se está resolviendo con la obligación de las farmacias de dar el más barato con el mismo principio activo), y además no solo el número de medicamentos sería más reducido sino que resultaría más económico por la concentración de la compra. Sé que no es una propuesta bien vista por algunos profesionales de la atención primaria, que argumenten el derecho a la libertad de prescripción, por aquello de que medicina es un arte, pero las guías farmacológicas se implantaron en los hospitales hace décadas y han dado buenos resultados, por ello no hay ningún motivo por el que no se puedan emplear en la atención primaria.

4. Medicalización de las etapas de la vida

Pese a todo lo anterior, donde se ve mejor la medicalización de la sociedad es en el proceso para medicalizar las etapas de la vida o sea clasificar las edades del individuo considerando que todas ellas son patológicas, una situación que ha pasado a formar parte de la cultura popular, ya que la sociedad acepta que las personas necesitan atención médica sistemática por el simple hecho de que deben nacer, de que son recién nacidos o niños, de estar en el climaterio o en la edad avanzada, etc. De esta manera convertimos la vida en una sucesión de etapas patológicas en la que cada una necesita diferentes tipos de tratamientos y ambientes saludables: la cuna, el asilo, la sala de terminales, etc., y en cada lugar se debe seguir un protocolo concreto. Hemos delegado toda la responsabilidad de nuestra salud al médico para que se haga cargo de ella, desde los exámenes prenatales, hasta decidir cuándo se deben suspender las actividades de resucitación o desconectar el respirador. Esta cultura ha multiplicado el número y tipo de pacientes de forma extraordinaria y de hecho las personas que no tienen ninguna etiqueta diagnóstica ni terapéutica son ya casi una excepción.

Lo cierto es que la mayor parte de las enfermedades humanas, durante casi toda la vida, son patologías agudas benignas que en general se autolimitan o necesitan una docena de intervenciones rutinarias. Por eso con frecuencia lo mejor que puede hacer el médico por su paciente es tranquilizarlo con la idea de que acabará recuperándose, recomendarle los remedios de la abuela y dejar que la naturaleza haga su curso. Que la medicina moderna haya conseguido una gran eficacia para síntomas específicos no significa que sea más beneficiosa para la salud, dadas sus complicaciones, efectos adversos y otras consecuencias indeseables. La población ha dejado de considerar a la salud como un don innato, en posesión de todo ser humano, mientras no se demuestre que está enfermo, y la ha convertido en una promesa a la que se tiene derecho en virtud de la justicia social, por eso incluso las personas sanas dependen de la asistencia médica esperando asegurarse la salud futura. El resultado de todo ello es una sociedad que se considera enferma y exige la medicalización universal, y un sistema sanitario que certifica efectivamente la morbilidad universal.

En nuestra sociedad súper industrializada, la gente está más acostumbrada a obtener las cosas que desean que no a hacerlas ellos mismos, por eso quieren ser enseñados, tratados y guiados en lugar de aprender, cuidarse y encontrar el camino por sí mismos. Cuando curar deja de considerarse una actividad del enfermo y pasa a ser exclusiva del médico, los más perjudicados no son los pobres, que acaban aprendiendo a espabilarse, sino los niños y los ancianos, pues la sociedad pierde la capacidad para cuidarles. De esta manera, cuando en el anciano menguan las facultades y su autonomía prácticamente ha desaparecido, encuentran menos recursos en su ambiente que les puedan ayudar, y se ven obligados a depender de los servicios médicos para atender una variedad de disfunciones triviales, que en otras épocas se habrían resuelto en casa. Entonces, pasan de la consulta del médico a la del asistente social, buscando una ayuda que antes se hallaba en el entorno más cercano. Además, como se equipara la vejez a una enfermedad, se necesitan unos recursos astronómicos (propios o ajenos) para pagar tratamientos interminables, incluso ingresos hospitalarios, con frecuencia ineficaces. En realidad la vejez no es una enfermedad, pese a que los ancianos son más propensos a sufrirlas, sino un proceso degenerativo normal del cuerpo humano y la medicina no puede hacer gran cosa contra las patologías asociadas a la edad y menos para frenar el proceso fisiológico del envejecimiento. En este sentido, no solo no se puede evitar el deterioro sino que algunas actuaciones pueden disminuir las oportunidades de envejecer con independencia. Entender la vejez como una enfermedad ha convertido al anciano en un sujeto dependiente y privado de cualquier autonomía.

Lo mismo se ha hecho con otras etapas de la vida como las embarazadas, los niños (incluso creamos un programa para el "niño sano"), las mujeres menopáusicas, etc. La aceptación ciudadana de esta clasificación patológica en función de la edad, multiplica el número de pacientes con mayor rapidez de lo que lo hacen los médicos y las drogas empleadas en tratarlos. La pérdida de autonomía que ello supone se refuerza por un prejuicio político que siempre pone por delante la mejora de la asistencia médica, a otros factores que podrían mejorar la conciencia en favor de la salud individual o la capacidad para el autocuidado, por eso todas las actuaciones políticas vinculadas a la sanidad tienen una cosa en común: que tienden a reforzar todavía más la medicalización, lo que favorece que el sistema se preocupe de los individuos enfermos, pero no de la salud de la población.

5. Procesos banales convertidos en patologías

Hemos convertido en patologías algunos procesos completamente banales de la vida, simplemente porque nos incomodan o no nos gustan, y la manera de hacerlo ha sido cambiándoles el nombre para que parezcan enfermedades. Por ejemplo, si vamos al médico el mes de septiembre y le decimos que encontramos a faltar la playa y el solecito o levantarnos a las diez de la mañana, como cuando estábamos de vacaciones, que levantarnos a las seis de la madrugada para ir a trabajar no nos gusta, que todavía nos gusta menos tener que meternos en las colas de la carretera, y ya puestos, que tampoco estamos satisfechos con nuestro trabajo por ser menos estimulante que una carrera de caracoles, lo más probable es que nos mande a paseo y que quedemos como unos estúpidos lloricas. Por eso ahora a ese "cuadro clínico" le hemos buscado un nombre bien sonante y le llamamos *síndrome postvacacional*, ¿verdad que ahora sí parece una enfermedad? Claro que sí, además nos permite ir al médico a explicárselo con total dignidad, y él tiene una patología para podernos medicar, como a enfermos crónicos naturalmente, ya que si no cambiamos de trabajo el año que viene volveremos a sufrir exactamente el mismo "cuadro clínico" y así cada vez que nos marchemos de vacaciones durante toda nuestra vida laboral.

Lo mismo hemos hecho con la timidez. Si le explicamos al médico que somos tímidos y nos cuesta hablar en público o relacionarnos con algunas personas, lo más probable es que quedemos como unos bobos, pero si le cambiamos el nombre y resulta que sufrimos una *fobia social*, todas las visitas y las pastillas del mundo parecen pocas para tratarla. Por si fuera poco, como ahora somos un enfermo, posiblemente también crónico, con una patología diagnosticada, podemos dejar de preocuparnos porque el médico es el responsable de curarnos, por tanto no hace falta hacer ningún cambio que mejore nuestras relaciones sociales. Por si hay dudas la fobia social se define como:

Un trastorno psicológico, del espectro de los trastornos de ansiedad, que cursa con miedo mayor o menor ante varios tipos de situaciones, entre las que destacan: hablar en público (intervenir en clase, exponer); reuniones sociales en las que tendría que relacionarse (fiestas y eventos, etc.) y encuentros inesperados con conocidos, familiares o amigos, etc.

Como podemos comprobar esta definición afecta casi al 100% de la población mundial y sólo hay una manera de curarla que es con práctica y más práctica, no escondiéndose detrás de pastillas o de les batas blancas.

Pero para mí uno de los procesos más lamentables es lo que se está haciendo con los niños traviesos, la mayor parte de ellos víctimas de unos padres y maestros que, en vez de canalizar el potencial de los pequeños, prefieren llevarlos al médico para que les explique por qué son tan movidos y les den un remedio y, claro, los médicos nunca dicen que lo que necesitan es aprender a hacer de padres y de maestros, sino que califican a la criatura, de 5 o 6 años, como portador del *Trastorno de Déficit de la Atención e Hiperactividad (TDAH)*. Cómo cambia la cosa, ¿verdad? Si algún pobre niño sufre esta "enfermedad", que tiene un nombre tan largo e incluye las connotaciones "trastorno" y "déficit", no es extraño que acabe en la consulta del médico. Veamos en qué consiste este "nuevo cuadro clínico" que cataloga infantes tan pequeños de enfermos crónicos y los acabará medicando, quizá de por vida.

El TDAH es un síndrome conductual con un fuerte componente genético. Es un trastorno muy prevalente, ya que puede afectar a entre un 5% y un 10% de la población infantojuvenil... Se trata de un trastorno neurológico del comportamiento caracterizado por distracción moderada a grave, periodos de atención breve, inquietud motora, inestabilidad emocional y conductas impulsivas. Tiene muy alta respuesta al tratamiento... Según el manual diagnóstico y estadístico de los trastornos mentales (DSM-IV): "Habitualmente, los síntomas empeoran en las situaciones que exigen una atención o un esfuerzo mental sostenido o que están faltados de atractivo o novedad intrínsecos (p. ex., escuchar al maestro en clase, hacer los deberes, escuchar o leer textos largos, o trabajar en tareas monótonas o repetitivas)"... Se trata de un trastorno neuroconductual de origen fundamentalmente genético. Se han demostrado factores de origen hereditario es decir, heredados, no adquiridos en el curso de la vida...

Por tanto, el mismo DMS-IV reconoce que todo se reduce a que los niños se aburren y, claro, como quieren más acción, y no tener que escuchar a los pesados de sus maestres, se mueven más de la cuenta. A nadie se le ha ocurrido hacer que los niños se lo pasen bien en la escuela, por ejemplo haciendo que los maestros den las clases vestidos de Superman o transformando el aula en una nave espacial o en una isla del Pacífico, que los niños se disfracen de época para rememorar los acontecimientos históricos o los descubrimientos científicos más relevantes. Lo más cómodo es no cambiar lo que se ha hecho siempre aunque sea pesado y fastidioso o los niños se aburran, como nos pasaba a mi generación cuando nos enseñaban la lista de los reyes godos, pues seguro que todos están hastiados en clase. Pero, como los cambios cuestan, lo mejor es llevar a la criatura al médico y que le de pastillas para dormirlo, ya ven que responden muy bien a la medicación (¿que esperaban con criaturas de 5 y 6 años?). Pero lo más divertido es la causa de la enfermedad, resulta que es genética, o sea que si los padres eran traviesos, tienen más probabilidades de que los niños también lo sean. Qué curioso, acabamos de descubrir que la genética afecta también al funcionamiento del cerebro. Todos entendemos y aceptamos que si los padres son altos, los niños sean altos y no pasa nada; que si los padres son rubios y de ojos azules, los hijos probablemente serán rubios y de ojos azules, y tampoco pasa nada; ahora bien, si los padres eran traviesos de pequeños y las criaturas salen igual, tenemos que salir corriendo hacia la consulta del médico para ver qué les pasa porque no nos parece normal y les catalogamos de enfermos crónicos. ¿Le ven algún sentido? ¡Es que no lo tiene! Y, pues, ¿que se creían? La genética es así. Quizá los padres siguen siendo inquietos, hacen todo tipo de actividades, el trabajo no les estimula, fuman más de la cuenta y no tienen tiempo para los niños. Por tanto, lo más cómodo es delegar la responsabilidad en el médico y que este nos calme a la criatura, y no tener que buscar la manera de estimularlos. No han entendido que hallar sistemas para estimular a los niños, mientras se embarcan en la aventura de formarlos como personas, podría ser una herramienta fantástica para salir del desánimo en el que están inmersos ellos mismos. Por otra parte, el sistema sanitario está encantado de hacerse cargo de una parte más de la población a la que podrá hacer un seguimiento de por vida como enfermos crónicos, pensando que la medicación les hará un gran favor.

Quien sale perdiendo con todo esto es el niño que, por más que le den pastillas se seguirá aburriendo en clase y probablemente no aprenderá bien o fabricará anticuerpos contra la escuela, contra los padres y contra una sociedad que empiezan a defraudarle tan pronto. Me vienen a la cabeza múltiples actividades que se podrían hacer con esas criaturas y todas empiezan por buscar y reconducir los intereses de los propios críos, aprovechando sus capacidades y estimulándolas porque, por más que el sistema insista, no todos los niños deben aprender a la misma velocidad. Algunos podrían hacer más de un curso en un año y entrar antes a la universidad, una situación poco habitual en España donde todos los alumnos deben pasar los cursos estándares a la misma velocidad. Otra posibilidad sería aprender cosas nuevas como idiomas, por ejemplo Champollion, el descubridor de lenguaje de los jeroglíficos egipcios, a los 16 años ya hablaba una docena de idiomas, así que no tendría tiempo de aburrirse demasiado en la escuela, pero en España se valoran poco los idiomas, si no me creen miren como se pone medio país porque una parte de los españoles hablamos habitualmente dos lenguas. También se podrían formar en actividades manuales o en arte, como Picasso que empezó a pintar a los 8 años y no tuvo tiempo de aburrirse, pero España tampoco apuesta por las bellas artes. Incluso se podría aprovechar el potencial de los pequeños con métodos de estimulación como los que usa el japonés Shinichi Suzuki, que consigue lo que muchos consideran uno de los grandes milagros de nuestro tiempo al enseñar música a los bebés, antes de que aprendan nada más, llegando a la paradoja de que cuando el niño tiene edad suficiente para pensar que es difícil tocar el violín, ya lo domina y se divierte con él. Todo eso lo hace a pesar de saber que la mayor parte de los críos no tienen talento musical "natural", pero él cree que cada niño tiene un talento que se puede desarrollar siguiendo los mismos procedimientos que empleamos para enseñarles a hablar: el primer paso o "exposición", es decir, mantener al bebé rodeado de personas mayores que constantemente hablan; el segundo, "imitación", en el cual el bebé intenta hablar para hacer lo mismo que sus mayores; tercero, "estimulación", en el que los padres, amigos, etc., presumen del bebé incitándole a seguir intentándolo; cuarto, "repetición" , ya que todo ello motiva al niño a probar de nuevo una y otra vez; y quinto, "refinamiento", que se da cuando el bebé empieza a añadir más palabras y a ligarlas, con el resultado final de empezar a forma frases u oraciones. De esta manera, a los 3 o 4 años, el pequeño tiene un buen vocabulario a pesar de que todavía no puede leer una palabra. Suzuki afirma que se puede aprender virtualmente cualquier cosa siguiendo el mismo método. En fin que si quisiéramos, y con un poco de imaginación, seguro que encontraríamos maneras de que se divirtieran aprendiendo y además podrían ser un estímulo para padres y maestros.

CONCLUSIÓN

Con el proceso de medicalización que hemos comentado, hay otra parte que también sale perdiendo: la sociedad misma. La sociedad pierde cada vez que apuesta por hacer hospitales más grandes, si olvida la prevención, la educación sanitaria y la formación en hábitos saludables; pierde cada vez que decide medicalizar un nuevo colectivo, ya que el camino debe ser el de potenciar la autonomía de las personas y no hacerlas dependientes. Nuestra meta ha de ser conseguir la máxima independencia del individuo y debemos luchar por ese objetivo con todas nuestras fuerzas, como aquella experiencia maravillosa que encabeza Cristóbal Colón, no el descubridor de América sino el ideólogo y creador de la Cooperativa La Fageda, que lleva toda la vida buscando la manera de ofrecer a las persones con deficiencias mentales una existencia digna, plena e independiente desde todos los puntos de vista, incluido el económico, y finalmente lo ha conseguido en el campo de los derivados lácteos. La Fageda es, sin duda, un buen ejemplo que deberíamos tener más presente a la hora de enfocar muchos de los problemas sociales, económicos y, ¿por qué no?, también sanitarios que tiene el país. Para profundizar en esa experiencia les recomiendo la lectura del libro de Dolors González sobre esta singular empresa.

De todo este planteamiento para mí lo más doloroso y surrealista es lo comentado sobre los niños. Estamos catalogando de enfermos crónicos a pequeños que, no solo no están enfermos, sino que posiblemente bien estimulados podrían ser algunos de los puntales más importantes de la sociedad y en cambio será un milagro si no acaban siendo adictos a los tranquilizantes. La mayor parte de personas importantes de verdad para la humanidad, siempre son individuos así, inquietos, movidos, que no han acabado de encajar en los estándares establecidos por la sociedad, que se aburrían terriblemente en la escuela, ya que los maestros no podían enseñarles nada. Desde Einstein, con tantos problemas escolares que se dudó de su desarrollo intelectual; hasta Edison, al que echaron del colegio por no encajar y ser un alumno terrible, ya que, cuando los maestros le querían enseñar una manera de resolver un problema, él ya había encontrado tres formas alternativas de hacerlo; o bien Darwin, permanentemente peleado con su padre que quería que estudiara una carrera que no le gustaba; pasando por uno de los más grandes pintores de nuestro país, Salvador Dalí, al que echaron del colegio, y más tarde también de la Escuela de Bellas Artes de San Fernando en Madrid donde, según él, no le enseñaban nada nuevo. Pero todo esto supone esforzarnos por saber cómo son los niños, conocerlos, buscar sus potencialidades, estimularlos, preparar bien a los profesores para que hagan las clases amenas, ponerle mucha imaginación, y claro, es más cómodo llevar al niño al médico y que no moleste.

Permítanme, antes de acabar el capítulo, un comentario sobre el coste de la sanidad. Es verdad, como ya se ha comentado, que nuestra sanidad es más barata que la de los países de nuestro entorno, pero el hecho de que los presupuestos sanitarios hayan sido superiores al IPC en las últimas décadas, indica una tendencia que no se podrá mantener muchos años más. Si lo que se quiere es tratar, no solo a los enfermos, sino a toda la sociedad por razones de edad y no de patología; si se substituye la responsabilidad individual sobre la propia salud, hábitos higiénicos y estilos de vida saludables, por una medicalización generalizada; si creamos nuevas patologías con todas las situaciones que nos resulten incómodas; si rebajamos los valores biológicos que definen una enfermedad, para aumentar el número de consumidores de fármacos, como se ha hecho con el colesterol; en otras palabras, si hacemos a la población tan dependiente de los médicos y de los medicamentos, pronto veremos que el modelo es insostenible económicamente, tanto da que sea en un entorno de crisis como de abundancia, pero lo peor es que descubriremos que ese camino no aporta nada al país ni sanitaria ni socialmente.

CAP. 13. TENDENCIAS DE FUTURO PARA UN MANUAL DE INSTRUCCIONES

Querida, vivimos en una época de transición,
dijo Adán mientras acompañaba a Eva fuera del Paraíso.

William Ralph Inge[84]

Tenía razón el reverendo Inge, la pareja original ya estaba en una época de transición, un periodo de cambios que ha perdurado hasta nuestros días y que es el que ha hecho avanzar a la humanidad. La única cosa perdurable a lo largo de la historia es el cambio, que existe desde que el hombre está en la Tierra. Así ha sido en todas las épocas, incluso cuando parecía que nada se movía, como en la Edad Media, también entonces la transformación era constante y así ha continuado hasta la actualidad en que se ha acelerado la velocidad de los cambios hasta adquirir proporciones de vértigo. El hombre tardó miles de años en fabricar un coche propulsado por un motor de combustión, pero desde que lo tuvo necesitó solo 90 años para llegar a la Luna, un tiempo récord gracias a avances tecnológicos sin precedentes. Y a la Luna se llegó en 1969, sin la tecnología actual, sin los potentes ordenadores que ahora todos tenemos en casa y sin el acceso actual a la información. ¿Qué puede ocurrir a partir de ahora con todo lo que tenemos a nuestra disposición?, pues que nada volverá a ser como antes, y que la velocidad de los cambios todavía aumentará más. Si la mayor parte de la tecnología que empleamos se

---

84 William Ralph Inge (1860-1954) prelado de la Catedral de San Pablo de Londres, profesor de teología y escritor.

ha creado en los últimos 30 o 40 años, y estamos doblando la información cada pocos años, lo que nos espera en las próximas décadas será espectacular. Puede parecer ciencia ficción pero ya se adivina una fuerte irrupción de la robótica en todos los ámbitos de la vida, desde el hogar o el ocio hasta los más delicados como la medicina o la cirugía; las biociencias cambiarán la manera de afrontar la salud y la enfermedad, evitando patologías, revolucionando el diagnóstico precoz y la manera de tratarlas; cambiarán nuestras condiciones de vida, los alimentos que comemos y el cuidado del medio ambiente; se transformará toda la agricultura con nuevos cultivos más productivos, más resistentes a las sequías y a las plagas, y con más poder nutritivo. La velocidad del cambio superará nuestra capacidad individual para entenderlo. Los cambios están aquí y el hombre nunca ha vivido unos momentos tan fascinantes como los actuales. Habrá a quien no les gusten y las resistencias pueden ser importantes, pero han llegado para quedarse, así que lo mejor es acostumbrarnos a ellos y vivirlos con la mayor naturalidad, si es posible viéndolos como algo positivo y haciendo nuestra la frase de Publio Siro[85]: *no hay placer tan agradable como el de renovarse.*

Si una cosa nos ha enseñado la historia es que no se pueden afrontar los retos del futuro con las viejas soluciones del pasado. Por eso deberíamos ver cuáles son las tendencias que marcan los nuevos tiempos, cuáles serán las reglas de juego para las próximas décadas y, si es posible, buscar la manera de que trabajen a favor nuestro y no en contra. Para anticiparnos al futuro es importante entender el pasado y conocer el presente así como arriesgarse a encontrar oportunidades donde otros solo hallan riesgos, y si lo logramos nunca estaremos en crisis. El reto es muy importante y la gran pregunta es: ¿cuáles son esas tendencias de futuro? Tengo una noticia buena y otra mala, ¿cuál quieren primero? La mala es que nadie las sabe de verdad, ya que el futuro es incierto por definición. La buena es

---

85   Publio Siro (85 a. C.-43 a. C.) fue un escritor latino de la antigua Roma.

que hay estudios que nos indican cuáles pueden ser, porque hace años que se vienen publicando cosas sobre cómo será el mañana y como nos afectará. Son textos o artículos de autores como Alvin Toffler, Peter Drucker, Daniel Bell, Tom Peters, Isao Nakauchi, Charles Handy, Peter Senge, Jeremy Rifkin, John Naisbitt, etc., y prevén unas tendencias que nos pueden servir de orientación, no para seguirlas como unos autómatas, pero sí para tenerlas en cuenta y no hallarnos desplazados del futuro sin saber el porqué. Una advertencia antes de empezar: que sean tendencias de futuro no significa que nos vayan bien a nosotros, ni que sean fáciles de seguir, ni siquiera que sean acordes con nuestra actual política, banca o comercio, simplemente son caminos que el mundo está siguiendo nos guste o no. Veamos brevemente cuáles son estas tendencias hacia las que se encamina el futuro. La descripción está ordenada únicamente a efectos didácticos, no porque una sea más importante o vaya por delante de las demás.

1.º DE LA ECONOMÍA INDUSTRIAL A LA INFORMACIÓN Y LOS SERVICIOS

Esta es una tendencia que ya todos estamos comprobando cuando en nuestros hogares tenemos ordenadores más potentes que los que llevaron al hombre a la Luna, cuando por vía informática encargamos las entradas para el teatro, hacemos la compra de la semana o vemos un museo sin salir de casa. La primera vez que oí hablar de ello, a finales de los 80, me sonó a ciencia ficción. De hecho, en 1990, cuando entré a trabajar por primera vez en un gran hospital público catalán, en todo el centro había únicamente dos ordenadores, ¿se lo pueden creer? ¡Cómo ha cambiado el mundo en pocas décadas! Esta es una tendencia que costó entender pero que ahora es de las que necesitan menos explicaciones, ya que está presente cada día en todos los ámbitos de nuestra vida y es el paradigma más visible de la era de la información. Pero, ¿desde cuándo estamos en esta era de la información? Naisbitt se atreve a ponerle fecha: 1956 ni más ni menos, y explica el motivo:

Un acontecimiento simbólico a penas observado anuncia el final de una era: en 1956, por primera vez en la historia americana, los trabajadores de camisa blanca en puestos administrativos, técnicos y ejecutivos superaron a los trabajadores de mono azul. La América industrial estaba dando paso a una nueva sociedad en la que, por primera vez en la historia, la mayor parte de nosotros trabajaba con información en vez de producir artículos materiales.

La primera vez que leí este párrafo me sorprendió, ¿cómo podía ser que la era de la información hubiera empezado hacía tantos años? Sin salir de mi asombro, continué leyendo y el siguiente párrafo todavía me impactó más, ya que aseguraba que:

El año siguiente (1957) marcó el principio de la globalización, de la revolución de la información (cuando) *los rusos lanzaron el Sputnik, el catalizador tecnológico que faltaba en una creciente sociedad de la información. La importancia real del Sputnik no es que inició la era espacial sino que comenzó la era de las comunicaciones globales por satélite.*

Por tanto, no solo estamos en una nueva era, sino que ya hace más de 50 años que la estrenamos.

La revolución agraria

Se han producido tres grandes revoluciones globales en la historia de la humanidad, la primera hace unos 10.000 años, cuando pasamos de ser cazadores y recolectores a sedentarios, gracias a la agricultura que permitió crear asentamientos estables, que se convertirían más tarde en las primeras ciudades. La causa de esta primera gran revolución fue la pura supervivencia, ya que la agricultura y la ganadería eran las únicas posibilidades de generar excedentes de comida para alimentar a unas poblaciones crecientes.

La gente empezó a trabajar mayoritariamente en la agricultura y lo más valorado eran los productos de la cosecha. Una sociedad así se movía en función de los ciclos estacionales, que les indicaban cuando sembrar o recoger y no necesitaba información demasiado especializada, así que los conocimientos básicos se pasaban oralmente de padres a hijos y su validez era de siglos e incluso milenios. No se necesitaban escuelas como las entendemos ahora, sino todo lo contrario, el conocimiento era ocultado por las clases dirigentes para tener una mano de obra ignorante que les proporcionara alimento o fueran a la guerra contra cualquier enemigo, sin plantearse si la acción era necesaria, justa o si simplemente eran objeto de una manipulación.

La revolución industrial

Empezó hace unos 250 años y tuvo lugar por la irrupción de la máquina, que permitía nuevas formas de producción, encargándose de hacer las tareas más pesadas y repetitivas, lo que supuso también cambios en la forma de vida. Se multiplicó la productividad y los artículos más valorados pasaron a ser los industriales. La población emigró en masa desde el campo a las ciudades para formar parte del ejército de trabajadores de las fábricas que producían sin parar a un ritmo nunca visto hasta entonces. Pero la industria requería unos trabajadores diferentes de los que había en el campo: en primer lugar debían tener conocimientos técnicos para usar las máquinas, unos conocimientos cuya vigencia era de años o décadas, pero que podían variar si cambiaba la tecnología o se modificaban las máquinas; segundo, debían ser disciplinados, ya que todos tenían que entrar y salir de las fábricas a la misma hora para relevar al turno anterior, que se acababa cuando tocaba la sirena; y por último debían convertirse en consumidores de los productos elaborados, en caso contrario la fábrica no tenía ningún sentido.

De esta manera nacieron las escuelas tradicionales que conocemos actualmente y que tienen la misión de formar individuos disciplinados, para cubrir las necesidades de la industria; que inculcan una cultura altamente materialista, en la que lo más valorado es poseer cosas; pero que inciden poco en las habilidades humanísticas y reflexivas, para evitar que la persona piense en su situación real y en la manera de cambiarla.

La revolución de la información

Esta nueva revolución aparece cuando la información toma el relevo como elemento fundamental en la generación de riqueza y de puestos de trabajo y, como hemos visto, algunos autores sitúan su inicio en el año 1956, pero se acelera a partir de la irrupción de la informática y de los ordenadores en nuestras acciones más cotidianas. Desde el punto de vista de las personas es la revolución más importante que ha habido, ya que por primera vez en la historia el motor de la humanidad no es el poder, ni el dinero, ni la guerra, sino el individuo y la información que genere, así que cuanto más culto sea, tanto mejor, ya que entenderá mejor el cambio y lo dirigirá hacia donde haga falta según las necesidades. La información, los servicios y la comunicación no solo generan puestos de trabajo sino que hacen a los individuos más libres, más inteligentes y los dignifica dándoles valor, a la vez que ofrecen opciones y formas de vida desconocidas hasta ahora. Sin embargo la información es instantánea, tiene una validez de minutos, de horas, como máximo de días, porque está cambiando rápidamente, además se transmite por todas las vías imaginables, hasta llegar a la contaminación informativa, por tanto hay que seleccionar aquella que sirve para nuestros propósitos de la que no. Por todo ello debemos aprender a vivir con la realidad de que nunca la podremos llegar a dominar toda, ni siquiera siendo grandes especialistas.

En estas condiciones, ¿qué conocimientos hay que pasarles a los nuevos alumnos y qué modelo de escuela necesitamos? Deberemos prepararles para un mundo en el que tendrán que ser cada vez más autónomos, donde no tendrán sirenas que les marquen los horarios de empezar o acabar la jornada laboral, porque trabajarán mayoritariamente en casa para una o más empresas que contratarán sus servicios y podrán hacer las tareas cuando les venga bien. Será una sociedad diferente en la que las habilidades relacionales serán cada vez más importantes, así como la ética, la responsabilidad, el respeto a la diversidad y al medio ambiente. En un mundo donde la información cambiará a gran velocidad y los conocimientos técnicos quedarán obsoletos rápidamente, no deberíamos formar muchos grandes especialistas para evitar que la obsolescencia de las técnicas aprendidas les acaben dejando fuera del mercado laboral por la incapacidad de reciclarse. La mejor manera de preparar a los alumnos para ese futuro sería formarles precisamente en aquellas materias que no cambian nunca, que son los valores fundamentales, los conocimientos generales sobre el hombre y las humanidades, haciendo énfasis en las relaciones humanas, en las habilidades sociales y de comunicación orales y escritas, potenciando el hábito de reflexionar y cuestionarse constantemente cómo son las cosas y cómo mejorarlas. La propuesta es formar personas cultas, en el más amplio sentido del término, dando por descontado una profunda formación técnica y de idiomas. Pero sobre todo habrá que inculcarles la necesidad de formarse constantemente a lo largo de toda la vida en diversos ámbitos para facilitar el cambio de puesto de trabajo y de sector laboral si se da el caso.

¿Resistencia al cambio?

Se preguntarán cómo podremos hacer todo esto. Sin duda con muchas dificultades, especialmente en un país como España que sigue siendo en gran medida agrícola y por tanto con una buena parte de la población que no ha entrado aún en la era industrial. No será nada fácil, sino todo lo contrario, nos costará y habrá reticencias, en realidad como cada vez que se propone cualquier cambio importante. Siempre ha habido miedo a los cambios y algunos no los han acabado de adoptar, por eso todavía hay tribus de cazadores y recolectores porque se negaron a adoptar la agricultura. Cuando empezaron las primeras fábricas y la gente se marchaba a las ciudades, dejando los campos despoblados, los señores feudales no querían que "sus campesinos" se fueran. ¿Se imaginan donde estaríamos si hubiesen triunfado? Lo mismo ocurrió en plena era industrial, cuando hace 200 años los seguidores de Ned Ludd se opusieron a los avances técnicos, porque cada vez que se incorporaba una máquina más moderna, dejaba algunos trabajadores sin empleo, en una época en que el paro suponía unas expectativas mucho peores que las actuales. Los luditas, como fueron conocidos, entraban en las fábricas y rompían o quemaban las máquinas más modernas. Pese a aceptar que su inquietud era loable, ¿se imaginan donde estaríamos si hubiesen conseguido su propósito? Podríamos pensar que actualmente no caeremos en el error de los luditas de siglos atrás, pero la realidad es que aún hay situaciones similares con personas que siguen oponiéndose a los avances técnicos y científicos que, pese a sus buenas intenciones, no tienen unas expectativas mejores.

2.º DE LA PRODUCCIÓN AL VALOR AÑADIDO

Esta segunda tendencia viene a complementar la anterior y consiste en que, a medida que el mercado se va saturando de artículos, la gente busca aquellos que les proporcionan mejor calidad de vida en todos los sentidos, así que exigen cada vez más a los productos que tiene a su disposición, tanto en prestaciones como en servicios de todo tipo, es decir, que lo que vende no es sólo el género en sí mismo, sino el valor añadido que lleva incorporado. Esta tendencia es tan importante que se pasa de la dinámica habitual, centrada en las prioridades de la industria o de la producción, a una nueva dinámica centrada en los deseos y necesidades de los clientes. ¿Recuerdan lo que le ocurrió a Henry Ford cuando se obstinó en no cambiar su producción para hacer coches modelos T de color diferente al negro?, pues esa es la cuestión.

Al principio era la propia industria la que marcaba el ritmo a la hora de sacar un nuevo equipo, tecnología o artículo y lo hacía sin tener en cuenta los intereses de los usuarios, ya que estos no tenían donde escoger. Pero ahora el cliente está en un mercado con múltiples opciones que cubren sus necesidades de forma satisfactoria, así que la diferencia ya no está en el producto, porque el cliente dará su confianza a quien le ofrezca más valor añadido. Ya no es cuestión únicamente de poner un buen artículo en el mercado (por ejemplo un abrelatas), sino de qué valor añadido aporta respecto a los de la competencia: si es más atractivo, si tiene mejor diseño, mejor presentación, si está hecho con materiales reciclables, si el servicio técnico es eficiente, etc., en definitiva qué le ofrece de más al cliente, aparte de que abra bien las latas. El valor añadido lo incluye todo: el diseño, la marca, el sistema de entrega, el servicio postventa, etc. Ya no es suficiente con hacer las cosas bien, hay que saber qué quiere el cliente para adaptarnos a sus deseos y necesidades. Si está preocupado por el medio ambiente y el reciclaje, de nada servirá tener el mejor diseño del mundo, si el artículo está fabricado con productos contaminantes. Además, del coste de cualquier artículo lo más barato es la fabricación, el resto es valor añadido, desde I+D, marketing, imagen, costes financieros, publicidad, promoción, sistemas de entrega, etc.

Como cliente quiero artículos sencillos de usar, que no se necesite estudiar un voluminoso manual de instrucciones, con todas las prestaciones posibles, con un diseño agradable y moderno, seguro en su funcionamiento, respetuoso con el medio ambiente, que no haya que esperar demasiado para tenerlo y que tenga un buen servicio post venta por si ocurre cualquier cosa. En otras palabras, para el cliente se impone la garantía total: producto, entrega y servicio postventa, y los fabricantes deben intentar incorporar esos criterios. Ahora el sistema de entrega empieza a ser el gran diferenciador, al reducir el tiempo para disfrutar de la compra, y como en Internet se garantiza la entrega en 24 horas en todo el mundo, pronto quedarán obsoletos los canales de distribución y venta que no ofrezcan al menos lo mismo.

En la medida que las empresas cumplan con los deseos y necesidades de los clientes, que nunca en la historia habían tenido tanto poder adquisitivo, sus productos mantendrán las demandas y dejarán de estar en crisis. Es el caso del teléfono móvil que ha ido cambiando y se ha adaptado a las necesidades de los ciudadanos. De ser una herramienta para hablar, se ha convertido en un sistema para recibir todo tipo de información, comprar, jugar, trabajar, transmitir datos, saber la posición vía GPS, acceder a Internet, controlar determinados parámetros médicos, accionar las persianas o encender la calefacción de casa antes de llegar; además ha cambiado de formas, medidas, colores, etc., así que el teléfono móvil no está en crisis. Comparativamente el automóvil no ha cambiado tanto, continua en plena era industrial, empleando los mismos motores de combustión, que siguen contaminando, y sin más funcionalidad que trasladar a su propietario de un lugar a otro, sus diseños y equipamientos se han sofisticado pero sin grandes cambios reales, por eso está en crisis. Cuando el coche haga una transformación equiparable a la del teléfono móvil, con motores que no contaminen, con instrumentos que faciliten la búsqueda de aparcamiento, con lectores de las líneas de la carretera, que permitan una conducción más relajada y segura, con sensores que impidan chocar con el de delante, que aparquen solos, que nos faciliten hacer aquello para lo que nunca tenemos tiempo, como enviar información de nuestros parámetros vitales a través de detectores de temperatura, tensión arterial, glucosa, saturación de oxígeno, etc., situados en el volante, entre muchas otras cosas que ahora no podemos ni imaginarnos, y todo ello a un precio asequible, dejará de estar en crisis.

3.º A MÁS TECNOLOGÍA, MAYOR CONTACTO HUMANO

Esta es una tendencia que parte de la premisa de que el ser humano es un animal social y necesita el contacto con las personas que le rodean, así que cada vez que se introduce una nueva tecnología, que teóricamente nos tendría que alienar y deshumanizar, haciéndonos quedar en casa en nuestro reducto cada vez más tecnificado, la reacción de las personas ha sido buscar el contacto con los demás, para compensar la naturaleza impersonal de la tecnología. Cuánto más alta es la tecnología introducida mayor es la necesidad de relaciones humanas que genera. La aparición de la TV supuso el nacimiento de nuevas formas de relación que empezaron con los movimientos de desarrollo personal; la introducción de la alta tecnología en los aparatos médicos, para mantener la vida artificialmente en los hospitales, comportó un interés nuevo por la calidad de vida y la muerte digna, ya que no podíamos tolerar que la alta tecnología se metiera en aspectos tan sensible de nuestra existencia; cuanta más alta tecnología ponemos en los hospitales, más se reclaman los partos naturales, la muerte en el domicilio y mejorar la relación personal con el médico. Creímos que el ordenador sería el gran deshumanizador controlándonos a todos con los mismos parámetros y en cambio ha sido un gran liberador al permitir respuestas personalizadas, ya que puede proporcionar un trato individual a cada uno de los trabajadores de cualquier empresa por numerosos que sean, tanto en lo referente a las condiciones laborales, como a los incentivos, planes de jubilación, etc., y lo mismo pueden hacer con los clientes. La aparición del teléfono móvil, que despersonaliza al trabajador desdibujando los horarios, al estar localizable a cualquier hora del día o de la noche, tiene la mayor respuesta en relaciones humanas que se ha conocido nunca con la aparición de las redes sociales. Cuanta más tecnología introducimos en nuestra sociedad, más personas se juntarán para estar con otros en salas de cine, conciertos, tiendas, Facebook, Twiter, etc. Pensábamos que las salas de cine desaparecerían pero no ha sido así, pues ahora no se va al cine solo a ver una película, sino a reír y llorar con otras veinte o treinta personas, ya que lo hemos convertido en un acontecimiento social.

Es la necesidad de contacto humano, de estar acompañados, la que nos permite aceptar la alta densidad de población de las grandes ciudades. Y será esta misma necesidad la que impedirá que las personas escojan trabajar siempre desde casa en sus reductos electrónicos. A pesar de ello el trabajo en casa será una buena solución para las emergencias, para tareas concretas que requieran mucha concentración, para los lunes o los viernes y para ciertos periodos de la vida, como los últimos meses del embarazo, pero durante el resto del tiempo seguiremos buscando el contacto de los compañeros de trabajo. Lo mismo pasará con el marketing electrónico, muchos dicen que acabaremos comprando solo electrónicamente y que las tiendas desaparecerán. Efectivamente haremos algunas compras a través del ordenador, pero solo de los artículos básicos, que conozcamos bien y pesen más, pero nada puede sustituir al contacto humano que supone salir de compras a la búsqueda de sorpresas o a probarse cosas. La teleconferencia tampoco triunfará, ya que hablar con otro a través de un monitor no puede sustituir el contacto personal que supone un encuentro cara a cara, por más racional que sea el ahorro en gasolina, tiempo y otros gastos. Si es algo de poca importancia se usarán las tele-conferencias, pero para el resto se buscará el contacto directo. En cambio, las videoconferencias sí funcionarán bien para preparar algunos acontecimientos, como en el caso de vendedores de fin-cas que hagan películas de los posibles inmuebles, antes de que los interesados decidan ir a visitarlos, evitando perder el tiempo viendo casas que no se ajusten a sus necesidades, o bien para empresas que preparen eventos como bodas y hagan películas de posibles alternativas para la ceremonia, restaurantes, músicas, pasteles, etc. Todo dependerá del valor añadido que puedan apor-tarle al cliente, en forma de ahorro de tiempo, de dinero u otros. Las empresas e iniciativas que faciliten este contacto entre las personas, aportando valor añadido y produciendo felicidad a los clientes, serán altamente rentables, tendrán un futuro brillante y crearán puestos de trabajo seguros.

El ser humano es un animal inteligente y creativo que ha alcanza-do grandes logros que nos facilitan la vida, pero no debemos creer que la alta tecnología y los productos que nos proporciona son la solución a todos los problemas. Cuando caemos en la trampa de es-perar que la tecnología venga a resolverlos, en realidad estamos ab-dicando de nuestra responsabilidad personal. Las fantasías tecnoló-gicas hacen que siempre estamos esperando la píldora mágica que nos permita comer lo que queramos sin aumentar de peso; quemar gasolina sin contaminar el aire; vivir sin límites y continuar sanos, etc. Al menos en nuestra imaginación, la alta tecnología siempre está a punto de liberarnos de la disciplina y de la responsabilidad individual, pero eso no ocurre, y seguramente nunca ocurrirá, sino todo lo contrario, cuanta más tecnología tengamos para analizar las dificultades que nos rodean, más fácilmente aislaremos sus causas técnicas y se pondrá de manifiesto nuestro grado de implicación en las mismas, si entonces sabemos interpretarlas correctamente estaremos próximos a resolverlas.

4.º DEL MERCADO CAUTIVO
A LA TRANSPARENCIA Y LA ÉTICA

Esta tendencia es de las más fascinantes y de las que marcarán mayores diferencias respecto a cómo hemos hecho las cosas hasta ahora. Ya hemos visto que las fronteras se han desdibujado y ahora ningún país es una isla en sí mismo, sino que todos están relacionados. Se han creado espacios basados en intereses comunes supranacionales que no tienen nada que ver con las delimitaciones geográficas conocidas: la CEE es un espacio común de comercio y economía, la OTAN ya no es solo para la defensa del Atlántico Norte y la NAFTA es una especie de Mercado Común para Estados Unidos, Canadá y Méjico. Los mercados internos dejan de ser cautivos de unos pocos fabricantes nacionales y están abiertos a diversas alternativas que, pese a ser de otros países, son socios del mismo espacio. Esta competencia obliga no solo a ofrecer artículos de calidad y fáciles de usar, sino también a ser transparentes y no únicamente respecto al producto sino en todo lo que se refiere a la empresa, desde la compra de materias primas, a la fabricación, el trato de sus colaboradores, cómo comercializa, qué marketing hace, qué mensajes publicitarios emite, en fin, todo. Ante las múltiples ofertas disponibles, cuando el consumidor compra no solo adquiere el producto sino que se compromete con la corporación que lo fabrica, pero como cada vez está más informado y es más responsable, no está dispuesto a hacerlo con cualquiera, por eso exige transparencia y ética. Si el cliente se siente traicionado con lo que espera de la empresa, ya sea en el producto o en su cultura, dejará de serle fiel y se pasará a la competencia, si esta se lo ofrece.

- Eso fue lo que le ocurrió a la Coca-Cola cuando quiso lanzar al mercado la *"nueva Coca-Cola"*, que suponía cambiar *"el sabor de la vida"* y los consumidores no se lo permitieron.

- Otras veces una falta de ética supuso un importante aviso de los consumidores, que obligaron a rectificar determinados comportamientos, como cuando se descubrió que algunos fabricantes de ropa producían desde cárceles chinas para abaratar costes y los clientes les hicieron saber que no estaban dispuestos a colaborar con tales prácticas.

- Incluso hay empresas que han llegado a desaparecer por cuestiones de este tipo, verdaderos gigantes mundiales como Arthur Andersen Consuting que fue, hasta el año 2002, una de las cinco grandes compañías de auditorías del mundo, hasta que se vio involucrada en el escándalo financiero de Enron, una empresa eléctrica que, gracias a una serie de técnicas contables fraudulentas, avaladas por la consultora, estaba considerada la séptima empresa de los Estados Unidos. Cuando se descubrió el fraude, Arthur Andersen fue condenada por los tribunales de Houston por los delitos de obstrucción a la justicia, destrucción y alteración de documentos relacionados con la quiebra de Enron y las irregularidades cometidas por aquella corporación. La multa era asumible (500.000 dólares), pero la prohibición de ejercer como auditora y asesora para las sociedades de la bolsa norteamericana, suponía el descrédito para una entidad que basaba su labor en la seriedad, la credibilidad y la confianza que inspirase a sus clientes. Ello motivó el cese de todas sus actividades y a partir de entonces las sociedades de la empresa en todo el mundo se fueron disolviendo y sus equipos profesionales se fusionaron o fueron absorbidos por otras firmas del sector. Teniendo en cuenta este caso, y después de leer el capítulo 7 sobre la crisis, ¿no les parece que las agencias de rating se han comportado en esta crisis como lo hizo Arthur Andersen con Enron? También ellas dependen de la seriedad, la credibilidad y la confianza que inspiren en los demás y han defraudado a todo el planeta, ¿por qué les permitimos que continúen condicionando la economía mundial?

• En 2011 cerró el rotativo londinense *News of the World*, un periódico del grupo de Rupert Murdoch, el magnate australiano de los medios de comunicación, después de más de un siglo de historia: el motivo, como recordaran, fueron las prácticas, faltadas de toda ética, de pinchar líneas telefónicas para conseguir fraudulentamente primicias, desde cuestiones políticas a casos de secuestros con asesinatos.

Engañar, actuar al margen de la ética o mentir es también arriesgado en el campo de la política, no solo por el caso de Richard Nixon que tuvo que dimitir del cargo a consecuencia mentir en el escándalo de espionaje contra el Partido Demócrata en el Hotel Watergate de Washington, sino por cuestiones más banales, por ejemplo recientemente en Gran Bretaña[86] un ministro ha dimitido, incluso de su acta de diputado, por mentir en una multa de tráfico (además posiblemente irá a la cárcel) y en Alemania[87] la ministra de Educación ha dimitido por sospechas de plagio en su tesis doctoral. En nuestro país, donde la dimisión no se prodiga, los políticos pasan de puntillas sobre casos mucho más escandalosos que los mencionados a la espera de que el electorado, al que consideran inmaduro y desmemoriado, no los recuerde a la hora de emitir el voto, pero lo cierto es que la ciudadanía también aquí está harta de tales prácticas por eso el Partido Popular perdió las elecciones del 2004, que según todos los sondeos tenía ganadas, por la mala gestión de la información del atentado del 11 de marzo en Madrid.

---

86   Chris Huhne, número dos del partido de los Liberales Demócratas británicos, presentó su renuncia como diputado y dejó la política, en febrero de 2013, tras declararse culpable de haber obstruido la acción de la justicia en el caso de una multa de tráfico ocurrida diez años antes.

87   Annette Schavan, ministra de Educación alemana presentó su dimisión a finales de 2012 al comprobarse que incurrió en un plagio en su tesis doctoral. Lejos de ser un caso aislado, en marzo de 2011, ya había dimitido el ministro de Defensa alemán por la misma razón.

Y no sólo ocurre en política, ha habido otro acontecimiento muy interesante que demuestra que la ciudadanía española no está tan alejada de la del resto de Occidente, por más que nuestros políticos se empeñen en creer lo contrario. Se trata de un programa de Tele Cinco en el que se decide entrevistar a la madre de un imputado por el asesinato de una adolescente, previo pago de una cantidad de dinero. Obviamente, la cadena tiene derecho a entrevistar a quien quiera, pero un espectador consideró que esa práctica suponía una falta de ética profesional y anunció en las redes sociales que dejaría de comprar los productos de las marcas que saliesen en los cortes publicitarios, que son los patrocinadores. En pocos días el programa se quedó sin anunciantes, ya que ninguno de ellos quiso exponerse a las posibles caídas de ventas si su imagen se asociaba a tales prácticas. De nada sirvieron las palabras del presentador apelando a la libertad de expresión, ya que en ningún momento se puso en duda su derecho a expresarse, pero tampoco se puede cuestionar el derecho del consumidor a escoger el producto que quiera cuando vaya al supermercado. Los casos analizados son un aviso a navegantes de que aquel que quiera tener un papel relevante en el futuro, en la mayor parte de actividades que impliquen relaciones humanas (la política y la banca incluidas), deberán ser completamente transparentes e incorporar bastante ética en sus actuaciones. A la vista de cómo se ha producido esta crisis, no cabe duda de que tenemos mucho trabajo por delante.

5.º DE LA ECONOMÍA NACIONAL A LA GLOBALIZACIÓN

Cada día vemos como las comunicaciones empequeñecen el mundo, hasta convertirlo en aquello que dijo Marshall McLuhan, una "aldea global" [88], cuando preveía que toda la humanidad transformaría su estilo de vida y se convertiría en un pueblo, ya que el

---

88   Marshall MacLuhan (1911-1980) filósofo, educador y escritor canadiense que usa este término en su libro "Guerra y paz en la aldea global" publicado en el año 1968.

progreso tecnológico permitiría que todos los habitantes del planeta se conocieran y se comunican de manera instantánea. La caída del muro de Berlín, en 1989, acabó una lucha de décadas entre dos maneras de entender el mundo. A partir de entonces las ideologías tienen menos peso y nadie duda de que nos dirigimos hacia un único modelo económico en un planeta cada día más pequeño, por los estrechos vínculos económicos, políticos y sociales, y por la aparición de una nueva consciencia global que busca unos intereses comunes: la solidaridad, la ecología, el medio ambiente y el desarrollo sostenible. En esta nueva realidad un acontecimiento ocurrido en cualquier parte del mundo tiene efectos globales, como estamos viendo con la crisis financiera, que no afectan a un único país sino a todos ellos de una forma u otra. Lo mismo ocurre con la contaminación o la catástrofe nuclear del Japón, que ya no son fenómenos aislados, sino que nos afectan a todos y entre todos debemos resolverlos.

El mundo es un único mercado global, la economía es mundial y nunca duerme, el dinero es información en movimiento y las bolsas trabajan las 24 horas del día sin parar, simplemente unas toman el relevo a las otras, y ello ofrece muchas oportunidades a quien sepa aprovecharlas. Pero en un mundo donde la mayor parte de bancos y grandes empresas no se financian con el capital de un rico inversionista, como hacía J. P. Morgan cuando Nueva York tenía problemas financieros, sino con recursos de todos los ciudadanos, a través de sus ahorros o fondos de pensiones, es inadmisible que los directivos de tales instituciones, empleados que no han hecho ninguna aportación de capital ni han arriesgado nada en absoluto, crean que el modelo económico único supone que todo vale, lanzándose a prácticas poco éticas, cuando no fraudulentas e inmorales, como hemos visto en los últimos años. Quizá tales prácticas den beneficios a corto plazo pero si se logran a cambio del buen nombre, la dignidad y la credibilidad de la institución ¿de qué sirven? Si se pierde la confianza de los ciudadanos, porque se les ha engañado, como ha hecho una parte de los bancos ¿qué futuro tendrán a largo plazo, aunque ahora se refloten con el dinero de todos? Por más que el modelo económico no tenga competencia, no debe seguir sin normas estrictas, que incluyan altas dosis de ética y de transparencia, pues en el futuro sólo las entidades que tengan este tipo de comportamientos y estén bien integradas en la sociedad, asumiendo su responsabilidad social, mantendrán unos negocios rentables y sostenibles.

6.º DE LO GLOBAL A LO REGIONAL

Esta es de las tendencias más paradójicas, ya que puede costar entender que, cuanto más grandes sean los espacios comerciales, más buscarán las personas sus raíces. Ello no significa que la gente no entienda las ventajas que supone estar en la CEE, sino todo lo contrario, las valoran y no están dispuestos a renunciar a ellas, pero aprovechan su posición privilegiada, de consumidor con múltiples alternativas donde escoger, para elegir aquellos productos y fabricantes que tengan en cuenta los gustos a los que están más acostumbrados desde su infancia, que son los más cercanos. Ello no implica necesariamente que hayan de ser los que se fabrican al lado de casa, aunque sí escogerá los que le parezcan más cercanos a sus características territoriales. Por eso las compañías regionalizan sus productos y se acercan al cliente de cada lugar, en vez de fabricar para un consumidor universal que en realidad no existe. Las empresas lo saben y se posicionan con artículos que sean lo más cercanos posibles a cada ámbito, ya sea en idioma, sabor, formato, color, etc., para conectar mejor con la cultura de cada región. En el comercio la homogeneidad es imposible porque el mercado es global, pero la venda es regional y hay que tenerlo en cuenta para adaptarse o el fracaso está garantizado, Por eso las sopas Campbell adaptan sus gustos a cada región y las empresas de moda o las multinacionales etiquetan su género en los idiomas de los territorios donde pretenden exportar.

El nacionalismo es una realidad emergente que tiene que ver con la diversidad cultural más cercana al individuo y está cada vez más presente en todas partes. Los pueblos y nacionalidades pueden estar englobados en comunidades más grandes, incluso desde hace siglos, pero ello no significa que pierdan sus raíces ni su identidad, al contrario de lo que quisieran los estados, que persiguen la unidad a cualquier precio. El comercio está entendiendo que esta es una tendencia cada vez más extendida y hay que aceptarla si quieren hacer negocios tanto globales como regionales. Otros ámbitos como el político harían bien de tenerlo en cuenta, ya que las reivindicaciones y anhelos nacionalistas no son una moda pasajera, sino que también han llegado para quedarse y se les debe tratar con inteligencia y generosidad (como Gran Bretaña con Escocia o Las Malvinas), no con evasivas y amenazas que solo conducen al rechazo.

7.º DEL CORTO AL LARGO PLAZO

Hay críticas importantes a la gestión empresarial centrada en el corto plazo, que impera en muchas empresas de la mayor parte del mundo occidental, encabezadas por Estados Unidos pero seguidas de cerca por otros lugares, España incluida. Nos hemos empeñado en que el próximo cuarto de hora parezca mejor que el anterior, aunque sea olvidándonos del mañana, estamos dispuestos a sacrificar el futuro para poder presentar este año unos resultados mejores que los del año anterior. Parecía que había indicios de cambios esperanzadores en el sentido de empezar a pensar a más largo plazo, pero la crisis del 2008 ha puesto nuevamente de manifiesto que el corto plazo es el que sigue pesando a la hora de tomar decisiones para una buena parte de bancos, partidos políticos, empresas y países enteros, y las consecuencias de esta visión tan miope es la actual crisis en la que nos hallamos.

El largo plazo, se ha convertido en un tema familiar en los círculos empresariales durante las últimas décadas, pero centrado únicamente en aspectos como el entorno, el medio ambiente y los recursos no renovables, unos temas que despertaron nuestra conciencia colectiva desde que entendimos que las ventajas de contaminar el aire y las aguas, sin ningún tipo de contemplación, eran muy inferiores a las dificultades que suponían para la calidad de nuestras vidas y de nuestro entorno a largo plazo. Por eso, ahora todas las empresas que comercializan productos del bosque, tienen programas de reforestación, tras entender que si seguimos cortando árboles sin plantar de nuevos, no quedarán para nuestros hijos y nietos.

Entonces, ¿por qué tenemos esta fijación por el corto plazo en otros campos? El paradigma es Estados Unidos donde todas las decisiones de Wall Street están orientadas al corto plazo, desde el salario de los ejecutivos, a las bonificaciones, incentivos y condiciones de trabajo, por eso los gerentes se sienten presionados para concentrarse en las acciones inmediatas y satisfacer a la comunidad financiera y a los propietarios de la entidad, que son los accionistas. Si una empresa pasa un mal trimestre sale en los titulares y a continuación tendrá problemas reales, ya que el precio de las acciones se hundirá. Eso no ocurre en todas partes, porque la situación norteamericana es diferente de la de otros países que tienen una visión más a largo plazo, como Japón o Alemania. La diferencia entre los dos modelos se basa en que en los Estados Unidos el capital lo ponen los accionistas a través de Wall Street y estos lo que piden son resultados rápidos, ya que quieren rentabilizar su capital lo más pronto posible y, si los beneficios tardan en llegar, sacan el dinero y lo destinan a otras inversiones. En cambio, en Japón el 80% del capital (y en Alemania lo mismo, aunque en menor porcentaje) lo ponen los bancos, que pueden aceptar un mal resultado puntual si ven expectativas positivas a largo plazo. La acción a corto elimina las posibilidades de enfocarse a largo, ya que ambas suelen ser opuestas y el resultado es que, para ganar el trimestre, se pierde de vista que se necesita una estrategia coherente para los próximos 20 o 30 años.

La causa de esta paradoja es la excesiva fijación por los "números", que lo impregnan todo, al ser los conceptos empleados para hablar de negocios, ya que pueden ser medidos. Pero los números son generalmente sinónimo de corto plazo, y desgraciadamente los altos ejecutivos están cegados por los números. Por contra lo que domina el largo plazo es la planificación estratégica, las ideas, la innovación, la I+D, conceptos que casi no tienen sentido para la mayor parte de directivos por ser difíciles de medir, por eso casi nadie de la alta dirección les presta atención. Las escuelas de negocios norteamericanas tienen una gran responsabilidad en esta excesiva orientación hacia el corto plazo, ya que entrenan a sus graduados básicamente en los números y estos acaban imponiendo unos objetivos miopes. Las consecuencias son graves porque las empresas que tienen graduados entrenados en la inmediatez presentan niveles de productividad inferiores que los de visión a largo plazo.

Con estas evidencias y la crisis actual, provocada por decisiones miopes como el cambio de la inversión productiva a la especulativa de la construcción, deberían aparecer señales de cambio. Los consejos de administración de bancos y empresas tendrían que protegerse del espejismo especulativo del beneficio rápido en interés de la propia corporación y de la nación entera. Deberían preocuparse por el futuro más lejano y no dejarse impresionar por un mal trimestre, mientras se hagan inversiones con perspectivas productivas a largo plazo. Tendrían que reafirmarse en la necesidad de disponer de una buena investigación básica, una planificación a años vista y crear un clima en el que aquellos que estén preparados para arriesgarse sientan que son apreciados y que sus puestos de trabajo son seguros.

El cambio del corto al largo plazo no será fácil, ya que tendremos que reinventarnos, sobre todo en España que valora más los pelotazos económicos que la productividad bien planificada seguida de trabajo duro. Para hacerlo puede servirnos la llamada "Ley de Situación", que recibe el nombre de una expresión acuñada en 1904 por Mary Parker Follett[89], la primera mujer asesora en dirección de organizaciones de los Estados Unidos que tenía un cliente, con una empresa de persianas, a quien convenció de que en realidad estaba en el negocio del control de la luz y esa nueva visión cambió toda la orientación aumentando las perspectivas de forma extraordinaria. La Ley de Situación hace la pregunta fatídica para todo ejecutivo: ¿a qué nos dedicamos realmente? Si no tenemos una respuesta satisfactoria, debemos plantearnos en qué negocio sería conveniente para nosotros estar.

Un sector en nuestro país que no se ha hecho nunca esa pregunta es el de los ferrocarriles. Invadidos por la política, que está en el negocio de recaudar votos gracias al AVE, ha olvidado el transporte y el servicio, por eso ha permitido que la mayor parte de mercancías circulen por carretera, con un sistema más lento y caro, y han dado la espalda a la mayor necesidad de transporte de mercancías del país al no haber propuesto nunca la construcción del Corredor Mediterráneo para exportar de forma rápida y económica, tanto los productos propios como los que pueden venir de los tigres asiáticos con destino a Europa. ¿Qué habría pasado si se hubiesen aplicado la ley? Podrían haber decidido entrar en el negocio del transporte integral, creando sistemas para trasladar mercancías por ferrocarril y ahora tendríamos los puertos comunicados con la frontera y un Corredor Mediterráneo que nos posicionaría favorablemente respecto a nuestros socios europeos; por supuesto habrían mejorado Cercanías, que es el medio de desplazamiento para una parte importante de los ciudadanos; se habría reducido el tráfico por carretera y

---

89   Mary Parker Follett (1868-1933) fue una trabajadora social, pionera en teoría de organización de empresas, consultora y escritora norteamericana.

la siniestralidad viaria; y posiblemente habría mejorado la balanza de pagos al necesitar importar menos carburante.

Como los ferrocarriles, nuestra historia comercial está llena de empresas que no han cambiado pese a las transformaciones del mundo, y se han convertido, o corren el riesgo de convertirse en cementerios corporativos, por no haber entendido por donde van las tendencias o haberlas ignorado. Hay comunidades autónomas, ciudades, empresas, sindicatos y partidos políticos que están esperando que el calendario vuelva hacia atrás y les devuelva los viejos buenos tiempos, pero una vez pasado el tiempo nunca regresa, el cambio es para todos y estará mejor preparado quien entienda el presente, las tendencias de futuro y se avance a ellas.

Quiero aclarar que cuando hablo del largo plazo no me refiero a implantar una política rígida de producción a 5 o 7 años que haya que cumplir a cualquier precio, como los planes quinquenales de otras épocas. Aquella rigidez es contraproducente, ya que la aceleración de los cambios hace que todos los productos queden obsoletos en poco tiempo si no incorporan las mejoras que demanda el mercado. Son numerosos los ejemplos de estas rigideces y sus consecuencias: el télex quedó obsoleto en seis meses por la aparición del fax; IBM se tuvo de quedar con sus ordenadores de quinta generación cuando aparecieron otros más manejables y potentes; el teléfono del coche tenía un plan rígido de 5 a 7 años para controlar todo el mercado, con unos precios de miles de euros, pero quedó obsoleto en menos de 2 años por la aparición de los verdaderos móviles. Por tanto no se puede planificar rígidamente una producción, ni a corto ni a largo plazo, lo que hay que hacer es tener una visión con años de perspectivas y ser suficientemente flexible como para adaptarse a las necesidades cambiantes del mercado.

Actualmente, el líder no es el más grande ni el que vende más, sino el que se adapta mejor, el que hace primero las cosas y las sigue mejorando, como hizo Apple comparado con IBM. Líder es quien sabe crear una visión a largo plazo tan potente que es capaz de alinear a todos sus partidarios para conseguirla. ¿Cómo debe ser esa visión para ser eficaz?: primero, fotográfica, para que la gente pueda verla de manera instantánea; segundo, creativa, que llame la atención para que todos se fijen en ella; tercero, real, en caso contrario perderá el soporte de la población, que dejará de creérsela; cuarto, asumible, para que los ciudadanos la acepten y puedan pasar a la acción hasta lograrla. Una de las visiones colectivas más paradigmáticas de la historia, tuvo lugar cuando el presidente John F. Kennedy, a principios de los años 60, propuso a los americanos poner un hombre en la Luna antes de acabar la década. Sin duda fue una fuente de inspiración para todo un país. Aquel objetivo simple y concreto suponía la culminación de la nueva era que ya anunciaba en su discurso de toma de posesión, el 20 de enero de 1961, cuando proponía al pueblo americano y al mundo entero:

Exploremos juntos las estrellas, conquistemos los desiertos, erradiquemos las enfermedades, exploremos las profundidades de los océanos y estimulemos las artes y el comercio.

Si alguien piensa que siempre una imagen vale más que mil palabras, le aconsejo que lea aquel discurso y se convencerá de lo contrario. Una visión así es una fuerza que inspira a una organización o a un país entero proporcionando satisfacción y energía a todos sus integrantes hasta alcanzarla.

8.º DE LA CENTRALIZACIÓN A LA DESCENTRALIZACIÓN

Aunque hablar de descentralización en un país con 17 autonomías y dos ciudades autónomas parece innecesario, no es así porque la tendencia descentralizadora mundial es más profunda que la estrictamente administrativa y se fundamenta en que tanto la sociedad agrícola como la de la información son descentralizadas, a diferencia de la industrial, pues la máquina, que representa la era industrial, es tremendamente centralizadora, al necesitar unos edificios específicos donde van los trabajadores a desarrollar su actividad laboral. En cambio los campesinos plantan allí donde hay tierras adecuadas, y en la era de la información, como estamos viendo cada día, cualquiera puede crear una empresa con un teléfono y un ordenador en cualquier garaje del mundo.

Las grandes estructuras jerárquicas verticales y rígidas resultan demasiado vulnerables en un entorno donde hace falta ser flexibles para reorientar productos, mercados y servicios. Las grandes compañías, con muchos niveles organizativos y miles de trabajadores, acaban comportándose como brontosauros, los mayores dinosaurios que existieron y que eran tan grandes que no podía salir del agua sin que su propio peso los aplastara. La descentralización es un proceso global e inevitable, porque las soluciones centralizadas ya no sirven, hay que entender las necesidades del territorio para ofrecerle soluciones adaptadas a su diversidad y complejidad. El proceso lo empezaron las empresas, pero se ha extendido a todas partes. Por eso la SEAT ya no es la entidad gigantesca que fabricaba todos los componentes de los vehículos, sino más bien una cadena de montaje, con centenares de empresas a su alrededor que le proporcionan piezas. Cada una está especializada en unos pocos artículos, y los produce con una calidad y a un precio más competitivos, de manera que la entidad madre lo que hace es recibir las piezas y ensamblarlas para sacar los coches acabados. De esta manera se ha descentralizado la producción en entidades satélites, que crean muchos más puestos de trabajo y dinamizan la economía de la zona. Lo mismo ocurre en todos los niveles; por ejemplo, por cada gran centro cultural de ámbito nacional que queda sin funciones, aparecen centenares de nuevos organismos locales o comarcales que desarrollan actividades culturales más cercanas a la realidad del territorio: grupos de danza, centros juveniles, clubs filatélicos, ferias culturales, encuentros profesionales, etc. Y por cada revista generalista que cierra, aparecen decenas nuevas, de temática específica, que interesan a determinados nichos concretos de ciudadanos y que, en conjunto, acaban teniendo más lectores de los que ha perdido la revista general.

La descentralización permite gestionar mejor las organizaciones, por eso la siderurgia norteamericana convirtió sus grandes empresas en mini siderurgias, para adaptarse a las realidades de cada ámbito dando mejores respuestas; Nestlé no tiene unidades de negocio superiores a las 250 persones. Lo mismo ocurre con las estructuras directivas, que deben simplificarse para gestionar mejor: mientras Ford tiene diecisiete niveles organizativos, Toyota o la Iglesia Católica solo tienen cinco. Se deben aplanar las organizaciones y darles autonomía a los directivos para gestionar los mini negocios dentro de las empresas madres, no solo para mejorar los resultados económicos y la productividad, sino también por qué hay que hacer más atractivos los cargos de responsabilidad. Pronto las empresas no podrán permitirse el lujo de pagar 8 horas a una persona con independencia de lo que haga, acabarán remunerando conceptos distintos al tiempo de permanencia en el puesto de trabajo, como la iniciativa, la participación, la creatividad y el valor añadido que se aporte a la institución, y tener un buen proyecto será la mejor manera de retener a los profesionales competentes y comprometidos.

9.º DE LA REPRESENTATIVIDAD A LA PARTICIPACIÓN

Esta es una tendencia que tiene bastantes connotaciones políticas y en un país como España, con tan poca cultura democrática y plagada de políticos profesionales, posiblemente será rechazada por nuestros dirigentes en defensa de sus intereses particulares. La tendencia supone que las personas a las que les afecta muy directamente una determinada decisión quieren participar en la misma, y es una corriente que se extiende por todo el mundo, cambiando la forma en que las instituciones ejercen sus funciones. Ciudadanos, trabajadores y consumidores piden tener más voz en el Gobierno, en los negocios y en el mercado. La democracia participativa ha entrado en el corazón de nuestro sistema de valores y el mayor impacto lo recibirán los gobiernos, partidos políticos y corporaciones. Esta tendencia está revolucionando la política en todas partes con un aumento sin precedentes de iniciativas populares, plataformas y referéndums a los que puede asistir un entusiasta 70 a 90% de los convocados, porque satisfacen la necesidad de "democracia directa", además su influencia va más allá de los aspectos estrictamente políticos. En España ha habido hasta ahora 92 iniciativas legislativas populares, con los más diversos objetivos, de las cuales 4 fueron avaladas por más de un millón de firmas.

En la actual democracia representativa no votamos los temas directamente, sino que escogemos a alguien para que los vote por nosotros. Este sistema se creó hace siglos y entonces era el modelo más práctico para organizar una democracia, ya que la participación directa de los ciudadanos no era factible, por ello se escogían a personas que se desplazaban hasta las capitales estatales, votaban y después volvían a sus lugares de origen y explicaban a los votantes lo que había sucedido. El representante que cumplía bien su función era reelegido, el que no, perdía las elecciones. Era una buena solución para aquella época y ha durado hasta ahora. Pero estamos en una nueva era, con una revolución de la información y de las comunicaciones, que además ha creado un electorado informado e instruido. Hoy, con la información compartida de manera instantánea, sabemos tan bien como nuestros representantes lo que está ocurriendo, y lo sabemos casi en el mismo momento que ellos, pero además tenemos mucha más confianza en nuestra capacidad para tomar decisiones sobre cómo deberían funcionar las instituciones, el gobierno y las corporaciones, sobre todo después de ver algunas gestiones plagadas de irregularidades, tráficos de influencias, corrupción y despilfarro. ¿Qué sentido tiene hoy continuar con un sistema representativo que supone votar un día y callar durante cuatro años? Todavía elegimos representantes por dos motivos principales: primero, por ser lo que siempre hemos hecho, o sea por la fuerza de la costumbre; y segundo, porque todavía es políticamente conveniente, ya que en realidad no queremos votar todas y cada una de las cuestiones sino solo aquellas que realmente supongan una diferencia en nuestras vidas. En realidad nos gustaría poder decirles a nuestros representantes: *está bien, os hemos escogido para que nos representéis, pero si pasa alguna cosa en nuestras vidas, lo tenéis que consultar con nosotros.*

Con todo ello la duda es si estamos ante la muerte de la democracia representativa y de los partidos políticos tal como ahora los entendemos. De hecho los partidos políticos hoy no tienen nada que ver con lo que fueron en el pasado, hay muchos más y algunos defienden las cosas más inverisímiles, mientras la ciudadanía cada vez se siente más alejada de todos ellos y de sus discursos rígidos, desfasados e interesados. La izquierda y la derecha política radical están muertas, ya que toda la acción se produce en el centro, por ello intentar conseguir réditos electorales a través de pretendidas luchas fratricidas entre derechas e izquierdas resultará estéril. Los políticos cada vez cuentan menos porque sus propuestas partidistas y alejadas de la realidad ya no interesan, como lo demuestra la participación decreciente en las elecciones, que supone una consecuencia directa del paso de la democracia representativa a la participativa. Políticos y medios de comunicación nos recriminan por la alta abstención con el propósito de que nos sintamos culpables, pero una baja afluencia de votantes a las urnas no significa necesariamente menos democracia, también puede significar que la gente está relativamente satisfecha con la manera como se resuelven las cosas, y piensan que en realidad cualquier resultado tendrá poco impacto en sus vidas. Por contra una alta participación de votantes no siempre es positiva para la democracia, como lo demuestran las elecciones de todos los países totalitarios, que siempre alcanzan porcentajes cercanos al 100%. Hay que entender que, aunque sea deseable que la población vaya a votar, especialmente en un país con tan poca tradición democrática como el nuestro, los votantes están tomando la decisión madura y consciente de *no* participar.

10.º DE ALTERNATIVAS EXCLUYENTES A MÚLTIPLES ALTERNATIVAS

Las posibilidades de escoger para los españoles han sido históricamente limitadas en todos los aspectos. En general había pocas decisiones a tomar y todas ellas con escasas opciones entre las que elegir, no solo en cuestiones políticas, que eran inexistentes, sino en el resto de ámbitos de la vida: podíamos ver el primer canal de TVE o no ver la TV, casarnos o no, trabajar todas las horas del mundo o estar en el paro, comprarnos un SEAT o un RENAULT y poca cosa más. Se trataba mayoritariamente de una sociedad de mercados y anuncios de masas, donde los gustos eran homogéneos y relativamente fáciles de satisfacer con unos cuantos productos. No hace demasiado tiempo para comprar unas gafas de sol de marca aún se tenía que ir a Andorra. Era la época en que las bañeras eran blancas, los coches negros y los cheques verdes. Afortunadamente ya no es así, ni en España ni en la mayor parte de países del mundo, y los viajes a Andorra han dejado de ser necesarios para encontrar productos de uso común, pues disfrutamos de una diversidad de artículos sin precedentes. Aquella sociedad de masas se ha fraccionado en múltiples pedazos, que los publicistas denominan mercados descentralizados o segmentados. Es una nueva sociedad a la que todo llega con múltiples tamaños, colores, olores y sabores: desde las bombillas, a los cigarrillos, bebidas o calefactores. Tenemos centenares de modelos de coches y camiones, incluso es habitual que se adapten a las demandas del cliente, admitiendo cualquier posibilidad en relación a puertas, motor, color, equipamiento complementario, etc. Vamos hacia una personalización cada vez más evidente, no solo del coche o del teléfono móvil, sino de la mayor parte de los ámbitos y artículos que nos rodean porque ya no nos sirven las soluciones de los vecinos. Por eso los publicistas, que tenían suficiente con contratar una sola TV, se ven obligados ahora a negociar con múltiples cadenas y a dirigir sus anuncios a miles de grupos de personas, con infinidad de intereses y alternativas donde elegir, así que tienen que ganarse a los consumidores mercado a mercado y acabar pasando sus anuncios simultáneamente en más de un canal al mismo tiempo y, sin embargo, la fragmentación de la audiencia hace que pierdan eficacia porque cada canal tiene solo una fracción de los espectadores que tenía la TV original, todo ello sin tener en cuenta las inmensas posibilidades del zapping, el video y las nuevas tecnologías.

¿Y qué decir de la familia? La mayoría de los que tenemos cierta edad crecimos y fuimos educados en una familia típica, donde el padre trabajaba y ganaba el pan mientras la madre se encargaba de la casa y cuidaba de los hijos, en general dos. Hoy día quedan pocas que encajen con este perfil tradicional. Las actuales admiten cualquier posibilidad: un padre o una madre solteros con uno o más hijos; una pareja sin hijos que trabajan los dos; una mujer que trabaja mientras el marido se encarga de la casa y de los pequeños; una pareja formada por separados, con todo tipo de combinaciones de hijos de los matrimonios anteriores y propios; una pareja homosexual con o sin hijos, etc. A ello hay que añadir todas las posibilidades que permiten las uniones sin papeles: parejas de hecho no casadas, amigos con derecho a roce, relaciones antiguas que se juntan de vez en cuando, grupos o comunidades, etc. Todo esto lo podemos complicar con las diversas alternativas que existen para tener hijos y que pueden ser: propios, conseguidos con vientres de alquiler, adoptados (en el país o en el extranjero), etc. La diversidad actual es bastante compleja y las posibilidades de volver atrás, hacia el modelo tradicional, parecen prácticamente nulas. El edificio básico de la sociedad está pasando de la familia al individuo, ya que ahora, como nunca antes, las personas viven solas; una de cada cuatro unidades familiares está formada por una persona sola: individuos jóvenes que todavía no se han casado, ancianos que están solos y divorciados. Estos modelos continuarán entre nosotros durante mucho tiempo y todavía se diversificarán más, con el impacto que esta nueva situación tendrá en todos los aspectos.

Por lo que se refiere a los horarios laborales era habitual entre los hombres el trabajo en la oficina o en la fábrica durante un horario regular y completo hasta la jubilación a los 65 años. Había tareas para hombres y pocas para mujeres. Ahora las mujeres son prácticamente el 50% de la fuerza laboral y las necesidades horarias han variado mucho, pero las presiones sindicales en España impiden adaptarse a esta nueva realidad, como sí han hecho otros países donde hay horario limitado, horario flexible, trabajo en casa, trabajo parcialmente en casa y en la oficina, faenas compartidas, etc. Nosotros todavía tenemos mucho camino por recorrer porque nuestros sindicatos, anclados en el siglo pasado y preocupados solo por las personas que tienen trabajo fijo a tiempo completo, no han asimilado las nuevas necesidades del mercado laboral ni las nuevas formas familiares que hemos comentado antes.

Incluso en el arte podemos ver estas múltiples alternativas, ya que, si hay alguna cosa que caracterice a las artes en este momento es la multitud de tendencias. No hay escuelas dominantes, ni opciones excluyentes, sino una comunión de diversas corrientes en todos los ámbitos. Posiblemente pasará mucho tiempo hasta que surja una corriente que marque la pauta de manera clara y definida, mientras tanto miles de escuelas y artistas seguirán sin que aparezcan nuevos líderes, por eso el factor predominante del panorama artístico actual es la enorme cantidad de objetos y acontecimientos que abarca.

Hemos diversificado las opciones en cosas tan delicadas como la religión pasando de una sola, que además era oficial en un Estado confesional que se definía como la *reserva espiritual de Occidente*, a la multiplicidad de alternativas dentro de las propias creencias cristianas, pero también de otras religiones venidas con las nuevas migraciones: islamismo, budismo, creencias Zen, etc.

En esta era de opciones múltiples, los españoles, como el resto del mundo occidental, hemos aprendido a aceptar la diversidad étnica. Hemos abandonado el mito de la "raza", aquel que llevó a un tal Jaime de Andrade (que, según todos los cronistas e historiadores, era un pseudónimo del general Franco) a hacer el guión de una película que, con el título de "*Raza*", intentaba mostrar el ideario del "buen español". Es cierto que todavía no hemos sido capaces de abandonar el mito de la *pureza de sangre* y que la mentalidad de *los nuestros* sigue pesando, pero ya todo el mundo es libre de ser quien es. La diversidad étnica es la culminación de esta tendencia y viene asociada a la multiplicidad de razas, religiones e idiomas llegados al país, donde cada día es más habitual escuchar personas hablando árabe, rumano, chino, pakistaní, aparte del inglés, francés o italiano.

Decía el pedagogo Ralph Tyler (1902-1994) que: *usted puede decir que está siendo educado si sus opciones están aumentando, y que sucede lo contrario si están disminuyendo*. De la misma manera una sociedad puede decir que se está desarrollando si las opciones de sus ciudadanos están aumentando y no hay ninguna duda de que, según esta definición, nosotros hemos experimentado un gran desarrollo desde 1975, en todos los sentidos (aunque esta crisis las está limitando a marchas forzadas). El gran dilema es cómo interiorizar todas estas opciones: podemos hacerlo como un estallido de libertad, como una garantía para ser nosotros mismos, desarrollarnos y conocer cosas nuevas, haciendo de nuestras vidas una aventura apasionante, sin coacciones ni limitaciones de ningún tipo; pero también podemos vivirlo con miedo, como una tremenda amenaza, que pese a todo no podremos combatir. Nosotros decidimos.

11.º DE LAS JERARQUÍAS A LAS REDES

Durante siglos nos hemos organizado y hemos dirigido todas las entidades con estructuras parecidas a una pirámide. Una regulación tan antigua que está recogida en el Génesis (cap. 18, vers. 21 y 22) cuando Jetró, el suegro de Moisés, le dice a este la manera de atender las peticiones del pueblo:

Elige, entre todo el pueblo a hombres capaces y temerosos de Dios, íntegros, enemigos de la avaricia, y ponlos sobre el pueblo como jefes de millar, de la centena, de la cincuentena y de la decena. Que juzguen al pueblo todo el tiempo y te traigan a ti solo los temas de más importancia, decidiendo ellos mismos en los asuntos menores.

Desde entonces, y posiblemente desde mucho antes, todas las instituciones, incluidos el ejército romano o la Iglesia Católica, la IBM o la Ford, los gobiernos y los medios de comunicación se han organizado de esta manera de la cima a la base de la pirámide. La jerarquía garantiza que a todo el mundo le llegue la información, más pronto o más tarde. El porqué de esta estructura también nos lo explica Jetró al ver el tiempo que pierde Moisés para atender las peticiones del pueblo (Génesis, cap. 18, vers. 17 y 18):

Lo que haces no está bien. Te consumes tontamente y consumes al pueblo que tiene que estar delante de ti. Este trabajo es superior a tus fuerzas y no puedes llevarlo a término solo.

Por tanto, la estructura piramidal nace de la necesidad de optimizar el tiempo de los líderes, por la imposibilidad de llegar a todo el mundo y darles personalmente las instrucciones de lo que hay que hacer. Esta pirámide ha sido muy criticada pero sus detractores nunca han podido presentar un marco mejor, por más que lo han intentado.

Ahora el mundo ha cambiado con la era de la información que lo ha transformado todo, empezando por la pirámide jerárquica, ya que la economía basada en la información y en las telecomunicaciones o, lo que es lo mismo, en el conocimiento y las ideas, acepta muy mal las rigideces estructurales de las jerarquías, que enlentecen el flujo de la información justo cuando se necesita más críticamente una mayor rapidez y flexibilidad. Por eso están apareciendo unidades descentralizadas, que se unen de manera espontánea unas con otras, creando estructuras informales en constante comunicación: las redes. Las redes sociales son un buen ejemplo, con millones de personas compartiendo información al mismo tiempo, al margen de los canales habituales de comunicación, como los periódicos u otros medios, que no han tenido más remedio que añadirse a la iniciativa. Cuanta más tecnología se incorpore a la sociedad y más informados estemos, más nos pesarán las estructuras burocráticas jerarquizadas, rígidas, frías e impersonales, porque lo que la gente quiere y necesita es mayor comunicación interpersonal, mayor contacto en respuesta a la intrusión tecnológica. Las jerarquías todavía continúan, pero nuestra creencia en su eficacia no, porque si analizamos los problemas actuales del mundo (crisis, estancamiento económico, paro, incertidumbre política, problemas sociales, etc.), comprobaremos que no se pueden resolver con los viejos principios jerárquicos del pasado. El fracaso de las jerarquías en la resolución de los problemas nos obligará a hablar unos con otros para buscar soluciones y desarrollar medidas adecuadas, por ejemplo con la crisis vemos cada día más ayuda anónima, voluntariedad, comedores colectivos, recogida de comida, emisoras de radio que hacen campañas para buscar puestos de trabajo, etc., eso es lo que ayudará a salir de la crisis y no las obsoletas estructuras jerárquicas.

El futuro son las redes; es decir, individuos particulares, amigos, conocidos, miembros de organizaciones o perfectos desconocidos hablando entre ellos e intercambiando información, ideas y recursos con la velocidad de una llamada telefónica por un objetivo concreto que interese a todos ellos. Pueden servir para las cosas más diversas, desde conocer la opinión de los usuarios sobre un hotel que se quiere visitar o ver el ambiente de un concierto, hasta fomentar la auto-ayuda, hacer avanzar la sociedad o buscar ideas para mejorar la productividad de una empresa. Sus estructuras permiten transmitir información de manera más rápida, amplia, fácil y eficiente que cualquier otro proceso conocido hasta ahora, por tanto serán la forma óptima de comunicación e interacción del futuro. Además son una fuente inagotable de nuevas ideas, ya que cada persona que recoge una información, la analiza, la sintetiza y puede añadir otras ideas, que son difundidas de forma inmediata. Su estructura, más compleja de dibujar que la pirámide jerárquica, se parece a una red de pescar tridimensional mal tejida con una multitud de nudos o células de dimensiones variadas, cada una de ellas unidas a las demás de manera directa o indirecta, sin posiciones de arriba ni abajo, por donde la información circula rápidamente en todos los sentidos. Las redes son igualitarias porque cada miembro es igual a otro y todos intervienen sin tener en cuenta su posición en la estructura tridimensional, porque es irrelevante, lo que cuenta es el contacto directo con la persona o recurso que se busca.

Ahora ya ni las grandes corporaciones se cuestionan si la estructura jerárquica puede servir a sus objetivos, porque saben perfectamente que no y empiezan a entender que en el futuro también ellas se tendrán que organizar en redes. Cuando entiendan que el experto en un trabajo concreto es la persona que hace aquella tarea, no su superior jerárquico, y que no pueden perder el valor añadido que su contribución supone para la empresa, pues resulta fundamental, entonces tendrán que hacer todo lo posible para incorporar su opinión a través de sistemas de comunicación y participación al margen de unas jerarquías que tienen el nombramiento pero no la experiencia. Eso no significa que las empresas abandonen los controles formales, pero los nuevos estilos de gestión estarán inspirados y basados en redes y sus valores estarán impregnados de informalidad y de igualdad. En lo referente a la forma de comunicación será lateral, diagonal, de arriba abajo y viceversa, a lo largo de toda la estructura, que será más tridimensional que piramidal. Por último, en esta organización el crecimiento se producirá cuando se conceda poder y recompensas en función de las aportaciones de cada uno (producción, información, motivación, etc.) y no despreciando a los individuos en función de su posición jerárquica.

12.º DE LA AYUDA INSTITUCIONAL A LA AUTOAYUDA

Durante décadas, instituciones como el Gobierno, las corporaciones, el sistema educativo o la profesión médica nos han protegido de las duras realidades de la vida y han cubierto necesidades básicas como la alimentación, vivienda, atención sanitaria o educación, a la vez que nos ayudaban con los misterios de la vida: nacimiento, enfermedad y muerte. De esta manera, hemos creado una dependencia colectiva de la ayuda institucional y olvidamos la responsabilidad individual de ayudarnos a nosotros mismos. Esta situación no es nueva sino que existe desde hace décadas, y en España ha arraigado profundamente, por eso nos iría bien saber qué ha ocurrido en otros países para ver qué puede sucedernos también a nosotros. Un buen precedente lo hallamos en Estados Unidos donde la Gran Depresión del 1929 fue un golpe tan duro que rompió la tradicional fe norteamericana en el individualismo y la capacidad personal para salir de las dificultades, así que se pasaron casi medio siglo pensando que solo con la ayuda estatal o de las grandes instituciones podrían soportar los embates de la vida de manera efectiva. Pero las sucesivas crisis institucionales les hicieron cambiar de idea y en la década de los 70 entendieron que las instituciones les habían defraudado sistemáticamente así que tuvieron que aprender de nuevo a ayudarse a sí mismos.

La situación en nuestro país es distinta porque siempre nos mantuvimos alejados de lo que ocurría en el mundo real o llegamos tarde porque nunca hemos estado sincronizados con el resto de Occidente al que ahora queremos pertenecer. Hasta 1975, cuando murió el general Franco, España estaba al margen de las corrientes europeas en temas políticos, económicos, culturales y de todo tipo. Al comenzar la Transición nuestro primer objetivo fue consolidar la democracia a cualquier precio, haciendo todo lo posible para que la población no se enterara de que en el mundo había una crisis que podía poner en peligro la precaria estabilidad interna. Así fue como la crisis del petróleo del 73 no llegó a la ciudadanía española hasta los años 80. Como pasar la crisis a los ciudadanos no habría sido una buena carta de presentación para la flamante democracia, se creó un Estado del bienestar y se garantizó todo lo que se podía garantizar: cultura, educación, sanidad, prestación de desempleo, etc., todo pagado artificialmente con la fabricación de moneda y una inflación de dos dígitos. De esta manera el Gobierno no se limitó a las tareas que le eran propias, sino que entró también en la cobertura de necesidades individuales proporcionando comida, refugio, trabajo, sanidad, educación, vacaciones para los jubilados, etc., y así los españoles nos creímos liberados de toda responsabilidad en esos ámbitos y empezamos a comportarnos como espectadores pasivos, exigiéndole que cumpliera con aquellas cosas a las que se había comprometido.

- Es así como se delegó a la profesión médica, no solo la responsabilidad de las heridas traumáticas o de las enfermedades graves, sino también el deber individual de velar por la salud y el bienestar propio y del resto de la familia. En respuesta, la profesión médica intentó satisfacer las expectativas que la sociedad le había depositado, poniendo toda su confianza en un modelo altamente tecnológico, centrado en fármacos y cirugía.

- De igual manera llevamos los niños a las escuelas delegando nuestra responsabilidad como padres, y por tanto como educadores, a unas instituciones y a un modelo creado desde arriba, que pensamos que sería bueno y lo tendría todo previsto para formar las mejores personas para el futuro. Así aliviamos nuestra incertidumbre sobre cuál sería la mejor manera de educarlos y qué valores debíamos transmitirles. Como la escuela no quería defraudar las expectativas de la sociedad, pero sí marcar una diferencia con la etapa de la dictadura anterior, creó el modelo menos frustrante posible, así que lo hizo permisivo, borró cualquier indicio de autoridad de los maestros y devaluó el valor del esfuerzo y de las evaluaciones para los alumnos

- Por otra parte entramos a trabajar en corporaciones que se convirtieron en el centro de nuestra vida. Primero solo tenían que pagarnos un sueldo pero, cuando se difuminó la influencia de otras instituciones (como la familia, los vecinos o la iglesia), les confiamos nuestras inquietudes más personales como el sentimiento de pertenencia, los contactos sociales o las señas de identidad (por eso no decimos que "soy fulano de tal" sino "soy contable de Pirelli") y lo que es peor, valoramos nuestra felicidad y autoestima en función del éxito logrado en el trabajo.

Lo que estamos empezando a ver ahora, propiciado por la crisis económica, pero que en otros países lo vieron hace años, es que todas estas instituciones nos han fallado en muchos aspectos y con frecuencia sus fracasos son tan manifiestos que resultan muy difíciles de disimular, incluso para la clase política que ha hecho todo lo posible para alejar a la ciudadanía de la realidad, suponiendo que su minoría de edad no la capacita para entender la situación política y económica del país.

- A nivel sanitario estamos empezando a entender que no se puede medicalizar la vida con fármacos adictivos como tranquilizantes, estimulantes, pastillas para adelgazar, laxantes, etc.

- A nivel escolar los fracasos que estamos descubriendo, en las comparaciones con otros países, principalmente de los centros públicos, ponen en entredicho la bondad del modelo y evidencian que el problema no es puntual, sino una larga, lenta y constante decadencia que hay que analizar y enmendar en beneficio de las próximas generaciones y del país.

- Y en el campo del trabajo, los más de cinco millones de parados actuales, suponen un drama económico y familiar de primer orden y ponen de manifiesto la incapacidad de las empresas para dar respuesta a las expectativas individuales que habíamos depositado en ellas.

Todas estas situaciones suponen una tremenda frustración respecto a muchas instituciones que creíamos dignas de confianza y harán que nos preguntemos: *"¿en qué y en quien podemos confiar?"* La respuesta a la que llegaron en otros lugares, y a la que quizá tendremos que llegar nosotros, a la vista de la actual crisis económica y de valores, de los recortes presupuestarios y, quien sabe, si del final del Estado del bienestar, es: *"en nosotros mismos"*. Entonces empezaremos a volvernos más autosuficientes, a interesarnos por nosotros mismos y por ayudar a los demás cuando lo necesiten. La autoayuda significa tomar consciencia de la propia responsabilidad individual y hacia los demás, y actuar en consecuencia. Hay un importante movimiento en este sentido que va desde la decisión de llevar una vida sana y responsable; a la ayuda a los demás con actividades diversas de voluntariado; la gestión de la propia carrera profesional, que ya no depende de las instituciones sino de cada individuo; o el deseo de participar de forma directa en los temas más próximos (democracia participativa directa, etc.), entre muchas otras. Pero la autoayuda puede ir más allá, puesto que también supone dar respuestas a demandas que las instituciones no pueden o no saben resolver con eficacia, como los grupos de vigilancia nocturna para evitar delitos, conseguir alimentos para los necesitados, ayudar en caso de catástrofes o reconstruir casas sin asistencia gubernamental.

- En al ámbito sanitario la autoayuda supone aceptar la responsabilidad de los propios hábitos alimentarios, de las condiciones ambientales del hogar o de la manera de vivir, y se manifiesta con un gran interés por la nutrición, la vida sana y la actividad física así como por nuevos remedios de todo tipo, cada día más presentes en nuestro entorno (acupuntura, masajes, dietas, homeopatía, flores de Bach, terapia vitamínica, etc.), pero también por herramientas centradas en la persona y en su relación con los demás como los textos de autoayuda, la PNL, la terapia gestáltica, etc. En definitiva eliminando la idea de que nuestra salud es responsabilidad exclusiva del médico y por tanto podemos fumar tres paquetes de cigarrillos al día durante treinta años, para después exigir el trasplante de pulmón, porque si lo hacemos es posible que, en una situación de crisis y de recortes por unos recursos siempre limitados, alguien no esté dispuesto a pagar la factura de la intervención, como ya sucede en otros países.

- En educación, la autoayuda supone una mayor participación de los padres en todo el proceso formativo, aceptar que la frustración es una parte natural del proceso vital y por tanto de la educación, y retornar la autoridad a los maestros. Esto implica que los padres hagan una supervisión más estrecha de la tarea que lleva a cabo la escuela, con la que se tiene que ser bastante más exigente. No hablo de modelos ideológicos sino de eficacia educativa para el futuro de nuestros jóvenes, por ello el debate entre "público o privado" está fuera de lugar y hay que ir solo a preservar aquellos que obtengan mejores resultados, incluida la formación en el domicilio si los padres están cualificados y lo quieran hacer. Lo ideal sería lograr un pacto político para crear una escuela pública de calidad, liderada por pedagogos expertos, y alejarla de los intereses partidistas de cada momento, algo extremadamente difícil en un país como el nuestro donde la clase política lo considera todo como parte del botín electoral y se considera en la obligación de adoctrinar a las nuevas generaciones en beneficio propio.

• Por último, a nivel laboral, los trabajadores están buscando cada vez más la independencia de las grandes corporaciones, ya sea trabajando para pequeñas empresas o creando las suyas propias y haciéndose autónomos, lo que ha motivado a algunos a decir que estamos pasando de una sociedad de directores a una sociedad de empresarios. En Estados Unidos más del 10% de la población está autoocupada y el 99% de las empresas tienen menos de 500 trabajadores, la mayor parte creadas por individuos que quieren ser sus propios jefes.

CONCLUSIÓN

Todo esto es lo que pronostican los expertos que sucederá en el mundo en las próximas décadas, unos cambios importantes, ¿no les parece? Muchas de las tendencias que estos autores pronosticaban desde los 80 y 90, las tenemos ahora entre nosotros, pese a que hay quien todavía no se ha enterado de que, como decía Bob

Dylan, *los tiempos están cambiando*. Lo peor es que tampoco parece que se hayan enterado muchos dirigentes de empresas, sindicalistas, líderes políticos y autoridades de todo tipo, que continúan anclados en un pasado ya lejano. El problema de este desconocimiento es que sin intuir el futuro no podremos anticiparnos a él, porque el mañana será una cosa u otra en función de que integremos estas tendencias y sepamos adaptarnos a ellas para que trabajen a favor nuestro. Al futuro no nos lo encontraremos por casualidad una mañana yendo a comprar el periódico ni nos dirá, *por favor haced estas cosas que harán a vuestros productos más atractivos que los de la competencia, haced estas inversiones que generaran puestos de trabajo y proporcionarán una riqueza sin precedentes.* No, no van así las cosas, el futuro tenemos que crearlo, anticipándonos a las circunstancias, sabiendo qué queremos, dibujándolo, planificándolo y trabajando con todas nuestras fuerzas para lograrlo. El éxito dependerá de todo esto pero sobre todo de no ir en contra de las tendencias por las que discurre el mundo, siempre ha sido así y lo continuará siendo, aunque nosotros no seamos plenamente conscientes de ello porque, como se mencionó antes, siempre nos mantuvimos al margen de tales corrientes.

Algunos creen que la realidad es como un *puzzle* donde cada elemento, cada ficha, es necesaria y encaja con todas las demás para hacer un dibujo preestablecido, que supone una determinada perspectiva de la situación. Si falta alguna se produce un vacío y todo el mundo puede ver el hueco, que permanece así hasta que aparece la pieza en cuestión. Otros en cambio piensan que es más bien un magma amorfo en constante movimiento y sin dibujo preestablecido. Cuando una parte falta, el magma se desplaza hasta llenarlo todo, dando lugar a un dibujo diferente, sin admitir vacío alguno. De la misma manera, cuando aparece una pieza nueva, potente y con entidad para destacar, ella misma emergerá del fondo del magma y se hará un hueco propio configurando un nuevo dibujo que la integrará. Nadie sabe cómo podemos hacer que nuestra pieza tenga esa entidad pero dos cosas son seguras: la primera, que nadie lo hará por nosotros; y la segunda, que no saldremos adelante si lo hacemos en contra de la dirección hacia dónde camina el mundo.

EPÍLOGO

El final es el lugar del que partimos.

Thomas S. Elliot[90]

Queridos lectores, hemos llegado al final. Podríamos continuar con muchos más temas pero creo que ya ha quedado de manifiesto la necesidad que tenemos de disponer de un manual de instrucciones para hacer funcionar todo esto. Al principio ya advertí que no sería demasiado políticamente correcto, pues lo que me interesaba era la reflexión y no quedar bien con nadie. Espero que el libro haya servido para ese propósito y que ahora tengan más preguntas y opiniones, no necesariamente mejores ni peores, sobre los temas tratados.

Solo quiero hacer una última observación. Como habrán podido comprobar, he sido bastante duro con el pueblo español, con la ciudadanía, algo que es poco habitual ni en los medios de comunicación, que necesitan nuestro visto bueno para vender más periódicos o tener más audiencia; ni entre los políticos, que creen que deben explicarnos solo lo mínimo para que no les molestemos demasiado y les continuemos votando, por eso debo explicarles el motivo que me ha llevado a esta actitud, que no es la animadversión sino el deseo de que la sociedad despierte de una vez y se ponga en su lugar. He tratado al cuerpo social con dureza porque con demasiada frecuencia nos hemos dejado robar nuestro país

---

90   Thomas S. Elliot (1888-1965) fue un poeta y dramaturgo norteamericano. Recibió el premio Nobel de Literatura en 1948.

por golpistas, visionarios y salvadores de la patria de uno y otro color que siempre nos han hecho creer que aquí no cabíamos todos y que el país no podía admitir más que una corriente de opinión, una actitud que nos ha mantenido alejados del mundo para no llevarnos a ninguna parte. Ahora tenemos una gran oportunidad, ya que nuestra entrada en Europa supone la incorporación de pleno derecho en la primera división mundial, pero debemos ganarnos la titularidad y ello solo podremos hacerlo si decidimos eliminar todas estas deficiencias y diseñar un buen manual de instrucciones. El pueblo, la ciudadanía, debe entender que es la propietaria de estos negocios que se llaman España y Cataluña y que ha contratado a unos empleados, que son los políticos y gestores, a los que debe exigir un funcionamiento impecable para tales empresas y, si no obtiene los resultados esperados, debe cambiarlos por duro que sea.

Miren, amo a este país, ¿cómo no amarlo si es el mío? Es la tierra de mis padres y donde viven mis hijos, por tanto no lo duden ni un instante. Pero con la misma sinceridad les debo confesar que no estoy orgulloso de ella. No se deberían sorprender porque también hay gente que ama a sus hijos y no se sienten orgullosos de ellos. No puedo estar satisfecho de nuestros golpes de estado, de las constantes guerras civiles, de los innumerables dictadores, del hambre que hizo emigrar a millones de personas, del provincianismo, del persistente retraso tecnológico y científico, del bajo peso en el concierto de las naciones, de la baja calidad de nuestros productos, de la escasa productividad que ahora se pone más de manifiesto cuando debemos competir a nivel mundial, de tener la tasa de paro más alta de Europa y de tantas otras cosas. Todo esto solo lo puede cambiar el pueblo, exigiendo a sus empleados (los políticos y gestores) medidas para mejorar en todos estos ámbitos, fortaleciendo la democracia y el Estado de derecho que nos hemos dado, cambiando el sistema electoral para sustituir a los profesionales de la política por profesionales de verdad que decidan trabajar para el país, devolviendo la dignidad a la política para atraer a los mejores y que saquen al país hacia delante.

No debemos tener miedo de impulsar tales cambios, sino todo lo contrario, nuestro objetivo debe ser siempre fortalecer la democracia y el Estado de derecho, por encima de todo. No debemos escuchar a aquellos que quieran perpetuar un sistema que se ha pervertido tanto como el actual, con el argumento de que cambiarlo o exigir responsabilidad y transparencia a los políticos debilitará la democracia, ya que no es cierto y únicamente quieren preservar un sistema del que se aprovechan gracias a nuestros miedos. Cuando en Estados Unidos dimitió el presidente Richard Nixon, por mentirle al pueblo, la democracia norteamericana no se debilitó sino todo lo contrario, se fortaleció cuando todo el mundo comprobó que era cierto que nadie estaba por encima de la ley y ello proporcionó más confianza en la democracia, y fue un ejemplo para todas las instituciones que recordaron, si es que alguna vez lo habían olvidado, que tenían unas herramientas excelentes para luchar contra la mentira y la corrupción: las leyes soberanas, que estaban incluso por encima del hombre más poderoso de la Tierra. Pero todavía hay más, ya que el país no se paró, ni hubo ninguna hecatombe, demostrando así que no hay nadie que sea imprescindible, que en aquel país no dependen de ningún salvador de la patria y que la democracia y las leyes son la única garantía verdadera del buen funcionamiento de las instituciones.

Podríamos recordar a George Washington renunciando a todos sus cargos militares y regresando a su plantación de Mount Vernon, tras vencer en la Guerra de Independencia, por no querer aprovechar su popularidad para convertirse en dictador del país, un gesto que le valió el sobrenombre de "el Cincinato americano", por el legendario general romano que, en el siglo V AC, fue llamado a su granja y proclamado dictador para que condujese el ejército romano contra un enemigo amenazante. Condujo el ejército a la victoria y luego renunció inmediatamente a la dictadura para volver a sus campos. Hay que ser muy humilde y amar y respetar profundamente a un país y a sus ciudadanos, para tratarles con la madurez y el respecto que supone ofrecerles un sistema que no dependa de salvadores de la patria, donde nadie sea imprescindible para que todo siga funcionando.

¡Qué distinto del trato que nuestros políticos nos proporcionaron tras la dictadura! Con una arrogancia y prepotencia que pronto se puso de manifiesto, se erigieron en salvadores de un pueblo al que siempre han despreciado por considerarlo inmaduro e incapaz de entender el país y el mundo, por eso crearon un sistema que les perpetuara en el poder (una sola vuelta electoral, listas cerradas, sin límite en el número de legislaturas que se puede ocupar un cargo de máxima responsabilidad) haciéndonos creer que sin ellos el país estaría perdido y desamparado. Unos políticos que dicen amar a España pero que ni la aman a ella ni a sus ciudadanos, de los que sólo se acuerdan una vez cada cuatro años para que legitimen su ascenso al poder. Unos políticos que sólo se aman a ellos mismos y a las prebendas que puedan conseguir por medio del cargo, por eso aún no han corregido aspectos fundamentales para la dignidad democrática del país, como la ley de financiación de los partidos políticos o de los entes locales, ni se han planteado en serio rendir cuentas o pedir responsabilidades por las gestiones realizadas a bancos, empresas y partidos que han actuado de forma irresponsable e inmoral, medidas que evitarían la mayor parte de los escándalos de corrupción que sufrimos constantemente, porque les obligaría a ser transparentes que es precisamente lo que no desean, por eso se mantienen firmes aunque ello suponga el desprestigio de toda la clase política y el descrédito español en todo el mundo.

En uno de sus libros Miguel Ángel Cornejo (del que ya he hablado en otro capítulo) explica lo que le ocurrió cuando fue a Israel y visitó un Kibutz, una pequeña comunidad agrícola con unas cuantas hectáreas sembradas en medio del desierto. Salió a recibirle su director, que era el prototipo del israelí que ha ido a colonizar aquel territorio, y tuvieron la siguiente conversación:

Pregunta (P). ¿Dónde nació usted?

Respuesta (R). En Canadá.

P. ¿Qué hacía usted en el Canadá?

R. Lo mismo que aquí, era campesino.

P. ¿Cuánto ganaba en su país de origen?

R. Aproximadamente unos 7.000 dólares mensuales.

P. ¿Cuánto gana en Israel?

R. Mil dólares mensuales.

P. ¿Es usted casado o soltero y qué edad tiene?

R. Tengo 58 años y efectivamente estoy casado y tengo tres hijos.

P. Tengo entendido que en Israel todos los jóvenes, hombres y mujeres, deben hacer el servicio militar obligatorio durante tres años; ¿sus hijos ya lo han hecho?

R. Sí, todos, tenía cuatro, pero uno de ellos murió en el frente de guerra. Es duro despedirse de los hijos y no saber si los volverás a ver.

P. Entiendo, como padre que soy, que la ley de la naturaleza nos pide que veamos morir a nuestros padres, pero me imagino que debe ser terriblemente doloroso ver morir a un hijo. ¿Cuál es su experiencia?

R. Es terrible, se muere gran parte de uno mismo.

P. El Estado de Israel también pide a los adultos que presten servicio militar 30 días al año. ¿Usted cumple con esta obligación?

R. Tengo 58 años y hace 20 consecutivos que le tengo que decir adiós a mi esposa sin tener la seguridad de si volveré.

P. *¿Cuántos años lleva en este kibutz y cuantas familias forman la comunidad?*

R. Vivimos aquí 20 familias y hace 10 años que estoy en esta comunidad.

P. *¿Qué le dieron cuando vino a colonizar esta zona?*

R. Era solo desierto; nos tocó vivir los dos primeros años en campamentos provisionales y todo esto verde que ahora puede ver es el resultado de años de paciencia y cuidado de la tierra.

P. *(Finalmente no pude más y le pregunté angustiado) ¿Me puede explicar por qué dejó Canadá por este desierto, por qué sacrificó sus ingresos personales, si tanto usted como sus hijos corren peligro de muerte?, ¿por qué, después de haber perdido un hijo, continua aquí?, ¿por qué se arriesga usted cada año a morir?, ¿cómo soporta este clima y tantas adversidades?, ¿por qué?*

R. (Él se arrodilló, cogió un poco de tierra, abrió mi mano y la depositó en ella). Esta es mi nación, es el lugar al que pertenezco, es la única herencia que le puedo dejar a mis hijos, es la libertad, un lugar de pertenencia, es la tierra de mis antepasados, es la tierra donde he venido a sembrar mis ideales, mi propia historia.

¿Hay líderes con ese tipo de compromiso en nuestro país? Y nosotros, ¿amamos a nuestra tierra de esa manera? ¿Tenemos el mismo sentido de pertenencia? ¿Somos conscientes de que este país es nuestro origen, el lugar donde nos alimentamos, donde vivieron nuestros antepasados y donde nos educamos? ¿Entendemos que este es nuestro hogar y por tanto que debemos aceptar el pasado, mientras somos los artífices de nuestro futuro? Entonces, ¿qué estamos dispuestos a hacer para mejorarlo?

Manresa, julio de 2013

BIBLIOGRAFÍA RECOMENDADA

1. Abadía. Leopoldo. La crisis Ninja y otros misterios de la economía actual. 3ª Edición. Espasa. Madrid. 2009.

2. Amela, Víctor & Sanchís, Inma & Amiguet, Lluís. Haciendo la contra 2. Nueva selección de las 101 mejores entrevistas comentadas. Ediciones Martínez Roca S.A. Madrid. 2004

3. Andersen, Hans Christian. Cuentos de Andersen. Editorial Bruguera. Barcelona. 1966

4. Asimov, Isaac. Cronología de los descubrimientos: la historia de la ciencia y la tecnología al ritmo de los descubrimientos. Ariel Ciencia. Barcelona. 1990

5. Asimov. Isaac. El nacimiento de los Estados Unidos (1763-1816). Alianza Editorial. Historia universal Asimov. Madrid. 2010.

6. Belasco, James A. Enseñar a bailar al elefante: Cómo hacer que el cambio sea posible en su organización. Plaza y Janes editores S.A. Gestión e innovación. Barcelona. 1992.

7. Bennett: William J. El libro de las virtudes: maravillosos fragmentos que inspiran el bien en la mente y en el corazón. Javier Vergara Editor S.A. Buenos Aires. 1995

8. Berra, Tim M. Darwin: La historia de un hombre extraordinario. Tusquets editores. Meta Breves. Barcelona. 2009

9. Calatayud, Emilio $ Morán, Carlos. Mis sentencias ejemplares. La esfera de los libros. Madrid. 2008.

10. Cardona, Gabriel. Cuando nos reíamos de miedo: crónica desenfadada de un régimen que no tenía ni pizca de gracia. Editorial destino. Colección Imago mundi. Volumen 184. Barcelona. 2010.

11. Cipolla, Carlo Mª. Allegro ma non troppo. Editorial Crítica. Colección Drakontos. Barcelona. 1991.

12. Constitució espanyola. Publicacions del Parlament de Catalunya. 2ª edición. Barcelona. 1986.

13. Cornejo, Miguel Ángel. El ser excelente. Editorial Grad, S.A. México. 1990.

14. Covey, Stephen R. Los 7 hábitos de la gente eficaz: la revolución ética en la vida cotidiana y en la empresa. Ediciones Paidós. Paidós empresa 16. 3ª edición. Barcelona. 1993.

15. Culla, Joan B. El mundo contemporáneo. Círculo de lectores. Barcelona. 2000.

16. De los Santos, Diego. Las mujeres que no amaban a los hombres: El régimen feminista en España. Almuzara. 2010.

17. Diccionario de la Lengua Española. Real Academia Española. 20ª Edición. Madrid. 1984.

18. Doval, Gregorio. El libro de los hechos insólitos. Círculo de lectores. Barcelona. 1997.

19. Ekaizer, Ernesto. Indecentes: Crónica de un atraco perfecto. Espasa libros S.L.U. Barcelona. 2012.

20. Elliot, J.H. La España imperial 1469 – 1716. Editorial Vicens – Vives. Barcelona. Primera reedición. 1987

21. Eslava Galán, Juan. El enigma de Colón y los descubrimientos de América. Editorial Planeta. Barcelona. 1992.

22. Fawcett, Bill. Como perder una batalla: planes disparatados y grandes errores militares. Inédita editores, S.L. Barcelona. 2009.

23. Fischer, Stanley & Dornbusch, Rudiger $ Schmalensee. Rochard. Economía. Segunda edición. McGraw-Hill/Interamericana de España, S.A. 1989.

24. Galbraith, John K. & Salinger, Nicole. Introducción a la economía: Una guía para todos (o casi). Grijalbo Mondadori. 1979.

25. Gardner, Howard. Inteligencias múltiples: La teoría en la práctica. Paidós. Surcos 16. 1ª edición. Barcelona. 2005.

26. González, Dolors. La Fageda història d'una bogeria: Las claus de l'èxit d'un projecte social y empresarial. La Magrana. Barcelona. 2008.

27. González-Trevijano, Pedro. Círculo de lectores. Galaxia Gutemberg. Barcelona 2010

28. Gratzer. Walter. Eurekas y euforias: Como entender la ciencia a través de sus anécdotas. Crítica. Barcelona. 2002

29. Greene, Robert. Las 48 leyes del poder. Cuarta edición. Espasa. Madrid. 2002.

30. Hawking, Stephen. A hombros de gigantes: las grandes obras de la física y la astronomía. Crítica. Barcelona. 2004.

31. Huxley, Julián & Kettlewel, H.D.B. Darwin. Salvat. Biblioteca Salvat de Grandes biografías. Barcelona. 1987

32. Jaworski, Joseph. Sincronicidad: El camino interior hacia el liderazgo. 3ª reimpresión. Paidos Plural. Madrid. 2010.

33. Kleinbaum, N.H. El Club de los poetas muertos. Círculo de Lectores. Barcelona 1990.

34. Latorre, Ángel. Introducción al derecho. 5ª edición. Editorial Ariel S.A. Barcelona. 1989.

35. Le Guin, Ursula K. Lao Tse: Tao te king. Debate editorial. Barcelona. 1999.

36. Macip, Salvador. Las grans epidèmies modernes: la lluita de l'home contra els enemics invisibles. La Campana. Barcelona. 2010.

37. Mandela, Nelson. El largo camino hacia la libertada: la autobiografía de Nelson Mandela. Santillana Ediciones Generales SL. 2010.

38. Marlow, Stephen. Memorias de Cristóbal Colón. Círculo de Lectores. Barcelona. 1987.

39. Mayor Zaragoza, Federico. Mañana siempre es tarde. Círculo de lectores. Barcelona. 1987.

40. Moliere: El médico a palos. Biblioteca Edaf de bolsillo. Madrid. 1985.

41. Naisbitt, John. Macrotendencias: Diez nuevas orientaciones que están transformando nuestras vidas. Editorial Mitre. Barcelona. 1983.

42. Nieto, Alejandro. La organización del desgobierno. 4ª edición. Editorial Ariel S.A. Barcelona. 1988.

43. Nightingale, Jim. La estupidez de los más listos: Errores en la toma de decisiones y cómo evitarlos. Gestión 2000. Barcelona. 2009.

44. Ortega y Gasset, José. España invertebrada. Círculo de lectores. Barcelona. 1994.

45. Pérez Royo. Javier. Las fuentes del derecho. 4ª edición. Tecnos. Madrid. 1984.

46. Peters, Thomas & Waterman, Robert. En busca de la excelencia: Lecciones de las empresas mejor gestionadas de los Estados Unidos. Ediciones Folio. Barcelona. 1984.

47. Piedrola Gil y AAVV. Medicina preventiva y salud pública. 10ª edición. Editorial Masson. Barcelona. 2001.

48. Rahola, Pilar. La màscara del rei Artur. La magrana. 2ª edición. Barcelona. 2010.

49. Rifkin, Jeremy. El fin del trabajo. Paidos. Estado y Sociedad. 1ª edición, Barcelona 1997.

50. Ritley, Matt. El optimista racional: ¿Tiene límites la capacidad de progreso de la especia humana? Taurus pensamiento. 2010.

51. Roberts, Royston M. Serendipia: descubrimientos accidentales en la ciencia. Alianza Editorial (núm. 1557). Madrid. 1992.

52. Roig, Xavier. La dictadura de la incompetencia. La campana. Barcelona. 2008.

53. Rosanas, Josep M. Cómo destrozar la propia empresa y creerse maravilloso: claves para evitar las malas prácticas empresariales. Granica. Puente aéreo. Barcelona. 2003.

54. Saint-Exupéry, Antoine de. El Petit príncep. Emece editors. Barcelona. 5ª edición. 1995.

55. Sala y Martí, Xavier. Economía liberal para no economistas y no liberales. Plaza y Janes editores S.A. 1ª edición. 2002

56. Schwanitz, Dietrich. La cultura: todo lo que hay que saber. Taurus Pensamiento. 6ª edición. Madrid. 2002.

57. Señor, Luís. Diccionario de Citas. Espasa Calpe, S. A. Madrid. 1997.

58. Shah, Idries. Cuentos de los derviches. Paidos orientalia. Barcelona. 1972.

59. Thomas, Bob. Walt Disney personaje inimitable. Iberonet. Serie biografías, núm. 3. Zaragoza. 1994.

60. Topolanski, Ricardo. El arte y la medicina. Montevideo. 2004-2006

61. Trias de Bes, Fernando. El hombre que cambió su casa por un tulipán: Qué podemos aprender de la crisis y cómo evitar que vuelva a suceder. Editorial Planeta. Premio de hoy. 2009.

62. Voltes, Pedro. Errores y fraudes de la ciencia y de la técnica. Planeta. Colección memoria de la historia. Barcelona 1995.

63. Weber, Max. La ética protestante y el espíritu del capitalismo. Ediciones Península. Historia/ciencia/sociedad núm. 47. 8ª edición. Barcelona. 1988.

64. Wonnacott, Paul & Wonnacott, Ronald. Economía. 3ª edición. McGraw-Hill/Interamericana de Méjico S.A. de C.V. 1988.

65. Ziglar, Zig. Nos vemos en la cumbre. Iberonet. S.A. Serie superación núm4. Madrid. 1993.